LES MANDIBLE

DU MÊME AUTEUR

Il faut qu'on parle de Kevin, Belfond, 2006 ; J'ai Lu (n° 8605), 2011
Big Brother, Belfond, 2014 ; J'ai Lu (n° 11320), 2016

LIONEL SHRIVER

LES MANDIBLE

Une famille, 2029-2047

*Traduit de l'américain
par Laurence Richard*

belfond

Titre original :
THE MANDIBLES: A FAMILY, 2029-2047
publié par HarperCollins Publishers, New York

Retrouvez-nous sur www.belfond.fr
ou www.facebook.com/belfond

Éditions Belfond
12, avenue d'Italie, 75013 Paris.
Pour le Canada,
Interforum Canada, Inc.,
1055, bd René-Lévesque-Est,
Bureau 1100,
Montréal, Québec, H2L 4S5.

ISBN : 978-2-7144-7423-0

Belfond | un département **place des éditeurs**

place
des
éditeurs

À Bradford Hall Williams.

*Bien que tu n'aies eu que peu de temps pour les romans,
tu aurais aimé celui-ci.
Qui aurait pu imaginer qu'un misanthrope acariâtre
puisse être autant regretté ?*

« L'effondrement est une forme de simplification
soudaine, involontaire et chaotique. »

James Rickards, *La Guerre des monnaies*

2029

1

Eau grise

— NE TE LAVE PAS LES MAINS À L'EAU PROPRE !
Ce rappel à l'ordre qui se voulait anodin avait claqué comme un reproche. Florence n'avait aucune envie de jouer les *cacaviocs*, comme aurait dit son fils. N'empêche : les règles du foyer étaient simples. Et Esteban semblait mettre un point d'honneur à les transgresser. Pourtant, il n'avait que l'embarras du choix, sans gâcher l'eau, pour prouver qu'il n'était pas sous la coupe d'une femme dans sa (pleine) maturité. Il était d'une beauté si insolente qu'elle lui aurait tout passé ou presque.

— Pardonnez-moi, mon Père, parce que j'ai péché, murmura Esteban en plongeant ses mains dans la cuvette en plastique de l'évier qui recueillait l'écoulement du robinet.

Des petits morceaux de chou flottaient à la surface.

— À quoi bon, maintenant ? demanda Florence. Pourquoi utiliser la grise, puisque tu as déjà pris la propre ?

— J'obéis aux ordres, répondit son compagnon.

— Ce serait bien la première fois.

— Dis-moi, qu'est-ce qui t'a mise de si charmante humeur ? Un problème à Adelphi ?

Il essuya ses mains désormais grasses sur le torchon plus graisseux encore (autre règle du foyer : un rouleau d'essuie-tout devait faire six semaines).

— Des problèmes, il n'y a que ça, à Adelphi, grommela-t-elle. Drogue, bagarres, vols. Des bébés couverts d'eczéma qui hurlent. C'est comme ça, dans les refuges pour sans-abri. Franchement, je n'arrive pas à comprendre pourquoi c'est la croix et la bannière pour obtenir des résidents qu'ils tirent la chasse. Alors que, dans cette maison, c'est le comble du luxe.

— J'aimerais bien que tu trouves autre chose.

— Moi aussi. Mais garde-le pour toi. Ma réputation de sainte en prendrait un sacré coup.

Florence se remit à couper le chou – une option qui restait économique, même à vingt dollars pièce. Combien de temps encore son fils pourrait-il en avaler avant que ce légume lui sorte par les yeux ?

Les gens ne tarissaient pas d'éloges sur l'abnégation avec laquelle elle assumait depuis quatre longues années déjà un emploi aussi contraignant et ingrat. Mais cela n'avait rien à voir avec une supposée nature angélique. Après qu'elle eut enchaîné les petits boulots mal payés, le plus souvent à temps partiel, il ne subsistait en elle rien ou presque de l'altruisme quelque peu naïf qui avait motivé sa décision stupide d'opter à Barnard pour un double cursus en études américaines et en politique environnementale. La moitié des emplois qu'elle avait occupés avaient disparu, puisque, du jour au lendemain, telle ou telle innovation était devenue obsolète ; elle avait ainsi travaillé pour une entreprise qui commercialisait des sous-vêtements longs électriques censés permettre des économies de chauffage, puis, soudain, les gens n'avaient plus voulu que des sous-vêtements en graphène électrifié. D'autres emplois avaient été supprimés suite à l'introduction, lorsqu'elle était jeune adulte, des *bots* (pour robots) que, pour des raisons évidentes, les travailleurs américains contraints à la reconversion avaient rebaptisés *bobards*. Elle avait occupé son poste le plus prometteur dans une start-up qui fabriquait de délicieuses barres protéinées à base de poudre de criquet. Pourtant, quand Hershey's avait commencé à commercialiser en masse un produit similaire mais notoirement plus gras, le marché des snacks à base d'insectes s'était effondré. Alors, lorsqu'elle était tombée sur l'annonce d'un poste à pourvoir dans un centre d'hébergement à Fort Greene, elle avait posé sa candidature, par calcul astucieux teinté de désespoir : quelles que soient les pénuries, New York ne serait jamais à court de sans-abri.

— Maman ?

Willing se tenait dans l'encadrement de la porte.

— C'est pas mon tour, pour la douche ?

La dernière douche de son fils de treize ans remontait à cinq jours seulement, et Willing savait pertinemment que la règle stipulait une douche par semaine et par personne (ils se servaient de flacons de shampoing sec). En outre, il se plaignait que rester sous leur pommeau de douche à ultra-économie d'eau, c'était comme « faire une balade en plein brouillard ». Certes, les fines gouttelettes ne facilitaient pas le rinçage de l'après-shampoing, mais, dans ce cas, la solution n'était pas de gaspiller plus d'eau encore. C'était d'arrêter l'après-shampoing.

— Peut-être pas tout à fait... mais vas-y, concéda-t-elle. Et n'oublie pas de fermer l'eau quand tu te savonnes.

— Ça me donne la chair de poule.

Une remarque formulée d'un ton égal. Pas plaintif. Factuel.

— J'ai lu quelque part qu'avoir la chair de poule était bon pour le métabolisme, répliqua Florence.

— Dans ce cas, je dois avoir un métabolisme *d'enfer*, riposta-t-il d'un ton sec, avant de tourner les talons.

Ce n'était pas très juste de sa part de se moquer ainsi de ses expressions datées. Cela faisait des lustres qu'elle aussi utilisait le mot « maléfique ».

— Si tu as raison, et que la situation empire encore avec l'eau, dit Esteban en posant les assiettes du dîner, autant ouvrir les vannes tant qu'on le peut encore.

— J'avoue qu'il m'arrive parfois de fantasmer sur de longues douches bien chaudes, reconnut Florence.

— Ah ouais ?

Il l'enlaça par-derrière, tandis qu'elle découpait une autre moitié de chou.

— Dans le corps de cette petite fille modèle bien raisonnable, il y a une hédoniste qui s'ignore, et qui rêve de liberté.

— Et dire que je me douchais sous des torrents d'eau, la plus chaude possible ! Quand j'étais ado, une fois, il y a eu tellement de condensation qu'on a dû refaire la peinture.

— C'est la chose la plus sexy que tu m'aies jamais racontée, lui murmura-t-il à l'oreille.

— Dans ce cas, c'est déprimant.

Il éclata de rire. Dans son travail, Esteban soulevait des corps, ceux de personnes âgées corpulentes, qu'il installait et extirpait de leurs scooters de mobilité – ou *mobs*, pour reprendre le mot vaguement tendance –, ce qui le maintenait en bonne forme physique. Elle sentait dans son dos ses pectoraux et ses abdominaux durs. Durs et fatigués, certainement, et elle avait beau avoir et faire ses quarante-quatre printemps, en comparaison, elle avait tout d'un perdreau de l'année ; cette sensation avait d'ailleurs quelque chose d'exaltant. Entre eux, le sexe, c'était bien. Peut-être était-ce parce qu'il était mexicain, ou simplement un homme pas comme les autres, mais à la différence de tous les types qu'elle avait connus, il n'avait pas été gavé de films pornos dès l'âge de cinq ans. Il appréciait les vraies femmes.

Non que Florence se considère comme un canon. Sa sœur cadette, elle, avait tiré le gros lot côté physique. Avery était brune, ses courbes étaient délicates, et elle avait cette pointe de fragilité que les hommes trouvaient si touchante. Sèche et robuste de par son mode de vie actif, nerveuse, les hanches étroites, un visage tout en longueur et une chevelure auburn indisciplinée s'échappant sans arrêt du bandana qu'elle portait façon pirate pour maintenir ses boucles récalcitrantes, Florence avait souvent entendu qualifier son physique de « chevalin ». Épithète qu'elle trouvait péjoratif, jusqu'à Esteban, qui, le prenant affectueusement au pied

16

de la lettre, ne se privait pas de flatter la croupe de sa nerveuse jument. Peut-être y avait-il pire que de ressembler à un cheval.

— Moi, j'ai une tout autre philosophie, murmura Esteban dans son cou. On prévoit une pénurie de poisson ? Goinfre-toi de loup du Chili comme si demain n'existait pas.

— Justement, le risque est bel et bien qu'il n'y ait plus de demain.

L'autodérision tempérait son ton de maîtresse d'école ; elle savait que ses airs sévères et un peu collet monté agaçaient Esteban.

— Et si tout le monde réagit à la raréfaction de l'eau en pensant « Après moi le déluge », sans mauvais jeu de mots, en s'octroyant des douches d'une demi-heure, la pénurie arrivera plus vite encore. Mais si ce n'est pas une raison suffisante pour toi… L'eau est chère. *Immense* chère, comme disent les jeunes.

Il lui lâcha la taille.

— *Mi querida*, quelle rabat-joie tu fais ! Si l'Âge-pierre nous a appris une chose, c'est que notre univers peut basculer en un claquement de doigts. Dans les petits répits que nous laissent les catastrophes, autant essayer de prendre du bon temps.

Ça se défendait. À l'origine, elle avait prévu de faire deux repas avec cette livre de porc, leur première viande en un mois. Après l'exhortation d'Esteban à vivre le moment présent, elle décida d'allouer à chacun une généreuse portion de cent cinquante grammes. Troublée par tant de prodigalité et d'abandon, elle se fit cette réflexion : « On est censés faire partie de la classe moyenne ! »

À Barnard, son sujet de thèse, « Les classes sociales, de 1945 à nos jours », avait semblé audacieux, car les Américains se plaisaient à considérer que le concept de classe ne les concernait pas. Mais c'était avant la légendaire récession économique qui avait malencontreusement coïncidé avec son diplôme universitaire. Après, les Américains n'avaient eu que le mot de « classe » à la bouche. En public, Florence avait adopté une façade pragmatique et abrupte, et elle ne faisait pas dans l'auto-apitoiement. Grâce à l'argent que son grand-père lui avait donné pour ses études, les dettes qu'elle avait contractées pour suivre un cursus universitaire inutile étaient bien moins exorbitantes que celles de nombre de ses amis. Il lui était arrivé d'envier la beauté de sa sœur Avery, mais jamais sa vocation ; dans son for intérieur, elle considérait le « physio-mental », la thérapie alternative créée par sa sœur, comme de la pure charlatanerie. Elle avait aussi été bien inspirée de faire l'acquisition d'une maison à East Flatbush, car le quartier, auparavant miteux, était devenu huppé. À Bombay, des émeutes avaient éclaté, car les habitants n'avaient plus les moyens d'acheter des légumes ; elle, au moins, pouvait toujours se payer des oignons. Techniquement, Florence était « mère célibataire », mais, dans ce pays, les mères célibataires dépassaient en nombre les épouses avec enfants, et l'expression elle-même était tombée en désuétude.

Pourtant, ses parents n'avaient jamais semblé percuter. Ils avaient beau répéter à l'envi qu'ils étaient « fiers » d'elle, à plus de quarante ans, elle trouvait insultants les encouragements enjoués qu'ils lui prodiguaient. Quant aux flagorneries sur son travail dans un centre d'hébergement, elles étaient tout bonnement insupportables. Elle ne l'avait pas accepté parce qu'il était louable, elle l'avait pris parce que c'était un job. Le centre d'hébergement fournissait un service public vital, mais, dans un monde parfait, ce service aurait été dispensé autrement.

Certes, ses parents avaient eu eux aussi leur lot d'infortunes. Très longtemps, Carter avait considéré sa carrière de journaliste comme un échec, coincé pendant une éternité au *Newsday* de Long Island, sans jamais décrocher les postes plus en vue et mieux rémunérés pour lesquels il avait le sentiment d'avoir payé son dû. (En outre, son père avait toujours semblé souffrir de la comparaison avec sa sœur

Nollie qui, selon lui, n'avait jamais payé son dû et dont les livres, comme il l'avait laissé entendre à maintes reprises, étaient surfaits.) Pourtant, vers la fin de sa carrière, il avait fini par décrocher un emploi de journaliste au *New York Times* (paix à son âme) qu'il affectionnait tant. C'était seulement un job à la rubrique automobiles, puis, plus tard, à la rubrique immobilier, mais avoir réussi à se faire embaucher par le journal qu'il révérait tant avait été pour lui l'accomplissement de toute une vie. Jayne, la mère de Florence, dont le parcours professionnel était plus chaotique, passait d'un projet apocalyptique à un autre, mais elle avait *dirigé* cette librairie très prisée, Shelf Life, avant que celle-ci fasse faillite ; elle avait *dirigé* ce traiteur artisanal sur Smith Street avant qu'il soit pillé pendant l'Âge de pierre – elle en avait d'ailleurs été si traumatisée qu'elle n'avait jamais réussi à y remettre les pieds. Sans compter que ses parents étaient propriétaires de leur maison – libres et quittes de toute charge ! Ils avaient toujours possédé une voiture. Certes, ils connaissaient les difficultés de tout un chacun pour concilier vie familiale et carrière, mais, au moins, ils avaient une carrière, pas un petit boulot. Quand Jayne était tombée enceinte sur le tard, ils s'étaient inquiétés de la différence d'âge entre ce bébé à naître et leurs deux filles, mais aucun d'eux n'avait connu les angoisses éprouvées par Florence enceinte de Willing, qui s'était demandé alors si elle avait ne serait-ce que les moyens de garder ce bébé.

Dès lors, comment auraient-ils pu comprendre quoi que ce soit aux difficultés que rencontrait leur fille aînée ? Pendant six longues années après son diplôme, Florence avait dû habiter avec ses parents à Carroll Gardens, et cet énorme trou, ce néant, continuait de faire tache sur son CV. Au moins, son jeune frère Jarred, alors lycéen, lui tenait compagnie, mais quelle humiliation, après avoir autant bûché pour décrocher sa licence débile, que de se retrouver à expérimenter de nouvelles recettes de brownies au beurre de cacahuète et aux pépites de chocolat noir à la menthe. Pendant la pseudo-« reprise », elle avait enfin pu déménager, partageant des apparts minuscules et cradingues avec des jeunes de son âge, diplômés comme elle – histoire ou sciences politiques – des universités de l'Ivy League, les huit plus prestigieuses universités du pays, réduits eux aussi à racler les fonds de tiroir, les fonds de verre, à se remettre au café filtre et à revendre ces vieux smartphones qui se brisaient comme un rien et qu'il fallait recharger tout le temps dans les magasins Apple. Pas un seul des boulots nuls qu'elle avait décrochés depuis lors n'avait eu le moindre rapport avec son diplôme.

Certes, les États-Unis avaient réussi à sortir de l'Âge de pierre plus vite que prévu. De nouveau, les restaurants de New York étaient bondés, et la Bourse prospérait. Mais Florence n'avait pas vraiment suivi si le Dow Jones avait atteint 30 000 ou 40 000 points, car cette hausse frénétique ne leur avait nullement profité à eux, Willing, Esteban et elle. Après tout, peut-être ne faisait-elle pas partie de la classe moyenne. Cette étiquette n'était peut-être qu'un vestige de son milieu – elle avait grandi dans une famille éduquée et cultivée –, ce à quoi on se raccrochait pour surtout ne pas être assimilé à ceux qui n'étaient pourtant guère plus mal lotis que soi. Il n'y avait pas tant de plats qu'on pouvait préparer avec des oignons pour seul ingrédient.

— Maman ! s'écria Willing depuis le salon. C'est quoi, une *monnaie de réserve* ?

S'essuyant les mains sur le torchon – l'eau grise et froide n'avait rien retiré de la graisse des galettes de porc –, Florence alla rejoindre son fils, tout juste douché, ses cheveux bruns ébouriffés. Même s'il avait pris quelques centimètres cette année, il était menu et un peu petit pour les quatorze ans qu'il aurait dans trois mois. Enfant, il avait été très turbulent. Pourtant, depuis ce funeste mois de mars il y a cinq ans, il était devenu, si ce n'est craintif – il n'était pas bébé –, mais vigilant. Il était trop sérieux pour son âge, et trop calme aussi. Parfois, elle éprouvait la désagréable sensation d'être observée, comme si elle vivait sous l'œil torve d'une caméra de sécurité. Non qu'elle ait spécialement quoi que ce soit à cacher à son fils. Cependant, la meilleure façon de protéger son intimité n'était pas la dissimulation, mais l'indifférence : faire en sorte que les autres ne soient tout bonnement pas intéressés par vos faits et gestes.

De tempérament sombre pour un cocker – à moins que le pli d'appréhension permanent barrant son front soit le symptôme d'une tension un peu basse pour un chien –, Milo était couché contre son maître, le menton au ras du sol. Son pelage chocolat était vif, mais ses yeux marron semblaient inquiets. Sacrée équipe.

Comme à son habitude à cette heure de la soirée, Willing n'était pas collé devant des jeux vidéo d'extraterrestres et de seigneurs de guerre, mais devant les infos. Dire que pendant des années on n'avait cessé de prédire la mort de la télévision. Les chaînes avaient beau être accessibles en streaming, le format avait survécu : il faisait office de foyer, d'âtre collectif qu'aucun périphérique informatique personnel n'avait vraiment réussi à remplacer totalement. Avec la disparition, partout dans le monde ou presque, des journaux papier, le journalisme avait été abandonné à des cohortes d'amateurs autoproclamés colportant des informations non vérifiées, toujours à des fins idéologiques. En définitive, les journaux télévisés constituaient peu ou prou la seule source d'information à laquelle elle accordait une vague confiance. *Après la chute du dollar en dessous des 40 % de…*, s'époumonait un présentateur.

— Je n'ai pas la moindre idée de ce qu'est une monnaie de réserve, répondit-elle. Je ne suis pas du tout les questions économiques. À l'époque où j'ai fini la fac, les gens n'avaient que ces mots à la bouche : produits dérivés, taux d'intérêt, et un truc nommé LIBOR. J'en ai eu marre, d'autant que ça ne m'a jamais vraiment intéressée.

— Mais ce n'est pas important ?

— Que je m'y intéresse n'a aucune importance. Pendant des années, je t'assure, j'ai lu les journaux de la première à la dernière page. Mes connaissances dans ce domaine, que j'ai oubliées pour la plupart, n'ont jamais fait la plus petite différence. Et franchement, j'aimerais bien récupérer tout ce temps. J'ai cru que les journaux me manqueraient, mais non.

— Ne dis pas ça à Carter, lui conseilla Willing. Ça le blesserait.

Ce « Carter » continuait de la faire tiquer. Ses parents avaient demandé à tous leurs petits-enfants de les appeler par leurs prénoms. Âgés « seulement » de cinquante et cinquante-deux ans quand Avery avait eu son premier enfant, ils s'étaient opposés à « papy » et « mamie », connotation gériatrique à laquelle ils refusaient de s'identifier. Manifestement, ils s'étaient imaginé qu'être « Jayne et Carter » pour la génération suivante induirait une sorte de convivialité égalitaire et chaleureuse, comme s'ils étaient non des aînés, mais des potes. En théorie, ce rejet des conventions était censé donner d'eux une image décontractée et moderne. Mais Florence était mal à l'aise : son fils parlait de ses parents à elle avec plus de familiarité qu'elle-même. Le refus de la nomenclature attachée à leur statut – qu'ils le veuillent ou non, ils étaient les grands-parents de Willing – relevait du déni, et constituait en tant que tel une marque de faiblesse, qui la gênait pour eux, même si eux-mêmes n'avaient pas l'intelligence de percevoir le malaise. Cette camaraderie forcée encourageait non l'intimité, mais le manque de respect. Cette préférence pour « Jayne et Carter », loin d'être vaguement non conformiste, était d'une banalité affligeante pour des baby-boomers. Quoi qu'il en soit, elle ne devait pas reporter son agacement sur Willing, qui se bornait à faire ce qu'on lui demandait.

— Ne t'inquiète pas, je ne dénigre jamais les journaux devant ton grand-père, dit Florence. Mais même pendant l'Âge de pierre, quand tout le monde trouvait horrible ce qui se passait – alors oui, évidemment, certains aspects l'étaient –, moi, je trouvais vraiment cool d'être enfin libérée de tout ce raffut. Désolée, ajouta-t-elle en levant les mains, mais c'était l'insouciance. Tout était léger, calme, ouvert.

Avant, je n'avais jamais pris conscience de la longueur d'une journée.

— Tu t'es remise à lire des livres.

L'évocation de l'Âge de pierre rendait Willing songeur.

— Les livres n'ont pas duré ! Mais, oui, tu as raison, j'ai recommencé à lire des livres. Ceux d'avant, avec des pages. Ta tante Avery trouvait ça « désuet ».

Elle lui tapota l'épaule, avant de le laisser devant ce qui devait être le journal le plus ennuyeux de la Terre. Elle était sans doute la seule mère de tout Brooklyn à avoir un garçon de treize ans fasciné par les bulletins économiques. Tandis qu'elle contrôlait la cuisson du riz, elle s'efforçait de se rappeler l'opinion de son bizarre de fils sur la recrudescence de la malnutrition en Afrique et dans le sous-continent indien, après de telles avancées dans ces régions du monde. C'était proprement scandaleux que les pauvres n'aient pas de quoi se nourrir, avait-elle déclaré à Willing, alors que la planète regorgeait de nourriture. « Non, c'est faux », avait-il répliqué d'un ton obtus, avant de répéter l'explication alambiquée de son arrière-grand-père, à savoir, approximativement : « C'est en apparence seulement qu'il semble y avoir abondance de nourriture. Si on donne plus d'argent aux pauvres, alors les prix augmenteront encore plus, et les pauvres n'auront toujours pas de quoi se payer à manger. » Un raisonnement totalement absurde. Elle aurait été bien inspirée de mieux surveiller la propagande de son grand-père auprès de Willing. Le vieil homme prônait un credo libéral, mais elle n'avait jamais rencontré de personne riche dépourvue d'*instincts* conservateurs. Et l'un de ces instincts consistait à faire passer ce qui était moralement évident (et, le cas échéant, fiscalement gênant) pour terriblement complexe. Alors que, si le riz est trop cher, donnez aux gens les moyens d'en acheter. Point barre.

Tandis que Willing semblait effacé et sur la réserve à l'école, en privé, il lui arrivait parfois d'être légèrement imbu de lui-même.

23

— Au fait, j'ai prévu d'appeler ma sœur après le dîner, dit-elle à Esteban, qui se servait une bière fraîche. J'espère que ça ne t'embête pas de faire la vaisselle.

— Si tu me laisses utiliser de la vraie eau, la vaisselle, je la ferai tous les soirs.

— La grise est aussi vraie que l'autre, juste un peu moins claire.

Elle n'avait aucune envie de revenir une énième fois sur cette question, aussi se sentit-elle soulagée quand il changea de sujet, tandis que les galettes de porc cuisaient dans la poêle.

— Cet après-midi, j'ai rencontré le groupe qu'on emmène au mont Washington, dit Esteban. J'ai déjà identifié l'élément perturbateur. Ce ne sont jamais les clients faibles et vulnérables qui nous donnent du fil à retordre, mais ce genre de super-héros cacochymes. Des hommes, en général, mais parfois aussi des vieilles peaux rafistolées et refaites de partout qui se prennent pour des jeunettes.

Il savait qu'elle n'aimait pas l'entendre parler avec autant de mépris de ses clients, mais sans doute cela lui permettait-il d'évacuer sa frustration.

— Et qui c'est ? Ah, cette viande est pleine d'eau, les galettes de porc vont être complètement bouillies.

— Plus de quatre-vingts ans. Avec des biceps tout maigrichons. Il doit passer des heures dans une salle de sport sans se rendre compte qu'il fait des séries avec des haltères en balsa. Il ne voulait pas écouter mes consignes de sécurité. Tout ce qui l'intéressait, c'était de savoir comment on allait gérer la « différence de rythme » entre les participants, car certains randonneurs ont envie de « repousser leurs limites ». Toujours le même profil. Des types qui font de la course. Du moins, qui en ont fait, avant leur double prothèse de hanche et leurs cinq laparoscopies. Du fric, ils en ont, et ils ont dû réussir un truc dans leur vie avant la nuit des temps. C'est pour ça que personne ne moufte pour leur rappeler qu'ils ne sont que de vieux croulants. En général, leur médecin ou leur conjoint ont posé comme règle qu'ils ne s'aventurent plus dans les bois sans quelqu'un pour les relever s'ils trébuchent dans un ravin et se cassent une jambe. Mais l'idée même d'une randonnée en groupe ne leur plaît pas, ils prennent de haut les autres vieux croulants – « Qu'est-ce que je fous avec ces *cacaviocs* ? » – alors qu'en fait, ils sont comme eux. Ils refusent de suivre les consignes, n'attendent pas les autres. Ce sont eux à qui il arrive des accidents et qui donnent ensuite mauvaise réputation à Over the Hill. Pendant les sorties en kayak, ce sont eux qui se barrent en solo et prennent le mauvais affluent, et à cause d'eux, on est obligés de laisser tomber toute l'expédition pour partir à leur recherche. Tout ça parce qu'ils n'aiment pas suivre un guide. Surtout un guide latino. Ils ont vraiment les boules que les Lats soient aux commandes maintenant, car quelqu'un doit bien…

— Ça suffit ! s'exclama Florence en jetant le chou dans ce qui commençait à ressembler à une soupe au porc. Tu oublies que je suis de ton côté.

— Je sais bien que tu en as marre de mon laïus, mais tu n'imagines pas toute l'animosité que je me prends au quotidien de la part de ces vieilles teignes. Ces vieux schnocks veulent récupérer leur pouvoir, même s'ils se considèrent eux-mêmes comme des progressistes. Ils veulent qu'on reconnaisse qu'ils font preuve de tolérance, et n'ont même pas conscience qu'on ne « tolère » que ce qu'on ne peut pas supporter. Nous aussi, on doit les tolérer, tous ces connards. C'est notre pays tout autant que le leur, à ces ringards de gringos. Et ça le serait encore plus si ces vieux crétins de Blancos se dépêchaient de clamser.

— *Mi amado*, tu vas trop loin ! protesta Florence pour la forme. Je ne veux pas que tu parles comme ça devant Willing.

Florence n'avait jamais besoin de demander à son compagnon de mettre la table, de remplir les verres d'eau et de remettre du sel dans la salière. Esteban avait grandi dans une famille nombreuse, et donner un coup de main lui était naturel. C'était le premier à l'avoir convaincue que, même si elle n'avait *besoin* ni d'un compagnon ni d'aide pour élever son fils, elle pouvait néanmoins *apprécier* d'avoir un homme dans son lit et *apprécier* que Willing puisse bénéficier d'un semblant de figure paternelle – à qui reviendrait le mérite de son parfait bilinguisme. Esteban était de la deuxième génération et il parlait anglais sans accent ; le recours occasionnel à l'espagnol était un jeu, un pied de nez aux stéréotypes que ses clients âgés gobaient tout crus. Il n'était pas allé à l'université mais, pour elle, financièrement parlant, c'était une décision intelligente.

Quant à la question ethnique, contrairement à ce que sa sœur pensait, elle n'avait pas jeté son dévolu sur un Lat pour être tendance (oups ! *fraîche*), pour s'allier à ce qu'elle ne pouvait vaincre, ou pour renier son héritage en raison d'une honte libérale des plus conventionnelle. Indépendamment de ses origines, Esteban était un homme énergique, responsable et débordant de vitalité, et ils avaient beaucoup de points communs, à commencer par cette même sensation d'écœurement permanent. Malgré tout, le choix d'un amant mexicain allait dans le sens de l'histoire – ouverture, mixité, confiance en l'avenir –, et elle devait bien admettre que les origines d'Esteban étaient un plus. Aurait-elle été aussi attirée par lui s'il avait été un homme blanc ordinaire ? La question ne se posait pas. Les gens formaient un tout. Impossible de séparer qui ils étaient de ce qu'ils étaient, et, au final, elle trouvait le teint noisette d'Esteban, sa tresse noire soyeuse et ses pommettes hautes irrésistiblement sexy. Dans son altérité, il agrandissait son monde, lui donnant accès à un univers parallèle américain riche et complexe, que des paranos de droite claquemurés comme sa sœur Avery appréhendaient uniquement sous l'angle d'une menace impénétrable et monolithique.

— Dis, tu te souviens du type qui a emménagé en face l'année dernière ? demanda Florence quand Esteban réapparut pour balayer les petits morceaux de chou répandus sur le sol de la cuisine. Brendan je-ne-sais-quoi. Je me souviens t'avoir dit que c'était un signe qu'aujourd'hui je n'aurais plus les moyens d'acheter une maison dans ce quartier. Il travaille à Wall Street.

— Ouais, vaguement. Banquier d'investissement, tu avais dit.

— Je suis tombée sur lui en allant à l'arrêt de bus ce matin, et on a eu une conversation assez bizarre. Je crois qu'il voulait m'aider. J'ai l'impression qu'il m'aime bien.

— Euh... ça ne me dit rien qui vaille !

— Oh, je suis sûre que c'est encore à cause de cette écœurante réputation de bonté et de compassion qui me colle aux basques. Il m'a dit qu'on devrait sortir « nos investissements » du pays sur-le-champ, aujourd'hui, sans attendre. Transférer tout notre argent liquide en devises étrangères – quel argent liquide ? C'en était presque drôle – et nous retirer de, je cite, « tous nos actifs libellés en dollars ». Il était si théâtral ! Peut-être que les gens comme lui n'ont pas de vie. Il m'a touché l'épaule, m'a regardée droit dans les yeux, du genre : « C'est très sérieux ce que je vous dis là, je ne plaisante pas. » C'était à mourir de rire. Je ne sais pas comment il a pu s'imaginer que des gens comme nous faisaient des « investissements ».

— On pourrait, si ton riche *abuelo* cassait sa pipe.

— Pour qu'on touche le moindre sou de cet héritage, il faudrait que mes parents aussi cassent leur pipe. Alors, ne tente pas le diable.

Même si Esteban n'était pas intéressé, la moindre allusion à la fortune des Mandible – dont personne ne semblait connaître l'étendue exacte – mettait Florence mal à l'aise. Un grand-père paternel riche n'avait pas eu d'impact sensible sur son éducation modeste. Au fil du temps, elle avait fait beaucoup d'efforts pour convaincre son petit ami latino qu'elle n'était pas l'une de ces gringos paresseuses et pleines aux as qui ne méritaient pas la chance qu'elles avaient, et dès qu'il était question d'argent, elle ne pouvait s'empêcher d'avoir ce stéréotype en tête. C'était déjà délicat qu'elle soit propriétaire en titre du 335, 55ᵉ Rue Est, et qu'elle ait refusé les propositions d'Esteban de contribuer au remboursement du prêt. Ils étaient ensemble depuis cinq ans, mais l'autoriser à participer au capital aurait signifié avoir confiance en la solidité de leur relation un peu plus que ce qui semblait approprié, compte tenu des déceptions retentissantes qui avaient précédé Esteban.

— À ton avis, demanda Esteban, qu'est-ce qu'il se passe pour que ce type, sans crier gare, se mette à dire des trucs pareils ?

— Je n'en sais rien. J'ai cru entendre aux infos qu'une banque anglaise avait fait faillite il y a quelques jours. La belle affaire. Je ne vois pas en quoi ça nous concerne. Et hier, je ne sais trop quoi, un truc n'a pas été « refinancé » par un autre truc... ? Tu sais bien que je ne suis pas ces machins-là. Et c'était en Europe, aussi. Après toutes ces années d'« ajustement ordonné » de l'euro, je suis immense épuisée de leurs sempiternels problèmes financiers. Les infos que regardait Willing parlaient d'obligations, j'en suis sûre. Mais je parie que Brendan essayait seulement de m'impressionner. Au fait, en parlant de super bizarre, ajouta-t-elle en remplissant les assiettes, Brendan m'a demandé si on était propriétaires. Quand j'ai répondu oui, en précisant qu'on avait un locataire pour rembourser partiellement le prêt, il a dit : « Être propriétaire pourrait se révéler bienvenu. Le locataire, peut-être plus regrettable. »

Avec les « Vous étiez où quand c'est arrivé ? » – l'assassinat de Kennedy pour la génération de sa grand-tante Nollie, le 11 Septembre pour celle de sa mère –, rien de plus facile que de prétendre se souvenir, et de superposer au passé flou et incertain les faits solides appris par la suite. Willing prit donc la résolution de se souvenir véritablement de ce soir-là – jusqu'à la texture sableuse des galettes de porc, le long conciliabule vidéo entre sa mère et sa sœur après le dîner, puis la vaisselle (routine bien huilée à l'époque). Il garderait humblement à l'esprit que, à ce moment-là, il ne comprenait pas le concept de *monnaie de réserve*. Il ignorait également ce qu'était une *adjudication d'obligations*, même si ces deux notions passaient probablement aux yeux de tout le monde ou presque pour chiantes et on ne peut moins pertinentes depuis des décennies, si ce n'est des siècles. Plus tard, il veillerait bien à s'attribuer ce mérite-là : pendant le journal de 19 heures, même s'il n'avait pas compris – cette « émission d'obligations du Trésor américain », avec sa « flambée des taux d'intérêt » –, il avait bien capté l'intonation.

Depuis l'Âge de pierre, il captait ce genre de chose. Tout le monde pensait que le pire était passé, que l'ordre avait été définitivement et glorieusement restauré. Mais pour Willing, son « Vous étiez où quand c'est arrivé ? » fondateur, survenu à l'âge avancé de huit ans, ce « Jour où tout s'est arrêté », avait été une révélation, et les révélations ne se dé-révélaient pas ; impossible de les remballer ni vu ni connu. Conséquence de cette épiphanie irréversible, il en était arrivé à renverser ses attentes. Il n'y avait rien d'étonnant à ce que les choses ne marchent pas, à ce qu'elles s'écroulent. La défaillance et le pourrissement constituaient l'état naturel du monde. Ce qui était étonnant, c'était qu'une chose, quelle qu'elle soit, fonctionne comme prévu, indépendamment de sa durée. De sorte qu'il avait passé les dernières années de son enfance dans un état d'étonnement reconnaissant – la télé avec son écran aux couleurs sursaturées marchait (elle s'allumait ! continuait de s'allumer !), sa mère rentrait du travail par un bus qui arrivait à l'heure, voire dont le service, au minimum, était assuré, l'eau propre coulait du robinet, même s'il n'avait pas souvent le droit d'y toucher.

Quant à l'intonation, il l'avait reconnue alors que sa mère continuait de bavarder dans la cuisine en préparant le chou. Ni sa mère ni Esteban n'en avaient capté le timbre. Seul Willing avait fait attention. Willing et Milo, plus exactement : sur ses gardes, les yeux en alerte, les oreilles levées, le cocker avait lui aussi perçu une drôle d'intonation. En effet, les journalistes s'exprimaient avec une pointe d'excitation tout à fait caractéristique. Les présentateurs de journaux télévisés adoraient quand il se passait quelque chose. Comment leur en vouloir, puisque c'était leur boulot, et ils aimaient autant avoir quelque chose à faire. Quand il s'agissait de mauvaises nouvelles – et elles l'étaient presque toujours, puisque les bonnes nouvelles étaient le plus souvent monotones –, ils étaient gênés de se réjouir ainsi. Les plus mauvais d'entre eux s'efforçaient de cacher leur joie sous une tristesse feinte et exagérée qui ne trompait personne et que Willing aurait souhaité les voir abandonner.

Au moins, ce soir, personne n'était mort, et les événements impressionnants relayés avaient à voir avec des chiffres et des expressions imposantes que la plus grande partie du public, Willing l'aurait parié, ne comprenait pas non plus. Au moins, les présentateurs et les invités n'avaient pas opté pour ce ton de gravité artificielle. Au contraire, tous les gens de la chaîne semblaient contents, et même ravis. Cependant, cette excitation joyeuse était bridée par la conscience aiguë qu'il était dans leur intérêt de masquer au mieux une euphorie qu'ils seraient amenés à regretter. Leur intonation disait : « Pour le moment, c'est l'éclate, mais ça ne va pas durer. »

2

Amoncellement karmique

AVERY STACKHOUSE SAVAIT PERTINEMMENT que sa sœur Florence avait du mal avec fleXface, car celle-ci aimait tourner et virer dans sa cuisine pendant qu'elle bavardait, plutôt que d'être rivée devant un écran. D'ailleurs, la vaisselle semblait toujours mobiliser le plus gros de son attention, et la distraction apportée par cette conversation viendrait gâcher ce moment rare de solitude : Lowell assurait un cours du soir, Savannah était sortie avec l'un de ses mecs, qui se succédaient à vitesse grand V pendant sa dernière année de lycée – au point que sa mère avait renoncé à retenir leurs prénoms –, Goog se préparait avec son équipe pour le grand débat inter-écoles autour du thème « Pénuries et flambées des prix : conséquences des politiques nationales inconsidérées de "sécurité alimentaire" ou de réelles disettes agricoles ? » – Goog soutenait la première option ; quant à Bing, il répétait avec son quatuor.

Elle se pelotonna dans le somptueux fauteuil en balayant le salon d'un regard satisfait. Dans les premières années de sa vie d'adulte, la tendance, pour le mobilier, se déclinait en surfaces planes, angles durs et réfraction, tandis que les palettes de couleurs étaient dominées par des blancs impitoyables. L'époque actuelle avait délicieusement remis au goût du jour la douceur, l'absorption de la lumière et les courbes ; même leurs murs étaient tapissés de nubuck synthétique poudreux. La pièce était tout en ombres toastées, les meubles en cuir pré-usé et fourrure à poil ras, de sorte qu'y paresser avec un verre de vin, c'était comme se blottir contre un gros ours en peluche. Le clinquant tonitruant du chrome avait cédé devant le silence assourdissant de l'étain. Par bonheur, les intérieurs cossus de DC avaient cessé d'arborer ces affreux sofas modulables et restauré le canapé dans toute sa distinction.

Les Stackhouse avaient aussi banni les agrégats polymorphes de livres que les parents d'Avery avaient entassés sur trois étages de leur maison bric-à-brac de Carroll Gardens. Des verticales de dos miteux à l'assaut des murs vous rangeaient assurément dans la catégorie des vieux schnocks. Une fois qu'on avait lu un livre, pourquoi le conserver en trois dimensions, si ce n'est par vantardise ? Maintenant que toute la bibliothèque du Congrès était accessible en un seul clic, pourquoi trimballer de maison en maison des cartons remplis de ces objets usagés ? C'était comme déménager avec ses coquilles d'œuf.

Avery déplia et rigidifia le fleXcreen, avant de le placer sur la table basse encombrée. Le périphérique était si mince qu'avant la deuxième génération d'appareils et ses couleurs vives, beaucoup de gens jetaient parfois le leur par inadvertance, prenant par erreur cette épaisseur dans leur poche pour un mouchoir en papier. Comme cet équipement diaphane pouvait se déplier en écran compris entre cinq centimètres carrés et 30×40 et que sa partie inférieure pouvait être repliée et posée sur une surface pour faire office de clavier, le fleX avait remplacé simultanément les smartwatchs, les smartphones, les tablettes, les ordinateurs portables et de bureau. Et surtout, le fleXcreen était incassable – un plus que ses fabricants commençaient à déplorer amèrement.

— Allô, t'es dispo ? s'empressa de demander Avery. Parce qu'il faut absolument que je te parle de cette *ferme* que Jarred vient d'acheter.

— Oui, papa m'a vaguement mise au courant, répondit Florence. Mais comment Jarred a-t-il pu se payer une ferme ?

La haute résolution faisait ressortir les poches naissantes que sa sœur avait sous les yeux et qui n'auraient pas été visibles en face à face. Avery n'en tirait aucune fierté : les imperfections du visage de sa sœur n'étaient que les signes avant-coureurs des siens d'ici deux ans. Quantité de rougeurs, poils noirs et taches de dépigmentation marquaient aussi son visage. La précision médico-légale des images du périphérique était telle que la vidéo relevait du scan médical, lequel scan ne vous aurait pas appris si votre sœur était heureuse ou triste mais si elle avait un cancer de la peau. Au moins, Florence et elle s'étaient mises d'accord pour ne plus recourir à la 3D, pire encore : en plus d'être affligé d'un cancer de la peau, on avait l'air obèse.

— Comme Jarred n'a pas tapé autant que toi et moi dans le fonds destiné à nos études, expliqua Avery, il a convaincu le Grand-Homme que percevoir un acompte de son héritage à la place serait équitable.

Homme formidable doté d'un orgueil qui ne l'était pas moins, le patriarche Mandible avait toujours semblé apprécier son surnom de « Grand-Homme » – et plus encore depuis que ses arrière-petits-enfants l'avaient agrémenté d'un préfixe, le rebaptisant « Arrière-Grand-Homme ».

— Tu peux faire confiance à Jarred pour tirer avantage du fait d'avoir abandonné la fac, répliqua Florence. Et par deux fois. N'empêche, je suis perplexe. Il ne s'est jamais intéressé au jardinage.

— Il ne s'était jamais intéressé à l'eau de mer avant de se piquer de désalinisation. Il n'avait jamais fait cuire un œuf avant de prendre des cours de cuisine marocaine. Toute la vie de Jarred est un puzzle de bric et de broc où rien ne va avec rien. Sa lubie agricole ne colle pas avec le reste ? En fait, si. C'est tellement illogique que ça en devient logique.

— C'est comme ça que tu renverses les choses avec tes patients en proie à des questions existentielles ? Je suis soufflée. C'est de la haute voltige.

— Le problème, c'est que les parents se montrent immense encourageants. Ils trouvent l'idée de la ferme géniale. Tout, pourvu qu'il déménage.

— Quitter la maison à l'âge tendre de trente-cinq ans, quel courage !

Elles eurent un rire complice. C'étaient elles, les adultes, et, quels que soient leurs défauts, au moins, aucune des sœurs n'était le rejeton pourri gâté et feignant de la famille.

— Et elle se trouve où, cette ferme ?

— À Gloversville, dans l'État de New York, répondit Avery. Tu le crois, ça ? Là où on fabriquait des *gants*, ou un truc du genre, avant.

— Ne te moque pas. On *fabriquait* des trucs dans chaque ville de ce pays, autrefois. Et on y cultive quoi ?

— Des pommes et des cerises. Des carottes, du maïs. Je crois qu'il a même hérité de quelques *vaches*. C'est une de ces fermes familiales où les propriétaires sont partis à la retraite et où aucun des enfants n'a voulu reprendre l'exploitation.

— Ces entreprises familiales tournent toujours à perte, déclara Florence. Jarred n'est pas au bout de ses peines. À une échelle aussi petite, l'agriculture est un travail de forçat. Il est dingue. Je ne lui ai pas parlé depuis des mois.

— Il a viré survivaliste. Il a baptisé sa propriété « Citadelle », comme s'il s'agissait d'une forteresse. Les dernières fois que je lui ai parlé, il était assez sinistre. Tout son discours sur la fin du monde. C'est super bizarre : je me suis promenée dans Washington, et les bars sont blindés de monde, l'immobilier recommence à flamber, et tout le monde s'arrache ces voitures électriques sans chauffeur à deux cent mille dollars. Le Dow Jones frôle l'hypertension. Et pendant ce temps, notre petit frère se terre et se gave de téléchargements apocalyptiques : *Repentez-vous, car la fin est proche ! Le centre ne peut tenir, nous allons tous mourir !* Ce ne sont pas des textes religieux, mais le levier émotionnel est du 100 % évangélique *made in* Iowa. Pas étonnant qu'il atterrisse dans une ferme.

— Beaucoup de gens ont réagi de la même façon pendant l'Âge de pierre...

— Tu te fiches de moi ! Plus personne n'utilise l'expression « Âge de pierre » in extenso.

— Tu peux penser que je pinaille, mais contractée en « Âge-pierre », l'expression perd toute sa signification. On ne dirait jamais « Bombardons-les suffisamment pour les renvoyer à l'Âge-pierre »...

— Oui, tu pinailles. Exactement comme papa. La langue est un matériau vivant, tu ne peux pas la mettre sous cloche. Mais peu importe. Je ne crois pas que Jarred nous fasse un retard de réaction à l'Âge de pierre.

Avery avait soigneusement séparé les syllabes, comme si elle condescendait à expliquer à un débile que « AC » signifiait « air con-di-tion-né ».

— Cette idée – qu'il est loin d'être le seul à avoir en tête –, cette conviction que nous frôlons le précipice, que nous sommes sur le point de faire le grand plongeon... ce n'est qu'une projection. Qui n'a rien à voir avec l'« état du monde » ni avec la terrible voie dans laquelle s'est engagé le pays et que nous allons tous devoir payer très cher. En revanche, elle a tout à voir avec un sentiment de précarité propre à Jarred. C'est du pessimisme quant à son avenir personnel. Mais s'inquiéter de l'effondrement de la civilisation plutôt que de celui de son espoir de devenir un expert en désalinisation parce que la formation représentait trop de boulot... cette prophétie globale lui confère de l'importance.

— Tu as déjà discuté de ta théorie avec lui ? demanda Florence. Je doute qu'il apprécierait de voir ses opinions politiques réduites à une expression de sa relation à lui-même. Tous les sujets sur lesquels il s'emballe – l'extinction des espèces, la désertification, la déforestation, l'acidification des océans, le non-respect par les principales puissances économiques de la planète de leurs engagements sur l'émission de CO_2 – ne sont pas seulement dans sa tête.

— Mais je vois tout le temps la même chose chez mes patients âgés. Naturellement, leurs obsessions sont différentes : il va y avoir pénurie d'eau, ou de nourriture, ou encore d'énergie. L'économie est sur le point de s'effondrer, et leur épargne retraite ne va plus valoir un kopeck. Mais, en réalité, ils ont peur de mourir. Et, lorsqu'on meurt, le monde meurt lui aussi. D'un certain point de vue, c'est un manque cruel d'imagination, une incapacité à concevoir l'univers sans eux. C'est ce qui explique que les personnes âgées virent apocalyptiques : elles sont confrontées à l'apocalypse, une apocalypse personnelle, bel et bien réelle. Donc, à mesure que leur propre disparition approche, certains d'entre eux projettent cette fin imminente sur tout ce qui les entoure. Avec parfois une vraie méchanceté. Je t'assure, pour certains de ces alarmistes hargneux, l'Armageddon immanent n'est pas une peur mais un fantasme. Ils auraient envie que toute la planète se désintègre, aspirée dans un trou noir géant. Parce que, si c'en est fini pour eux des martinis sur la véranda, alors, y a pas de raison : ça doit l'être pour tout le monde. Ils veulent tout emporter avec eux – jusqu'aux olives et aux cure-dents. Mais ils savent bien que la vie, la civilisation, les États-Unis, tout cela va perdurer encore et encore, et c'est de l'ordre de l'insupportable pour eux.

Florence eut un petit rire.

— Jolie tirade. Mais c'est du réchauffé.

— Hmm, je t'en ai peut-être déjà parlé…, concéda Avery. Mais mon argument sur Jarred reste valide. Il creuse son puits et stocke des conserves de bœuf braisé parce qu'il traverse une crise de survie psychique. Une fois qu'il en sera sorti, il se sentira bête en voyant son stock de kits de premier secours et ses piles de boîtes d'allumettes de sûreté.

— À voir… Mais Jarred n'est peut-être pas le seul à faire des projections. Tout est génial dans ta vie, alors tu regardes le monde avec des lunettes roses.

Ce « génial » était dédaigneux, et ce n'était pas du goût d'Avery de voir ses arguments se retourner contre elle.

— Gagner à peu près correctement sa vie ne fait pas de soi un abruti, répliqua-t-elle. Et les gens aisés ont aussi leurs problèmes.

— À voir, répéta Florence. Cite-m'en un, par exemple, dit-elle avant d'enchaîner, sans attendre de réponse : Quant à Jarred, le problème posé par sa dernière lubie est pratique et non psychique. Sa « Citadelle » m'a tout l'air d'un gouffre financier. Or il est déjà pris à la gorge avec tous ses crédits, même si les parents mettent au bout. Tous ces projets foireux ont coûté la peau des fesses. J'espère pour le Grand-Homme qu'il a de grandes poches.

— T'inquiète, ses poches traînent par terre !

Avery décida qu'il valait mieux parler d'autre chose. Sujet épineux que celui de la succession Mandible. Bien évidemment, même si Florence n'avait jamais formulé les choses de façon si directe, Avery se demandait si, le moment venu, compte tenu de la disparité de leurs revenus, tous n'attendaient pas d'elle qu'elle fasse un pas de côté pour soit abandonner à ses frère et sœur une part substantielle de son héritage, soit refuser cet héritage dans son intégralité. *A priori*, elle n'avait pas besoin de cet argent. En d'autres termes, parce qu'elle avait pris des décisions intelligentes qui l'avaient conduite à sa prospérité, elle méritait d'être punie ? C'était la leçon que le système fiscal américain, « progressif », aurait dû lui donner il y a longtemps. Et sa sœur, cette Florence Nightingale *bis*, méritait sans doute davantage cet argent, puisque, dans sa dernière réincarnation, elle se montrait si bonne, douce et charitable.

Mais les cartes qu'elles avaient toutes deux reçues provenaient du même jeu. Avery avait décidé d'épouser une pointure du milieu intellectuel, un homme un peu plus âgé qu'elle, désormais professeur titulaire au département d'économie de l'université de Georgetown, de co-acheter à Washington une belle maison de ville dont la valeur s'était appréciée, de lancer une activité thérapeutique lucrative, et d'élever trois enfants brillants et doués qu'ils avaient les moyens d'envoyer dans la crème des écoles privées. Alors que Florence avait décidé de cohabiter avec un guide mexicain qui n'avait pas fait d'études, d'acheter une maison minuscule et délabrée mais outrageusement hors de prix dans un quartier de Brooklyn de triste notoriété pendant leur enfance pour ses guerres de territoire entre dealers de crack rivaux, d'envoyer dans un collège public où tous les cours étaient en espagnol son enfant unique né d'une aventure d'une nuit, lequel, soit dit en passant, commençait à devenir un peu bizarre, et, sur le plan professionnel, de passer ses jours à remettre en place des oreillers pour des schizophrènes. Avery souhaitait désespérément que sa sœur, intelligente, maligne et bosseuse – c'était elle, la vraie battante de la famille, pas Jarred –, finisse par embrasser un métier qui lui permettrait de mieux exploiter ses talents ; au moins, Esteban semblait quelqu'un sur qui on pouvait compter. Mais la triste situation de Florence – considérablement embarrassante pour une aînée – n'était en rien la faute d'Avery. En aucun cas, Avery n'aurait dû, à chacune de leurs conversations, se sentir coupable en raison de circonstances qu'elle avait su, au prix de gros efforts, tourner en sa faveur.

Pourtant, le sujet de discussion sur lequel elle s'était rabattue pour faire diversion s'était révélé tout sauf neutre.

— Au fait, tu as entendu parler du changement du code pays ?

— Oui, au centre d'hébergement, tout le personnel a trouvé hilarant le buzz que ça a provoqué. De quoi faire baver Fox News pour le restant de l'année.

— Le code pays des États-Unis a toujours été le 1, depuis que les codes pays existent, rappela Avery. Pour certaines personnes, c'est symbolique.

— Symbolique de quoi ? Que nous sommes les numéros 1 ? Si cela devait avoir une quelconque signification, le fait même que nous ayons toujours eu le 1 est justement une bonne raison pour refiler ce code débile à quelqu'un d'autre.

— Tu sembles plutôt au taquet, pour un sujet dont tu prétends te ficher royalement. Et cela doit avoir de l'importance pour les Chinois ; sinon, ils n'auraient pas fait tout un foin pour changer ces codes.

— Parfois, la meilleure chose à faire quand une des parties se cramponne *mordicus* à un truc, répliqua Florence, c'est de lui donner ce qu'elle veut. Surtout si ça ne nécessite que d'entrer quelques chiffres dans un ordinateur. C'est le genre de concession qui ne coûte rien et qui peut rapporter gros plus tard.

— Ou c'est le genre de concession qui constitue un précédent pour quantité de concessions à venir, auquel cas ça a une énorme importance. Aujourd'hui, une patiente m'a dit qu'elle se sentait humiliée.

— La plupart des Américains vivent aux États-Unis, plaida Florence, et n'entrent jamais ou presque leur code pays. Aussi, à moins qu'elle fleXe en permanence chez elle depuis l'étranger, ta patiente n'aura jamais à subir de véritable « humiliation » dans sa vie quotidienne. C'est comme tout ce raffut sur « Appuyez sur 2 pour l'anglais ». Est-ce vraiment plus difficile d'appuyer sur « 2 » que sur « 1 » ?

— Ne rouvrons pas le débat, s'il te plaît. Tu sais à quel point l'inversion de cette convention m'a scandalisée.

— C'était un geste généreux qui, là encore, n'a rien coûté. Pour les Lats, le « 2 » voulait dire « de second ordre ». Ce petit changement a permis aux immigrés et à leurs descendants de se sentir inclus.

— Il leur a surtout donné un sentiment de *triomphe*.

— *Attention*, l'avertit Florence. Il y a des limites qu'il ne faut pas franchir.

Son concubinage avec un « Mexicain pour de vrai » avait conféré à Florence une certaine légitimité. Désormais, elle était membre honoraire d'une minorité si énorme que le terme même perdrait bientôt tout bien-fondé. Un tournant qu'Avery appelait de tous ses vœux. Dans sa pratique de thérapeute, elle encourageait ses patients à éprouver leur singularité – pourtant, ce sentiment très fort d'identité, d'appartenance et de fierté à l'égard de son héritage spécifique, en tout point remarquables avec ses nombreuses réussites, était refusé à la majorité des habitants de ce pays. Aussi, quand, à leur tour, les Blancs deviendraient une minorité, ils auraient eux aussi droit à des départements universitaires d'études blanches, où les œuvres d'Herman Melville pourraient être enseignées ouvertement. Ses enfants bénéficieraient d'une plus grande indulgence dans les tests d'admission à l'université, indépendamment de leurs résultats aux épreuves. Ils pourraient tous alors soutenir qu'être traité de « Blanc » était une insulte, et qu'il faudrait désormais dire « Occidentalo-Européo-Américain », *toute la formule alambiquée*. Alors que, entre copains, ils n'hésiteraient pas à s'apostropher à grand renfort de « Alors, ça gaze, p'tit Blanc ? » – collusion entre initiés –, tout non-Blanc se risquant à employer un terme aussi offensif se ferait allumer sur CNN. Devenir une minorité offrirait la possibilité de se sentir considérablement offensé à la moindre occasion, et il y aurait *rebasculement* du protocole des appels téléphoniques automatiques.

— Qu'est-ce que je te disais ? s'exclama Esteban à côté. Nous aurions dû ouvrir les vannes pendant qu'on le pouvait !

— Willing ! s'écria Florence par-dessus son épaule, va au Green Acre et rapporte toutes les bouteilles d'eau que tu pourras ! Esteban t'y rejoindra – et prends le caddie !

— C'est bon ! dit son fils dans son dos. Je connais la chanson. Mais tu sais que j'y serai trop tard. Tous ceux qui ont une voiture y seront avant moi.

— Alors, *cours*.

— Encore ! s'exclama Avery.

Florence se retourna vers l'écran en soupirant.

— Le pire avec les pénuries d'eau, c'est de ne jamais savoir combien de temps elles vont durer. L'eau pourrait être rétablie dans une heure comme dans une semaine. Heureusement qu'on a installé des collecteurs d'eau de pluie derrière. L'eau n'est pas potable, mais on s'en sert pour les toilettes. J'ai aussi quelques bouteilles usagées remplies d'eau du robinet, mais elle est vite viciée. J'espère que

Willing et Esteban réussiront. Au rayon eaux, c'est toujours la foire d'empoigne. On a de la chance d'être en soirée. Tout le monde ne s'en sera pas encore rendu compte. Merde, je déteste devoir dire ça, mais Esteban avait raison. Je n'ai pas pris de douche depuis huit jours. J'aurais dû en prendre une en rentrant.

— Est-ce que vous avez plus d'infos sur ce qui cause ce problème ? Je ne parle pas de spéculations de blogs. De vraies informations.

— De vraies informations, *qué es eso* ? railla Florence. Quoique, même la cinglosphère ne conteste pas que, dans l'Ouest, le problème est dû aux aquifères asséchés et à la pénurie d'eau. Ici, c'est moins clair. Il y a peut-être des problèmes d'approvisionnement dans le nord de l'État. Évidemment, le sabotage par le Califat du tunnel 3 n'a pas aidé. Beaucoup affirment que l'infrastructure est obsolète, qu'il y a d'énormes fuites. Mais tu sais très bien ce que j'en pense.

— Oui, je le sais parfaitement.

À cause de la vidéo, Avery se retint de lever les yeux au ciel. Il était très en vogue de faire remarquer qu'à une époque où toute investigation journalistique rigoureuse avait disparu, les gens croyaient ce qu'ils avaient envie de croire. Son père n'arrêtait pas de répéter ce cliché. Pourtant, de ce qu'elle pouvait observer, Avery avait le sentiment que les gens commençaient toujours par se forger une opinion, avant de considérer les faits seulement dans un deuxième temps, comme s'ils achetaient un vêtement et, plus tard, des accessoires avec lesquels l'assortir. Naturellement, pour Florence, le responsable était la fracturation hydraulique. *C'est ce qu'elle avait envie de croire.*

La porte d'entrée claqua.

— Bonsoir, dit Lowell.

— Bonsoir ! Je suis en ligne avec Florence.

— Dans ce cas, abrège, tu veux bien ?

La suffisance était habituelle, mais pas l'irritabilité.

— Quand j'aurai terminé !

— Ce n'est pas grave, dit Florence. De toute façon, il faut que je transporte l'eau de pluie jusqu'aux toilettes. Salut, ma sœur.

Dommage pour Lowell : à quarante-huit ans, sa barbe de trois jours n'était plus sexy mais cradingue, et sa coupe de cheveux – à la mode, autrefois – avec des mèches de longueurs différentes lui donnait maintenant un air négligé. Avery devrait trouver une façon de lui faire passer le message, pas nécessairement avec autant de mots. Pour un économiste, il avait toujours été tendance, dans un style un peu tape-à-l'œil – son look vestimentaire punchy et audacieux seyait à sa démarche souple et faisait des émules à Georgetown. Cet élégant costume gris perle était d'avant-garde, sans poignets ni col, composé d'un pantalon taille haute et d'une longue tunique arrivant juste au-dessus du genou. Ce soir, il portait des chaussures rose vif. Mais il était risqué de faire reposer toute son image sur la jeunesse. Lowell avait l'air d'un homme qui se pensait jeune, et qui ne l'était pas.

— Mojo, *yo*, allume la télé ! ordonna Lowell.

Le système domotique à commande vocale avait buggé dernièrement et ne cessait depuis d'informer systématiquement Avery qu'ils étaient à court de lait. Avant qu'elle désactive la fonction, le programme avait passé d'innombrables commandes au supermarché, les noyant littéralement dans une mer de lait. Et maintenant, ses excentricités s'accentuaient : après l'ordre de Lowell, Avery entendit le lave-vaisselle se mettre en route dans la cuisine.

— T'as remarqué comment tout se met à dysfonctionner en même temps ? se désespéra Lowell. C'est exactement ce que je viens d'expliquer à ce décérébré de Mark Vandermire. C'est la même chose en économie. De petits incidents se produisant partout au même moment donnent l'impression que les problèmes sont liés. Mais ce n'est pas nécessairement le cas. C'est juste une sorte… d'amoncellement karmique.

— Tu tiens peut-être là le sujet d'un nouvel article. « Amoncellement karmique », ça sonne bien.

Avery lui tendit la vieille télécommande de la télé.

— Heureusement, on peut prendre la main. Ellen, qui habite plus bas, eh bien, son Mojo refuse de rebasculer en normal, et quand il pète un câble, ils ne peuvent même plus mettre de l'eau à bouillir.

Lowell se laissa tomber sur le canapé, l'air abattu. Il se tapota le genou avec la télécommande, au lieu de s'en servir pour allumer la télé et regarder les infos.

— Tu veux manger quelque chose ?

— Un verre de ce vin que tu bois. Mais je crains que, si je demande à Mojo de me préparer un club sandwich, il ne déclenche le système d'arrosage. Ou ne mette le feu à la maison. Alors, demanda-t-il après qu'Avery lui eut tendu son verre de vin, tu es au courant ?

— Étant donné que je ne sais pas à quoi tu fais allusion, probablement pas.

— L'adjudication d'obligations cet après-midi.

— La France, encore ?

— Non, le Trésor américain. Écoute, moi, je ne crois pas que ce soit très important. Mais le taux de couverture était bizarrement bas. *Cafardable*, en fait : 1,1. Et le rendement d'un billet du Trésor à échéance de dix ans est passé à 8,2 %.

— Ça paraît élevé.

— Élevé ? Il a *doublé*. Quoi qu'il en soit, tout ce que je vois, c'est une confluence accidentelle de forces arbitraires.

— Amoncellement karmique.

— Exactement. Tu as la France qui se trouve dans l'incapacité totale de refinancer une tranche de la dette arrivée à échéance, mais l'Allemagne et la BCE sont intervenues immédiatement, donc ce n'est pas comme s'ils risquaient de fermer la tour Eiffel par manque de financement. Ils en ont contrarié quelques-uns, c'est tout. Quant à Barclay's au Royaume-Uni, la version officielle est que le gouvernement d'Ed Balls ne peut pas la renflouer cette fois-ci, mais ce n'est qu'une posture stratégique. Je suis prêt à parier qu'ils

43

trouveront assez de pièces de dix pence entre les coussins des canapés de Downing Street pour empêcher la banque d'aller dans le mur. Et hier, deux fonds spéculatifs un peu nerveux de Zurich et de Bruxelles ont quasiment soldé à zéro leurs positions en dollars et investi dans l'or. Grand bien leur fasse. Ils se serviront de leurs beaux lingots comme presse-papiers quand l'or s'effondrera de nouveau.

— Il est en hausse ?

— Pour le moment ! Tu sais comment c'est, avec l'or. Ça monte et ça descend ; de vraies montagnes russes. Sauf à être assez malin pour en prévoir les hausses et les baisses, c'est un investissement ridicule.

— Pourquoi ai-je l'impression bizarre que cette conversation, ce n'est pas avec moi que tu es en train de l'avoir ? Tu enchaînes les arguments, que tu assènes en tapant de la main. Mais je suis d'accord avec toi.

— Désolé. Oui, j'ai eu une prise de bec avec ce cacavioc de Vandermire. Parce que, d'accord, je veux bien, l'adjudication d'obligations d'aujourd'hui est assez… malheureuse. Pour le moment, la demande étrangère sur la dette américaine est faible, mais il s'agit simplement de coïncidences, sans rapport les unes avec les autres, qui incitent, dans plusieurs pays, à se retirer des titres de créance américains. Ici, le marché est en hausse ; les investisseurs peuvent obtenir de meilleurs rendements avec le Dow Jones qu'avec ces bons du Trésor poussifs. Il est peu probable que les taux d'intérêt se maintiennent autour de 8,2 % ; c'est sans doute un pic exceptionnel. Dire que, dans les années 1980, les taux d'intérêt sur les bons du Trésor ont atteint plus de 15 %. Ils étaient encore supérieurs à 8 % en 1991…

— Ça remonte quand même à un bout de temps.

— Tout ce que je veux dire, c'est qu'il n'y a aucune raison de céder à l'hystérie !

— Dit-il d'un ton hystérique !

— Le problème, c'est la panique générée à cause du pic des taux d'intérêt. Des crétins comme Vandermire – au fait, devine où il allait quand je suis tombé sur lui dans le département ? À MSNBC. Il enchaîne les interviews sur les principales chaînes : Fox, Asia Central, RT, LatAmerica…

— T'es jaloux ?

— Bien sûr que non. Ces émissions sont d'un barbant ! Avec la haute résolution, bonjour la couche de fond de teint dont ils nous tartinent. C'est l'horreur pour tout retirer, et ça tache les oreillers. En plus, on ne sait jamais ce qui peut arriver avec le stress, on peut se tromper dans une statistique, et après, impossible de faire oublier sa bourde.

— Mais t'es génial là-dedans.

Il se redressa sur le canapé : compliment reçu.

— La peur que Vandermire va distiller toute la soirée risque de se transformer en prophétie autoréalisatrice. Lui, en revanche, ne semble pas le moins du monde effrayé. Il a son heure de gloire. C'est ce que tu dis toujours, non ? Cette vision apoca…

— Je ne dis jamais rien « toujours ». *Une fois*, on a eu cette conversation où…

— Ne monte pas sur tes grands chevaux, alors que j'abonde dans ton sens ! C'est comme tous ces gens qui prédisent la fin du monde, ils ne semblent jamais bouleversés par leur prédiction. Prédire la ruine, le malheur, la dévastation… ils jubilent ! Une jubilation qu'ils ont toutes les peines du monde à cacher. Qu'est-ce qu'ils croient ? Que l'effondrement de l'économie est un goûter d'anniversaire pour les gosses où tout le monde fait la ronde et chante « Cendres ! Cendres ! Il est temps de descendre » ? Ils semblent croire qu'ils seront épargnés et qu'ils continueront à se détendre au bord de leur piscine quand toutes les villes seront à feu et à sang. Ce ne sont que des voyeurs en puissance, pour lesquels le destin de millions, si ce n'est de milliards, d'individus n'est que pur divertissement.

Lowell avait une expression qui trahissait qu'il aurait bien aimé noter ses propos.

— Florence et moi, on redoute un peu que Jarred ne prenne ce chemin. Versant catastrophe écologique, mais l'idée reste la même. Même si, pour être honnête, je ne dirais pas de Jarred qu'il jubile. Il est même plutôt *morose*.

— Vandermire, lui, est au comble de l'extase. Il adore être le centre de l'attention, et il n'en peut plus d'avoir soi-disant vu juste depuis le début. « Non viable ! La dette nationale n'est pas viable ! » Si je l'avais entendu dire une fois de plus *non viable* cet après-midi, je crois que je lui aurais foutu mon poing sur la figure. La définition fonctionnelle de *non viable* est « dépourvu de viabilité ». Si on ne peut maintenir quelque chose, on l'arrête. Quand je repense à tout ce ramdam il y a vingt ans sur le déficit, toute cette mise en scène sur les arrêts des activités gouvernementales à propos du relèvement du plafond de la dette… Et que s'est-il passé ? Rien. À 180 % du PIB – et le Japon a prouvé que c'était tout à fait faisable –, la dette a été absorbée. *Ipso facto*, elle est *viable*.

— Alors, ne te laisse pas miner par Vandermire. S'il est à côté de la plaque, ça se verra vite.

— Son discours vague et incendiaire est dangereux. Il sape la confiance.

— Confiance, mon cul ! Quelle importance, si une poignée de riches investisseurs sont un peu à cran ?

— Le rapport à l'argent est émotionnel, déclara Lowell. Comme toute valeur est subjective, l'argent vaut ce que les individus lui attribuent comme valeur. Ils l'acceptent en échange de biens et de services, parce qu'ils ont foi en lui. L'économie est plus proche de la religion que de la science. Sans ces millions de citoyens qui croient dans une monnaie, l'argent n'est que du papier de couleur. De la même manière, les créanciers doivent croire que, s'ils prêtent au gouvernement américain, ils récupéreront leur argent ; sinon, jamais ils n'accorderaient de prêts. La confiance n'a donc vraiment rien d'un enjeu mineur. C'est même le seul enjeu.

Le problème, quand on était professeur d'université, c'était qu'à gagner sa vie en pontifiant, il était assez difficile d'arrêter de débiter des conneries une fois chez soi. Avery

46

était habituée, même si elle ne trouvait plus aux diatribes de Lowell le charme qu'elle leur prêtait au début de leur mariage.

— Tu sais, la plupart des prophètes de malheur comme Vandermire sont aussi des scarabées d'or, a repris Lowell. Franchement, s'accrocher à un métal d'ornementation et le considérer comme la réponse à toutes nos prières, c'est d'un archaïque...

— Ne commence pas.

— Je ne commence rien du tout. Mais j'aimerais bien comprendre pourquoi Georgetown a embauché ce connard. Il est censé symboliser la « largeur » idéologique de la faculté, mais c'est comme affirmer : « Nous avons les idées larges à l'université, parce que certains de nos professeurs sont intelligents et d'autres des imbéciles finis. » L'étalon-or a été abandonné il y a soixante ans, et il n'a manqué à personne. Il était encombrant, contraignant au regard des outils dont disposaient les banques centrales pour réguler l'économie avec précision, et il limitait artificiellement la base monétaire. Il est désuet, c'est un objet de superstition et de sentimentalisme. Et ce que ces scarabées d'or ne veulent pas admettre, c'est que, maintenant que ce métal n'a quasiment plus de véritable utilité en lui-même ou pour lui-même, il est dès lors aussi artificiel comme réserve de valeur que les monnaies fiduciaires ou les coquillages en porcelaine.

Avery examina son mari. Peut-être s'était-il empêché de mettre les infos par crainte de tomber sur sa bête noire, Mark Vandermire. À moins qu'il ait redouté les infos en elles-mêmes.

— Tu sembles préoccupé.

— Un peu, je le concède.

— Je te connais. Alors, qu'y a-t-il ? Tu es inquiet de la tournure des événements ? Parce que je crois que tu t'inquiètes surtout de t'être *trompé*.

Lowell se leva tôt le lendemain matin, l'esprit confus, se mordant les doigts d'avoir pris un troisième verre de vin avec Avery. Réprimant une envie compulsive de consulter le seul site Web d'informations auquel il faisait vaguement confiance, il décida de prendre son café au département – même si ce n'était qu'un ersatz de noyau de sassafras ; de son point de vue, la plus grande catastrophe agricole des dernières années n'était pas la hausse phénoménale des prix du maïs et du soja, mais la pénurie massive des cultures de café arabica, qui mettait un vrai *latte* au même prix qu'un verre de cognac bien tassé. Plus que jamais résolu à plaider la cause d'une doctrine économique éclairée, créative et moderne, maintenant que Vandermire et ceux de son espèce souhaitaient voir tout le monde s'échanger le fric au boulier, il voulait avancer sur son article sur la politique monétaire avant son cours de 10 heures consacré à l'histoire de l'inflation et de la déflation. Il avait abordé avec ses élèves la Grande-Bretagne de la révolution industrielle, un siècle ou presque de déflation continue durant lequel ce fichu pays avait connu une prospérité insolente, ce qui mettait invariablement Lowell de mauvaise humeur.

Sur son trajet jusqu'au métro, les trottoirs de Cleveland Park étaient très fréquentés pour une heure aussi matinale. Bien que le ciel soit dégagé en ces instants où le soleil se levait, les piétons avaient la posture voûtée et l'allure précipitée qu'on adopte généralement sous la pluie. Croiser une première femme en train de sangloter en silence ne l'avait pas particulièrement surpris, mais une deuxième, si ; quant à la troisième personne en pleurs, ç'avait été un homme. Si Lowell avait pour principe de ne pas sortir son fleX pendant ses déplacements à pied afin d'apprécier les beautés de la ville, ses concitoyens de Washington fixaient habituellement le leur au poignet ou sur le rebord de leur chapeau. Il était toutefois étrange qu'autant de piétons soient engagés dans des conversations téléphoniques audio. Certes, depuis l'Âge-pierre, une poignée de puristes cinglés avait complètement boycotté Internet, et ce groupe atavique blablatait en permanence, car c'était le seul moyen pour ces ringards de communiquer. Mais pour tous les autres, ceux qui avaient une vie, l'appel téléphonique était, par consensus, considéré comme terriblement intrusif, à tel point que le simple son d'une sonnerie était terrifiant : à coup sûr, quelqu'un venait de mourir.

Alors qu'il descendait les longues marches grises de sa station de métro, les visages des usagers arboraient la même expression uniforme et déconcertante : bouleversement, concentration, affliction. Il s'engouffra dans le métro bondé alors que les portières se refermaient, peinant à se faire une petite place. Sérieusement ? Il était seulement 6 h 30.

Ici aussi, tout le monde *parlait*. Pas les uns avec les autres, bien sûr. Dans leurs fleX. *Il en est où, maintenant, de la baisse ?... Euh, à Londres, il est seulement... Les appels de marge sont atteints... Achète de l'australien, du franc suisse, je m'en fiche ! Non, pas du dollar canadien, il va être aspiré... Je parie que le président des États-Unis a été réveillé... Ordre stop... Ordre stop croisé il y a deux heures... Ordre stop...*

Lowell Stackhouse supportait très difficilement – même au regard des critères de Washington – d'apprendre les infos après tout le monde, et au bout de trente secondes de ce flot incessant, il en avait assez entendu. Sortant son fleX de sa poche, il le déplia au format de sa main, avant d'accéder directement à Bloomberg.com, à peu près digne de confiance : LE DOLLAR S'EFFONDRE EN EUROPE.

3

En attendant le fric

EN UN TEMPS ON NE PEUT PLUS ORDINAIRE, Carter Mandible, en se rendant à New Milford, se serait interrogé sur son degré de culpabilité face à la crainte qu'il éprouvait à l'idée de rendre visite à son père. La plupart des gens de sa génération peineraient à atteindre l'âge canonique de quatre-vingt-dix-sept ans, même si Douglas Mandible épargnait à son fils les épreuves supplémentaires de la démence sénile. Au point que Carter en était parfois venu à souhaiter percevoir chez son père davantage de signes de fatigue mentale, qui auraient pu susciter son empathie et apaiser les rancœurs. Au rang desquelles figurait en bonne place le fait que ce vieux briscard se refusait toujours à casser sa pipe.

Oh, Carter n'aurait jamais désiré ouvertement la mort de son père. Il était totalement – raisonnablement – persuadé que, le moment venu, il serait affligé en proportion adéquate par le deuil filial. Des amis l'avaient prévenu que le sentiment de perte était toujours plus intense qu'on ne l'anticipait. Mais cette expérience, cela faisait une quinzaine d'années qu'il se sentait plus que prêt à la vivre.

Pendant ce trajet de deux heures depuis Brooklyn – dans cette partie agréablement verdoyante du Connecticut –, Carter avait également coutume de s'interroger sur les motivations de ses visites. Sur une perspective à long terme, le soin apporté à un parent âgé relève subtilement du traitement

51

prophylactique égoïste : être en mesure de se rassurer, en recevant le coup de fil fatal, d'avoir été un fils ou une fille dévoué. Parfois, se révéler un poil plus attentionné que ce qu'on se sent d'humeur de montrer permet d'éviter ensuite l'autoflagellation. Après tout, les personnes âgées ont pour horrible habitude de rendre leur dernier soupir juste après que, avec une excuse tirée par les cheveux, on a annulé notre venue à la dernière minute, ou au lendemain de cette regrettable visite au cours de laquelle on a laissé échapper une remarque acerbe. Faire montre d'une prévenance sans faille relève de l'assurance émotionnelle.

Cependant, dans le cas de Carter, cet intérêt était bassement pécuniaire. S'efforçait-il de rester dans les bonnes grâces de son père par ses visites mensuelles à Wellcome Arms dans le seul but de préserver son héritage d'une tardive décision paternelle, impulsive ou malveillante, de léguer sa fortune à une chaire de Yale ? Il ne le saurait jamais. Pire, son père ne le saurait jamais, et pourrait aussi nourrir quelques doutes sur le fait d'être aimé pour lui-même. Une fortune familiale introduisait toujours un élément de corruption. Carter aurait pu porter un regard sentimental sur ce monde idéal dans lequel il passait le plus de temps possible avec Douglas E. Mandible parce qu'il aimait son père, qu'il appréciait sa compagnie, et qu'il était bien décidé à profiter au mieux, pendant qu'il le pouvait encore, de sa longévité inespérée ; or l'argent se révélait être un incontestable contaminant, et ce n'était pas près de changer.

En théorie, du moins.

Car ce temps n'avait rien d'on ne peut plus ordinaire.

Carter pestait régulièrement contre le fait qu'au moment où cet héritage lui reviendrait, il serait trop vieux pour le dépenser, mais cet après-midi-là, cette exaspération vira à la rage. Jayne et lui habitaient toujours la même maison de Carroll Gardens, une maison mitoyenne modeste et incroyablement en désordre – en brique, pas en grès rouge. Ils avaient fini de la payer, mais pendant des années, le prêt avait sérieusement grevé leur budget.

Jayne et lui avaient réussi à partir en Toscane en 2003 – leurs vraies premières vacances, à la quarantaine ! Et il y avait toujours eu ce projet du Japon. Mais maintenant que Jayne était phobique au point de rarement quitter la maison, toute aventure qui les aurait menés plus loin que Sahadi's sur Atlantic Avenue était exclue. Avec une seule charge, les modèles de voitures récents permettaient d'aller jusqu'au Canada, alors que leur BeEtle de dix ans ne les aurait pas conduits au-delà de Danbury. Quand il avait obtenu son poste au *Times*, il avait déjà soixante ans, et à l'époque, le « journal de référence » de l'Amérique, en perte de vitesse, après s'être abaissé à commercialiser des cours d'écriture créative et des babioles d'inspiration coloniale, exploitait pour des clopinettes des journalistes sur le retour et désespérés. Le montant de sa retraite était grotesque. En supposant qu'ils aient pu retrouver un peu d'air en diminuant leurs charges dans le court laps de temps où leur benjamin avait prétendu quitter la maison, cela aurait signifié emménager dans plus petit, moins bien, plus déprimant. Génial.

Pourtant, toute sa vie, il avait joui d'une existence insouciante et désinvolte. L'argent était bloqué plus haut dans le système, comme un bouchon de couches jetables dont on vous dit pourtant qu'il ne faut jamais les jeter dans les toilettes. L'attente de ce qui devait lui revenir de par son droit de naissance l'avait maintenu dans une éternelle adolescence. Ces décennies de différé avaient laissé présager le début de sa vraie vie. Désormais, il avait soixante-neuf ans. La vraie vie serait courte.

Carter ne désirait pas tant du mobilier, des appareils électroniques, des croisières, des circuits œnologiques – tout ce qu'il pouvait acheter – qu'une sensation. Un sentiment d'apaisement et de libération, de générosité et de saveur, de possibilité et d'ouverture, de fantaisie, d'humour et de joie. Certes, il attendait trop de ce qui n'était que de l'argent, mais il aurait bien aimé faire aussi ce constat par lui-même. Soulagé de cette attente interminable, il aurait même volontiers accueilli cette désillusion prétendument adulte. Parce qu'il se sentait toujours un enfant. Et désormais, ce Walhalla théorique où Jayne et lui pourraient laisser le thermostat sur 20 °C toute la nuit ou prendre un nouveau départ le cœur léger dans un ranch à ciel ouvert du Montana, où Jayne pourrait dépasser la terreur qu'elle avait associée à Carroll Gardens, voilà que, en l'espace des quelques derniers jours, ce futur était très probablement devenu nul et non avenu.

Car cette semaine passée était historiquement la plus *brutale* de sa vie, en comptant le 11 Septembre et l'Âge de pierre. Au cours de ce dernier, bien sûr, l'électricité avait été coupée, et il y avait eu aussi des pillages, dont celui de la boutique de traiteur chic de Jayne sur Smith Street, saccage totalement arbitraire dont elle ne s'était toujours pas remise. La panne des feux de circulation avait provoqué des carambolages épouvantables. Il se serait bien passé aussi de toutes ces catastrophes aériennes, ces déraillements de train, ces récits poignants de patients cardiaques dont le pacemaker s'était mis à battre deux fois plus vite, comme un changement de tempo revigorant dans un enregistrement de Miles Davis. Des régions entières du pays s'étaient retrouvées sans eau, ce qui constituait peut-être un bon entraînement pour les pénuries à venir. Les systèmes de télécommunications et de défense nationale avaient cessé de fonctionner, même si, du point de vue de Carter, la « défense » américaine tant vantée avait depuis longtemps placé le pays dans la ligne de mire de ses ennemis plutôt qu'à l'abri de leurs munitions. Fort logiquement, pour Florence, Avery et Jarred, 2024 constituait la pire des calamités. Mais Carter était d'une autre génération – une génération qui avait appris à chercher des numéros de téléphone dans des annuaires papier et des codes postaux dans les épais registres de la poste, à diluer minutieusement du blanc de correction séché en prélevant grâce à une pipette en plastique des gouttelettes de solvant dans de minuscules flacons au prix faramineux, avant de passer, avec une immense gratitude, aux rubans correcteurs des IBM à boule, à compulser à la bibliothèque des fiches cartonnées dans de longs tiroirs en bois et à chercher des références dans le catalogue des périodiques. Se passer d'Internet pendant trois semaines était pour lui d'une gravité modérée.

Bien qu'étrangement invisible, étrangement silencieux, le bouleversement de la semaine précédente était d'un autre ordre. L'Âge de pierre avait eu des conséquences aussi immédiates que tangibles : les ampoules ne s'allumaient plus, les aliments pourrissaient dans les frigos, et aucun des rares magasins encore ouverts n'avait de lait. La pagaille actuelle n'arrangeait pas les choses. Un nombre ordinaire d'automobiles dépassait de dix kilomètres-heure la limitation de vitesse sur l'I-84. Le ciel était d'un bleu railleur. Alors qu'il quittait l'autoroute pour recharger, il n'avait pas à slalomer entre les corps jonchant la bretelle de sortie ni à se baisser pour éviter les balles. Son parking à moitié complet, Friendly's continuait de vendre des cônes noix-sirop d'érable et des Supermelts. Déambulant entre les chargeurs et les magasins, aucun des automobilistes que croisait Carter ne semblait pressé ou troublé. Toute cette zone commerciale tranquille témoignait du fait que les individus les plus affectés par la plus désastreuse des météos de toute l'histoire n'étaient pas enclins par nature à balancer des pierres dans des vitrines. Et il s'avérait que l'un de ces individus si peu portés sur la violence était son père.

À en croire sa documentation, le Wellcome Arms était la résidence-services dotée des plus luxueux équipements de tous les États-Unis. La salle de fitness high-tech était un véritable attrape-gogo pour les locataires potentiels auxquels on faisait miroiter la retraite comme un renouveau, un temps sans entraves, pendant lequel ils allaient enfin pouvoir se révéler dans une incarnation svelte et tonique d'eux-mêmes, que le manque de temps les avait jusque-là empêchés d'être – l'illusion durait tant que le clinquant ne perdait pas son éclat et que les résidents n'étaient pas confrontés aux détestables efforts que nécessitaient les séances d'entraînement

55

sur ces machines. Cette taule avait aussi des chevaux, même si Carter n'avait jamais vu quiconque les monter. Avec sa profusion de profs d'aquagym et de jets massants, la piscine était plus fréquentée, car une partie des résidents pouvait encore flotter. Inutile de dire que la résidence proposait des installations médicales dignes d'un hôpital privé haut de gamme ; compte tenu des charges de fonctionnement astronomiques de l'établissement, il était préférable que les clients restent, sur le papier tout du moins, de ce monde.

D'ordinaire, Douglas Mandible ne se séparait jamais de son fleX avant la clôture de la Bourse de New York à 16 heures ; pourtant, en se garant sur le parking visiteurs, c'est bien son père que Carter aperçut sur le court de tennis adjacent. Douglas avait été un joueur de simple percutant et un compétiteur féroce ; il n'aurait pas hésité à risquer l'AVC ou la crise cardiaque pour renvoyer une balle sur la ligne – de la même manière qu'en tant qu'agent littéraire tout aussi féroce, il était prêt à tout pour ajouter à son portefeuille de clients des romanciers célèbres. Pourtant, en avançant en âge, il avait développé une tout autre tactique, qui consistait à balader cet adversaire bien plus jeune (entre soixante-quinze et quatre-vingts ans, d'après l'estimation de Carter) d'un bout à l'autre du terrain. Touchant à peine les balles, l'autre type les renvoyait juste aux pieds de Douglas, qui pouvait continuer à jouer sans se fatiguer en se déplaçant d'une dizaine de centimètres à peine dans chaque direction. C'était la même stratégie manipulatrice, à la dépense d'énergie minimale mais à l'efficacité redoutable, dont Douglas se servait pour contrôler tranquillement sa famille sans se lever de son fauteuil.

Après une balle croisée diabolique expédiée depuis le carré de service, Douglas semblait s'être lassé et vouloir en finir. Carter ne prenait pas du tout comme une marque de considération le fait que son père ait décidé d'abréger l'échange parce qu'il avait aperçu son fils sur le parking. Carter, qui avait prévenu de sa visite, était pile à l'heure. Si son père avait eu à cœur de ne pas faire attendre son fils, il n'aurait tout simplement pas disputé de match de tennis. Cabotin jusqu'au bout, Douglas s'épongea le front et agita sa serviette en direction du parking visiteurs. Sa silhouette était plus décharnée qu'élancée, mais son allure restait élégante. Son abondante chevelure blanche était plus spectaculaire que la nuance auburn de ses années de jeunesse. En octobre, il arborait un hâle soutenu. La compression de la colonne vertébrale avait beau lui avoir ravi près de cinq centimètres, le patriarche n'en restait pas moins sensiblement plus grand que son unique fils. L'âge avait conféré à son visage long une expression d'amusement, autrefois fugace mais désormais permanente. Sorte d'ironie pince-sans-rire qu'il conservait même dans son sommeil.

— Carter !

Son ton joyeux était réjouissant, même si Douglas réservait à tout un chacun ce même accueil sympathique.

— Je vais prendre une douche. On se retrouve dans notre bibliothèque, d'accord ?

Sa pointe d'inflexion britannique était toujours suffisamment habile pour qu'il soit impossible de l'accuser d'affectation.

Dans le temps, Douglas Elliot Mandible avait été un bon vivant doublé d'un conteur illustre. Aussi loin que Carter s'en souvenait, son père avait toujours été capable de citer le nom d'obscurs auteurs depuis longtemps défunts et de déclamer *in extenso* des passages entiers de Philip Roth ou de William Faulkner – talent qu'il avait cruellement négligé de transmettre à son fils, qui se montrait plus apte à argumenter sur un quelconque film récent, avant de s'efforcer péniblement de se rappeler pendant cinq bonnes minutes le titre dudit film. Enfant, Carter prenait son père au premier degré : sa supériorité littéraire était une donnée brute, indépassable. Mais, arrivé à l'âge adulte, il s'était découvert plus circonspect quant à la lisibilité manifeste du personnage flamboyant de son père. Comment quelqu'un pouvait-il démarrer vilain petit canard, jeune homme à l'éducation superficielle, inexpérimenté et vraisemblablement stupide dans tous les sens importants du terme, et se métamorphoser sans transition visible en un homme charmant, vif, séduisant, dont les soirées étaient prisées de tout le gratin, célébrités et intellectuels confondus ? Car, pas une fois, dans la profusion des connaissances influentes de Douglas, quelqu'un n'avait pris Carter à part pour lui confier : « Pendant des années, en soirée, votre père racontait des anecdotes qui tombaient à plat comme une crêpe. On n'adopte pas ce style aussi facilement qu'on enfile une veste. Il faut de la pratique. » La question demeurait : Douglas s'était-il enfermé des semaines durant derrière des portes closes pour mémoriser de longs passages pleins d'esprit afin de les ressortir avec naturel lors d'un cocktail ? Sérieusement, comment passait-on de jeune étudiant de premier cycle à Yale, grande gueule, naïf, plein d'esbroufe, à l'une des personnalités les plus en vue de New York, capable de porter une lavallière tous les jours au bureau sans craindre le ridicule ? Même si, peut-être, l'urgence consistait désormais à comprendre comment l'un des hommes les plus redoutables de Manhattan, faiseur de pluie et de beau temps, avait subi les indignités du très grand âge sans se sentir contraint à la moindre humilité.

Carter signa le répertoire à la réception, dont les colonnes doriques et le bardeau blanc typique de la Nouvelle-Angleterre cherchaient à évoquer une intemporalité en totale opposition avec sa clientèle confrontée à la finitude.

— Votre papa semble éternel, *sí* ? demanda la réceptionniste d'un ton malicieux.

— Oui, j'en ai bien peur, répondit Carter d'un ton distrait, ce qui lui valut un regard noir de ladite réceptionniste.

En réalité, ces derniers jours, l'impulsion naturelle de Carter, lorsqu'il rencontrait des gens, était de discuter avec eux de cette affaire du *bancor* et de les inciter à lui confier ce qu'ils imaginaient de la stratégie de Washington – n'était-ce pas ce qui s'était produit après le 11 Septembre ? Toutes les barrières sociales étaient tombées, et on se retrouvait à parler à cœur ouvert avec le caissier à qui on payait ses bretzels. On est tous dans le même bateau ; c'était l'idée. Or, cette fois, on n'était pas tous dans le même bateau, et Carter se ravisa. Une employée latino-américaine à la réception d'une résidence pour seniors était typiquement le genre de personne qui avait traversé la crise sans en avoir conscience ; d'ailleurs quelle crise ? *Aucun actif.* Douglas et sa malheureuse seconde épouse avaient à leur disposition tout un pavillon – histoire de contenir une portion non négligeable du mobilier de la propriété liqui-dée d'Oyster Bay. (Carter avait récupéré dans l'excédent de meubles un canapé en cuir bordeaux, qui, dès l'instant où il l'avait installé chez eux, avait fait paraître assez miteux tout le reste de leur mobilier. Ils l'avaient refourgué à Florence.) C'était le concept prévalant à Wellcome Arms : recréer du mieux possible le foyer que vous aviez quitté.

Aussi, la porte d'entrée était en bois épais, biseautée, avec un lourd heurtoir en laiton, comme il sied à l'entrée d'une grande demeure. Un agent hospitalier vêtu de blanc, portant des gants en plastique, lui ouvrit.

— Je suis en train de changer Luella.

Selon toutes probabilités, il ne faisait pas référence à sa tenue.

Carter foula l'épais tapis pourpre de l'entrée. Les plinthes et les corniches cannelées du plafond étaient en acajou lustré, les portes ornées de délicats motifs croisés. Les salles de bains étaient éblouissantes sous l'éclat de l'albâtre et des robinets plaqué or. Une telle opulence – prodiguée à des individus à une période de leur vie où ils étaient le moins capables d'en jouir – recelait une subtile obscénité. En outre, quand bien même il aurait savouré le luxe de ne plus avoir à s'inquiéter du montant de sa facture de gaz et d'électricité, Carter éprouvait de la méfiance pour le luxe dans son sens conventionnel. Pour lui, l'extravagance finissait par avoir un effet inverse. Poussée au maximum de sa magnificence, une chose démontrait simplement les limites du faste dont elle pouvait se parer. Sur des toilettes avec siège chauffant et dispositif de levage électrique de l'abattant, le déclenchement de la chasse d'eau avait beau n'être qu'un murmure discret, on les utilisait quand même pour pisser. En laiton ou en plastique, une poignée de porte restait une poignée de porte. Qui servait à ouvrir une porte. Carter n'avait jamais compris comment des équipements qui coûtaient des centaines de dollars pièce pouvaient donner un autre sentiment que celui de s'être fait berner.

Les rendez-vous que donnait Douglas ajoutaient une touche de classe désuète. Les murs étaient ornés de cadres contenant les jaquettes des livres d'anciens auteurs-clients. Passé les portes-fenêtres, la spacieuse bibliothèque était remplie du sol au plafond de manuscrits que Douglas aurait pu vendre aux enchères à des éditeurs, souvent pour bien plus que le montant des droits récoltés. (Si un auteur récupérait son avance, l'agent avait échoué, tel était le mot d'ordre de l'agence Mandible.) Bizarrement, bien que la disparition du livre physique remonte à quelques années seulement, il émanait de la pièce l'atmosphère historique propre à un diorama du XVIIIe siècle. Tous les efforts dispensés pour chaque volume – pas uniquement celui de composer le texte, mais aussi de choisir la police, sélectionner le papier, styliser les losanges sous les titres de chapitre, créer la couverture, jusqu'à la question sensible de la taille du nom de l'auteur – semblaient tout à la fois poignants et pathétiques. Mais Carter refusait de se laisser aller à la sentimentalité de son père à propos d'un simple format. Cela n'avait pas plus de sens de verser une larme sur la disparition des livres brochés que de sentir son cœur se serrer devant une boîte de disquettes. Ses petits-enfants n'avaient pas la moindre idée de ce qu'était une disquette 3,5 pouces.

— Si tu vois quoi que ce soit qui t'intéresse, n'hésite surtout pas à l'emprunter.

Douglas referma les portes-fenêtres derrière lui. Il s'était changé, optant pour l'un de ses costumes crème qu'il aimait porter à longueur d'année, même si la cravate du jour était d'un rouille automnal de saison.

— Mais je suis intraitable sur ma politique des retours. Je n'ai jamais compris ce qui, avec les livres, donnait aux gens l'impression qu'ils pouvaient les voler en toute impunité. Les plats, eux, on les retourne toujours.

Carter se détourna des rayonnages.

— Lire est un acte de possession. Ce qu'on lit est à soi.

— Apparemment ! La plupart des gens supposent que l'Âge de pierre a marqué la fin de l'édition. Subitement, plus personne ne se risquait à acheter en ligne...

— En fait, les pirates informatiques avaient déjà tué tout le commerce en ligne bien avant l'Âge de pierre...

— ... mais les lecteurs étaient censés avoir déjà basculé vers le numérique et ne seraient pas repassés à l'équivalent papier du char à bœufs, enchaîna Douglas sur sa lancée ; il aurait été vain d'espérer l'interrompre. En réalité, le piratage avait déjà mis l'industrie à genoux. Bien avant 2024, plus personne n'achetait de livres, sous quelque forme que ce soit. La fin du commerce sur Internet n'a fait que porter le coup de grâce. L'offre encore disponible en téléchargement a beau être large et gratuite, ce n'est qu'une immense pile de manuscrits rejetés. Naviguer sur Internet, c'est comme patauger dans les égouts.

Carter connaissait par cœur ce laïus. Douglas aurait été mortifié de se rendre compte à quel point il rabâchait désormais. Il mettait un point d'honneur à ne jamais raconter deux fois les mêmes anecdotes aux mêmes personnes.

— À la fin de Shelf Life, reprit Carter, Jayne ne faisait plus de bénéfices que sur le café. En voyant Amazon partir en fumée, j'ai fait péter les sachets de marshmallows.

— Je ne te l'ai jamais dit – si, Douglas le lui avait dit –, mais j'ai perdu une petite fortune avec Amazon. Tu peux appeler ça frayer avec l'ennemi, mais je détenais un beau paquet d'actions.

Au mieux, toute référence au portefeuille d'actions de son père était maladroite. Carter ne voulait pas paraître trop intéressé, mais jamais Douglas n'aurait été dupe d'une indifférence feinte. Carter avait toujours été contraint d'accepter l'idée que, naturellement, les décisions d'investissement du paternel ne le regardaient aucunement – ce qui était de la connerie. Alors que sa sœur et lui avaient le plus souvent des avis divergents, ils étaient d'accord sur ce point : la manie de leur père de jouer en Bourse avec leur héritage était préoccupante. Douglas semblait avoir toute sa tête, mais, le cas échéant, ses enfants n'auraient pris conscience de sa démence qu'en découvrant que leur père avait aussi dilapidé tout l'argent de la famille.

Douglas déboucha une carafe en cristal sur le meuble à alcools.

— Du Noah's Mill ?

— Trop tôt pour moi. Et je conduis.

— Je croyais qu'aujourd'hui plus personne ne conduisait.

Carter accepta le bourbon qu'il avait eu l'intention de refuser. Compte tenu de l'ordre du jour de sa visite, il le boirait d'un trait. Les voitures sans chauffeur avaient quasiment supprimé les infractions pour conduite en état d'ivresse, les flics ne les traquaient plus sur les autoroutes.

— Notre BeEtle a une fonction sans chauffeur, mais je ne m'en sers pas. Je suis comme toi : un dinosaure.

— Alors, à la paléontologie !

Après avoir entrechoqué son verre en cristal taillé contre le sien, Douglas se laissa tomber dans un fauteuil en cuir près de la fenêtre. En dépit de son jeu économe en énergie, son tennis devait l'avoir épuisé.

— Ça a été une vie merveilleuse tout le temps où elle a duré. Au moins, Enola a obtenu un bon tirage.

— Mais Nollie refuse d'écrire pour rien. Ce qui signifie qu'une romancière *estimée* comme ma sœur n'écrit rien, ajouta Carter d'un ton mielleux. Quel horrible gâchis.

— En tant que son ex-agent, je ne peux qu'approuver.

— Je n'ai jamais réellement su combien elle a engrangé, tenta Carter. Elle n'a pas eu d'autre best-seller après *Mieux vaut tard*.

— Nous avons tous droit à la confidentialité financière.

Pas le préambule le plus prometteur pour la discussion difficile qui les attendait, et le mot « confidentialité » était agaçant.

— Alors, comment va Luella ? demanda Carter, même s'il s'en fichait.

— Oh, égale à elle-même. Dans une forme remarquable, à ce qu'on m'a dit.

Il paraissait consterné.

Quitter la mère de Carter, Mimi, à soixante ans, pour une assistante de trente-huit ans aurait pu être un nouveau départ pour Douglas, mais bien vite, il s'en était mordu les doigts. Oh, Douglas et sa pétasse d'assistante avaient fait un bon bout de chemin ensemble – tout du moins d'après ce que Carter en savait, puisque Nollie s'était rapprochée de leur père après le divorce, alors que lui, pendant des années, avait évité la somptueuse demeure du couple à Oyster Bay par loyauté envers leur mère. Mais la gracile et élégante intruse, laquelle, par-dessus le marché, était afri-méricaine – ce qui était branché et, aux yeux d'une famille new-yorkaise libérale, s'apparentait à de la tricherie –, avait été frappée de démence à l'approche de la soixantaine. Pendant des années, Douglas avait gardé son état secret. Jusqu'au jour où il avait fini par trouver sa femme nue dans la douche, incapable d'ouvrir le robinet, dont elle ne se rappelait d'ailleurs plus la fonction. Ce qui s'était révélé fort regrettable : Luella était en effet enduite de la tête aux pieds d'une substance marron malodorante et collante qu'elle était dans l'impossibilité d'identifier et qu'elle essayait de manger. Sans Luella, Douglas serait peut-être resté plus longtemps à Long Island. Ironie dont Mimi ne cessait de se délecter : quand Douglas avait lâché du jour au lendemain un mariage de trente-six ans, sa femme dirigeait la Fondation de recherche sur la démence, et à quatre-vingt-quinze ans, elle faisait toujours partie du conseil d'administration – obstinément lucide, ne serait-ce que par esprit de revanche.

Soulagé de la prise en charge de sa femme grâce au personnel de Wellcome Arms, Douglas envisageait désormais son mariage à peu près comme une relation entre un maître et son animal de compagnie. Il donnait à Luella des friandises et elle lui manifestait sa gratitude par l'équivalent humain d'un frétillement de queue – quand elle se souvenait comment mâcher et avaler, et ne déballait pas le chocolat pour le laisser fondre sur le radiateur. Il continuait de lui parler ; Carter avait surpris le commentaire ininterrompu de Douglas quand tous les deux s'étaient trouvés dans une pièce à côté. Mais de la même manière que les solitaires parlent à leur chien.

— Tu ne t'es jamais dit que cette famille était maudite ? demanda Carter, toujours debout, d'un ton songeur.

S'asseoir dans le fauteuil près de son père aurait marqué le début de leur véritable conversation.

— Je suis journaliste de presse écrite, et Jayne se plaint désormais de ne plus être en mesure de trouver le moindre papier journal pour faire les vitres. Quant à Nollie, sa carrière de romancière est terminée. Et, papa, tu étais un roi ! Mais roi d'une de ces nations insulaires englouties par la montée du niveau de la mer et qui ont disparu de la carte. Il *n'y a plus* d'agents littéraires. Même les moteurs Diesel ont coulé à pic. Tout ce que nous avons fait a disparu.

La référence aux moteurs Diesel était stratégique. La plus grosse part de l'argent des Mandible avait été amassée par l'arrière-grand-père de Carter, Elliot, un industriel du Midwest. Douglas l'avait sensiblement fait fructifier, mais il avait toujours eu un niveau de vie élevé, et Mimi, lors du divorce, avait amputé une grande partie des revenus qu'il tirait de son agence littéraire. L'héritage provenant de l'entreprise Mandible Engine Corp. était à l'abri des déprédations maritales par un fidéicommis. Ainsi, Carter n'avait pas gagné l'argent dont il deviendrait bientôt le dépositaire, mais son père non plus. Il aimait à souligner que Douglas n'était rien de plus qu'un tuteur fiduciaire, lui aussi bénéficiaire de l'injustice capitaliste et qui n'avait rien fait pour mériter cette fortune.

Exprimant sa soudaine frustration à l'égard des mondanités préliminaires, Douglas se leva un peu péniblement pour se verser un autre doigt de bourbon. Mauvais signe. Il ne buvait jamais avant 20 heures.

— Puisque tu *étais* journaliste, j'imagine que tu suis les infos ?

— Autant que faire se peut, sans analyse fouillée, sans vérification des faits...

— La fin du *New York Times*, dit patiemment Douglas, n'a pas été la fin du monde. À tous, il nous manque, Carter. Mais il était devenu l'ombre de ce qu'il avait été.

— Tu veux dire, à l'époque où *moi*, j'y travaillais.

— Tu te montres bien susceptible... à soixante-dix ans passés.

— Je ne les ai pas encore.

— Mais tu es assez vieux pour comprendre que la fin du monde implique une plus grande échelle. Comme tu as dû commencer à t'en rendre compte. Quelle semaine !

— Eh bien..., répliqua Carter en prenant une grande inspiration, avec la fermeture définitive de la Bourse, j'imagine que ça te fait comme qui dirait des vacances.

— Si voir le gouvernement fédéral te refuser l'accès à tes propres comptes – ce qui revient plus ou moins à se retrouver enfermé en dehors de chez soi –, ma foi, si c'est ton idée des *vacances*, oui. Transats et cocktails forts à gogo.

— Et tu as une idée, euh... grosso modo, à la louche, de l'ampleur de tes pertes ?

Dans le domaine financier, son père cachait son jeu. Carter n'avait pas la moindre notion de la taille de son portefeuille d'actions, à commencer par le nombre de zéros qu'il accumulait.

— Sers-toi de ta tête. Les échanges s'arrêtent automatiquement lorsque le marché plonge d'un pourcentage ou d'un nombre de points déterminé. La COB n'a pas daigné rouvrir la Bourse depuis la mise en œuvre du coupe-circuit de niveau 3 jeudi. Il ne faut pas être grand clerc pour imaginer la réaction du marché quand elle rouvrira. En tout cas, je suis sûr que la COB est tout à fait capable de l'imaginer. Aussi, peu importe la valeur à laquelle les actions ont clôturé. La question n'est pas de savoir ce qu'elles valent, mais ce qu'elles *vaudront* trois secondes après la cloche. Pense à tous ces ordinateurs des banques d'investissement dans les starting-blocks – mon pauvre fleXcreen ne fait pas le poids. Bien sûr, on pourrait soutenir que la valeur des actifs auxquels l'accès est refusé, peut-être indéfiniment, est de zéro.

Douglas, qui s'était rassis, adoptant une posture désinvolte, avait un comportement étrange. Il semblait presque réjoui.

— *On pourrait soutenir ?* répéta Carter. Ou cette affirmation n'engage que toi ?

— On pourrait tout aussi bien soutenir, poursuivit Douglas de son horripilant ton doucereux, comme d'aucuns sur le Web, que nous avons affaire à un mouvement d'hystérie aussi exceptionnel qu'irrationnel dont le marché va se sortir promptement. Après une chute historique sans précédent, sur laquelle des universitaires comme ton gendre vont pondre des kilomètres d'analyses laborieuses, le dollar et le marché pourraient faire bien plus que se remettre. Auquel cas, les prochaines semaines pourraient offrir une occasion unique d'acheter à bas prix et de revendre cher. Avec un peu d'effet de levier, les investisseurs qui nagent à contre-courant pourraient facilement multiplier par trois ou quatre la valeur de leur patrimoine.

Carter n'avait pas fait tout ce trajet pour répondre à un QCM : son père était *a)* ruiné ; *b)* riche et sur le point de s'enrichir davantage encore ; *c)* quelque part entre les deux. Merci.

— Des limites ont été instaurées sur les retraits, tu sais, dit Carter d'un ton morose. Impossible de retirer plus de trois cents dollars d'un distributeur.

— Ils redoutent les paniques bancaires. Mais en s'efforçant de les éviter à tout prix, c'est exactement ce qu'ils vont provoquer – si jamais ils se montrent assez imprudents pour autoriser de nouveau les gens à toucher à leur argent.

— Le directeur de la banque fédérale s'est montré catégorique. Krugman a dit que ces limites ne seraient en vigueur que quelques jours, tout au plus.

— Quand quelqu'un en position d'autorité affirme qu'une mesure pénible est « temporaire », c'est un signal d'alarme. Le contrôle des capitaux est une solution de fortune, mais elle est séduisante : « Nous allons simplement faire en sorte que le petit peuple ne retire pas son argent. Votons une loi ! » Le plus dur est de lever les contrôles sur les capitaux, ce qui devient inconcevable dès lors que ces contrôles sont institués. Qui voudrait conserver ses capitaux dans un pays qui confond compte en banque et piège à ours ? Dès l'instant où les contraintes seront levées, le pays sera en faillite. Ce dont tu peux être sûr pour le moment, c'est que le gel des transferts monétaires en dehors des États-Unis restera en vigueur pendant un bon bout de temps. Regarde Chypre. Les contrôles sur les capitaux imposés en 2013 n'ont été totalement levés qu'au bout de deux ans. Tu sais combien de temps ils devaient être maintenus lors de leur mise en place ? *Quatre jours.*

— Mais nous sommes aux États-Unis. Ici, on ne peut pas…

— Bien sûr que si. Et c'est ce qu'il va se passer. Rien n'est impossible pour la Banque centrale.

De nouveau, cet air réjoui. Douglas sortit une vapoteuse d'une poche intérieure. Autrefois, le patriarche avait fumé jusqu'à deux paquets par jour, et Carter mettait sur le compte de ces cigarettes électroniques la longévité désormais catastrophique de son père. Le e-tabac avait l'odeur plaisante de la vanille bourbon.

— Qu'est-ce qui t'amuse autant dans cette débâcle ?

— Ça m'amuse, eh oui ! Après tout, tu ne trouvais pas ça intéressant, reprit Douglas en fendant l'air de sa vapoteuse en acier inoxydable comme un chef d'orchestre philharmonique sa baguette, quand la BCE, le Japon, la Banque d'Angleterre et la Fed ont fait bloc pour intercéder le lendemain où le taux s'est envolé, et que « soutenir le dollar *à tout prix* » a juste eu l'effet inverse ? Traditionnellement, les investisseurs acceptent l'inévitable quand les banques centrales interviennent. Mais avec cette acquisition frénétique de titres américains, la Fed sort de sa manche plus d'argent encore pour acheter ces obligations. Et c'est ce qui avait fait plonger le dollar au départ, et ça n'a fait qu'augmenter la vente massive de dollars. Ça me réjouit que les remèdes avérés ne fonctionnent pas comme ils sont censés le faire.

— Mais tu ne sembles pas le moins du monde bouleversé ! Est-ce parce que tu frises les cent ans et que tu n'as plus beaucoup de temps devant toi ? Parce que, moi, j'ai non seulement la ferme intention d'être encore là dans un bon paquet d'années, mais aussi des enfants qui ont des enfants...

— À l'heure actuelle, les principales places boursières du monde ont interrompu toutes les transactions. C'est reposant. Et tu devrais profiter de ce répit. Car ces heures paisibles sont comptées.

Carter, finalement, s'affala dans le fauteuil voisin de celui de son père, tête baissée, ce qui lui faisait un double menton, l'air renfrogné. Surtout, garder en tête que, pour le moment, son père et lui étaient du même côté.

— Je ne suis pas expert en économie. Je ne comprends rien à ce bancor. Les journaux télé y sont si hostiles que je n'y comprends rien. Sur CBS, c'est la foire d'empoigne entre les invités.

— Je suppose que c'est une bonne idée – si c'était un mauvais calcul de la part de Poutine de le refuser.

— Au moins, ces derniers jours, M. le président à vie ne retire plus sa chemise.

— La rapidité avec laquelle une nouvelle monnaie internationale a été instaurée me laisse perplexe. Ce n'est pas le genre de chose qu'on bricole sur un coin de table.

— J'aurais peut-être attendu un putsch financier venant de la Russie et de la Chine, dit Carter. Mais celui-ci vient des alliés des États-Unis. Soit, peut-être pas de l'Europe – d'un autre côté on s'en fiche, de l'Europe –, mais des Saoudiens, des émirats, de la Corée – avec les dizaines de milliards qu'on leur a filés après la réunification ? Bande d'ingrats. Sans parler du Brésil, de l'Inde, de l'Afrique du Sud. Même Taïwan ! Tout le monde se ligue contre nous ! Qu'est-ce qu'il se passe ?

— Nous devrions leur en être reconnaissants, riposta Douglas. Tu mesures que, sans l'instauration du bancor comme monnaie de réserve de remplacement, la chute du dollar renverrait toute l'économie mondiale à celle du Moyen Âge ? On paierait nos œufs avec des cailloux.

— Mais comment peuvent-ils simplement annoncer que les transactions sur le pétrole, le gaz et tout le marché des matières premières vont dorénavant être négociées avec ces bancors de pacotille ? Merde ! C'est notre pétrole ! Et notre maïs !

Un démocrate new-yorkais n'était vraiment pas censé se laisser aller à ce genre de niaiseries nationalistes et indignées. Trop d'infos en continu sur les chaînes américaines, toutes clamant le même air apoplectique. En outre, le père et le fils avaient choisi leur camp dès le départ. Douglas avait adopté la voix de la sagesse et de l'équité, ce qui rendait Carter furieux.

— La question serait plutôt de savoir comment nous avons réussi à imposer aussi longtemps notre monnaie au reste du monde, fit remarquer Douglas. Depuis des décennies, le monde est multipolaire. Après le remboursement de la sécurité sociale, le budget américain de la défense n'aurait même pas de quoi se payer un pistolet en plastique. Pourquoi les matières premières devraient-elles se négocier en dollars au niveau international ?

— La belle affaire, on l'appelle « bancor » au lieu de « dollar ». C'est comme ce « nouveau FMI » : une simple histoire de sémantique.

— Pas du tout. « Nouveau » signifie administré par un consortium de pays dont, pour le moment, nous ne faisons pas partie.

— Et hop, ça y est, le tour est joué ? Et maintenant le dollar ne vaut plus rien ?

— En théorie, les États-Unis eux aussi pourraient investir comme tout le monde dans le bancor. Mais uniquement en le payant avec de vrais actifs pour le soutenir. Toute la différence est là. Pour échanger de la monnaie fiduciaire contre des bancors, on doit s'acquitter auprès du nouveau FMI d'un panier strictement proportionné de vraies matières premières – maïs, soja, pétrole, gaz naturel, propriété de terres agricoles. Terres rares... cuivre... Sans compter les réserves d'eau douce ! Et, de l'or, bien sûr !

— Hors de question que Fort Knox déménage à Moscou.

— Je ne m'attends pas à ce que Washington joue le jeu. Ce serait trop humiliant. Tu te sens mieux pour autant ? L'Indonésie, le Pakistan et consorts se sont peut-être empressés d'adopter le bancor comme antidote au chaos, mais ce nouveau régime va baiser un grand nombre de ces mêmes gouvernements qui le soutiennent envers et contre tout. Une petite flexibilité est possible, pour éviter une autre débâcle comme celle de l'euro. Les pays qui ont simplement fixé leur monnaie par rapport au bancor peuvent demander une dévaluation. Mais le NFMI va fatalement se montrer strict sur ce point. Puisque toute l'idée du bancor est de réduire la masse monétaire. Depuis les années 1970, le G30 a toujours sorti des billets de Monopoly comme ça lui chantait. Ça risque de faire pas mal de grabuge à la tête des États s'il faut désormais couvrir ses dépenses et régler ses partenaires commerciaux au moyen d'une monnaie dotée d'une vraie valeur.

— Toute cette histoire est cousue de fil blanc. Poutine et ses nouveaux amis attendaient peut-être passivement le moment opportun pour passer à l'attaque. Mais il est bien plus probable qu'ils aient *provoqué* l'effondrement du dollar.

— Oh, c'est certainement comme ça que la Maison-Blanche le joue. Un grand complot. Une menace à la sécurité nationale. Rien à voir avec un Congrès qui limite les droits. Rien à voir avec le déficit, ni avec la dette nationale, ni avec une politique monétaire modelée sur le tour de taille de la population. Uniquement des forces maléfiques extérieures s'alliant pour détruire le plus grand pays du monde.

Carter se passa la main dans ce qu'il lui restait de cheveux ; le gène de la calvitie masculine, hérité de sa mère, était l'un des ingrédients de la rancœur père-fils.

— Je ne comprends pas comment c'est arrivé.

— Carter. Je vais te révéler une chose que savent toutes les ménagères qui ont déjà acheté un concombre. Le dollar américain n'a plus aucune valeur, et ce n'est pas à cause de la flambée des taux d'intérêt, ni de l'effondrement du taux de change international, ni non plus du bancor. Il n'a plus de valeur maintenant parce qu'il *n'en avait pas* avant.

— Voilà qui est bien mélodramatique.

— Pas mélodramatique, mais dramatique. Dans les cent ans qui ont suivi la création de la Réserve fédérale en 1913, le dollar a perdu 95 % de sa valeur – quand l'un des objectifs de la Banque fédérale était justement de sauvegarder l'intégrité de la monnaie. Super boulot, les gars ! Tu ne t'es jamais demandé pourquoi personne ne parle plus de millionnaire, pourquoi seuls les milliardaires sont considérés comme riches ? Parce qu'un homme qui possédait environ dix mille dollars en 1913 aurait été millionnaire un siècle plus tard. Merde ! De nos jours, tout le monde est millionnaire, même un citoyen lambda de la classe moyenne à moitié solvable. Et, pour une large part, ce déclin monétaire, historiquement, est récent. Rappelle-toi, le dollar a perdu la *moitié* de sa valeur en quatre ans seulement, entre 1977 et 1981…

Douglas, qui n'avait jamais été fan de science-fiction, se plongeait désormais dans ce tout nouveau genre que constituait l'économie de l'apocalypse, répétant les ratios dette-produit national brut comme il avait autrefois mémorisé

Saul Bellow. (Plus jeune, Carter n'aurait jamais imaginé être nostalgique de l'époque où on lui rebattait les oreilles de passages d'*Au jour le jour*.) Si son père ne se souvenait plus de l'âge de son seul fils, il y avait peu de chances que le moindre élément de ce cours pontifiant présente la plus petite exactitude. Les quelques bribes tirées de ses lectures frénétiques – que son père pouvait effectivement citer de mémoire – n'échapperaient pas, pour plus d'effet, à l'emphase paternelle. Mais le summum avait été atteint avec cette dernière statistique hallucinante.

— Si j'étais toi, je vérifierais ce chiffre, rétorqua Carter diplomatiquement, censurant un « Quelle connerie ». En 1981, j'étais à la fac. Pourquoi je ne m'en souviens pas ?

— Parce que c'est barbant, fiston. Et que le gouvernement américain compte bien là-dessus pour que tu t'y désintéresses. C'est à peine si je me souviens des retombées de l'abandon de l'étalon-or par Nixon, t'as qu'à voir. J'avais la tête plongée dans les bouquins. Peut-être pas les bons, *a posteriori*, mais c'est trop tard de toute façon. Le fait est qu'une fois que la monnaie est totalement dévaluée, il n'y a plus grand-chose qui l'empêche de s'effondrer. En outre, au-delà du caractère profondément ennuyeux de tous ces mécanismes, la dégringolade du dollar est passée inaperçue, car tous les gouvernements étaient occupés à la même chose : faire marcher la planche à billets non-stop sous prétexte qu'une monnaie inflatée avantage les exportations. Le monde se noie sous des tonnes de papier sans valeur. Mais l'Amérique, notamment, s'en est tirée en toute impunité – en jouant, au niveau international, sur la perception émotionnelle des bons du Trésor américains comme « ultime refuge ». Sérieusement, la confiance aveugle présente toutes les caractéristiques irrationnelles de la théologie. En quoi d'autre, financièrement parlant, peut-on croire si ce n'est en *l'entière bonne foi et au crédit* des États-Unis ? Donc, nous avons emprunté pour pratiquement rien pendant trente ans sur cette base de crédulité infantile. Tu sais que la Fed essaie constamment de monétiser la dette...

— Arrête, papa. Tu étales ta science.

Du temps où il avait son agence, Douglas Mandible pérorait sur l'anastrophe, la métonymie, les onomatopées – aujourd'hui, il n'y en avait que pour l'arbitrage, les appels de marge et les opérations sur les marchés monétaires. Comme de la moisissure, les opérations de Bourse avaient contaminé le cerveau de son père.

— Essaie donc de vivre jusqu'à quatre-vingt-dix-sept ans avec une femme incapable de reconnaître une fourchette. Toi aussi, par désespoir, tu acquerras de nouvelles connaissances. Et ce n'est pas compliqué. D'ailleurs, j'ai appris à Willing ce qu'était la monétisation de la dette la dernière fois que tu as amené Florence ici, et le gamin a pigé tout de suite. Mais je dois reconnaître qu'il est doué. Il est vif et percute vite – tout comme Enola, alors qu'elle avait trois ans à peine.

Faisant preuve d'une maîtrise de soi surhumaine, Carter réussit à réprimer un « Oh, arrête avec ça ! ».

— Donc, poursuivit Douglas, tu me prêtes dix dollars. Je photocopie le billet quatre fois, te rends l'une des copies, et j'annonce que nous sommes quittes. C'est ça, *monétiser la dette* : je ne te dois rien, et tu te retrouves avec un bout de papier qui ne vaut rien. Qu'on ait pu échanger pendant des années des dollars contre des biens et des services tangibles, c'est proprement miraculeux. À ton avis, pourquoi tu crois que je m'intéresse au marché ? En théorie, détenir des actions signifie posséder des choses réelles. Malheureusement, je n'ai pas pris en compte que la plupart de ces actions étaient libellées en dollars. Et j'ai été aussi sensible que le premier imbécile venu à la croyance selon laquelle placer la plus grande partie de ses avoirs dans des entreprises américaines était faire preuve de prudence. Donc, je m'excuse. Si j'avais eu la moindre idée de ce qu'il se préparait, je me serais diversifié tout autrement.

Pour Douglas, cette excuse était une façon d'admettre que, sur le long terme, le portefeuille d'actions, qui se serait d'ici là volatilisé ou non, était davantage celui de son fils que le sien.

— Je voulais te poser la question, dit Carter d'un ton défaitiste – il connaissait déjà la réponse. J'ai un plan d'épargne retraite 401(k) et une petite retraite du *Times*. Y a-t-il quoi que ce soit que je puisse faire pour me protéger ?

— Il n'y a rien que tu puisses faire, tant que ce gel des actifs est en vigueur – ce qui, dans un sens, est plutôt rassurant, tu ne trouves pas ?

Une note de tendresse paternelle avait enfin adouci sa diatribe.

— Quand la COB dira : « À vos marques, prêt, partez ! », je conseille d'investir sur l'or, sauf que des millions d'autres investisseurs essaieront d'en faire autant. Or une telle quantité de ce métal n'existe tout bonnement pas, raison pour laquelle il est l'une des principales réserves de valeur depuis cinq mille ans. Quand la COB a annoncé la fermeture, l'or avait déjà atteint une valeur record. Quand – et si – le jeu reprendra, l'or crèvera le plafond avant que tu aies eu le temps de dire « ouf ». Je crains qu'il n'en soit de même pour les autres matières premières soutenant le bancor. C'est trop tard, conclut Douglas d'un ton élégiaque. Inutile d'essayer.

Le soir était tombé depuis longtemps, et la lampe de banquier posée sur la table diffusait une douce lumière protectrice sur eux. De nouveau, Carter était frappé par le fait que rien, rien de tangible en tout cas, n'avait changé. Il avait descendu une quantité abominable de bourbon, et ce n'était encore que le milieu de soirée. Il ferait mieux de s'abstenir de conduire dans cet état, mais il n'avait pas eu la présence d'esprit de configurer la fonction sans chauffeur de la BeEtle. Il allait devoir passer la nuit ici. Jayne allait paniquer. Elle n'avait pas l'habitude de passer la nuit toute seule. Sa femme avait résolument refusé de suivre les infos toute la semaine, et ne serait pas sensible à l'argument selon lequel des temps exceptionnels nécessitaient une entrevue prolongée avec son père. Jayne avait adopté une posture de farouche indifférence face aux infos quelles qu'elles soient, qui, de toute façon, finissaient toujours par retomber dans l'oubli lorsqu'on les ignorait avec la détermination appropriée. Cette stratégie consistant à s'enfouir la tête dans le sable marchait si souvent que c'en était étonnant.

Douglas tapota la cuisse de Carter.

— Que dirais-tu de manger un morceau ? Il y a la salle à manger, ou Grace pourrait aussi nous préparer vite fait quelque chose qui ne soit ni pauvre en sel, ni pauvre en graisses, ni pauvre en plaisir.

— Cette conversation ne m'a pas à proprement parler mis en appétit, répondit Carter, qui avait continué à se ratatiner dans son fauteuil.

Il n'avait pas appelé Jayne, qui, à condition qu'elle se soit même intéressée au but de cette entreprise, n'aurait voulu en savoir que l'essentiel. Essentiel que lui-même n'avait toujours pas saisi. Un peu de courage était requis – ce qui n'était pas son fort.

— Essaies-tu de me dire que nous... que tu es complètement ruiné ?

Douglas éclata de rire.

— Bien sûr que non ! Ce n'est pas aussi grave que ça.

Le soulagement ne fit pas immédiatement retomber le pic d'adrénaline. Le sang battait à ses oreilles et Carter se sentit soudain très faible.

— Tu ne me parles jamais de ces choses-là, dit-il en baissant la tête. Comme si tu ne me faisais pas confiance.

Picoler le rendait morose.

— Ce n'est pas du tout ça ! Simplement, jusqu'à présent, tu ne semblais pas particulièrement intéressé par tous ces détails.

— En effet, mais, maintenant, impossible de faire autrement.

— Certes. Quelques infos, alors. Je n'ai pas investi dans les fonds indiciels, parce que je possède un peu de chacune des entreprises composant le Dow Jones.

C'était avec ce même accent de fierté qu'il avait annoncé autrefois l'acquisition des œuvres complètes de W. Somerset Maugham.

— Cet aspect du bilan pourrait être assez sombre. Mais j'ai de l'or en fonds indiciels cotés, des actions de mines, et même le titre de propriété de lingots d'or dans un coffre-fort de Manhattan. Je garde toujours 10 % en espèces – ce qui nous permettra toujours d'acheter du pain *dans* ce pays, et tu n'as pas de projets de voyage, si je ne m'abuse ?

— Non, le safari en Tanzanie peut encore attendre un an. De toute façon, il n'y a plus d'animaux.

— Bien. Puisque la prochaine espèce en danger sera le touriste américain. Sinon, une grosse partie du portefeuille est en bons du Trésor. Le rendement est à chier, et ils ont perdu de la valeur maintenant que le taux a monté, mais, au pire, on peut toujours attendre qu'ils arrivent à échéance. Dans des périodes comme celle-ci, c'est le principal qu'il faut surtout conserver.

— Mais tu disais qu'acheter des obligations américaines était un signe de la crédulité internationale.

— Tout à fait ! Alors, pourquoi devrais-je faire autrement ?

Ils se levaient pour gagner la salle à manger – si Carter n'avalait pas bientôt quelque chose, il allait vomir – quand on frappa à la porte de la bibliothèque.

— Monsieur Mandible ? Monsieur ?

L'agent hospitalier qui s'était occupé de Luella passa la tête par la porte.

— Le président est sur le point de commencer son allocution au pays retransmise à la télé. La réception pensait que vous pourriez être intéressé.

4

Bonsoir, chers compatriotes américains

— MAMAN ! Alvarado passe à la télé dans une minute !

— D'accord, chéri ! cria sa mère depuis la cuisine. Je regarderai plus tard.

C'était un autre de ces moments « Vous étiez où quand ? » Qu'ils se succèdent à cette fréquence était de mauvais augure. Adossé au lourd canapé couleur lie-de-vin de l'Arrière-Grand-Homme, Willing était assis en tailleur par terre, où il se sentait toujours plus en sécurité et ancré. Les vibrations de la voix du présentateur... *dans quelques instants... s'est adressé une seule fois auparavant à la nation dans une allocution...* remontaient du plancher en bois, se répercutant jusque dans ses paumes. Pour une fois, il ne se sentait pas gêné d'envahir ainsi l'espace de Kurt au sous-sol. Alvarado était aussi le président de leur locataire. Kurt serait bien inspiré de s'intéresser aux événements : *Mesdames et messieurs, le président des États-Unis.* Un signe de plus, s'il en fallait, qu'il se passait un truc cafardable. Quand ils déclinaient le titre *in extenso* – pas juste « le président », mais « le président *des États-Unis* », ou « les États-Unis d'Amérique » – on pouvait raisonnablement s'attendre au pire.

Milo aboya. Une fois seulement, avant de se nicher contre la cuisse protectrice de Willing. Milo n'avait jamais semblé très convaincu par Alvarado.

Sa mère avait tort. Il existait des copies de tout. Copies qui semblaient identiques aux originaux. Willing aurait pu lui aussi écouter l'allocution plus tard. Sur son fleX ou en replay, rien ne distinguerait l'enregistrement des images qu'il voyait en cet instant. Mais l'enregistrement ne serait pas en train de se dérouler. Willing ne pouvait l'expliquer, mais cela n'avait rien à voir. Pour toujours désormais, Willing regardait cette allocution en direct, au moment où elle se déroulait. De nouveau les mêmes bruits, les notes bémolisées, signe de l'excitation réprimée des présentateurs, leur voix contrainte à des intonations murmurées et graves, alors que, en réalité, ils avaient envie de crier, le confortaient dans l'idée que, plus tard, il serait content et fier d'avoir regardé l'allocution au moment où elle avait été diffusée, et non plus tard.

Parce que les grandes nouvelles vieillissaient vite. À trop attendre, on courait le risque de *les apprendre par un tiers*, qui vous coupait ainsi l'herbe sous le pied. Les mots aussi seraient changés, et rien n'arriverait dans le bon ordre. Willing détestait qu'on lui *raconte* ce qu'il s'était passé. Ceux qui racontaient semblaient toujours si suffisants et puissants, et ils conservaient leur pouvoir en gardant pour eux et le plus longtemps possible ces infos si spéciales. Ils en cédaient des miettes par bribes sadiques, comme des friandises à un chien. En outre, impossible de faire confiance à la personne qui racontait. Même si elle affirmait dire tout ce qu'elle savait, elle ne transmettait que la partie qu'elle aimait ou détestait le plus. Apprendre par un tiers, ce n'était pas la bonne manière d'être informé.

Buenas noches, mis compatriotas americanos. Daré instrucciones en español inmediatamente después de esta versión en inglés. Pero esta noche, y sólo esta noche, presionen uno para inglés.

Bonsoir, chers concitoyens américains. Au début de ce siècle, des terroristes extra-nationaux ont détourné nos avions pour faire exploser le Pentagone et détruire le World Trade Center. Plus récemment, en 2024, nous avons dû faire face au

78

cataclysme provoqué par la paralysie de notre infrastructure Internet vitale par des puissances étrangères hostiles. La guerre moderne présente maints visages. Cette dernière semaine, notre nation a de nouveau subi des attaques. Aucun gratte-ciel ne s'est effondré. Les infrastructures matérielles et numériques dont nous dépendons continuent de fonctionner. Pourtant, l'attaque que nous subissons actuellement a le même pouvoir d'anéantissement potentiel que des missiles nucléaires lancés sur nos villes.

La cible aujourd'hui est le médium lui-même grâce auquel nous commerçons avec d'autres nations et réalisons des échanges les uns avec les autres – le médium utilisé pour récompenser notre travail, rembourser nos dettes, garnir nos tables, et fournir à nos enfants les médicaments dont ils ont besoin pour être soignés. L'objet de ces attaques n'est autre que le tout-puissant dollar.

Conjuguant leur fourberie, des pays désireux de nuire à notre nation ont joué sur la lâche complaisance de nos alliés. Ces dix derniers jours, un jeu de dominos financiers a été habilement renversé – afin d'augmenter le coût de financement de notre dette nationale, ce qui se traduirait pour vous, contribuables américains, par une baisse de vos revenus si durement gagnés. Notre monnaie a aussi été sabotée sur les marchés des changes internationaux. Et, comble de la perfidie, les dirigeants mondiaux qui jalousent la puissance, le prestige et la réussite de notre grande nation ont instauré ce qu'ils ont dénommé le « bancor », une monnaie artificielle, une imposture de monnaie, sans cours légal légitime.

Ne vous y trompez pas. Le bancor n'est pas conçu comme une alternative inoffensive au dollar. Il vise à remplacer le dollar. Par un acte équivalent, en termes de menace, à appliquer le canon d'un revolver contre notre tempe, nous avons été informés que les échanges commerciaux portant sur les cultures et les matières premières dont nous dépendons pour notre subsistance et nos moyens d'existence au quotidien doivent désormais être effectués au niveau international en bancors. Décision témoignant d'une insolence et d'un despotisme inouïs : le département du Trésor des États-Unis a également été informé que les obligations américaines détenues par des investisseurs étrangers devraient dorénavant être acquittées en bancors, à un taux de change défavorable arbitrairement choisi par un Fonds monétaire international aux agissements de voyou. Les obligations américaines vendues à des investisseurs étrangers doivent dorénavant être libellées en bancors, ce qui représente un affront à notre souveraineté nationale.

De façon ironique, les responsables de ce coup d'État fiscal en ont immédiatement souffert. Le dollar américain est l'élément vital du système bancaire international, et la colonne vertébrale des marchés financiers partout dans le monde. C'est la raison pour laquelle, comme la plupart d'entre vous le savent, nous avons pris la décision la semaine dernière de suspendre les échanges à la Bourse de New York pour éviter un effondrement des richesses. Cependant, à la suite de ce même choc, les échanges ont également été suspendus sur les places boursières de Londres, Paris, Berlin, Moscou, Hong Kong, ainsi que sur les plus importantes places boursières mondiales. La finance internationale retient son souffle. Comme pour toutes les crises majeures qui ont secoué la planète depuis plus d'une centaine d'années, le monde attend la réaction de l'Amérique. Et notre nation courageuse n'essuie jamais d'insultes sans réagir.

Juste avant de m'adresser à vous, chers concitoyens américains, j'ai convoqué le Congrès en séance extraordinaire. À la quasi-unanimité, vos représentants ont voté une loi stipulant que, jusqu'à nouvel ordre, la détention de bancors par les citoyens américains, soit dans le pays soit dans les confins de notre système financier, sera désormais considérée comme un acte de trahison. Dans l'intérêt de préserver non seulement notre prospérité actuelle comme celle *à venir – dans l'intérêt de préserver notre intégrité, notre capacité à garder la tête haute en tant que nation –, il est également interdit aux citoyens américains tout comme aux entités américaines d'effectuer des transactions en bancors à l'étranger.*

Pour l'instant, et pour l'instant seulement bien sûr, il est interdit de sortir du pays tout capital supérieur à un montant de cent dollars. Ces mesures sont temporaires et d'une durée d'application brève ; elles seront levées dès que l'ordre économique sera rétabli de façon sûre et solide.

Comme pour les confrontations militaires, la guerre financière nécessite un armement, et la fabrication de cet armement exige des sacrifices. De la même manière que nous avions mobilisé nos forces et nos industries pour défendre la cause de la liberté pendant la Seconde Guerre mondiale, nous devons également mobiliser nos ressources pour défendre notre liberté aujourd'hui. Soyez assurés que la plus lourde part de ce sacrifice sera assumée par les épaules les plus larges.

En vertu des pouvoirs conférés au président par l'International Emergency Economic Powers Act de 1977, je demande à ce que soient réquisitionnées toutes les réserves d'or détenues par des particuliers. Les mines d'or au sein de nos frontières seront autorisées à vendre ce minerai uniquement au Trésor des États-Unis. Les stocks d'or, les fonds indiciels cotés, ainsi que les lingots, seront également transférés au Trésor. À la différence de la nationalisation de l'or décidée par Franklin Delano Roosevelt en 1933 pour secourir notre nation lors de la terrible crise qu'elle traversait, il n'y aura pas d'exceptions pour les bijoutiers ou les bijoux. Toutes ces confiscations imposées par le patriotisme seront compensées au poids, mais toutefois à un taux qui ne reflétera pas l'inflation hystérique des réserves d'or qui a précédé l'instauration de cette mesure d'urgence. La thésaurisation ne sera pas tolérée. Des amendes punitives pouvant s'élever à deux cent cinquante mille dollars seront infligées à ceux qui refuseront de coopérer. Conserver de l'or sous quelque forme que ce soit après l'échéance du 30 novembre 2029 sera dès lors considéré comme une infraction criminelle, passible d'une peine de prison pouvant aller jusqu'à dix ans.

Toutes les exportations d'or depuis nos côtes sont donc interdites. En représailles des tentatives perpétrées par des agitateurs extérieurs de nuire au drapeau de notre nation, toutes les réserves d'or étrangères actuellement stockées au sein de la Réserve fédérale sont confisquées et deviennent la propriété du gouvernement américain.

Un dernier point : des puissances étrangères ont conspiré pour soumettre le gouvernement de notre illustre nation en lui imposant un fardeau intolérable et impossible à assumer sur l'intérêt de sa dette. Cette dette avait été contractée en toute bonne foi et, en temps voulu, sauf dans des circonstances tout à fait exceptionnelles, aurait été acquittée en toute bonne foi. Mais quand notre probité ne reçoit comme récompense que malveillance et trahison, la conserver ne relève plus alors que de la crédulité et de la faiblesse. Pour qu'un contrat reste valide, les deux parties doivent l'honorer. En outre, ce grand pays n'honorera pas ces obligations si cela le conduit à sa destruction. Une nation conçue dans la liberté ne peut exercer ses prérogatives à genoux.

Dès ce soir, moi, président des États-Unis, le secrétaire du Trésor ainsi que le président de la Réserve fédérale des États-Unis avons proclamé une « réinitialisation » universelle. Dans le souci de préserver une nation capable de tenir ses engagements futurs, nous sommes contraints de renoncer aux engagements du passé. Dès lors, tous les bons, les billets et les obligations du Trésor sont déclarés nuls et non avenus. Nombre de débiteurs ont pleuré de gratitude de voir leur dette ainsi annulée, bénéficier d'une seconde chance, que, pour les personnes privées comme pour les entreprises, tous les systèmes judiciaires impartiaux comme le nôtre ont garantie par la loi. Le gouvernement aussi doit être en capacité de tracer une ligne et de dire : ici, nous repartons de zéro.

Abordons l'avenir, le pas léger, le cœur réjoui – confiant dans l'endurance du plus grand pays du monde. Dieu vous bénisse. Et Dieu bénisse les États-Unis d'Amérique. Bonsoir.

À peine terminée, cette allocution était disponible partout sur le Web, mais parfois, une telle accessibilité ôtait l'envie d'en profiter ; toute urgence était retombée. Florence se satisfaisait tout à fait que Willing lui résume l'allocution – avec une minutie remarquable pour un adolescent de treize ans –, tandis qu'elle étendait le linge dans la buanderie adjacente à la cuisine. Ce cycle de lavage à économie d'eau ternissait le linge.

— C'est beaucoup à digérer, commenta Florence en jetant un coup d'œil à son fils, au garde-à-vous à côté de la machine à laver, les mains le long du corps, ses yeux noirs fixés droit devant lui ; un vrai petit soldat. Elle ignorait de qui il tenait un tel sérieux, lui qui, avec ses quarante kilos tout mouillé, semblait prêt à prendre sur lui tout le poids du monde.

— Tu parais préoccupé. Tu n'es pas inquiet, dis-moi ?

— Si, je le suis.

— Écoute, dit-elle. (Abandonnant les chaussettes dans le tambour, elle s'accroupit devant lui plus que nécessaire compte tenu de sa taille.) De ce que tu m'as rapporté, nous n'avons aucune raison de nous inquiéter. Tu as de l'or ici qu'on devrait donner au gouvernement ? Et même si nous en avions, ils nous le paieraient, c'est ce que tu as dit.

— Si le gouvernement peut nous forcer à leur remettre ce qu'il veut, qu'est-ce que ce sera ensuite ? S'ils demandent qu'on leur remette tous les chiens, je devrai leur donner Milo ?

Elle éclata de rire.

— Jamais le président Alvarado ne te prendra Milo. C'est un homme bon. Esteban et moi, on a voté pour lui, tu te souviens ? Quant à cette nouvelle monnaie, je ne reconnaîtrais même pas un bancor si j'en voyais un. Est-ce qu'on prend des bancors pour aller acheter des céréales à Green

Acre ? Non. Personne – ni toi, ni Esteban, ni ta mère – ne va se faire arrêter pour avoir dans les poches une monnaie stupide qui concerne en fait des questions financières compliquées entre les pays. Et quant à cette... « dénonciation de la dette » ?

— C'est l'expression qu'ont employée les commentateurs.

— À vue de nez, je suis prête à parier que cette « réinitialisation » dont tu as aussi parlé évitera une augmentation des impôts. C'est une bonne chose pour nous. De cette façon, on gardera une plus grande partie de mon salaire pour nous.

— Le président a emprunté de l'argent aux gens et dit qu'il ne le remboursera pas. Ça n'a rien de *frais*, c'est plutôt cacavioc.

Florence se releva vivement.

— Tout d'abord, répliqua-t-elle en tapant dans ses mains, ce président n'a rien emprunté. Il a hérité de la dette des anciens présidents, qui n'ont pas pu s'empêcher de *voler au secours* de pays dans des endroits paumés du globe, et qui ont fini par nous haïr de les *avoir aidés*. En outre, la plus grosse partie de cet argent vient des Chinois, qui sont d'énormes tricheurs, et les véritables cacaviocs de l'histoire, car ce sont sûrement eux qui ont foutu en l'air l'Internet de notre pays il y a cinq ans. Qu'ils aillent se faire foutre.

— Ils ne se sont pas fait prendre. Personne n'a rien pu prouver.

— La malveillance n'en est que plus grande encore. Ils n'ont rien avoué ? Mais il faudrait être vraiment un *idiota* pour ignorer qui a fait le coup.

Elle se reprit.

— Désolée, je ne voulais pas dire que tu étais stupide.

— Mais ça ne va pas plaire aux Chinois. S'ils ont déjà réussi à mettre HS l'Internet, ils pourraient recommencer.

— Non, impossible. Toutes les vulnérabilités ont été sécurisées, répliqua Florence, un peu gênée de reprendre à son compte le discours officiel.

— C'est ce qu'on prétend. Mais ça ne signifie pas pour autant que c'est vrai.

— Willing, je ne sais pas comment tu peux être aussi cynique à treize ans.

Il lui lança un regard noir.

— Ils pourraient faire pire que mettre HS l'Internet.

— Arrête avec ça ! Tu te laisses emporter par ton imagination. Dans l'allocution du président, de ce que tu m'as rapporté, nous ne sommes concernés en rien, d'accord ?

— Tout concerne tout le monde, répliqua-t-il d'un ton grave.

— Et tu tiens ça d'où ?

— De l'univers.

— Dieu du ciel, mon fils est devenu mystique. Haut les cœurs ! Que dirais-tu d'un peu de glace ?

Dans la mesure où il pouvait regarder à loisir les deux mille autres chaînes et les plus diffusées en espagnol, Florence savait pertinemment qu'Esteban mentait en prétendant regarder la deuxième version de l'allocution en espagnol pour « entretenir son bilinguisme ». Jubilant encore de la victoire remportée de peu par Dante Alvarado en 2028, il était sur un petit nuage. Durant cette première année de lune de miel, et aux yeux des sympathisants inconditionnels comme Esteban, le premier président latino des États-Unis ne pouvait pas se tromper.

Un peu moins de la moitié restante du pays était, si tant est que cela soit possible, plus morose encore qu'en 2008, mais aussi plus encline à la boucler. Cette fois, même les activistes dyspeptiques du mouvement des « Birthers » ne pouvaient contester que ce démocrate était bel et bien né dans le pays. Après la voie largement ouverte par l'échec de la candidature d'Arnold Schwarzenegger en 2024, le 28e amendement invalidait le critère stipulant que les présidents devaient être nés sur le sol américain. (Florence n'était pas la seule à attribuer la défaite surprise de Terminator à la nomination abracadabrantesque, et à la dernière heure, de Judith Sheindlin, surnommée « Juge Judy », à la Cour suprême. Depuis, les sessions étaient plus vivantes, et plus courtes.) Dante Alvarado était né à Oaxaca, sans complexe, ce qui avait contribué à le faire élire. Le fait que nombre de conférences de presse à Washington et de débats au Congrès se déroulent désormais en espagnol constituait une source inépuisable de fierté pour la communauté d'Esteban. Bien que certains démocrates aient considéré comme une provocation gratuite la décision d'Alvarado de prononcer son discours d'investiture uniquement dans sa langue maternelle, Florence s'en fichait. La retransmission du discours historique sur le Washington Mall lui avait offert une occasion bienvenue de rafraîchir son espagnol.

En outre, en 2024, Florence Darkly s'était retrouvée confrontée à son propre racisme.

À 17 h 08 ce fatal samedi de mars, Willing et elle faisaient des courses à Manhattan, pour profiter des soldes monstres dans la tentaculaire succursale de Chelsea de Bed Bath & Beyond. Ils venaient de passer en caisse quand les lumières du magasin s'étaient éteintes. Dehors, dans la rue, les trottoirs étaient bondés de piétons, frustrés, secouant leurs fleX ; vérifier la connectivité du sien était aussi compulsif que vain. Une panne complète était une chose – toute la zone semblait privée d'électricité –, mais cela n'expliquait pas l'absence de couverture satellite. Les gens sortaient en masse des stations de métro ; les rames s'étaient arrêtées. Les feux de circulation éteints, un accident sur la 19e Rue Ouest avait immobilisé le trafic sur la Sixième Avenue. La cacophonie des klaxons était étrangement réconfortante : c'étaient des signes de vie.

Empoignant la main de son fils, elle n'était pas encore entrée dans le monde où refuser d'abandonner son tout nouveau panier à linge en osier était ridicule – bien qu'il ait été particulièrement lourd et encombrant, rempli des autres articles soldés qu'elle venait d'acheter. Ils tentaient de se frayer un chemin parmi la foule au bord de l'hystérie, et elle avait dû attirer l'attention sur elle avec son chargement encombrant. Quand un Mexicain musclé avait essayé de le lui prendre, elle avait supposé qu'il s'agissait d'un clandestin doublé d'un voleur, qui voulait profiter de la bousculade. Elle s'était cramponnée à son panier. Dans un anglais dont la correction l'avait apaisée, il lui avait assuré qu'il s'efforçait seulement de l'aider. Il avait ajouté qu'aucune des personnes à qui il avait parlé ne semblait savoir pourquoi, subitement, rien ne marchait plus, car les périphériques utilisés pour, justement, répondre à ce type de question avaient cessé de fonctionner. Il l'avait prévenue que, agrippée d'une main à son panier à linge et de l'autre à un enfant, elle risquait de se faire piétiner. Il lui avait demandé où elle habitait ; elle avait éprouvé quelques réticences à lui répondre, mais n'avait pas voulu se montrer impolie. Il lui avait dit alors qu'il rentrait lui aussi à Brooklyn et avait suggéré d'emprunter le Manhattan Bridge, dont la rampe pour piétons serait moins encombrée que celle du Brooklyn Bridge, à coup sûr bondée. Il avait posé le panier à linge rempli sur son épaule. Au début, ils ne s'étaient pas parlé. Il la terrifiait. Mais quand il s'était ouvert un chemin dans la foule sur la 18ᵉ Rue, puis en descendant la Seconde Avenue jusqu'à Christie, elle avait dû admettre que jamais elle n'aurait réussi à porter leurs achats aussi loin toute seule, pas plus qu'elle n'aurait trouvé le trajet le plus direct jusqu'à l'entrée piétons de Canal Street sans l'aide d'une application. Il avait eu raison pour le choix du pont. Ils n'étaient pas bousculés au point de risquer de passer par-dessus la rambarde et de tomber dans l'East River.

Sur la rampe, tout le monde reconnaissait que le plus dur était de ne pas savoir ce qu'il s'était passé. Chacun ou presque y allait de sa théorie : la comète de Halley avait heurté le New Jersey. Le gouvernement effectuait un exercice de sécurité. Une nouvelle attaque terroriste s'était produite. La prédiction tristement célèbre de Harold Camping selon laquelle l'Enlèvement de l'Église se produirait le 21 mai 2011 ne tombait à côté que de dix-sept ans, neuf mois et quinze jours.

Quand ils eurent traversé le pont et furent arrivés dans leur quartier, elle l'avait supplié de la laisser reprendre son chargement et continuer seule avec l'aide de son fils de huit ans. Leur escorte mexicaine lui avait confié qu'il habitait à Sunset Park, à une dizaine de kilomètres à l'est de East Flatbush, et cela n'avait aucun sens pour lui de continuer dans la direction opposée – à moins qu'il ait prémédité de l'accoster.

À cette heure-ci, il faisait nuit, une nuit qui avait tout envahi. Seules les lumières des fleX individuels trouaient l'obscurité. Derrière eux, Manhattan aurait pu être une chaîne de montagnes. La circulation entièrement bloquée, puisque les fonctions sans chauffeur et les ordinateurs embarqués étaient reliés à Internet, la plupart des véhicules avaient été abandonnés. Quelques familles s'étaient réfugiées dans des berlines, les portières verrouillées sans aucun doute. Alors, le Lat avait insisté non seulement pour les raccompagner chez eux, mais aussi pour utiliser son fleX jusqu'à l'épuiser afin d'éclairer la route. Au moment où tous les trois arrivaient à Flatbush, à proximité du parc, son fleX avait rendu l'âme, et ils avaient dû se rabattre sur celui de Florence. L'avenue était empruntée par d'autres pèlerins, éclairés par la faible lueur de leurs petits périphériques, comme des pénitents avec leurs veilleuses. La totalité du trajet à pied représentait environ une quinzaine de kilomètres et leur avait pris quatre heures et demie. Aussi, au moment où ils s'étaient engagés dans Snyder, Florence avait repris le panier à linge et laissé leur protecteur porter Willing, qui s'était endormi dans ses bras. Plus tard, il lui avait expliqué que, naturellement, il avait eu peur, comme tout un chacun, mais que le moyen le plus sûr de ne pas paniquer avait été pour lui de se concentrer sur la sécurité de ces deux inconnus. Il s'appelait Esteban Padilla et, au moment où ils avaient atteint la 55ᵉ Rue Est, morts de fatigue, dans le noir le plus complet parce que la batterie du fleX de Florence s'était déchargée elle aussi, et tandis qu'ils cherchaient des bougies et des allumettes à quatre pattes, Florence était beaucoup moins raciste et très amoureuse.

L'élection de novembre dernier avait eu une telle signification pour son compagnon qu'elle avait préféré taire le vague malaise que lui inspirait le nouveau président. Oh, elle trouvait le symbole génial ; après toute cette hostilité à propos de l'immigration, un Lat à la Maison-Blanche constituait le symbole ultime de l'intégration. Pourtant, cet homme avait une douceur poupine accentuée encore par les consonnes palatalisées de son accent mexicain, qui, dans son cas, semblait parfois un peu simulé. (Quand il s'était adressé à des auditoires blancs durant sa campagne, sa prononciation avait été impeccable.) Ce n'était pas seulement qu'il était gros – car, merde, les trois quarts de la population l'étaient –, c'était la nature de son obésité. Il avait les rondeurs du petit garçon à sa maman, et cela le faisait probablement passer pour une chiffe molle aux yeux des autres chefs d'État.

En attrapant les bols, Florence hésita à proposer à Kurt de partager la glace avec eux. Elle se demandait toujours jusqu'à quel point elle pouvait intégrer leur locataire du sous-sol, un fleuriste à mi-temps, à la vie de la famille. Kurt se donnait la peine de rapporter des bouquets un peu défraîchis qui, sinon, auraient été jetés, égayant leur maison de freesias. Elle l'appréciait plutôt bien, et elle aurait d'ailleurs aimé qu'il le comprenne une bonne fois pour toutes, afin qu'il se détende. Après tout, il était poli, attentionné, intelligent ; il s'exprimait correctement et était désireux de bien faire. (Un peu trop, peut-être ? Que voulait-il ? Être pleinement apprécié, de toute évidence, alors qu'être suffisamment apprécié aurait suffi.) Cependant, sa gratitude démesurée pour la moindre expression de gentillesse normale avait quelque chose d'épuisant. Qu'il ne se plaigne jamais leur facilitait la vie, mais il en aurait eu tous les droits. Trop grand pour le plafond bas du sous-sol, il ne cessait de se cogner la tête contre les poutres, qu'elle aurait dû recouvrir de mousse. Musicien amateur, il ne travaillait son saxophone que quand la maison était vide, alors que même le pas léger et pondéré de Willing résonnait au sous-sol comme le martèlement d'un éléphant. Était-il jamais arrivé à Kurt Inglewood de demander à la famille de baisser le volume de la télé ? Non, jamais. Aussi, Florence s'en voulait ce soir d'avoir envie de sortir trois bols et non quatre.

D'environ son âge, mince et bien proportionné, le visage allongé aux traits nets, Kurt aurait dû être considéré comme beau. Issu de la classe moyenne, naviguant d'un boulot frustrant et mal payé à un autre comme l'avait fait Florence, plus jeune, il serait passé pour un bosseur charmant et compétent cherchant un poste correct. Mais depuis des années, il avait fait l'impasse sur les soins dentaires. Des caries avaient noirci sa dentition et mué son sourire charmant en gouffre vampirique. Puisqu'il n'avait pas cinquante mille dollars à investir dans des implants, des plombages et des bridges, il serait donc célibataire à vie. La quarantaine maintenant, avec une *dentition* comme la sienne, il avait basculé de façon tragique, injuste et peut-être permanente dans la classe des *losers* – étiquette aussi laide que déshumanisante à laquelle elle avait elle-même échappé de justesse. Au centre d'hébergement, elle était constamment confrontée aux problèmes liés à une mauvaise hygiène bucco-dentaire, et peut-être était-ce aussi le problème ce soir-là. Elle n'aurait rien eu contre l'idée de partager une glace avec Kurt. Mais elle avait eu une rude journée à Adelphi, et elle n'avait simplement pas le courage de voir ses dents.

Elle servit trois boules. Avec l'excitation un peu nerveuse propre aux événements importants, même si elle n'était pas en mesure de dire pour le moment s'il était bon ou mauvais, elle plaça, suivant son impulsion, un morceau de biscuit dans l'écuelle de Milo. Ils se retrouvèrent dans le salon avec des cuillers, et Esteban éteignit la télé.

— Alors, quel est ton sentiment sur cette allocution ? demanda-t-elle à Esteban alors qu'ils savouraient leur dessert assis sur le canapé.

— *Está maravilloso,* déclara-t-il. Ces croulants de républicains – ils n'arrêtent pas de se plaindre de la prétendue faiblesse et mollesse d'Alvarado. Ça va leur servir de leçon. Si ça, ce n'est pas défendre son pays ! Ce sont les décisions les plus audacieuses que j'aie jamais vu un président prendre de toute ma vie. Maintenant, ils ne pourront plus le traiter de gonzesse !

Florence s'esclaffa.

— Ils pourraient le traiter d'autre chose, d'escroc, par exemple.

— Il n'y a que la vérité qui blesse, répliqua Esteban avec assurance. Connards d'Asiatiques. On s'en tape.

Muré dans le silence depuis leur échange dans la buanderie, Willing sortit de ses ruminations avec un magnifique coq-à-l'âne :

— On pourrait toujours déménager en France.

— D'acc... ord, dit Florence en effleurant de l'index le cou de son fils toujours assis en tailleur, droit comme un I. Sa glace fondait. Et pourquoi déménagerions-nous ?

— Nollie habite à Paris, répondit Willing. Ce serait peut-être plus sûr. Le président a dit qu'il serait interdit de sortir des dollars du pays. Il n'a pas dit que les gens n'avaient plus le droit de partir. Pas encore.

Florence jeta un coup d'œil à Esteban en secouant la tête comme pour dire : « Ne dis rien. »

— Je suppose qu'on pourrait envisager que tu ailles rendre visite à ta grand-tante un jour. Vous sembliez bien vous entendre, tous les deux, lors de son dernier passage à New York.

— Nollie fait ce qu'elle veut. Alors que tout le monde fait ce qu'il est censé faire, répliqua Willing. Grand-père et grand-mère la traitent d'égoïste. C'est peut-être une bonne chose. C'est de gens égoïstes, en tout cas, avec une certaine forme d'égoïsme, dont on a besoin à nos côtés.

Florence assura son fils qu'il n'y avait pas de « côtés », puis elle lui fit remarquer qu'il était épuisé, l'envoya se coucher, avant même qu'il ait fini sa glace complètement fondue. Après qu'il se fut brossé les dents, elle lui murmura sur le pas de la porte de sa chambre que personne ne déménagerait nulle part, et que de nombreux événements qui paraissaient étranges et effrayants sur le moment finissaient par se révéler être les hauts et les bas habituels de la vie normale. L'Âge de pierre avait bien semblé être la fin du monde, non ? Pourtant, cela n'avait pas été le cas.

Plus tard, toutefois, elle eut du mal à s'endormir. L'inquiétude affleurait. Les fondations bougeaient – celles-là mêmes qui devaient demeurer inchangées pour permettre à d'autres choses de se transformer en douceur. En 2024, Florence en était venue à mesurer l'immense différence entre un événement grave et les dysfonctionnements des systèmes par lesquels les catastrophes survenaient. Même si les sombres décrets du président avaient peu d'impact sur leur quotidien à East Flatbush, ils semblaient devoir bousculer sa vie dans ses fondements mêmes – pas tant les broutilles comme les allers-retours entre ce qu'elle gagnait et ce qu'elle dépensait, ce qu'elle faisait et où elle allait, mais qui elle était.

Le lendemain matin, tandis qu'elle se rendait à pied à l'arrêt de bus, Florence traversa la rue pour poster la facture d'électricité dans la boîte aux lettres – moyen de paiement qu'elle trouvait aussi primitif que de faire du feu avec du silex. Ainsi, l'histoire pouvait s'inverser. Maintenant que toute transaction impliquant des infrastructures ou des finances vitales devait, selon la loi, être effectuée hors ligne, les relevés bancaires et les factures papier avaient fait un retour affligeant et encombraient de nouveau les tables des maisons. Le chéquier, lui aussi, avait été extirpé de la poubelle du passé, boules de poils et fil dentaire usagé entre les chèques. Mais, au moins, la nécessité de griffonner sur un rectangle « Deux cent quarante-trois dollars et vingt-neuf cents » justifiait à elle seule la maîtrise de l'écriture manuelle. Une compétence qu'elle avait été à deux doigts de perdre – elle avait été contrainte d'annuler le premier chèque rédigé au petit déjeuner parce qu'il était illisible. Elle avait alors montré à Willing comment écrire l'alphabet à la main, puisqu'on ne l'apprenait plus aux enfants à l'école. La plupart de ses camarades de classe étaient incapables d'écrire leur nom. Et on appelait ça le progrès ? Mais c'était une nécessité désuète que les gamins trouvaient barbante. Après avoir glissé l'enveloppe dans la fente bleue, elle fronça les sourcils. Si les « vulnérabilités Internet » *avaient* été réparées, pourquoi devions-nous continuer à payer par chèque les factures d'électricité ?

Les « bobos » qui avaient envahi les quartiers plus à l'est encore jusqu'à Brooklyn prenaient les transports privés. Comme toujours seule passagère blanche dans le bus sans places assises, Florence s'était efforcée de saisir la moindre référence à l'allocution d'Alvarado. Les Afri-méricains parlaient leur propre dialecte, partiellement couvert par le bruit des klaxons, et infiltré d'espagnol méconnaissable. Parmi les Latinos, les seuls propos en espagnol qu'elle pouvait facilement comprendre et traduire concernaient le dernier genre musical en vogue, le beastRap, mélange de chants d'oiseaux, de hurlements de loups, de rugissements de lions, de ronronnements de chats et d'aboiements. (Pas son truc, mais bien mixés, certains morceaux étaient émouvants.) Une bande-son de cris de mouettes sur une rythmique syncopée de coups de bec semblait créer plus d'animation dans le B-41 que l'annulation intégrale des obligations américaines. Or, une fois que la nouvelle se serait répandue dans la rue, la nationalisation de l'or ne serait pas bien perçue par ces gens, et particulièrement par tous ces gros durs arborant moult chaînes en or. Difficile d'imaginer ces *brothers* et *muchachos* superbuildés faire la queue dans un même élan patriotique pour remettre leur quincaillerie au Trésor. Les gabarits aussi musclés que celui, près de la porte, de cet habitué des salles de muscu, les agents fédéraux oseraient-ils les plaquer au sol et retirer à la pince leurs dents en or ?

Il y avait une génération de cela, cette portion de Flatbush Avenue au nord de Prospect Park était plutôt glauque, avec cet assemblage hétéroclite de magasins de tapis, de drugstores discount, d'ongleries et de snacks et leurs beignets au glaçage rose en devanture. Mais après la construction du stade au bas de la colline, la cote du quartier avait grimpé. Les « logements abordables » promis par les promoteurs immobiliers dans le cadre de l'accord passé avec la ville sur la construction du stade étaient presque aussi chers que les appartements de luxe. Le vacarme coloré de Flatbush s'était mué en murmure sépulcral. Les piétons se faisaient rares. Le bourdonnement sonore des fourgons privés qui, pour un dollar, conduisaient la classe ouvrière en haut ou en bas de la colline avait été remplacé par le bruissement doux des taxis électriques. L'avenue était des plus civilisées et des plus mortes.

Florence se réjouissait plutôt à l'idée que la mutation commerciale de cette zone autrefois si vivante et bigarrée cause des désagréments sans fin aux nouveaux résidents aisés. Certes, on pouvait prendre rendez-vous pour un lifting, offrir une thérapie à son chien, ou dépenser cinq cents dollars chez Ottawa pour un dîner de cette cuisine canadienne si tendance (l'élite urbaine commençait à être à court de nouvelles cuisines ethniques). Mais impossible d'acheter un tournevis, de dénicher un pot de peinture, de porter ses vêtements au pressing, de faire réparer les talons de ses escarpins, de faire un double de ses clés ou d'acheter une part de pizza. Avec leurs beaux vélos à plus de cinq mille dollars, les habitants étaient coincés sans magasins de cycles alentour pour y faire réparer leurs freins. Le supermarché le plus proche se trouvait à trois quarts d'heure de marche sur la Troisième Avenue. Les loyers élevés avaient rendu inabordables les prestations de service dont la proximité justifiait autrefois partiellement de vivre en ville. Pour tous les aspects pratiques du quotidien, les riches New-Yorkais résidaient en fait dans une variante bondée et surpeuplée de la campagne, où il fallait faire près de dix kilomètres pour un litre de lait.

Florence descendit à l'arrêt de Fulton Street et prit la direction de l'est, serrant les pans de son col. Le jet-stream semblant avoir définitivement migré vers le Sud après avoir traversé le pays, l'anachronisme « réchauffement climatique » avait été complètement abandonné aux États-Unis. Elle tourna à gauche sur Adelphi Street, dont la circulation était devenue moins dense maintenant que le passage souterrain était fermé quelques centaines de mètres plus haut ; depuis l'épouvantable effondrement de la voie express Brooklyn-Queens le long d'Hamilton Avenue, non loin de chez ses parents, personne n'était autorisé à s'en approcher. De ce qu'elle pouvait en juger, la file d'attente pour l'admission ressemblait à celle des autres jours : environ une vingtaine de familles avec les inévitables poussettes où étaient suspendus autant de sacs qu'elles pouvaient en porter sans risquer de se renverser. Plusieurs adultes fumaient – quelques-uns des derniers irréductibles qui persistaient à fumer de vraies cigarettes, bien qu'elles fussent considérablement plus chères que les vapoteuses. Ridicule, d'autant qu'elle n'avait jamais été accro elle-même : pourtant, l'odeur âcre et toxique du tabac la rendait nostalgique.

Dans une rue verdoyante de Fort Greene, l'Adelphi Family Residence était un ancien immeuble privé légué à la ville par un propriétaire sans enfants – un legs parmi le flot déversé auprès des caisses publiques et des organisations caritatives par la génération des baby-boomers, dont une large proportion avaient négligé de se reproduire et se retrouvaient sans personne à qui léguer leurs biens. L'immeuble haut, en brique fauve, était un grand cran au-dessus du centre d'hébergement Auburn, abondamment discrédité et désormais disparu au cœur de la cité à quelques rues de là. Pour accueillir un plus grand nombre de résidents, les appartements avaient été réarrangés en petites unités plus chiches sans cuisine et avec salle de bains commune, mais le centre proposait aussi une cafétéria et une salle de loisirs symbolique (où il n'y avait jamais de balles de ping-pong pour jouer sur les tables). Ironie du sort, même dans un million d'années, Esteban et elle ne pourraient jamais rien s'offrir dans un quartier aussi chouette.

D'un signe de la main, Florence salua Mateo et Rasta, les gardes à l'entrée, avant de déposer son sac à dos sur le tapis roulant de sécurité et de tourner sur elle-même avec grâce dans le dispositif de contrôle à rayons X. (Les simples détecteurs à métaux ne suffisaient plus. Les reproductions plastique de pistolets créées au moyen d'imprimantes 3D personnelles s'étaient améliorées.) Quel dommage que le carrelage du XIXᵉ siècle finement ouvragé du hall d'entrée soit dissimulé par des affiches – CHEZ SOI, C'EST LÀ OÙ SE TROUVE LE CŒUR ; LA RÉUSSITE N'EST QUE L'ÉCHEC TENTÉ UNE FOIS DE PLUS ! –, bien que ces aphorismes positifs contribuent certainement à compenser l'avertissement moins joyeux : AUCUNE VIOLENCE VERBALE OU PHYSIQUE À L'ÉGARD DU PERSONNEL NE SERA TOLÉRÉE.

Adelphi n'était nullement le trou à rats infesté de vermine et grouillant de prédateurs sexuels que ses voisins compatissants comme Brendan, le voyant financier, se représentaient sans doute. Ni l'insalubrité des lieux, ni même la pauvreté et le désespoir qui conduisaient les gens ici ne déprimaient Florence. C'était le désœuvrement qui l'affectait. L'atmosphère collective résultant de la présence dans un même lieu de tant d'individus ayant perdu tout intérêt et volonté d'aller d'un point A à un point B – cette ambiance rance sur fond de « brassons de l'air en attendant la mort » qui imprégnait l'institution – la troublait non en raison de son histoire personnelle qui la portait à aller de l'avant, mais pour le reflet qu'elle lui renvoyait de son propre état la plupart du temps. À Barnard, jamais elle n'aurait imaginé se retrouver parmi eux à nettoyer du vomi, hormis peut-être par charité et dans un temps limité, au cours d'une brève période expérimentale et courageuse avant de se lancer professionnellement et faire carrière. Pas plus que les résidents, elle ne comprenait comment elle avait atterri à Adelphi. Et, tout comme eux, elle ne savait pas s'il y avait quoi que ce soit d'autre pour elle ailleurs qu'ici. La survie élémentaire, au jour le jour, avait beau être le but animal de chaque être humain, des générations durant, la famille Mandible avait réussi à enjoliver ce projet et à le rendre considérablement plus exaltant. La maternité aurait pu lui fournir un semblant de finalité, d'autant que Willing ne cessait de montrer des signes d'intelligence – mais plus il semblait brillant, moins elle se sentait capable de faire ce qu'il fallait pour être à la hauteur de ses dons. À la différence d'Avery, elle n'avait aucun problème quant au fait que les cours de Willing fussent dispensés en espagnol – du moment qu'il avait des cours. Pourtant, chacun de ses raisonnements, chacune de ses compétences, elle les lui avait appris, ou il les avait appris tout seul. L'école était nulle.

Un garde armé dans son dos, Florence s'assit derrière le bureau de la réception pour traiter les arrivées du matin. Comme toujours, quelques familles s'étaient imaginé qu'il leur suffirait de venir sur place pour se voir accorder un lit. Bien, bien ! Elle les avait envoyées au bureau d'accueil des services du département de la Santé dans le sud du Bronx, avec un bon de trajet pour la fourgonnette garée dehors. Peu reviendraient. N'était pas considéré sans abri qui voulait, et si vous aviez le malheur de mentionner un grand-oncle avec une chambre inoccupée dans l'Arkansas, vous vous retrouviez le jour même dans un bus de nuit direction Little Rock. Pour les autres, ceux qui avaient réussi à passer les haies et qui arrivaient avec d'épaisses liasses de documents dans des classeurs en plastique collants, Adelphi avait à peine assez d'unités vacantes, et les familles nombreuses se retrouvaient les unes sur les autres. Le centre fonctionnait à sa capacité maximale, car, dans deux tiers des unités, les lits étaient occupés. En théorie, l'hébergement en centre était temporaire. Dans la pratique, la plupart des résidents habitaient ici depuis des années.

Florence fit entrer les nouvelles familles dans leurs quartiers, les parents agrippant la brochure des règles et privilèges. Dans le rare cas où la famille n'avait jamais vécu précédemment en centre d'hébergement, la découverte de ce nouveau lieu de vie pouvait causer un choc. Les chambres étaient meublées de commodes auxquelles il manquait des tiroirs, de matelas posés à même le sol et, de temps à autre, d'une chaise de cuisine mais rarement de la table qui allait avec. Bien qu'Adelphi ait son lot de maniaques compulsifs, la plupart des unités occupées avaient des allures d'échoppes de seconde main avec des piles de vêtements dans tous les coins, des tricycles en plastique et des vélos cassés laissés par terre, et des caisses remplies d'appareils électroniques obsolètes.

Les nouveaux admis se plaignaient toujours : *Quoi, vous me dites qu'il y a une salle de bains commune ? Où elle va dormir, Dajonda ? Elle a seize ans – elle peut pas avoir une chambre avec une porte ? Et comment ça, on peut pas avoir de micro-ondes ? Et ces draps, ils sont crades. La femme dans le hall a dit qu'il y a pas Netflix sur ces télés ! Melita est allergique au blé – alors, pas question de nous servir vos pâtes ramollo. Et bonjour la vue ! De notre ancienne chambre à Auburn, on voyait l'Empire State Building !*

Florence oscillait toujours entre deux réactions différentes à ces critiques inévitables : *Je comprends, moi aussi je détesterais avoir à partager une salle de bains avec des inconnus. Être sans abri ne signifie nullement qu'on ne soit pas attaché au respect de sa vie privée, et si j'avais une fille adolescente dans un endroit comme celui-ci, je veillerais de près sur elle. La politique concernant les micro-ondes est excessive, car ce n'est pas une boîte de soupe réchauffée qui va infester la pièce. Les personnes sans abri ont entièrement raison d'être exigeantes sur la propreté des draps, de souhaiter une offre de divertissement de qualité, et de s'attendre au respect de leurs contraintes alimentaires. Pour ma part, j'ai horreur des pâtes trop cuites. Dans l'ensemble, je dirais que, d'un point de vue psychologique, votre désir d'exprimer vos préférences et exigences est tout à fait légitime.*

Une milliseconde plus tard : *Vous êtes dans la ville la plus chère du pays, si ce n'est du monde. Vous venez de vous voir accorder un endroit où vivre gratuitement, trois repas gratuits par jour, l'électricité gratuite, et même l'EAU gratuite, alors que des personnes comme moi qui faisons quantité d'heures dans des emplois qui ne nous plaisent pas toujours avons à peine les moyens de nous offrir du poulet. Pour des raisons qui me dépassent, vous avez sept enfants que vous attendez de voir pris en charge par d'autres que vous, alors que je n'en ai qu'un, auquel je dois donner des vêtements, de la nourriture et un toit sur la tête. Vous devrez peut-être partager une salle de bains, mais la cascade de cette douche vaut mille fois mieux que le pauvre filet d'eau de la mienne, alors arrêtez de vous plaindre.*

Ce changement de voltage à longueur de journée induisait des à-coups qui épuisaient son énergie.

Au déjeuner, Florence opta pour un sandwich de la cafétéria et se replia dans la salle réservée au personnel, animée ce jour-là. La garniture protéinée à la sauterelle était censée avoir le goût du thon. Raté.

— Fantastique ! s'exclama Selma, en soulevant ses jambes pour les poser sur la table. Ses mollets avaient la circonférence de pots de mayonnaise industriels. Maléfique, comme dirait mon fils. Ça me plaît bien, que tous ces pétés de thunes soient obligés de raquer et de refiler leurs gros tas d'or. Si ça ne tenait qu'à moi, il n'y aurait même pas de « compensation ». Quelqu'un doit remettre tout à plat. Et il est devenu quoi, cet « impôt sur la fortune » dont on nous a rebattu les oreilles ? Le programme Colbert fonctionne. C'est ça, la merde. Ce que j'aimerais voir Alvarado ficher tout ça en l'air ! Et c'est juste le début.

— Tu n'as même pas voté pour lui ! s'exclama Florence en mangeant son sandwich.

Les Afri-méricains avaient été ouvertement hostiles à la candidature d'Alvarado.

— Je me suis abstenue, mit un point d'honneur à rectifier Selma. Ça ne signifie pas que je ne croie pas qu'*el presidente* puisse faire des choses utiles.

— Les impôts sur la fortune constituent une double taxation, marmonna Chris avec la fébrilité qu'il ressentait à être

99

le seul homme blanc de la pièce – un homme blanc pâle et chétif, qui plus est.

— C'est frais ! répliqua Selma. Pour vous les pétés de thunes, l'impôt n'a pas suffi la première fois.

— Et la dette, alors ? demanda Florence d'un ton neutre. Pour des raisons obscures, cette question la taraudait.

— Un trait de génie, répliqua Mateo, le Guatémaltèque trapu de faction dans le couloir qui venait d'arriver pour sa pause. Je me suis déclaré en faillite il y a six ans. J'ai déclaré ma sœur comme propriétaire de ma voiture, du coup, j'ai pu la garder. Et maintenant, j'ai des cartes de crédit en veux-tu en voilà. Tout s'est goupillé *bien bonita*. Je ne vois pas pourquoi ce pays ne pourrait pas faire pareil.

— Si tu prêtes de l'argent à des gens qui ne peuvent pas rembourser, bien fait pour ta pomme ! renchérit Selma. Et puis, je vois pas pourquoi le gouvernement s'emmerderait à rembourser. Suffit de passer une loi qui dit : « On n'est pas obligés. » Ni vu ni connu. Plus de dette.

— Mais la majorité des gens qui ont prêté de l'argent au gouvernement fédéral, plaida Chris, les yeux fixés sur son sachet de thé, qu'il ne trempait que deux fois, car il préférait son Lipton léger, sont aussi des Américains.

— *Mierda* ! jura Mateo. J'avais entendu dire que c'étaient que des Chinetoques.

— Ouais, c'est ça, confirma Selma. Et ils veulent récupérer leur fric ? Z'ont qu'à venir le chercher.

— Vous savez, l'armée américaine n'est plus ce qu'elle était, risqua prudemment Florence.

— Conneries ! s'exclama Mateo en levant le poing. On a le pouvoir ! La plus grande armée de tout ce fichu monde.

— En fait, ce sont les Chinois qui ont la plus grande armée du monde, rectifia Florence.

— Rien à foutre des Chinois, renchérit Chris. Si nos concitoyens américains…

— « Concitoyens », mon cul ! s'emporta Selma. Tu parles des Américains friqués. Avec leurs actions et leur *port-fo-lio*.

— Pas seulement, répliqua Chris en versant une écœurante quantité de lait dans son thé. Nos fonds de pension sont investis dans des bons du Trésor. Ils sont toujours répartis de façon équilibrée au sein d'un *port-fo-lio*.

Selma le regarda, cherchant à savoir s'il se moquait d'elle.

— Si la ville ne peut plus payer nos retraites, dit-elle avec un beau sourire, on va foutre le feu partout !

— Il faudra peut-être en arriver là, conclut Chris d'une voix calme.

— C'est vrai ? demanda Florence à Chris, après que les deux autres étaient retournés travailler. Que la dette vient principalement de nous ?

Le « nous » sonnait bizarre. Il fallait toujours préciser de quel « nous » il s'agissait.

— C'est ce que j'ai lu, répondit Chris avec un geste de la main signifiant : « Si tant est qu'on puisse croire quoi que ce soit de publié maintenant qu'il n'y a plus ni *New York Times*, ni *Economist*, ni *FT*, ni *Guardian*, ni *LA Times*, ni *Washington Post*.» Et le gouvernement fédéral ne revient pas uniquement sur le paiement des intérêts, mais aussi sur celui du principal. Mon père m'a offert un bon du Trésor d'une valeur de dix mille dollars quand j'ai été diplômé de l'université. Depuis hier, cet argent n'existe plus. Et ma famille est loin d'être riche. La situation va devenir... explosive. Et les autres ne se rendent compte de rien.

— Je n'en suis pas si sûre, répliqua Florence. Selma et Mateo sont tous les deux mariés. Je le sais, parce qu'ils ont une façon traditionnelle de le montrer. Mais ce matin, en arrivant au travail... *ils ne portaient plus leur alliance.*

Lors du trajet de retour en bus, contrairement au règlement, Florence sortit son fleX ; parmi les autres passagers du bus, nombreux étaient ceux qui ne pouvaient s'offrir que des smartphones, et le scintillement caractéristique du maillage métallique risquait de faire d'elle une cible. Mais elle ne pouvait pas résister à son envie de parcourir les sites d'infos. Évidemment, l'indignation était totale. Par consensus international, les États-Unis étaient désormais une « nation paria ». Partout dans le monde, des émeutes avaient éclaté devant les ambassades américaines, dont certaines avaient été prises d'assaut et mises à sac. La diplomatie américaine avait cessé ses fonctions jusqu'à nouvel ordre. Les ambassadeurs et le personnel des ambassades américaines évacuaient les lieux sous la protection de gardes armés.

Autour d'elle, les plaisanteries fusaient et les coups de coude abondaient, à propos de boucles d'oreilles, de chaînes et de bracelets qui brillaient par leur rareté. La seule partie de l'allocution d'Alvarado que la populace avait retenue était celle concernant l'or, une forme de richesse que ces gens comprenaient. Mais, en espagnol comme dans la variété des dialectes de rue que Florence pouvait identifier, elle n'entendit pas un seul commentaire sur la « réinitialisation ».

En y réfléchissant cet après-midi, elle n'avait entendu aucune remarque sur la dénonciation de la dette nationale, ni pendant les pauses ni lors des contrôles de propreté ou de contrebande auprès des résidents, qu'elle effectuait en binôme avec des collègues. Les employés subalternes d'Adelphi percevaient un faible salaire qui les exonérait de l'impôt sur le revenu, et nombre d'entre eux répondaient aux critères du crédit d'impôt pour les familles actives, qui leur permettait de bénéficier d'une mesure répondant à l'appellation perverse de « remboursement de trop-perçu » sur des impôts dont ils avaient de toute façon été exonérés. Quand on n'était pas assujetti au remboursement des intérêts d'un emprunt, on ne se considérait peut-être pas responsable non plus de cet emprunt. Ni ses compagnons de voyage ni ses collègues d'Adelphi ne se sentaient *impliqués*.

Dans le grand ordre des choses, Florence elle-même s'acquittait d'un impôt sur le revenu minimal, même si elle le sentait passer, avec par-dessus la sécurité sociale, Medicare, les impôts fédéraux et locaux, alors que les escrocs de Wall Street magouillaient pour ne payer pratiquement rien.

Quant à une éventuelle retraite susceptible ou non de se voir rognée par les mesures d'Alvarado, la perspective était encore si éloignée qu'elle en était abstraite. Même sans une nouvelle faillite du système de sécurité sociale, l'âge légal de la retraite ne cesserait d'être repoussé – soixante-neuf, soixante-douze, soixante-quinze ans –, comme une carotte agitée sous le nez d'un âne. Dans sa décrépitude annoncée, le seul recours suscitant un vague espoir chez elle concernait les retombées de la fortune du Grand-Homme – dont elle n'avait soufflé mot à Adelphi. (À l'université, sa seule réserve quant à prendre le nom de famille de sa mère, Darkly, dans une vaine tentative de soulager son parent le plus fragile d'une dépression chronique, était qu'en rejetant le nom Mandible, elle risquait de s'aliéner son grand-père d'une façon susceptible de lui nuire plus tard. Heureusement, le vieil homme n'avait jamais semblé aussi mesquin.) Pour le reste, elle appartenait à une génération largement trahie, une génération qui n'avait aucune raison de croire que l'avenir avait autre chose à lui offrir qu'une succession de trahisons. Pourtant. Une chose la tracassait.

Elle ne réfléchissait pas souvent au fait d'être américaine, bien que, en soi, cela ait pu constituer un trait de caractère purement américain. Elle ne considérait pas qu'être américaine ait spécialement contribué à la formation de sa personnalité, ce qui pouvait être typiquement américain aussi. Le 4 Juillet était surtout un prétexte pour pique-niquer à Prospect Park, et elle était soulagée à l'idée que, l'année prochaine, Willing serait suffisamment grand pour ne pas être déçu s'ils ne se mêlaient pas à la foule oppressante le long de l'East River afin de regarder le feu d'artifice. Depuis des années, penser que l'époque de l'« Empire américain » était en passe de se terminer avait cessé d'être un point de vue controversé, et elle ne trouvait pas attristante l'idée que son pays ait déjà connu son heure de gloire. Quantité d'autres pays avaient prospéré avant de chuter à nouveau, ils n'en étaient pas moins regardés comme des endroits où il faisait bon vivre. Elle ne voyait pas pourquoi le fait d'être citoyenne d'une nation en déclin devait diminuer la valeur de sa vie en quoi que ce soit ou susciter en elle un quelconque découragement. Elle n'hésitait pas à condamner durement les épisodes sombres de l'histoire de son pays – le massacre des Indiens, l'esclavage –, mais sans pour autant se flageller. Elle n'avait elle-même massacré aucun brave Indien ni fouetté aucun esclave noir dans une plantation.

Mais là, c'était autre chose.

Elle avait honte.

5

Les intellos

— JE T'AI DIT QUE JE NE VOULAIS PAS LE FAIRE. Avery jeta un coup d'œil circonspect à son mari, qui, debout devant le comptoir de la cuisine, se versait une quantité réconfortante de viognier français. Après tout le foin qu'il avait fait à propos de ce dîner, elle ne comptait pas lui dire combien cette bouteille leur avait coûté. Le taux de change avec le nouveau franc devait être épouvantable. Pour couvrir ses traces, elle avait camouflé le ticket du caviste dans la poubelle extérieure.

— Nous n'avons reçu personne depuis deux mois, protesta-t-elle, et Noël approche.

— Tu as remarqué que nous n'avons été invités à aucune festivité cette année ? On en est là : si on lève le coude, c'est en privé, derrière des portes fermées.

— Mais c'est toi qui ne cesses de répéter que tout cela est temporaire.

— Et je crois que ça l'est. Mais pour le moment, nous sommes entourés de gens qui pensent qu'ils sont ruinés.

— Selon toi, si tout le monde arrêtait de paniquer et recommençait à agir normalement, l'économie se remettrait en un rien de temps. Comme ça ne m'est jamais arrivé de ne recevoir personne pendant aussi longtemps, c'est justement ce que je fais : j'agis normalement.

— Ça n'envoie pas le bon signal, grommela Lowell. Dans cette ville, les supputations vont bon train, comme quoi certains auraient réussi à sortir leur argent du pays. Ou pire, qu'ils se seraient enrichis aux dépens des autres. Ce n'est pas le bon moment pour mener grand train.

— Parfait, pas de porc, décréta Avery d'un ton brusque. Et rien de sophistiqué au menu.

Ce n'était pas tout à fait vrai. Avery avait un certain niveau d'exigence. On prétendait qu'on ne pouvait plus trouver de thon rouge, mais c'était possible : à condition d'y mettre le prix. Après tout ce ramdam sur les abeilles et la mauvaise pollinisation sur la côte Ouest, saupoudrer des amandes effilées sur une salade équivalait à répandre de la feuille d'or. Depuis que l'affaissement de la « panse de l'âne » du jet-stream avait *encore* gelé les cultures de Floride, les citrons et les avocats provenaient d'Espagne ; le type qui les rangeait avec déférence dans le rayon du supermarché lui avait expliqué que le prix des produits en provenance d'Europe était si exorbitant que Wholemart pourrait décider d'arrêter de commercialiser des agrumes.

Et il y avait pire : à l'instar de la plupart des cuisiniers de sa génération, Avery considérait comme produits de première nécessité – et dans cet ordre – l'eau fraîche, un abri, des vêtements et de l'huile d'olive extra-vierge, de préférence chypriote (toutes les huiles italiennes étaient de l'imitation). Mais quand la bouteille était passée au code-barres de la caisse, elle avait déclaré qu'il devait y avoir une erreur. Lasse peut-être de ce genre d'interaction qui devait se produire plusieurs fois par jour, la caissière revêche lui avait assuré que le code-barres avait été scanné correctement et lui avait demandé si, oui ou non, elle prenait l'huile d'olive. La gêne l'emportant, Avery avait acquiescé ; oui, elle la prenait. Et ce ticket aussi avait terminé dans la poubelle extérieure.

— Il n'est pas seulement question d'ostentation, plaida Lowell. Je ne suis pas d'humeur. Je suis tombé sur un type des services administratifs aujourd'hui, et il m'a dit de me préparer à une baisse drastique des inscriptions au prochain semestre. Les parents retirent leurs gosses de l'université. Ils n'ont plus les moyens de payer les frais de scolarité – si tant est qu'ils les aient jamais eus. Heureusement que je suis titulaire. Quand ma titularisation est arrivée, je l'ai prise comme un compliment. Aujourd'hui, c'est une planche de salut.

— Les thérapeutes, je le crains, ne peuvent pas se faire titulariser, répliqua-t-elle en râpant du gingembre. Quatre annulations de plus aujourd'hui. Ces patients ne reviendront peut-être jamais.

— Ils reviendront, lui assura-t-il en effleurant son postérieur, moulé ce soir dans une petite robe noire. Ne serait-ce que pour se faire aider tandis qu'ils se demandent : « Pourquoi ai-je vendu mes actions General Motors quand elles ont plongé ? Si seulement j'avais gardé mon sang-froid, je n'aurais pas de soucis à me faire. » Comme ma femme, ajouta-t-il en lui pinçant les fesses, qui, de fait, n'a pas de soucis à se faire.

— Merci. Écoute, je veux que tu le reconnaisses : compte tenu de tes réserves ce soir...

— Ce ne sont pas des réserves. C'est un « non » catégorique.

— Compte tenu de ton « non » catégorique, rectifia Avery, j'ai réduit au minimum la liste des invités. Il n'y aura que Ryan et Lin Yu, Tom et Belle.

— Eh bien, il y en a deux sur ces quatre que je ne supporte pas. Pas mal pour un dîner.

— C'est dans ton intérêt de rester dans les petits papiers de Ryan. Mark Vandermire n'est qu'un clown de passage qui a eu de la chance, et du fait de vos postes respectifs, vous vous détesterez toujours. Mais Ryan est ton patron.

— Il est seulement chef de département, au mépris de mon ancienneté, parce qu'il a menacé de prendre ses cliques et ses claques et de partir pour Princeton. Jamais ils n'auraient dû céder au chantage.

— C'est parce que Ryan Biersdorfer est une rock star. Il n'y en a pas beaucoup, en économie. C'est pour ça qu'il faut que tu sois gentil avec lui.

— Et ton mari, ce n'est pas une rock star ?

Sa désinvolture feinte sonnait faux : il semblait blessé.

Elle noua ses bras autour de son cou, en évitant de salir le col de sa chemise de ses mains à la pâleur de rousse.

— Mon mari ressemble plutôt à un musicien de jazz. Beaucoup plus insouciant.

Lowell monta voir les enfants à l'étage. Avec cette discussion à propos de la liste d'invités, son geste coquin et ses râleries, il espérait avoir réalisé une prestation honorable de mari bougon mais affectueux, peu désireux de jouer les hôtes un samedi soir ordinaire. Tout ce qu'il faisait ou disait dernièrement sonnait faux – comme une forme de dissimulation, ou encore un manque d'attention. Cependant, il en était farouchement convaincu : *cela aussi passerait*, et plus vite que ce que tout le monde pensait. Prenez l'Âge-pierre : le pays s'en était totalement remis. Le PIB avait pris un coup en 24, mais le marché avait récupéré à la vitesse grand V. Conclusion : beaucoup de bruit pour quasiment rien. Le même cycle, encore et toujours.

Il gratta à la porte de Savannah, avant de passer la tête.

— Tu penses te joindre aux adultes, ce soir ?

— Nan.

Allongée sur son lit, sa fille de dix-sept ans tapait sur son fleX avec deux doigts. Savannah était une de ces filles qui réussissaient à donner un air exotique à des cheveux châtains. Il détourna les yeux de ses longues jambes nues ; c'était un vrai canon, mais lui était son père. Ce dont il pouvait se féliciter. Il aurait détesté être l'un de ces adolescents qu'elle menait par le bout du nez.

— Je veux terminer ce dossier d'inscription. Je demanderai à Mojo de me faire une omelette.

— Tu ferais mieux de te la préparer comme une grande. Maman a débranché Mojo pour la nuit. Elle ne voulait pas prendre le risque qu'il enterre les invités dans le jardin ou je ne sais quoi d'autre de dément.

— Tu sais qu'il y a une nouvelle série Netflix là-dessus ? Sur un Mojo qui perd la boule et se met à tuer des gens.

— Le plus vieux scénario de science-fiction du monde. Ça remonte à 2001, *l'Odyssée de l'espace*.

Savannah fronça les sourcils.

— Pourquoi choisir le passé pour de la science-fiction ?

— Parce qu'au moment où le roman a été écrit, 2001 était dans l'avenir. Comme *1984*, qui semblait très loin quand Orwell l'a écrit, mais quand 1984 est finalement arrivé, cela n'avait rien d'aussi horrible ou d'étrange ou de triste que ce que l'auteur avait prédit. Les intrigues futuristes parlent surtout de ce que les gens redoutent au présent. Le futur n'est que le dernier monstre caché sous le lit, le grand inconnu. La vérité est qu'au fil de l'histoire, les choses s'améliorent sans cesse. En moyenne, le niveau de vie de la population est en amélioration constante. Lentement mais sûrement, notre espèce devient moins violente. Mais les écrivains et les réalisateurs ne cessent de prédire l'effondrement total. C'en est presque drôle. Donc, ne t'inquiète pas. Tu as un bel avenir devant toi, qui sera de plus en plus beau.

Elle le regarda, l'air curieux.

— Je ne suis pas inquiète.

« Eh bien, ça fait de toi la dernière des idiotes. » Cette pensée lui passa par la tête avant qu'il puisse la réprimer.

— À quelle école tu postules ?

— Risdee. Je sais dessiner. Mais ils veulent surtout qu'on soit capable de parler de dessin. Je ne suis pas sûre d'être douée pour ça.

— L'art visuel a cessé il y a bien longtemps d'être de la création. Ce n'est plus que du bla-bla. Et ce bla-bla est devenu de la création.

— Je croyais que l'art « visuel » devait être en rapport avec quelque chose qu'on voyait ?

— J'imagine que le texte est aussi quelque chose qui se voit.

— Plus maintenant, répliqua-t-elle. Dans mon école, plus personne ne lit plus rien. Tout le monde se sert d'un casque audio pour écouter un contenu lu.

— Pas très rapide, commenta Lowell d'un air sombre.

— C'est facile. Relaxant.

— Mais rassure-moi, ils *savent* lire ?

— Pas tous, répondit-elle en haussant les épaules.

— Il faut savoir lire, ne serait-ce que pour travailler à la poste.

— Pas vraiment, objecta-t-elle d'un ton espiègle. Les scanneurs à main peuvent lire aussi les adresses à voix haute. Frais, hein ?

Lowell leva les yeux au ciel.

— Bonne chance pour le dossier d'inscription.

Il referma la porte. Il n'y avait pas si longtemps encore, il se réjouissait que Savannah leur fasse part de son ambition de devenir créatrice de tissus, et, naturellement, elle était suffisamment jolie – aucun père n'était plus censé penser de la sorte aujourd'hui – pour qu'un type la cueille et prenne soin d'elle quoi qu'il arrive. Mais en cet instant, Lowell avait quelques doutes quant à une profession aussi farfelue que celle consistant à créer de nouveaux tissus, quand le monde débordait déjà de motifs cachemire. De façon plus pragmatique, la dernière fois qu'il s'était intéressé à la question, un diplôme à la Rhode Island School of Design coûtait environ quatre cent mille dollars – sans les frais de logement et de nourriture. Le plan 529 d'épargne universitaire que le grand-père d'Avery avait ouvert à la naissance de Savannah, dans l'intention de couvrir également les études supérieures de Goog et de Bing, valait à l'heure actuelle environ dix cents.

En s'arrêtant devant la chambre de Goog, Lowell aperçut Bing, assis sur le lit de son frère. Casanier et pâle, Goog se tenait droit, sur un coussin, le dos appuyé contre la tête du lit. Un adolescent normal de quinze ans n'est-il pas enclin à s'avachir ? Comme toujours, ses cheveux châtains étaient bien coiffés, ses vêtements bien en ordre. L'adolescent semblait toujours prêt à devancer une inspection, et Lowell s'inquiétait que son fils se conçoive trop dans sa relation avec les adultes. Les deux garçons se turent en apercevant leur père. Mais s'ils préparaient un mauvais coup, Lowell finirait par le savoir. Cette disposition à la loquacité, Lowell l'avait décelée chez son fils avant même que celui-ci ait commencé à parler. Prêt à tout pour faire plaisir, pour impressionner, Goog était incapable de garder un secret plus de cinq minutes. Bing le pouvait – mais pour toutes les mauvaises raisons. Mou et légèrement en surpoids, leur fils de dix ans avait peur de tout. Il ferait une proie idéale pour des pédophiles : prévenu qu'il s'exposerait aux pires représailles s'il vendait la mèche, Bing emporterait le secret dans sa tombe avec lui.

— Vous avez prévu de rester dans votre chambre ce soir, les garçons ? Vous savez que vous pouvez descendre nous rejoindre si vous en avez envie. Même si je ne suis pas sûr que maman ait assez de poisson pour tout le monde.

— Beurk ! s'exclamèrent-ils à l'unisson.

Ils n'en avaient pas conscience, mais étant donné les prix surréalistes et la piètre disponibilité d'autres variétés que celles d'élevage, au goût de vase, ces garçons avaient été formés à détester le poisson.

— Maman avait dit qu'il y aurait des sandwichs au fromage, se plaignit Bing.

— Qui sera là ? demanda Goog.

— L'amie de maman, Belle Duval – vous vous souvenez, le médecin spécialiste du cancer…

— Oncologue, rectifia Goog d'un ton méprisant.

— L'oncologue.

Mal vous en prenait d'insulter le vocabulaire de Goog.

— Son mari, Tom Fortnum, est avocat au département de la Justice. Il y aura aussi mon collègue Ryan Biersdorfer et sa compagne, Lin Yu.

Goog plissa les yeux.

— Le type qui a fait ce documentaire en dix parties sur l'inégalité.

Le cadet de Lowell était très sensible à tout ce qui avait trait à la célébrité et l'influence. Et il fallait à Lowell une maturité surhumaine pour ne pas se froisser à l'idée que le radar people de Goog ne bipe jamais à proximité de son père. Celui-ci n'était-il pas aussi passé à la télé ?

— Crois-le ou non, ce qui a rendu Ryan célèbre est un livre. L'un des derniers gros best-sellers. Il prédisait que les bas salaires américains seraient bientôt si catastrophiques que les Chinois délocaliseraient leurs emplois chez nous, expliqua Lowell en essayant de maîtriser ses sarcasmes. Ce qui rend un économiste populaire auprès des gens ordinaires, c'est son inclination à l'hyperbole. Ce qui signifie... ?

— Une tendance à l'exagération, s'empressa de répondre Goog. Mais comment était-il possible d'être plus hyperbolique que ce qui réellement arrivé ? Olivia Andrews a obtenu une autorisation d'absence exceptionnelle du lycée parce que son père s'est tiré une balle dans leur cuisine. Je n'ai pas l'impression que vous ayez même assez exagéré.

— M'est avis que vous deux devriez descendre. Vous mêler à la conversation.

— Je n'ai pas envie de me farcir vos discussions économiques, répliqua Bing.

— Dans ce cas, tu n'es peut-être pas né dans la bonne famille.

— Ouais. Possible.

— Ce soir, Bing, dit Lowell, je vous suis. Si vous ne descendez pas, je m'échapperai peut-être pour venir vous rejoindre. Ryan n'est qu'un frimeur et une grande gueule. Je parie que vous en avez des comme ça au lycée. Rien ne change quand on devient adulte.

Il s'apprêtait à sortir quand Goog s'écria :

— Papa, je peux te demander un truc ?

Ce garçon avait un besoin d'attention maladif. Malheureusement, l'étiquette « frimeur » et « grande gueule » aurait aussi pu s'appliquer à son fils aîné.

— Bien sûr, répondit Lowell, imperturbable.

— Un de mes potes de lycée m'a dit que sa mère avait un lingot d'or qu'elle avait acheté il y a quelque temps à Dubaï. Où il est possible d'en acheter, j'imagine, un peu comme du shampoing, sans trace écrite. Sa mère a dû lui expliquer pour Dubaï, car il l'a trouvée en train d'enterrer le lingot dans le jardin. Est-ce que ce n'est pas illégal ?

— À l'heure actuelle, oui. Mais ton ami est un crétin. Il n'aurait jamais dû t'en parler. Il ferait mieux de ne pas jacasser à tort et à travers.

— Il m'a fait jurer de n'en parler à personne.

— Alors, pourquoi tu m'en parles ?

Une expression peinée passa sur le visage de Goog. Il devait être le seul adolescent de Washington à se faire engueuler parce qu'il faisait des confidences à l'un de ses parents.

— Parce que je ne sais pas quoi faire. Que je me demande si je ne devrais pas le signaler.

— Quoi, à la police ?

— Ouais, c'est ce qu'on nous a demandé de faire à la réunion.

— Ça, dit Lowell, c'est sordide. Et la réponse est non, tu ne signaleras rien de tout ça à la police, ni même à un professeur. Garde le secret. La mère de ton ami pourrait avoir une amende ou même se retrouver en prison.

— Mais qu'est-ce qu'on fait de la loi ?

— Je m'en fiche. Il y a eu des lieux et des époques où tout le monde dénonçait tout le monde, et où personne ne pouvait faire confiance à l'autre. C'étaient des lieux et des époques sombres. Nous sommes aux États-Unis, et nous n'agissons pas de la sorte, compris ? Si j'avais de l'or que je décidais de ne pas remettre au gouvernement fédéral, tu me dénoncerais ?

— C'est le cas ?

— Compte tenu de la tournure de cette discussion, je me garderais bien de te le dire.

Son trait d'humour tomba à plat.

— Mais si les gens qui cèdent leur or au Trésor à un prix cafardable, comme tu dis... Et que les *récalcitrants* – Goog souligna cet ajout récent à son vocabulaire d'une accentuation emphatique – non seulement n'encourent aucunes représailles en cachant leur or, mais qu'ils peuvent en obtenir un meilleur prix au marché noir, ou à l'étranger...

Lowell était drôlement fier que son fils maîtrise parfaitement les bases sans son aide.

— ... alors, est-ce que cela ne signifie pas que ceux qui suivent les règles sont punis ? termina Goog.

— Étant ton père, je ne devrais pas te dévoiler cette réalité peu réjouissante de la vie, mais sache que les gens qui suivent les règles sont presque toujours punis.

Sur cette note triste, Lowell redescendit rejoindre les invités qui venaient d'arriver.

— Juste une mise en garde, prévint Ryan. Cela ralentit la sécurité d'une manière incroyable.

Avery était un peu exaspérée que leurs invités ne s'abandonnent pas à la béatitude que prodiguaient les fauteuils accueillants du salon chocolat. Tout le monde restait debout, son verre à la main, entourant instinctivement l'homme brun qui arborait une cravate tissée tendance, couleur bronze. Il avait la gestique extravagante d'un VRP habitué à faire salon. Certes, il se dégarnissait, mais Ryan Biersdorfer incarnait parfaitement l'évidence selon laquelle la séduction relevait à 50 % de la conviction. Il n'était ni aussi intelligent ni aussi drôle qu'il pensait l'être, mais puisqu'il en était convaincu, les autres l'étaient aussi.

— Nous avons pris l'avion à Reagan la semaine dernière, je devais donner une conférence à Zurich, poursuivit-il. Les queues étaient interminables. Il faut bien ajouter deux heures. Même dans la file « rapide ».

— Évidemment, ajouta Lin Yu. Les voyageurs d'affaires sont les pires.

Moitié chinoise, Lin Yu Houseman avait moissonné le meilleur des deux mondes – les traits doux et purs d'un visage asiatique, mais avec le nez aquilin et les grands yeux des Occidentaux, pour lesquels les Chinoises étaient autrefois prêtes à passer par la chirurgie esthétique. (Avery avait lu qu'en Chine continentale, la jeune génération considérait comme aliénante et honteuse l'augmentation de volume des paupières.) La trentaine à peine, elle combinait cette touche asiatique que les hommes de la cinquantaine comme Ryan trouvaient sexy à un accent américain pur cru. En tant qu'intellectuelle, l'assiduité que lui conférait son éducation asiatique – elle avait été l'une des étudiantes stars de Ryan – se conjuguait à une authentique passion pour la politique, caractéristique des libéraux de la côte Est. Avery aurait plus encore admiré la jeune femme si elle avait fait état de divergences idéologiques même occasionnelles avec son compagnon et mentor.

— Mais vous devriez voir ça, renchérit Ryan. Ce serait presque drôle. Ils fouillent tous les sacs, pas uniquement quelques-uns au hasard.

— Encore heureux que, depuis le poseur de bombe à la crème à raser, il ne soit plus possible d'enregistrer de bagages. Sinon, les contrôles de sécurité pourraient prendre une semaine.

— À l'heure actuelle, la sécurité des transports se fiche bien des bombes ! s'exclama Ryan. Mais ils inspectent les pochettes intérieures des valises, et parfois même déchirent les doublures. Ils fourrent leur nez dans le moindre rabat de portefeuille. Ils sont aussi autorisés à procéder à des fouilles manuelles ; ils glissent leurs mains dans les poches de votre pantalon, tout près de l'aine – répugnant au possible. Il ne faut plus juste retirer ses chaussures, mais aussi ses chaussettes. Ils inspectent les talons pour voir s'ils sont trafiqués et ôtent les semelles intérieures. À Reagan, on pourrait passer avec un lance-fusée sans que personne sourcille, mais pas avec un malheureux billet de dix dollars !

— C'est incroyable le nombre de fraudeurs qu'ils pincent, ajouta Lin Yu d'un ton joyeux. Vous n'imaginez pas le nombre de cadres et de dirigeants d'entreprise qui essaient de monter à bord l'attaché-case rempli de billets. C'est lamentable. Des piles de milliers de billets partout. Ces citoyens prétendument honnêtes et comme il faut... On aurait dit une saisie de drogue.

— À ceci près que les billets éparpillés autour des scanneurs à rayons X ne sont pas nécessairement illicites, intervint Tom. Ce que je veux dire, c'est qu'on peut au moins présumer que cet argent est le leur.

— On ne peut rien présumer de tel, répliqua Lin Yu. C'est une richesse que le pays dans son entier a contribué à créer.

Tom laissa échapper un soupir qui semblait signifier : « La nuit va être longue. »

— Si on suit ce raisonnement, personne ne possède son propre argent. Et celui sur ton compte en banque appartient en fait à tout le monde.

L'amabilité de Tom semblait forcée. Vêtu d'une veste de costume démodée à col, c'était un homme mal coiffé à l'apparence négligée, facile à vivre, d'humeur joviale, plus enclin à exprimer l'agressivité au moyen d'une plaisanterie que de la faire monter d'un cran par une pique personnelle. D'ordinaire, son accent doux du Maryland – prononcez *Murrelun* – faisait ressortir le lissé de ses opinions diplomates, mais les événements de cet automne avaient réussi à mettre à cran même cet homme débonnaire.

— Sur le plan moral, ton argent appartient bel et bien à tout le monde, répliqua Ryan. La création de capital requiert de tout l'appareil d'État qu'il protège les droits de propriété, y compris de propriété intellectuelle. L'entreprise privée dépend de la nation dans son ensemble pour se procurer de la main-d'œuvre qualifiée, des réseaux de transport et assurer un ordre social. Pas de pays, pas de fortune.

— Bla, bla, bla, railla Lowell. On a tous lu *Pour un jeu équitable*.

(Menteur. Par rancœur à l'égard de tout le battage créé par ce livre, l'époux d'Avery n'avait jamais réussi à aller plus loin que les premières pages de l'introduction.)

— Je te l'accorde, répondit Tom dans un effort surhumain pour rester cordial, ce dont Avery lui sut gré. D'accord, ces dernières années, l'inflation a rebondi entre 3 et 4 %. Je me rends bien compte que, pour des experts comme vous, je dois vous paraître totalement ignare. Mais le chiffre sur lequel je suis tombé l'autre jour m'a vraiment causé un choc : avec une inflation de 3 %, le dollar *perd la moitié de sa valeur* en vingt-trois ans. C'est valable pour l'argent émis par le gouvernement central. Donc, si je ne contrôle pas la « valeur » de mon argent, peut-être que cet argent, en fait, ne m'appartient même pas. Au mieux, c'est un prêt. Que Krugman peut réduire en cendres directement dans ma poche, comme un super-héros.

— Je crains qu'il ne s'agisse d'une lecture profane, Tom.

Quand des amateurs empiétaient sur son pré carré, Lowell tenait rarement compte de l'avertissement d'Avery l'enjoignant de s'attirer les faveurs de leurs invités en se montrant humblement réceptif plutôt qu'ouvertement péremptoire.

— Et trop simpliste, ajouta-t-il. L'inflation doit rester positive, pour prévenir toute déflation, qui constitue le véritable père Fouettard. La plus grande part de ces 3 ou 4 % résulte de l'augmentation du prix des produits de base, et non d'une politique monétaire dissolue. En fait, l'accroissement de la masse monétaire a entraîné quantité d'avantages pour notre économie. Dans les années 10, l'assouplissement quantitatif a rendu tout le monde nerveux. Et que s'est-il passé ? Que dalle. La plus grande part de cet argent liquide s'est retrouvée sur les marchés émergents, et ce, pour le profit de tout le monde.

— Écoute, je ne vais pas débattre de la masse monétaire, ce n'est pas mon propos, répliqua Tom, une pointe d'agacement dans la voix. Je parlais des fouilles dans les aéroports. Parce que, *au temps jadis*, et je veux dire par là

117

jusqu'à il y a deux mois, tu pouvais sortir et faire entrer du pays aussi souvent et autant de ce qui, de l'avis général, délirant ou autre, était considéré comme *ton argent*. C'est pourquoi je ne comprends pas pourquoi on s'excite comme ça à propos de ces horribles criminels d'hommes d'affaires – *haurib' crim-nels* – qui ont l'audace d'essayer de faire passer leur propre argent à l'étranger, quand, en octobre dernier, c'était parfaitement légal.

— Je croyais qu'il y avait une limite à ne pas dépasser, intervint Avery. Comme sur ces formulaires de la douane…

— Beaucoup de gens ont mal compris, chérie, rectifia Tom. Avant le discours d'Alvarado sur la dénonciation de la dette, tu n'étais contraint de déclarer via un FinCEN 105 que les sommes supérieures à dix mille dollars. Tant que cette déclaration était effectuée, il n'y avait rien d'illégal à passer la frontière avec plus de dix mille dollars, et on ne te confisquait pas cet argent.

— Attends… tu es en train de dire qu'on confisque l'argent à l'aéroport ? demanda sa femme Belle, horrifiée – une horreur très maîtrisée, car Belle Duval aurait gardé son sang-froid et sa maîtrise de soi en pleine collision d'astéroïde.

Sa tenue, comme à son habitude, était subtile : un haut crème tirant légèrement sur le rose assorti à une jupe crayon beige, le tout complété par un fin foulard blanc pour une nuance douce. Elle parlait d'un ton discret, son maquillage était discret ; ses cheveux pas tout à fait blonds avaient peut-être été récemment éclaircis, mais l'effet – doux et sophistiqué – était aussi discret que possible. Cependant, Belle la discrète avait l'esprit vif, et sa réserve était l'expression de sa tentative de refréner un jugement.

— Ouaip, tous les produits de contrebande sont saisis, confirma Lowell. J'imagine aussi que ces saisies se déroulent dans une atmosphère extrêmement émotionnelle. Évanouissements, cris.

— Pire encore, répliqua Ryan. J'ai vu un type se coucher par terre et se mettre à sangloter. Ils ont dû le porter pour l'évacuer. Une femme devant nous – avec une carrure imposante qui aurait dissuadé quiconque de lui chercher des noises – s'est battue avec un agent. Avant qu'on lui prenne sa liasse de billets, un autre type a essayé d'y mettre le feu. Pendant ce temps, à un autre scanner, quelqu'un déchirait des billets de mille dollars, ce qui constitue aussi un délit fédéral, aggravant les charges contre lui.

— Tout plutôt que laisser quelqu'un d'autre l'avoir, commenta Lin Yu. Hmm... ce qui pourrait laisser penser que la richesse n'a pas un effet positif sur les gens.

— À l'heure actuelle, les saisies font la fortune du gouvernement fédéral, ajouta Tom. Ce n'est rien d'autre qu'une « taxe de départ d'aéroport », sauf qu'ils taxent tout ce qu'emportent les voyageurs. Moins cette indemnité de cent dollars, bien sûr. Comme c'est généreux de leur part de vous laisser garder un petit quelque chose pour vous payer une boisson chaude.

Avery se délectait de l'accent provincial de Tom : *taax de dêpaart d'aaêrrrôpôrrr*. La plupart des *Warshingtoniens*, comme aurait dit Tom, venaient d'ailleurs, tant et si bien que se retrouver avec des amis originaires de la région offrait une sorte d'ancrage bienvenu. Tom lui donnait l'impression qu'elle appartenait à un endroit bien particulier.

— Considère ça comme une taxe, si tu veux, renchérit Lin Yu. Probablement le premier impôt que ces abrutis aient jamais payé.

— Tu as un doctorat en économie, dit Belle à Lin Yu, d'un ton poli mais ferme. Tu dois savoir que ce n'est probablement pas le cas. Les gens aisés assument la proportion la plus forte de l'imposition sur le revenu fédéral...

— J'ai toujours admiré cette « ruse » de l'aéroport de départ, commenta Lowell pour en rester sur des sujets légers en réservant du vin à ses convives. Répandue en Afrique. On doit payer pour être autorisé à partir. C'est comme être retenu en otage. Cela témoigne d'une saine humilité concernant l'état de la nation : « Nous savons pertinemment que vous serez prêt à casquer tout ce qu'on vous demande pour vous tirer d'ici. »

— Très bientôt, souligna Tom d'une voix calme, nous serons peut-être prêts à payer n'importe quoi pour quitter les États-Unis.

Partageant le désir de son époux de ne pas plomber aussi tôt l'ambiance de la soirée, Avery s'empressa d'intervenir.

— Je ne crois pas qu'en brassant tout cet argent, les agents de sécurité de l'aéroport résistent à la tentation de se mettre de temps à autre un billet de vingt dollars dans la poche. Vous ne croyez pas ?

Lowell rit.

— Ce ne sont pas les billets de vingt dollars qu'ils empochent. J'ai entendu dire que les aéroports new-yorkais saisissent tout ce qu'ils peuvent. Mais ce qui me rend chèvre, c'est la limitation des cent dollars. Avec cent dollars, on n'a même pas de quoi se payer un taxi pour rentrer chez soi depuis l'aéroport.

— Mais pourquoi autant de gens essaient-ils de sortir de l'argent du pays, demanda Belle, au risque de se le voir confisquer entièrement ?

— Les opérations de change aux États-Unis sont suspendues jusqu'à nouvel ordre, rappela Ryan. Depuis l'effondrement initial, le dollar baisse d'environ 0,2 % presque tous les jours. Les *über-riches* essaient désespérément d'expédier leur butin à Londres ou Hong Kong – n'importe quelle ville où ils peuvent le convertir dans une autre devise qui ne sera pas dévaluée. Le bancor, la plupart du temps, dont la valeur monte sensiblement, au grand dépit d'Alvarado.

— Mais si la valeur du dollar à l'étranger est si faible, plaida Belle, pourquoi consolider la perte ?

— Ce sont des gens avides, souligna Ryan. Pour qui tout vaut mieux que rien.

— En quoi est-ce si « avide », protesta Tom, de vouloir sauvegarder une infime part de la valeur de l'argent qu'on a acquis peut-être au prix d'un dur labeur ?

— Oh, je t'en prie ! s'exclama Lin Yu. Sais-tu quoi que ce soit des gens dont tu parles ? Leur seul « dur labeur » est de consulter sur fleX la situation de leurs fonds spéculatifs ou – encore plus débilitant – de transférer des bénéfices après le décès d'un parent plein aux as. Ils ne creusent pas des tranchées.

— C'est peut-être une erreur, avança prudemment Belle, de mettre la classe moyenne aisée et les über-riches dans le même panier. Les gens raisonnablement aisés ne creusent certes pas des tranchées, comme tu dis, mais, souvent, ils travaillent énormément, tout en ayant parfois du mal à rembourser leurs emprunts et payer les frais de scolarité...

— Pitié, pas la complainte des pauvres petits riches ! s'exclama Lin Yu. J'ai entendu toutes ces histoires à vous tirer des larmes – comment dans tout Washington, les riches n'ont plus les moyens de s'offrir les services de gardes d'enfants. Du coup, les nounous perdent leur boulot. Je sais où va ma sympathie.

— Tu as déjà remarqué, avec ces gens, murmura Tom à l'oreille d'Avery, comme l'*injustice* s'applique uniquement aux fauchés ? Rien d'injuste ne peut jamais t'arriver si tu possèdes plusieurs paires de chaussures.

Depuis l'obtention récente de son doctorat, Lin Yu travaillait pour une organisation à but non lucratif, la Real American Way (à gauche comme à droite, les organismes qui s'efforçaient de récupérer le patriotisme avaient le même genre de noms). Malheureusement, les politiques de redistribution prônées par RAW – augmentation considérable des impôts sur l'immobilier, les successions, et sur le revenu pour les tranches les plus élevées ; impôt sur la fortune généralisé de 2 % sur tout l'argent, tous les investissements et les actifs corporels – étaient justement celles que rejetteraient tous ceux en position de dépenser de l'argent, et l'organisation manquait chroniquement de subventions. Aussi, avec son salaire de bon Samaritain, Lin Yu n'avait probablement pas été affectée par la baisse vertigineuse de la valeur de ce qu'elle gagnait au cours des deux derniers mois. Tous ces points de vue, qui s'appliquaient uniquement aux autres et jamais à ceux qui les prônaient, mettaient Avery, tout comme Tom, mal à l'aise. En dépit de leur propension généreuse à resservir à leurs invités du viognier importé, les hôtes de Lin Yu entraient dans une autre catégorie. En fait, Avery n'avait pas la moindre idée de la gravité des dommages subis par leur famille ; naturellement, avec son expertise, c'était du domaine de Lowell, et elle avait eu trop peur de poser la moindre question. Pourtant, elle pouvait encore sentir le vent siffler à ses oreilles, comme si elle se trouvait dans une cabine d'ascenseur en chute libre. Elle se fit la remarque qu'inviter Ryan et Lin Yu avait probablement été une erreur, avant de s'éclipser pour faire frire le poisson.

— Plus tôt ce soir, je confiais justement à Avery à quel point cela me désole de voir tous ces connards paniqués prêts à faire des pieds et des mains pour se retirer du marché alors qu'il est au plus bas, déclara Lowell en bout de table.

— S'il est vraiment au plus bas, riposta Ryan à l'autre bout de la table.

— Cette panique est un piège, fit valoir Lowell. Les boursicoteurs s'en donnent à cœur joie quand le marché affiche une santé insolente et paniquent quand il a un coup de mou. L'essentiel est de garder son calme. Souvenez-vous de ce que je vous dis, Biersdorfer : le dollar va se rétablir, et plus encore. Tout comme le Dow Jones.

— Il y a un siècle, souligna Ryan, le Dow Jones n'a retrouvé sa valeur d'avant la crise de 1929 qu'au bout de vingt-six ans. D'ici là, tu auras soixante-dix ans bien sonnés.

— J'en ai soupé de cette superstition prétendant que l'histoire se répète à un intervalle régulier de base dix, déclara Lowell. Des pans entiers de notre économie sont vigoureux, et avec un dollar si dévalué, nos exportations vont dépasser celles du Vietnam.

Avery aurait aimé que son époux ne donne pas des coups de fourchette aussi distraits dans son thon rouge ; cette sauce au gingembre était un vrai régal. Et elle attendait désespérément que le sujet de la conversation change. Ses patients aussi – tout du moins la poignée qui était venue à leur consultation – n'avaient que ce sujet-là en tête : les conséquences sur leurs investissements. Quelle barbe.

Ryan hocha la tête d'un air paternel.

— Tu te leurres, Stackhouse. Les actions vont continuer à baisser. Il a fallu trois années pleines de baisse constante avant que le Dow Jones n'atteigne son nadir à la fin 1932. Passant de 381 à *41*, tu t'en souviens ? Tu devrais te retirer tant que tu peux encore sauver les fonds de tiroir.

— Merci de propager cette vision pessimiste, Biersdorfer. Avec des prix à la baisse, c'est le moment d'acheter, insista Lowell. Je récupère tout ce que je peux de sociétés à forte capitalisation un peu mal en point.

Avery tendit l'oreille.

— Tu vas faire *quoi* ?

— Profiter des bonnes affaires. Tout comme toi chez Macy's.

Il avait buté sur le nom « Macy's ». Il avait déjà bu pas mal de vin. Les autres aussi. Toute la soirée avait été imprégnée de cette sorte d'hystérie apocalyptique qui avait conduit le frère cadet d'Avery à s'établir dans un champ boueux de Gloversville, mais qui poussait les gens normaux à picoler.

— J'ignore peut-être les détails subtils de notre situation, répliqua Avery, sans savourer véritablement sa part de thon, mais prendre des risques avec le peu qu'il reste sur des actions qui plongent, c'est de la folie.

En face d'elle sur sa chaise, Belle jeta des regards insistants à Avery. Les temps étaient durs, soit, mais il n'était pas convenable de se livrer à table à des prises de bec maritales à propos d'argent.

Avery lui retourna son regard. Rien à foutre du décorum. Lowell et elle avaient trois gosses dans des écoles privées qui s'attendaient fort légitimement à étudier dans des universités de l'Ivy League. Le prêt sur cette maison de ville était écrasant. Tout ça était en jeu, et que fabriquait son mari ? Il

123

posait des actes optimistes pour se sentir optimiste, comme si, en se comportant tel le Joueur de flûte de Pollyanna, il pouvait mener tout le monde, et l'histoire elle-même, au pays enchanté. Généralement, son orgueil le poussait à vouloir avoir raison. Maintenant, il le voulait pour leur survie. Mais, dans les faits, se trouver dans la *nécessité absolue* d'avoir raison plutôt que de simplement *vouloir* avoir raison n'affectait pas d'un iota ce qu'*impliquait* avoir raison par rapport à être totalement à côté de la plaque.

— La baisse ralentit déjà, rétorqua Lowell à sa femme.

— Si tu es si sûr que tout va aller pour le mieux dans le meilleur des mondes, pourquoi tu m'as envoyée chez Chase en novembre pour fermer nos comptes ? Tu te rappelles, quand ils ont finalement rouvert les banques ?

Lowell rougit. Elle le mettait délibérément mal à l'aise en public.

— Ce dont je me souviens, c'est que tu ne l'as pas fait.

— Il était hors de question que je passe la journée entière sous la pluie dans une queue interminable. Et tout ça pour des prunes, puisqu'ils auraient été à court d'espèces au moment où je serais arrivée au guichet. Mais c'est *toi* qui t'es moqué d'eux après. De tous ces gens qui faisaient la queue sous la pluie devant les banques.

— Je me suis seulement moqué des gens qui faisaient la queue pour retirer leur argent *après* que la Banque centrale avait promis d'apporter des liquidités, répliqua froidement Lowell. Et *après* qu'Alvarado a clarifié que, même si les obligations avaient été déclarées nulles, la FDIC, l'agence de garantie des dépôts bancaires, continuait de fonctionner. Avant qu'il nous donne cette assurance, il était raisonnable de penser que certaines banques allaient faire faillite.

— Ils ont « apporté des liquidités » en faisant marcher la planche à billets, commenta Tom, sans s'adresser à quelqu'un en particulier. Et ils ont couvert les garanties de la FDIC en imprimant encore plus d'argent.

— Ce que j'ai trouvé fascinant, intervint Belle en orientant habilement la conversation vers un autre sujet, c'est la façon dont les Américains se sont ralliés autour de Roosevelt et, des générations plus tard, comment les citoyens ont réagi à la réquisition de l'or par Alvarado. Les gens refusent simplement de raquer.

— Une de mes patientes était si outrée, déclara Avery, qu'elle était décidée à aller *acheter* de l'argent sous le manteau, simplement pour être dans la position de refuser de le remettre.

— Heureusement, pour une grande part, le respect de cette disposition ne repose pas sur la probité ni sur le patriotisme, commenta Ryan. ETF, valeurs minières, lingots en dépôt : le Trésor a promptement réquisitionné d'un seul coup d'un seul tout ce qui était comptabilisé. Le dédommagement a été délicieusement risible, ajouta-t-il avec un sourire. Une destruction éblouissante de ce que les survivalistes économiques considéraient comme l'ultime pari sûr.

— Oui, on aurait dit les Darwin Awards, surenchérit Lowell. *L'espèce éliminant les crétins s'accrochant à un obscur moyen d'échange comme à leur ours en peluche.* Eh bien, ce pauvre idiot de Mark Vandermire doit s'être fait pincer.

— Ça reste entre nous, demanda Avery à ses invités, mais quelqu'un ici a-t-il enterré un sac sonnant et trébuchant dans le parterre de roses ?

— D'un point de vue théorique, répondit Belle en jetant un coup d'œil à Tom, je peux comprendre pourquoi certains couples décident de retirer leur alliance.

— Je pense vraiment qu'Alvarado aurait dû faire une exception pour les alliances, déclara Avery.

— La gauche aurait poussé des cris d'orfraie, toutes ces célébrités du sport et les épouses de traders de Wall Street avec leurs bagues de fiançailles de la taille d'une boule de bowling, répliqua Lowell avec un hochement de tête en direction de Ryan et de Lin Yu.

— Mais toute cette propagande gouvernementale, fit valoir Tom, sur le fait que nous ayons été « attaqués » et que nous devons tous « nous serrer les coudes » et faire des « sacrifices », ça n'a pas pris. J'ai adoré cette vidéo sur

InnerTube de ce connard balançant des bijoux du haut du Golden Gate.

— Certaines de ces réactions sont purement anti-Lat, dit Lin Yu. Ces vidéos montrent toujours des Blancs. Ce qui indique bien que c'est la politique d'Alvarado qui est visée. Hors de question qu'ils abdiquent leur or à un *étranger*.

— Les citoyens américains méprisent le gouvernement fédéral depuis bien avant Alvarado, chérie, dit Tom. Cette fois, la différence principale est qu'ils ont de bonnes raisons de le faire. Au département de la Justice, nous sommes chargés de poursuivre les contrevenants à l'or, et j'avoue que cette tâche me met mal à l'aise. Je pensais avoir grandi dans un pays où on avait le droit de posséder son propre or, argent, voire de la boue ou des bancors – quoi que ce soit que tu trouves à ton goût, du moment que ce n'est pas de l'héroïne, par exemple. Dans un pays véritablement libre, on devrait probablement pouvoir acheter même de l'héroïne. Cette disposition me prend à rebrousse-poil. Je n'apprécie pas d'être obligé de la mettre en application.

— Les États-Unis ont massivement confisqué des actifs depuis l'introduction de l'impôt sur le revenu, répliqua Belle d'un ton raisonnable – elle avait sensiblement moins bu que les autres. Et ce n'est pas l'argent le plus important. Historiquement, l'Oncle Sam vous a pris vos *fils*.

— À ce propos, il y a une rumeur qui circule, dit Lin Yu, et elle provient de plusieurs départements. Il paraîtrait que le gouvernement a confisqué l'or pour le donner aux Chinois. Pour se payer les bonnes grâces de Pékin. Pour éviter une guerre. Voire pour éviter une invasion.

C'était un peu gênant. Lin Yu était née et avait grandi aux États-Unis, mais ses traits témoignaient d'autres loyautés. Dire du mal des Lats ou des gros était bien évidemment très mal considéré. Pourtant, depuis que la Chine avait supplanté les États-Unis comme première puissance économique mondiale, des soupçons, voire une répugnance affichée à l'égard des Chinois, bénéficiaient désormais d'une acceptabilité troublante. Peu importait, semblait-il, le degré de politiquement correct atteint par l'Amérique, il serait toujours acceptable et accepté de détester tel ou tel groupe. À la limite, on pouvait s'en prendre aux intolérants eux-mêmes – raison pour laquelle Avery mettait un point d'honneur à garder pour elle, en le cachant aussi à Lowell, qu'elle n'avait pas voté pour Alvarado.

— J'imagine que cela explique pourquoi le défaut de paiement ne concerne pas seulement la dette détenue par des investisseurs étrangers, souligna Belle. Si les investisseurs américains ont été encore plus durement atteints, nous ne serions pas en très bonne posture pour déclencher la Troisième Guerre mondiale.

— À ta place, Lin Yu, je n'accorderai pas de crédit à cette rumeur sur l'or, déclara Lowell. Pékin n'a pas tant de griefs à notre encontre. Il s'avère que le bancor était en cours d'élaboration depuis des années – et enfin, que fichent les services d'espionnage américains quand on a vraiment besoin d'eux ? C'est la raison pour laquelle Pékin a commencé tranquillement à acquérir des titres à plus court terme avec l'excédent de son compte courant. À la fin, ses participations en dollars étaient en bons du Trésor à trois mois, et quantité de ces bons du Trésor étaient arrivés à terme. Les Chinois s'attendaient à ne pas être remboursés. Ce qui est la meilleure preuve jusqu'à présent de leur participation active à la conspiration visant l'effondrement du dollar.

— Je veux bien, mais, répliqua Tom, et tant pis pour le cliché, pour Pékin, c'est super important de garder la face.

— On s'en tape, de l'or ! Qu'ils le prennent ! s'exclama Lowell. Le plus important, c'est le bancor. Je continue de penser qu'il se passera la même chose que pour l'euro. Ces unions monétaires dictées par l'idéologie ne marchent jamais, et en deux ans, nous pourrions revenir au dollar comme principale monnaie de réserve mondiale. En attendant, interdire aux entreprises américaines de détenir des bancors est une catastrophe. Les grands groupes peuvent mettre en place des sociétés-écrans, mais les petites entreprises sont à l'agonie. Comment sont-elles censées importer des produits libellés en bancors ?

— Alvarado adopte la politique de la corde raide.

Tout le monde se tourna vers la porte. Goog était sur le seuil.

— Il s'imagine que s'il peut empêcher l'accès au marché américain même aux alliés des États-Unis, il pourra étrangler la devise naissante dans ses langes. Mais, comparativement, le marché américain est plus petit que ce qu'il a été dans le passé. Du coup, la question n'est pas tant de savoir si nous pouvons vivre sans eux que de savoir s'ils peuvent vivre sans nous.

Lowell applaudit.

— Bravo ! Tu es bien le fils de ton père ! Mais un peu cynique, gamin. Cependant, j'ai quand même bien aimé ton analogie selon laquelle Alvarado chercherait à « étrangler la devise naissante dans ses langes ». La classe.

— À notre club de débats, le thème du moment est « Les entreprises américaines devraient-elles être autorisées à commercer en bancors ? ». Je réponds par l'affirmative. Le thème de l'année prochaine, c'est « Les États-Unis ne seront plus jamais en position d'emprunter de nouveau ». Papa dit que je devrais répondre par la négative. Papa dit que l'Argentine avait beau s'être retrouvée en défaut de paiement en 2001, son économie était redevenue florissante quatre ans après seulement. Toujours d'après papa, très vite, tout le monde a fait des pieds et des mains pour leur prêter de l'argent – notamment des banques, des fonds spéculatifs et des entreprises en souffrance. Papa affirme que l'Amérique va se remettre sur pied plus vite encore.

— M'est avis que si tu veux remporter le débat, dit Tom, tu ferais mieux de laisser tomber le « Papa dit ».

Tout le monde éclata de rire sauf Ryan.

L'apparition de Goog avait quelque peu détendu l'assemblée, et tous le laissèrent faire son intéressant jusqu'au moment où Lowell l'expédia dans sa chambre. CQFD : la logorrhée je-sais-tout de Goog pouvait de façon très soudaine agacer Lowell, car Goog, dans ce domaine aussi, était bien le fils de son père.

Vu la teneur conversationnelle de la soirée, entendre Belle enchaîner sur les risques terrifiants inhérents aux opérations chirurgicales les plus bénignes en raison d'antibiotiques défaillants procura un léger soulagement. Elle affirmait que la chimiothérapie, qui affaiblissait le système immunitaire, était devenue bien plus dangereuse avec la prévalence des bactéries résistantes aux antibiotiques, à un moment où, justement, les médicaments de synthèse pouvaient être parfaitement adaptés à chaque cas individuel.

— Ces médicaments individualisés font peut-être des miracles, mais leur coût est exorbitant ! s'exclama-t-elle. Medicare ne va pas pouvoir le supporter très longtemps. Peu importe la « réinitialisation » décrétée par Alvarado, le poids des prestations va faire exploser la dette en un rien de temps.

— Comment peut-on creuser une dette sans obtenir de prêt ? demanda Avery. Peut-être que la « nation des mauvais payeurs » peut redorer sa réputation en quelques années seulement, mais, à l'heure actuelle, personne ne prêtera un cent à l'Amérique. Donc, à moins que nos impôts doublent – ce qui, pour nous, signifierait donner au fisc plus que ce que nous gagnons –, je ne comprends pas d'où peut provenir l'argent pour ces médicaments de synthèse fabriqués au cas par cas.

— La planche à billets, déclara Tom avec emphase.

— Tom, je sens comme qui dirait un thème récurrent ici, dit Lowell sans plus cacher son agacement.

Tom avala une nouvelle rasade de vin.

— Il s'avère que j'ai réfléchi à la question. Ta femme a mis dans le mille : il va se passer un paquet d'années avant qu'on recommence à nous prêter de l'argent. Donc, le déficit va se combler avec de l'argent surgi de l'éther, comme par magie. Comme les pays étrangers ont autant envie de dollars que de recevoir une balle dans la tête, la monnaie de singe va inonder notre pays et rien que le nôtre. J'ai pas raison ? C'est toi, l'*expert*.

Cette fois, la déférence était teintée d'aigreur.

— Eh bien, répondit Lowell, ce n'est qu'une des options dont disposerait la Banque centrale...

— Bang ! riposta Tom, l'inflation crève le plafond.

— *Peu importe !* proclama Ryan en bout de table, d'où il ruminait en silence depuis une demi-heure.

Tom s'esclaffa.

— Raconte donc aux Allemands des années 1920 que « ça n'avait pas d'importance »...

— Tom, fit valoir Lowell, c'est bon, on connaît la chanson. La Banque centrale peut toujours augmenter les taux d'intérêt...

— Je suis *fatigué* – en fait, Ryan était surtout ivre – d'avoir à écouter un technocrate keynésien exsangue qui appréhende l'économie comme un gadget dont il suffit de serrer quelques boulons, et non comme constituée d'individus – dont la plupart sont bien plus dans la dèche que les pinailleurs au cul bordé de nouilles qui se trouvent autour de cette table. Et j'en ai marre d'écouter les critiques, les angoisses et les jérémiades d'un groupe de WASP privilégiés qui s'inquiètent de la future provenance de leur saumon fumé hors de prix.

— Il ne veut pas du tout dire qu'il n'a pas aimé ton entrée, s'empressa de préciser Lin Yu à Avery avec un sourire nerveux.

— Tout ça ! s'emporta Ryan en tapant du poing sur la table, faisant tinter les couverts. La dénonciation de la dette, le krach boursier, la réquisition de l'or, ces pauvres entreprises carnassières auxquelles on interdit de détenir des bancors... L'extermination des retraites des gros bonnets, la décimation des pensions, l'incinération des portefeuilles rembourrés des über-riches... C'est la meilleure chose qui soit arrivée à ce pays ! C'était parti en vrille, vous m'entendez ? Ces vautours de rentiers qui sirotent leurs martinis à l'arôme ésotérique et se triturent les méninges pour trouver comment gâcher chaque jour un nouveau milliard de dollars, en se demandant ce qui pourrait bien encore leur faire envie. À sucer le pays jusqu'à la moelle alors que tous les autres galèrent, à se geler les miches chez eux sans allumer le chauffage par moins quinze dehors. Ce n'est pas censé être ça, l'Amérique ? On prend cette vérité pour acquise, que tous les hommes naissent égaux. Que les ploutocrates aillent se faire voir. Dans ce pays, l'échelon supérieur est anéanti. Fini. Ce que je trouve foutrement génial. Comment ils disent « foutrement génial » les jeunes, aujourd'hui ? Ah oui, « maléfique ». Je trouve ça foutrement maléfique.

— Ryan et moi sommes du même avis, ponctua Lin Yu.

— Tu parles d'une surprise, murmura Avery à Tom.

— Ces événements, ajouta Lin Yu, font enfin office de niveleur. En fait, Ryan et moi envisageons de coécrire un autre livre. Nous pensions l'intituler *Les Corrections*, et le distribuer gratuitement en ligne. Ce que nous vivons, c'est mieux qu'une révolution. Un peu comme une intervention divine. Nous avons enfin l'opportunité d'une vraie justice dans ce pays.

— Quoi ? s'esclaffa Tom avec incrédulité. *En appauvrissant tout le monde ?*

— Mieux vaut que tout le monde soit un peu moins aisé que de continuer à tolérer les disparités économiques grotesques de ces trente dernières années, fit valoir Lin Yu. En tant qu'Américains, nous pouvons revenir aux fondamentaux. C'est l'opportunité de faire table rase du passé et de renaître. Une chance de transformation et de rédemption. L'occasion d'éradiquer la corruption, le clientélisme, l'inégalité, la division, et de reconstruire ce pays en partant de zéro. D'être de nouveau les États-Unis, de vivre dans un État uni. De restaurer pour cette nation l'utopie égalitaire que les Pères fondateurs avaient à cœur d'établir. Nous devrions tous être fiers de participer à ce grand tournant.

— *Toi*, tu y participes ? la contra Tom. Participer, ça veut dire y perdre. Et même y laisser sa chemise. Du jour au lendemain, se rendre compte que ta retraite – pardon, *ta retraite de nantie*, catégorie qui englobe j'imagine les pompiers et les profs – a fondu de moitié ? Mais ta pension ne sera pas bien lourde, chérie. Ton épargne, en raison de ton prêt étudiant à rembourser, et tout ce que tu auras mis de côté fondront comme neige au soleil avec une inflation galopante. La seule façon dont tu pourrais subir une perte d'investissement, ce serait par le biais de Ryan. Qui – Tom se tourna vers le bout de la table –, mystérieusement, ne s'inclut pas lui-même parmi les riches – pardon, les über-riches, apparemment le seul parfum existant pour la catégorie « riche ». Désolé si j'ai mis les pieds dans le plat, vieux, mais tu as dû palper gros avec *Pour un jeu équitable*.

— Je ne crois pas que mes finances soient tes oignons…

— Et pourquoi pas, riposta Tom, alors que tu considères comme tes oignons celles des autres ? En fait, tu t'es rempli les fouilles en mettant ton nez dans les comptes en banque des autres.

— Tu parles de se remplir les fouilles ! commenta Ryan avec dédain. Le piratage Internet approchait déjà de son zénith. Pour la poignée des clients intègres qu'il restait, Amazon pratiquait une réduction de 70 %. Et sur le peu de droits d'auteur que j'ai récupérés, mon ex-femme m'en a sucré la moitié. Ça n'aurait aucun sens de me qualifier de riche.

— J'adore le tour de force, poursuivit Tom : te servir d'un traité sur les maux des riches pour rejoindre le club.

— De grâce, chéri ! s'exclama Belle. On ne devient pas riche en écrivant.

— C'est pour le moins une catégorie floue, souligna Lowell. « Riche » s'applique à quiconque gagne plus que soi-même.

— Je ne voulais pas dire qu'il possédait son propre jet, tempéra Tom. Néanmoins, notre ami Biersdorfer ici vaut son pesant d'or. Mais vous vous souvenez de la dernière fois où on s'est tous retrouvés pour dîner ? Lui et moi avions papoté sur la façon dont il s'était retiré du marché. Un marché « en surchauffe », selon lui. Cet enfoiré a tout placé en investissements locatifs, de ce qu'il m'a dit. Et pour l'instant, les biens durables ne risquent rien. Ils résisteront à la dépréciation monétaire, ils résisteront à l'inflation. Et ma main à couper qu'il ne détenait aucun bon du Trésor. Vous savez comment je le sais ? *Il n'a pas les boules.* Pas étonnant alors que Ryan et Lin Yu trouvent toute cette débâcle carrément géniale. Ils ne sont pas touchés !

— Tu as des bons du Trésor, Tom ? demanda Lowell d'une voix calme.

— Oui, on en avait. Et je me sens personnellement trahi. Par mon employeur. Par mon pays. Inciter les gens à vous prêter de l'argent et ensuite retourner ses poches vides avec un sourire gêné, je n'appelle pas ça le retour triomphant du véritable esprit américain. « Dénonciation », mon cul. Les gens normaux appellent ça du vol. Tu te rends compte que, au-delà de la déduction standard des cinq mille dollars pour les pertes de marché, tu n'auras même pas le droit de soustraire de tes *impôts* le principal en défaut ?

— Oh, et pourquoi le devrait-on ? riposta Ryan d'un ton hargneux. Tous les investissements comportent un risque. Tous les emprunts obligataires comportent des risques, ce qu'on sait dès le départ.

— Pas les *bons du Trésor américains.* C'est comme ça qu'on nous a vendu pendant des décennies des intérêts aussi minables : c'était *l'investissement le plus sûr au monde !* Raison pour laquelle ne pas honorer leur remboursement est proprement scandaleux. Je comprends les Turcs et les Nicaraguayens qui incendient les KFC et les McDo. Chez nous, on a quantité de raisons de se mortifier. Ces deux attentats à la bombe sur des bâtiments fédéraux près du Mall ? Parfaitement compréhensibles.

Après ce qui devait être sa deuxième bouteille de vin, ça donnait « farfaiment keumpressible ».

— Ce qui m'épate, c'est qu'on n'ait pas encore foutu le feu à toute la ville.

— Ceux qui avaient les épaules pour et qui y ont laissé leur chemise, expliqua Belle, ne sont pas des violents.

Elle fit un geste en direction de Tom et de Ryan.

— Regardez-vous, tous les deux. Debout, rouges de colère, bras le long du corps, prêts à dégainer ? Mais aucun de vous n'a cassé un verre ou lancé un coup de poing. Vous avez du souci à vous faire sur l'état de la virilité américaine. C'est peut-être cela qui marque vraiment la fin de l'Empire américain. Allez, maintenant, on va tous aider Avery à ranger.

Ramassant les assiettes qui s'entrechoquaient bruyamment dans le silence, Avery était contrariée ; jamais aucun de ses dîners n'avait dégénéré au point de faire surgir tant d'impolitesse. Pourtant, plus tard, en y repensant, cette soirée hargneuse lui paraîtrait parfaitement élégiaque – et même profondément civilisée. Dans quelques mois, si vous alliez jusqu'à commettre l'imprudence de recevoir à dîner, vous ne pourriez plus être sûrs que vos amis acceptaient par réelle envie de vous voir ou parce qu'ils trouvaient là l'occasion de manger à l'œil.

6

Fouilles et perquisitions

COMME FLORENCE NE SE CONSIDÉRAIT PAS comme quelqu'un susceptible de détenir la moindre once d'or, il lui avait fallu des jours pour comprendre, non sans un certain choc, qu'elle en possédait.

Après l'obtention de son diplôme à Barnard, le Grand-Homme avait rassemblé la famille élargie pour un déjeuner festif dans un restaurant en terrasse de l'Upper West Side. Au dessert, le patriarche avait fait tinter son verre. Il trouvait approprié, avait-il déclaré, qu'il revienne à sa petite-fille un modeste gage provenant de la propriété de son grand-père à lui – une majestueuse demeure Second Empire agrémentée d'une imposante véranda en canopée, située à Mount Vernon dans l'Ohio, que Florence avait eu l'occasion de voir sur quelques clichés sépia numérisés dont elle avait hérité. Débordant, dans son imagination du moins, de cristal, de linge de maison amidonné et d'argenterie, la demeure imposante de ses arrière-arrière-grands-parents, depuis longtemps démolie, symbolisait cette opulence qu'elle déplorait sur le plan philosophique. Pourtant, ces photos d'archives de Bountiful House, aux couleurs passées, transférées amoureusement de smartphone à tablette puis à speX et à fleX, l'emplissaient toujours d'une tristesse poignante et familière. Des années durant, Florence avait été troublée par un rêve récurrent, dans lequel elle voyait miroiter, presque à portée de main, les eaux bleues d'une grande piscine – de l'autre côté d'un portail verrouillé, dont l'accès était assujetti au paiement d'un coût d'entrée prohibitif, ou impossible sans son maillot de bain. Elle se réveillait tout à la fois perturbée et mélancolique.

Si, dans ses rêves de piscines idylliques, elle n'était jamais autorisée à plonger dans le grand bain, cet après-midi-là, le cadeau offert par son extravagant grand-père lui avait donné le sentiment qu'elle venait de glisser un orteil dans l'eau. La boîte avait ce format des cartes de remerciement que s'envoyaient les gens autrefois : carton épais et marbré, angles arrondis et gris. Seul le ruban était neuf. Le Grand-Homme s'était excusé du fait que le contenu la boîte n'ait pas la moindre utilité pratique. En effet : sur du délicat satin jauni reposaient deux gobelets miniatures, d'une dizaine de centimètres de haut – pour boire du schnaps ou du porto peut-être, bien qu'il ait été fort probable que personne ne les ait jamais utilisés pour siroter la moindre goutte d'alcool. Les pieds étaient en verre – ce verre cobalt profond des vitraux des cathédrales européennes. Sur le premier était gravé le nom d'ELLIOT IRA MANDIBLE et, sur le second, celui de DORA ROSE MANDIBLE. Ces gobelets étaient en or, pas en simple plaqué. Étonnant, comme la différence se voyait d'un seul coup d'œil : une couche mince et grossière se contentait de refléter la lumière, tandis que l'onctuosité du métal pur invitait la lumière à l'intérieur. Le Grand-Homme n'avait pas la moindre idée de l'événement que célébraient ces gobelets : anniversaire de mariage peut-être, ou témoignage de reconnaissance de la municipalité. Elliot Mandible avait fait don d'une bonne partie de sa fortune, mais la part qu'il avait conservée était plus grosse encore.

Ces gobelets finement ouvragés représentaient un lien tangible et rare à un passé que Florence avait par ailleurs rejeté. À l'instar de nombre de ces objets absurdes que les gens aisés fabriquaient et attiraient tout à la fois, ces gobelets n'étaient ni plus ni moins que de l'argent reconditionné. Ils n'avaient jamais été conçus pour se plier à la banalité du quotidien, mais exigeaient toujours des choses qu'elles se conforment à eux. Ce cadeau se posait là, et témoignait donc d'une certaine ostentation de la part du bienfaiteur. Ces gobelets étaient totalement vains, et n'avaient d'utilité autre que pour la galerie. Le monde dans lequel ils existaient ne variait pas d'un iota de celui dans lequel ils n'auraient en fait jamais été fabriqués.

Florence en raffolait. Elle, avec son pragmatisme à tous crins, chérissait ces verres miniatures pour la simple et bonne raison qu'ils n'avaient pas la moindre utilité. Elle les avait soigneusement rangés dans leur vieille boîte, la douzaine de fois (grosso modo) où elle avait déménagé, et les conservait à l'heure actuelle sur l'étagère du haut de ce qui était dénommé de façon grotesque la chambre « principale », repoussés le plus loin possible contre le mur pour qu'ils soient en sûreté, de sorte qu'on ne les voyait pas, sauf à monter sur une chaise. Elle se fichait bien de la valeur que leur conférait le métal dont ils étaient faits. Ils lui étaient précieux, parce qu'ils lui appartenaient. Dès lors, la perspective de balancer cet héritage artisanal dans le grand fourre-tout du Trésor américain – où les pieds en verre cobalt se briseraient et l'or serait promis à une fonte certaine –, tout cela par pur « patriotisme », quoi que cela puisse bien signifier, apparaissait à Florence non seulement comme un anathème, mais comme une irréductible impossibilité.

Les gobelets en or de Bountiful House lui étaient revenus en mémoire dans la salle de repos du centre d'hébergement, souvenir réveillé par une tasse à expresso sale dans l'évier. En proie à des ruminations le restant de la journée, elle avait couru prendre le bus sitôt sa garde terminée. Une fois chez elle, elle s'était ruée à l'étage, et, debout sur un fauteuil, avait attrapé les souvenirs sur l'étagère, avait épousseté les gobelets avant de les reposer dans une boîte marbrée qu'elle gardait cachée dans son placard. Pendant tout ce temps, elle n'avait pu se départir de la curieuse impression d'être observée, sursautant à des craquements dans le couloir si légers qu'ils devaient être le fruit de son imagination. Se servant de ce qu'elle avait sous la main, elle avait tiré de dessous le lit une couverture de rechange dans laquelle elle avait enveloppé solidement la boîte, avant de glisser le paquet sous le lit, au milieu des couettes et des coussins destinés aux invités.

Cette folie prendrait sûrement fin un jour, et il serait de nouveau possible de poser deux bibelots dorés sur une étagère sans risquer une amende d'un quart de million de dollars – rien que d'y penser, son cœur frôlait l'attaque. Une fois le « délai d'abdication » du 30 novembre passé sans incident, elle avait pu penser à autre chose.

Tout du moins jusqu'à ces coups sonores frappés à la porte un week-end de janvier, quelques jours après le quatorzième anniversaire de Willing.

— Maman, dit Willing d'un ton tranquille, comme si pareille chose arrivait tous les jours, c'est l'armée.

— Tu te fiches de moi.

Bien sûr, il y avait eu des rumeurs sur des perquisitions à domicile, mais Florence avait supposé que la police, la Garde nationale et les unités de l'armée américaine affectées à l'opération se limitaient aux quartiers chics afin de ne pas se donner de la peine pour rien.

Ils étaient deux. Le plus grand et le plus costaud, un Blanc, portait le treillis réglementaire, mais réussissait, par la seule force de son expression maussade, à paraître négligé. Son visage massif lui donnait tout à la fois une impression de bêtise et de ruse ; peut-être à cause de ses tout petits yeux. Son équipier, dont la physionomie indiquait une légère origine indienne, se tenait bien droit, la mine autoritaire, et rien dans leur attitude à tous les deux n'exprimait le moindre embarras. D'un seul coup d'œil, on devinait que, contrairement au bon vieux cliché, aucun des deux ne s'apprêtait à jouer le « bon flic ».

— Je peux vous aider ? demanda Florence d'un ton froid, ouvrant la porte d'entrée de quelques centimètres tout en maintenant fermée la porte grillagée.

Il faisait moins dix dehors, une mince couche de neige recouvrait la véranda, et elle s'était autorisé la folie de monter le thermostat à quinze.

— On n'a pas besoin d'aide, répondit le costaud, en retournant d'un geste méprisant le badge plastifié autour de son cou. J'entre, madame.

Joignant le geste à la parole, il ouvrit lui-même la porte. Florence s'interposa.

— Excusez-moi, vous avez un mandat ?

— J'ai mieux que ça, répliqua le rustre. J'ai la loi. On y va, Ajay.

— Les armes sont interdites dans cette maison, insista-t-elle.

— C'est-y pas dommage. Parce que l'armée américaine ne laisse pas des M-17 sur le perron comme des chaussures à l'extérieur d'une mosquée.

Armés aussi de détecteurs de métaux, les deux militaires entrèrent sans y être invités ni essuyer leurs bottes sur le paillasson, salissant le tapis de neige noire.

— Pourquoi vous portez des tenues de camouflage alors qu'on n'a pas d'arbres ? demanda Willing qui les observait depuis l'escalier. Si vous ne voulez pas que les gens vous voient dans ce quartier, vous devriez porter des uniformes qui aient l'air de revêtements en aluminium.

— Tu ne rends pas service à ta mère en jouant les malins, gamin, dit le costaud.

— Je vous laisse une dernière chance, avant que nous ne perquisitionnions les lieux, ajouta le plus petit des deux avec un accent indien maniéré, de déclarer l'or en votre possession, même en très petite quantité sur un objet, que vous n'auriez pas remis au gouvernement fédéral. L'amende sera moins sévère si vous nous remettez de vous-même tout ce que vous avez dissimulé. Si nous trouvons quoi que ce soit, vous serez passible de poursuites pénales.

— Qu'est-ce que ces connards foutent chez nous ?

Dire qu'Esteban avait un problème avec l'autorité était une litote.

— Ils vont retourner chaque centimètre carré de ce taudis, répliqua le premier militaire, si des membres des forces armées des États-Unis se font une fois encore traiter de *connards* par une tête brûlée de Lat qui, manifestement, n'a aucune loyauté véritable envers ce pays.

— Saccagez notre maison, et je vous traînerai en justice, armée ou pas, répliqua Esteban.

— Vous savez combien de fois par jour j'entends ça ? Une bonne centaine. Bonne chance, crétin.

— Je peux vous poursuivre pour injure raciste, dit Esteban.

— J'ai bien dit « Lat », déclara le costaud. Mais pas « métèque », ni « racaille de Latino », ni « roulure de Mexicaint ».

— Mention contre utilisation, commenta Willing.

Florence n'avait pas la moindre idée de ce dont il parlait.

— Vous avez quelque chose à déclarer, m'dame ? répéta l'Indien.

— Je *déclare* que je photographierai toute destruction inutile des « lieux » et que je la signalerai.

Florence avait beau nourrir d'elle-même l'idée, certes invérifiée, qu'elle était une personne courageuse, ses mains tremblaient. Aucun gobelet d'or, quand bien même magnifique, ne méritait dix ans de prison.

Tandis qu'elle se creusait la tête pour trouver la meilleure façon d'introduire l'épiphanie d'un « souvenir soudain » de « vieux bibelots de famille », les militaires commencèrent à fouiller le salon, l'Indien s'attelant aussitôt à retirer les coussins en cuir du canapé lie-de-vin provenant de la propriété du Grand-Homme à Oyster Bay. Seul meuble de qualité de la maison, il avait sans doute induit en erreur les militaires sur le niveau de vie de la famille. Après avoir inspecté toutes les craquelures, le militaire, prétendant avoir senti une grosseur, éventra l'un des coussins au cutter, qu'il portait manifestement dans le seul but de saccager les éléments de décoration auxquels la population tenait le plus.

— *Mon* gouvernement va-t-il payer la réparation du cuir ? demanda Esteban d'un ton amer.

— C'est pour ça qu'on a inventé le chatterton, monsieur, répliqua le militaire en sortant le garnissage.

Assistant, impuissante, à la lacération arbitraire du somptueux canapé, Florence sentait une rage la gagner : le genre de fureur refoulée et bâillonnée à laquelle il n'était pas dans son intérêt de céder. Parfait, qu'à cela ne tienne, elle ne hurlerait pas après ces militaires et ne s'abaisserait pas à faire usage de vulgarité. Elle se força à rester immobile, quand bien même elle se sentait un peu raide. Mâchoires serrées, elle réussit à conserver une expression impassible. Mais elle ne supportait pas l'idée de leur donner satisfaction, de se trahir comme une « thésauriseuse » doublée d'une menteuse, et de les laisser filer avec son cadeau de remise de diplôme si cher à son cœur – ces gobelets dans lesquels, elle l'imaginait sans le moindre mal, ces deux salauds fêteraient ce soir son humiliation à grand renfort de whisky bon marché.

Le costaud arpentait méthodiquement le plancher, ses pieds appuyant sur chacune des lames au cas où elle sonnerait creux. Mais le mince parquet en bois était posé sur un châssis peu épais, et tout sonnait creux. Les militaires commencèrent alors à déplacer les meubles, éraflant le parquet, sans se donner la peine de les remettre en place. Après avoir décroché les cadres du mur, qu'ils empilèrent sur le canapé éventré, ils se mirent à taper contre les panneaux en Sheetrock, mais les murs, eux aussi, sonnaient creux. Puis ce fut au tour des livres, qu'ils retirèrent un à un des étagères, avant de les feuilleter avec une expression incrédule, tant il leur paraissait inconcevable qu'on puisse s'en servir autrement que comme cachettes (creuses, elles aussi).

Quand ils passèrent à la cuisine, le costaud vida sur le comptoir une boîte de farine, qu'il malaxa à la manière de quelqu'un qui s'apprêtait à confectionner des pâtes maison. L'Indien suffisant sortit quant à lui casseroles et poêles, qu'il entassa par terre, tandis que son comparse vidait la cuvette d'eau dans l'évier, éclaboussant d'eau grise graisseuse les ustensiles propres à ses pieds. Ils allèrent jusqu'à fouiller le réfrigérateur, comme si l'or pouvait y être mieux conservé. Une fois parvenus à la conclusion que Midas n'avait pas jeté son dévolu sur le bac à légumes, ils se rabattirent sur deux cuisses de poulet froid. Puis, ils sortirent par la porte de derrière, pour passer aux détecteurs de métaux le piètre semblant de jardin aménagé par Florence, s'animant considérablement autour du buisson de romarin, la seule herbe aromatique que Florence avait réussi à préserver du froid mordant de l'hiver. Munis d'une pelle, ils s'attaquèrent à la terre durcie, trouvant le moyen de sectionner les racines de la plante, mais le porte-clés rouillé qui avait actionné leurs détecteurs, et dont les Chinois fabriquaient à la pelle (justement) des variations plus perfectionnées, ne risquait pas d'apporter une contribution substantielle au règlement de la dette du pays.

Quand les défenseurs du monde libre montèrent à l'étage, Florence se sentit silencieusement basculer dans la panique. Agrippant la main de Willing, elle emboîta le pas, horrifiée, au binôme qui se dirigeait tout droit vers la chambre parentale. L'Indien vida le coffre à bijoux sur la commode, fourrageant impatiemment dans les montres cassées, les élastiques, les baumes à lèvres, les quelques bijoux en strass datant de la brève phase bling-bling de Florence et qu'elle ne portait plus. Après avoir jeté par terre une pluie de chaussettes, soutiens-gorge et autres culottes – « Vous n'imaginez pas le nombre de gens qui cachent vraiment des trucs dans leur *tiroir à sous-vêtements* », commenta le militaire costaud d'un ton méprisant –, ils commencèrent à sortir de dessous le lit couettes, couvertures et coussins, les dépliant au fur et à mesure. Saisie d'une sueur froide, Florence avait l'impression de sentir les battements de son cœur jusque dans le bout de ses doigts. Peut-être n'était-il pas trop tard pour faire une « déclaration » et éviter ainsi une peine de prison. Avant qu'ils atteignent le centre de ce qui était entreposé sous le lit, elle s'écria :

142

— Attendez, il y a une chose, peut-être que j'aurais dû…

— Non, maman, l'interrompit Willing, qui, croisant son regard, secouait la tête. J'ai vérifié ce collier qui t'inquiétait tellement. J'ai même effectué un test de rayure avec l'un de ces kits que les flics distribuent sur Jay Street. C'est seulement du laiton. Je sais qu'il voulait se montrer gentil et tout, mais Esteban s'est bien foutu de toi pour ton anniversaire.

— C'est quoi, ce collier ? demanda le balourd d'un air méfiant.

Willing désigna le bric-à-brac étalé devant l'Indien, duquel il extirpa un joli collier orné d'un pendentif en opale.

— Celui-là.

Après s'en être emparé, le militaire costaud tordit le métal, avant de laisser retomber.

— T'as raison, gamin. C'est du toc.

Au même instant, l'Indien venait d'atteindre la couverture sous le lit et la dépliait dans un grand geste.

Le fracas attendu ne se produisit pas. Ce qui était une chance, car Florence était sur le point de vomir, et tirer la chasse d'eau en milieu de journée aurait été un sacré gaspillage.

Tout aussi rapidement qu'ils avaient saccagé leur maison, les militaires semblèrent se lasser de leur mise à sac. À pas lourds, ils regagnèrent le rez-de-chaussée et partirent en claquant la porte grillagée, laissant ouverte la porte d'entrée, histoire que la température intérieure baisse encore d'une bonne dizaine de degrés.

Tout cela n'avait aucun sens. Ils avaient passé la farine au crible, mais n'avaient pas inspecté la cheminée, ni même fait un détour hâtif par le meublé de Kurt au sous-sol, alors que l'une comme l'autre auraient pu abriter tout l'or du tombeau de Toutânkhamon.

Prise de vertiges, Florence se dirigea vers la porte, slalomant entre les coussins du canapé, pour la verrouiller à double tour. Tandis qu'elle remettait les meubles en place, Esteban fulminait, arpentant le salon où elle l'avait exilé, de peur que sa colère n'incite les militaires à libérer leurs pulsions destructrices. Après avoir vérifié par la fenêtre de devant qu'ils étaient partis foutre en l'air la journée de quelqu'un d'autre, elle se tourna vers Willing, lequel avait regagné son perchoir de prédilection sur la troisième marche. Quand elle scrutait son visage, elle se surprenait souvent à y chercher des indices sur l'identité de son père. La conception avait eu lieu pendant sa phase bling-bling.

— Comment tu as su… ? murmura-t-elle.

— Je sais tout ce qu'il y a à savoir, répondit-il.

— C'était toi. Les craquements, pendant que je les cachais.

— T'as choisi une cachette cafardable.

— Et tu les as mis ailleurs.

Il acquiesça.

— Mais c'était courir un gros risque !

— Pas si la cachette est bonne. Maman, réfléchis. Toutes ces maisons. Tous ces placards. Tous ces parquets et toutes ces boîtes. Alors que les trucs en or sont si petits. C'est impossible. Ces perquisitions sont ridicules. Enfin, pas tout à fait.

— « Enfin, pas tout à fait » ?

— Ils essaient de faire peur aux gens. Et si ça marche suffisamment, ils n'ont même pas à chercher. Les gens leur refilent directement les trucs. Regarde, avec toi : ça a failli marcher.

— *¿Qué estás conspirando ?* demanda Esteban, marquant une pause dans le rangement de ses Steinbeck éparpillés. *Tenemos mucho trabajo aquí.*

Willing et lui s'entretenaient souvent en espagnol ensemble, langue que Florence parlait moins bien que son fils, et ce lien linguistique engendrait une intimité particulière. Mais ce que partageaient Florence et Willing était si intense que rien, pas même un compagnon de cinq ans à demeure, ne pouvait rivaliser avec, et parfois Esteban semblait en éprouver de la jalousie.

— *Es mejor si no lo sabes*, répondit Willing.

— Tu comptes me dire où tu les as cachés ? demanda calmement Florence.

— Non. C'est mieux si tu l'ignores toi aussi.

— Comme ça, quand ces cacaviocs reviendront, je serai pétrifiée, quel que soit l'endroit où ils regarderont.

— Ils ne reviendront pas, rétorqua Willing d'un ton assuré. Le gouvernement va se rendre compte que ce n'est pas assez rentable pour lui de continuer à payer les militaires et les flics à faire peur aux gens. Il ne peut emprunter de l'argent nulle part. Pour le moment, il ne peut pas se permettre de gaspiller celui qu'il a encore.

— « Pour le moment ». T'es bizarre, comme garçon.

— C'est plus compliqué que ça. Mais, oui. Pour le moment. Plus tard, les choses seront différentes. Le gouvernement aura plein d'argent. Mais il vaudra que dalle. Ce qui revient au même que ne pas en avoir.

Ce n'était pas dans son habitude, mais Willing sourit. Une ébauche de sourire. Il semblait satisfait de lui.

— Gamin, c'est dangereux, de faire un peu d'Internet.

— C'est vrai, reconnut-il. Un *peu* d'Internet, c'est immense dangereux. *Beaucoup* d'Internet, c'est aussi dangereux, mais autrement. Dangereux pour les autres. Pas pour soi.

Sur le moment, cette perquisition militaire avait semblé dramatique. Très rapidement, un cran supplémentaire serait atteint au supermarché.

Le dimanche après-midi, Florence faisait les courses de la semaine, Willing poussant jusque chez eux le caddie bringuebalant contenant leur prise. Quelques années auparavant, il leur arrivait souvent de continuer jusqu'à la rue commerçante de Church Street pour profiter, par exemple, des promos à deux dollars sur les sachets de bâtons de cannelle chez un marchand ambulant et du spectacle des vêtements bigarrés des Jamaïcaines à la poitrine plantureuse, mais, dernièrement, ils ne prenaient plus la peine de faire ce détour. Maintenant que les échoppes avaient été remplacées par des clubs de Pilates, de yoga et des salons de toilettage pour animaux, Florence regrettait les bureaux d'encaissement de chèques, les salons de tresses africains, les boutiques de prêteurs sur gages et les marchands de bonbons, qui, avec leurs trois pauvres friandises acidulées et collantes se battant en duel au fond d'un seul bocal, servaient manifestement de couverture au trafic de cocaïne. Les chariots à glace qu'on trouvait aux coins des rues, avec leurs sirops aux couleurs criardes bleu cobalt, vert chartreuse et rose fluo, ayant quitté le bitume il y a bien longtemps, le quartier avait littéralement perdu toutes ses couleurs.

Évidemment, au fil des ans, il fallait à Florence plus d'argent pour faire les courses, à cause de l'inflation constante, des mauvaises récoltes, de la flambée des prix de l'énergie et de la croissance ininterrompue de la demande en Asie. La modeste indexation sur le coût de la vie de son salaire à Adelphi ne reflétait jamais l'augmentation constante de ses dépenses alimentaires.

Mais là, c'était différent.

Ne vous y trompez pas : à Noël, Florence avait appris à ne plus regarder les marchandises importées. Sa famille avait déjà pris l'habitude de se passer de certaines fantaisies comme les olives grecques, le parmesan italien, le vinaigre de riz japonais et même les piments séchés mexicains (au grand dam d'Esteban). Rapidement, de toute façon, les produits d'importation avaient disparu des rayons. D'après Brendan, leur voisin banquier d'investissement (*ex*-banquier d'investissement, tout le secteur ayant fondu en une nuit), les transactions commerciales du pays en étaient arrivées à un point mort virtuel. Les exportateurs n'étaient pas autorisés à déposer des bancors dans les banques américaines, mais devaient passer par un système peu pratique d'intermédiaires délocalisés. Avec le contrôle des capitaux toujours en vigueur, les importateurs devaient quant à eux faire approuver le moindre transfert de dollars à l'étranger par le département du Commerce, qui était submergé de demandes. Dès février, cependant, quelque chose avait commencé à clocher avec les produits domestiques.

— Je me souviens parfaitement avoir acheté un chou vingt dollars en octobre dernier, dit Florence à Willing, en soupesant un piètre spécimen de ce légume. Celui-ci est plus petit et plus fripé, et il coûte vingt-cinq dollars. Dans le même magasin. Fais le calcul : à ce rythme-là, combien coûtera un chou en octobre prochain ?

— Quarante dollars, s'empressa de répondre Willing. Mais on s'en tape. J'en peux plus, du chou.

— Moi non plus ! Mais regarde autour de toi. Qu'est-ce qu'on peut acheter d'autre ?

Pour un supermarché urbain, Green Acre Farm sur Utica Avenue était bien approvisionné, et avait connu un relooking tape-à-l'œil après que les Asiatiques avaient commencé à remplacer les immigrants des Caraïbes autrefois majoritaires dans le quartier. Mais, désormais, les courgettes (vingt-quatre dollars la livre), les sachets de deux cents grammes d'épinards (quinze dollars, le prix de trois cents grammes auparavant), les pois gourmands (trente et un dollars la livre) auraient tout aussi bien pu être exposés dans des musées comme des vestiges du passé. Florence se décida pour un bouquet de chou frisé un peu défraîchi (dix-huit dollars) et, seul sachet dans le rayon des promos, un cœur de laitue de Boston avec le bord des feuilles marron, dont elle ne voulait pas spécialement.

En avril, le chou avait pris de l'avance sur le planning : il coûtait déjà trente dollars.

Au centre d'hébergement, les collègues de Florence étaient obsédés par le coût de la nourriture. En dépit des étiquettes « promo » fleurissant sur les emballages de sandwichs dans le frigo de la salle de repos du personnel, le chapardage entre collègues commençait à se généraliser, Selma s'était fait piquer un sandwich pain de seigle saucisson. Et le sujet des prix de la restauration rapide était explosif. C'était à qui rapporterait le prix le plus outrancier de la semaine.

— Trente-cinq dollars quarante-neuf pour un wrap poulet bacon chez Subway ! s'exclama Mateo. J'ai balancé le sachet à la serveuse et je me suis tiré, en lui disant qu'elle avait dû me prendre pour Howard Buffett, et Buffett ne bouffe pas de wraps.

— Vous avez vu que Taco Bell a laissé tomber les menus plastifiés derrière les caisses ? dit Rasta. Maintenant, tout est numérique. Comme ça, ils peuvent augmenter le prix du duo enchilada/tostada toutes les semaines sans monter sur un escabeau.

Son placard à provisions déjà peu garni en temps ordinaire, Florence avait toutes les peines du monde à trouver sur quoi économiser. Ils n'achetaient aucun plat industriel et mangeaient si peu de viande qu'elle s'inquiétait pour ses cheveux. *Stricto sensu*, la nourriture pour chien de la marque magasin était un luxe, mais Willing aurait donné la moitié de son assiette à Milo plutôt que d'affamer le cocker. Florence avait donc arrêté d'acheter des herbes aromatiques fraîches et n'utilisait plus les condiments qu'avec parcimonie. La mort dans l'âme, elle avait renoncé à la glace. Pour son petit déjeuner, elle servait à Willing du riz cuit dans du lait à la place de corn-flakes, et achetait du riz long grain blanc plutôt que du riz brun, plus complet, parce que les céréales raffinées restaient, ne serait-ce qu'un peu, moins chères. On aurait pu penser qu'il existait une limite à la quantité de pâtes qu'un individu pouvait avaler : apparemment, non.

Comme si cela ne suffisait pas, son emprunt à taux variable avait grimpé de deux points, et pour être en mesure de rembourser, il aurait vraiment fallu qu'elle augmente le loyer de son locataire. Le quartier était défini comme zone de résidence unifamiliale, la sous-location de son sous-sol était illégale. En outre, n'ayant pas signé de bail officiel, Kurt dépendait de ses bonnes grâces ; en théorie, elle aurait pu augmenter le loyer comme bon lui semblait. Jusqu'à présent, Kurt était à jour de son loyer, mais elle s'inquiétait pour son temps partiel chez le fleuriste. La situation économique étant ce qu'elle était, un bouquet de pervenches était plus que du superflu. Elle ne se considérait pas comme une bonne pâte, mais elle ne supportait pas l'idée de lui réclamer de l'argent qu'il n'avait aucun moyen de mettre de côté.

Un dimanche après-midi de mai, ils allèrent faire leurs courses hebdomadaires à Green Acre Farm. Vu le faible volume de leurs achats désormais, ils ne prenaient plus le caddie. Généralement, ils emmenaient Milo, mais, cette fois-là, Willing avait insisté pour que Milo reste à la maison, d'après lui, en laissant le chien à l'extérieur du magasin, ils prenaient le risque qu'un passant sans scrupule enlève Milo dans un but des plus macabres : « Il pourrait se faire manger. »

Sur le trajet du retour, il continua, tenant des propos qui rendirent Florence plus perplexe encore :

— J'ai vu le courrier que tu as laissé sur la table de la salle à manger. Les mensualités du crédit de la maison ont augmenté. Ça pourrait devenir un problème.

— Écoute, Willing, non seulement ça me regarde...

— Ça nous regarde. Moi, Esteban et Kurt. Nous aussi, on vit dans cette maison.

— Quand j'avais ton âge, je ne savais même pas ce qu'était un crédit d'emprunt.

— Je te l'ai dit : je sais ce que j'ai besoin de savoir. Peut-être que quand tu avais quatorze ans, tu n'avais pas besoin de te préoccuper de crédits d'emprunt.

— Je ne veux pas que tu t'inquiètes – vaine précaution oratoire – mais, oui, ça devient un peu tendu.

— Les taux d'intérêt augmentent avec l'inflation. Tes mensualités vont continuer à augmenter.

— Et pourquoi ça, monsieur l'expert ?

— Personne ne veut prêter de l'argent si c'est pour être remboursé dans une monnaie qui ne vaut rien.

Le ton monocorde de Willing sous-entendait que c'était une évidence.

— Mais il y a toujours un peu d'inflation. Et les taux d'intérêt n'augmentent pas toujours à cause de ça. En fait, on a besoin d'inflation. D'ailleurs, le contraire est censé être assez terrible.

— C'est ce qu'on veut te faire croire.

Son penchant pour la *suffisance* était l'une des rares inquiétudes qu'elle nourrissait au sujet de son fils.

— D'accord, alors quoi ? Toute ma vie, j'ai entendu dire qu'on avait besoin d'une légère inflation, autour de 2 ou 3 %.

— Je sais bien.

Il semblait sincèrement réjoui.

— On pourrait tout à fait s'en sortir avec un taux de *défla*tion faible, prévisible et régulier, expliqua-t-il. L'inflation est un impôt. De l'argent pour le gouvernement. Un impôt que les citoyens ne considèrent pas comme un impôt. Pour les hommes politiques, il n'y a rien de mieux. Mais l'inflation n'est pas inévitable. Introduite en 1300, la livre sterling a plus ou moins maintenu sa valeur pendant six cents ans. Et c'était à l'époque de l'Empire britannique, quand les Anglais dominaient quasiment le monde. L'Arrière-Grand-Homme a qualifié de tragédie ce qui est arrivé à la livre sterling. Tiens, prends le mot « sterling ». Étymologiquement, il signifie « excellent », « de valeur ». Mais aujourd'hui, d'après lui, cette devise est une farce. Et tout ça, à cause de l'inflation. J'ai dit à l'Arrière-Grand-Homme que quand l'argent qu'on possède est une farce, les gens nous prennent pour des rigolos. Et maintenant, le dollar à son tour est devenu une farce.

— Tu as l'impression d'avoir moins de valeur en tant qu'être humain parce que celle du dollar a baissé ?

— Dans un sens. Je n'y ai pas vraiment réfléchi. Mais ce qui se passe n'est peut-être pas simplement une question de ce qu'on peut ou non acheter. Peut-être que ça a aussi un impact sur notre perception de nous-mêmes. Comme si on se sentait plus petits. Peut-être que c'est ce qui m'arrive. Et à toi aussi peut-être, même si tu ne t'en rends pas compte.

— Si je me sens plus petite, c'est que, avec ce que coûte la nourriture, je maigris !

Elle ne s'en vantait pas. Elle avait du poids à perdre, mais son reflet dans le miroir lui renvoyait cette impression de perte de substance que son fils semblait évoquer.

— *Alors*, demanda Willing d'un ton désinvolte, tu crois que maintenant qu'on a soudoyé les Chinois avec tout cet or, ils vont nous ficher la paix ?

— Je crois que Pékin a eu ce qu'il voulait. Même si le transfert a été gênant pour les États-Unis.

— D'après l'Arrière-Grand-Homme, à moins que l'or soit utilisé pour revenir à un « étalon-or modifié », ou pour investir dans le bancor, peu importe qu'on l'ait cédé. Conservé dans des coffres, il servait surtout à « faire joli ».

— Quoi qu'il en soit, je ne le regrette pas, c'est sûr, admit Florence.

— Je n'ai pas de problème avec l'espagnol. Mais je ne veux pas avoir à apprendre le chinois. Je n'en ai jamais aimé les sonorités. Trop aiguës. Trop nasales.

— Les Chinois ne vont pas envahir New York, si c'est ce que tu penses.

— Peut-être pas avec une armée. Mais t'as pas vu les infos ? Ils sont partout en ville. Chez Saks, chez Lord & Taylor. Chez Tiffany, les Chinois font la queue devant la porte. Avec des Coréens, des Indonésiens et des Vietnamiens.

— Ils peuvent faire de bonnes affaires ici. C'est le taux de change.

— *Je sais*, répondit Willing, une pointe de mépris dans la voix. Je déteste que tu me dises des choses que je *sais* déjà. Tout ce que je veux dire, c'est qu'il y a quantité de manières de prendre le pouvoir.

— Tu ferais bien de faire attention à ce que tu dis. Tes propos frisent le racisme.

— L'Arrière-Grand-Homme dit qu'on devrait être reconnaissants. Sans les touristes étrangers, personne n'achèterait rien. Nous aurions déjà basculé dans une nouvelle dépression. L'Arrière-Grand-Homme dit que, pour les étrangers, tout ici est pratiquement gratuit.

— Ah oui ? Parce que rien ne l'est pour nous ! Je n'en revenais pas aujourd'hui du prix de la Javel.

151

Ils avaient pris le bidon de cinq litres, car le prix augmenterait forcément d'ici la prochaine fois, et le sac lui sciait l'épaule.

— Les prix n'augmentent pas, décréta Willing avec autorité.

— J'aurais juré le contraire !

— Tu t'es fait avoir ! assena-t-il avec arrogance. C'est l'erreur que tout le monde fait, en pensant que tout est plus cher. En fait, les prix sont les mêmes. Ils n'augmentent pas ; c'est la valeur de la monnaie qui baisse.

— Oh, arrête ! Je comprends comment le taux de change peut affecter les importations. Mais pas ce qu'on fabrique et cultive dans ce pays.

Ce renversement des rôles était désormais établi : Willing expliquait patiemment les choses à sa mère, comme s'il parlait à une enfant. Florence se prêtait à son jeu, et lui au sien. Dans un sens, ça marchait.

— Laissons de côté le fait que l'Amérique ne fabrique rien, poursuivit Willing. La masse fiscale est en forte baisse ; le déficit, à la hausse. Le gouvernement ne peut pas emprunter, car personne ne le croit en capacité de rembourser. La dénonciation de la dette était un outil à court terme de baisse des prix : elle a servi à supprimer le remboursement de la dette. Mais l'agence de garantie des dépôts bancaires a dû verser des montants astronomiques après la faillite des petites banques. Et il a fallu renflouer les grandes. Beaucoup de pertes sur les retraites ont dû être couvertes par le fonds de garantie des retraites. Les coûts de l'assurance chômage augmentent. Et ils viennent s'ajouter à Medicare, Medicaid et à la sécurité sociale, qui représentent déjà plus de la moitié du budget.

— Tu veux me faire croire qu'à quatorze ans, tu connais la différence entre Medicare et Medicaid ? La plupart des gens de mon âge les confondent.

— « Care », c'est pour les personnes âgées, et « aid », c'est pour les pauvres, expliqua Willing d'un ton dédaigneux.

Ce n'est pas sorcier. Mais c'est *toi* qui as dit que tu voulais comprendre !

Il détestait qu'on l'interrompe quand il était en train de développer un raisonnement.

— Le gouvernement est acculé. Il ne peut pas emprunter. Il pourrait augmenter les impôts. Mais les riches paient déjà beaucoup d'impôts. Et maintenant, il a perdu ses investissements. Les riches ne sont plus riches. Donc, les seules personnes qu'il est encore possible d'imposer sont les gens comme toi et Esteban. Qui n'ont pas les moyens d'acheter du chou. Faire feu de tout bois, comme dirait l'Arrière-Grand-Homme. Quoi faire, sinon ? À part photocopier les billets ?

Elle jeta un coup d'œil dans sa direction.

— Quelle pipelette ! Dire que tu étais timide.

— Je n'ai jamais été timide. J'attendais seulement d'avoir quelque chose à dire.

Alors qu'ils étaient presque arrivés dans la 55ᵉ Rue Est, il s'immobilisa et se tourna vers sa mère avec la gravité qui le caractérisait.

— Écoute, maman. C'est peut-être une chance que tu travailles pour la ville. Je me suis renseigné. La ville reçoit des financements du gouvernement fédéral. Ça veut dire que tes employeurs ont accès à l'argent fictif. C'est ce qui explique que tu aies été autant augmentée en mars. Et tu continueras à l'être. Ce qui est une partie du problème. De nombreux versements gouvernementaux, comme les salaires, les retraites et les allocations sont indexés sur l'inflation. Ce qui veut dire que le gouvernement va devoir continuer de faire marcher la planche à billets pour tenir le budget, tout ça parce qu'il continue justement de faire marcher la planche à billets. C'est ce que l'Arrière-Grand-Homme appelle une « boucle de rétroaction ». Il y a effet boule de neige, ça s'autoalimente. Et personne n'arrive vraiment à rattraper le truc. Ton salaire n'augmentera peut-être pas assez vite. J'ai vérifié le prix du chou, chez Green Acre. Il est à trente-huit dollars maintenant.

— C'est de la folie !

— Autre chose, dit Willing, comme s'il passait une liste en revue. À mesure que ton salaire va augmenter, tu vas être assujettie à un taux d'imposition plus élevé. Les tranches ne vont pas changer.

— Mais c'est injuste ! Quelle plaie.

— C'est ce qu'on appelle le freinage fiscal, expliqua-t-il avec un petit rire jaune. Tu vois, les gens prennent vraiment à l'envers tout ce qu'il se passe, comme toi – et c'est comme ça que les gouvernements s'en tirent. La logique du « tout augmente ! » donne l'impression biaisée que le problème vient de l'extérieur. Et qu'ils n'y peuvent rien. Tout en pensant qu'ils le contrôlent. S'ils contrôlaient les choses en secret, ce serait malhonnête. Mais pas si mal. Je ne crois pas. De vingt à trente-huit dollars en sept mois. J'ai l'impression qu'on est dans une voiture sans chauffeur. Et sans ordinateur embarqué. Car les grosses erreurs ont été faites il y a longtemps. Et on ne peut pas revenir en arrière. Il faut payer pour ça. Et c'est ce qu'Alvarado n'a pas compris. On ne peut pas dénoncer une dette par un discours. On doit payer, d'une façon ou d'une autre.

Sa voix prit une intonation douloureuse.

— Et je crois qu'on a commencé à payer.

Ils se remirent à marcher.

— Dis-moi, quand as-tu toutes ces conversations avec l'Arrière-Grand-Homme ?

— On ne se parle pas, répondit Willing. On se fleXe. C'est plus clair comme ça. Pour les choses qui sont compliquées. Ou qui le semblent alors qu'elles ne le sont pas.

Florence était encore troublée par l'affirmation de son fils : les riches ne sont pas riches. Elle supposait qu'il tenait ces généralisations, comme une grande part de son argumentation, de Douglas Mandible. Elle espérait que le revers de fortune de son aïeul qui, dans les dernières années de sa vie, allait être contraint de rogner sur son train de vie, expliquait la teneur de ses propos et la perplexité qu'ils suscitaient chez elle. Mais elle n'était pas dupe : il était question d'autre chose.

— N'oublie jamais d'où viennent les informations, mon chéri. À ta place, je ne prendrais pas tout ce que dit ton grand-père pour argent comptant. Il a des opinions progressistes sur les questions sociales, mais la fortune a toujours tendance à tirer les gens vers la droite, parce qu'ils ne peuvent s'empêcher de vouloir garder leur argent. Tout le monde voit midi à sa porte.

— C'est la raison pour laquelle je procède par *triangulation*, rétorqua Willing, mystérieux.

— J'ai été très occupée, et je n'ai pas eu le temps de prendre de ses nouvelles depuis un moment. Il va bien ?

— Je crois qu'il est triste. Mais ce n'est pas la raison pour laquelle on se fleXe. Je sais qu'il est immense vieux, mais il ne le paraît pas dans nos fleX. Et il a plein de temps libre. Comme Luella a l'intelligence d'un paillasson.

— Ne sois pas méchant. Ce n'est pas sa faute.

— Je pourrais la traiter en face de paillasson que ça ne lui ferait rien. Je ne comprends pas pourquoi on n'achève pas des gens comme ça. Ça vaudrait mieux.

— Willing, ne parle pas comme ça.

Il soupira.

— Ce sont des gens comme Luella qui nous aident à comprendre ce qu'il s'est passé. Elle est aussi utile qu'un cale-porte, et elle coûte de l'argent.

— Attends d'être vieux et de perdre la tête. Tu voudrais qu'on t'achève ?

— Oui.

— C'est ce que tout le monde dit. Sans le penser, ou alors c'est qu'ils n'ont pas la moindre idée de ce que c'est qu'être vieux. « Achevez-moi ! » C'est bien une affirmation de gens en bonne santé. Et sans imagination.

— L'Arrière-Grand-Homme dit qu'il préférerait mourir plutôt que de finir comme Luella. Et il est plus vieux qu'elle.

— Si je te comprends bien, si ça m'arrive à moi aussi, tu m'achèveras ?

— Si tu me le demandes, répondit-il d'un ton sinistre. Mais je ne crois pas que ça me serait facile.

— Tu me vois soulagée de l'entendre.

Avant de dîner ce soir-là, Florence et Esteban plièrent du linge dans leur chambre – où se trouvait toujours le panier qu'Esteban avait porté depuis Manhattan le premier jour de l'Âge de pierre. Trouver romantique un panier à linge, ce n'était pas à la portée de tout le monde.

— Tu as remarqué que Willing parle plus facilement ? mentionna Florence. Des années durant, il a tellement été replié sur lui-même. Et maintenant, il en serait presque à énoncer des prophéties. Il exhorte. Pérore. C'est tout à la fois super et flippant.

— Tu es admirative, ou critique ? demanda Esteban en assortissant une chaussette orpheline avec une autre d'une lessive précédente.

— Les deux, je crois.

— Pas mal, comme ressource domestique, que d'avoir son propre oracle.

— Je doute que ses prévisions passent bien auprès des élèves de sa classe.

— Aie confiance, dit Esteban. Je parie qu'à l'école, il se garde bien de jouer au messager de quoi que ce soit d'ailleurs. Il n'a rien d'un bobo social.

— Je n'en suis pas si sûre. Quand il se lance dans l'un de ses sermons, il est comme animé par quelque chose.

— S'il est « animé » par quoi que ce soit, c'est par le désir de te protéger.

— De quoi ?

— Il *sent* peut-être que quelque chose de grave se prépare. Nous, les Lats, on a cette connexion au mystérieux, à l'invisible. Alors que toi, tu es pratique, pragmatique, avec les deux pieds sur terre.

— Tu es admiratif ou critique ?

— Les deux, je crois.

Il l'allongea sur le lit, dérangeant les piles de linge. Pour éviter de lui donner confirmation de son tempérament rigide, elle se garda de protester.

— Maman, quand t'auras une minute ?

La voix provenait du couloir.

Certes, ils n'avaient pas fermé la porte, et n'étaient pas allés très loin non plus. Cependant, Willing montrait une aisance déconcertante envers la sexualité. Peut-être que l'éducation *pratique* et *pragmatique* de sa mère sur le sujet la lui avait fait paraître ordinaire.

Elle embrassa Esteban d'une façon qui signifiait que ce n'était que partie remise, et suivit son fils jusqu'à sa chambre, rangée comme elle l'était généralement, mis à part les feuilles volantes éparpillées sur son bureau et son lit, toutes recouvertes d'équations, de colonnes de chiffres, et de ce qui, à première vue, ressemblait à des thèmes astraux. Si jamais elle lisait, la génération de Willing le faisait sur fleX. Quelle frustration pour les parents d'aujourd'hui d'être dans l'incapacité la plus totale d'inférer quoi que ce soit de la vie intérieure d'un adolescent à partir d'une étagère de livres ou de piles de magazines spécialisés.

Son fils ferma la porte.

— Je voudrais donner Milo, annonça-t-il d'un ton grave.

— Mais qu'est-ce qu'il se passe ? s'exclama Florence. Tu adores Milo.

— C'est la raison pour laquelle je veux le donner, répondit-il, droit comme un militaire.

— Je suis estomaquée que tu veuilles sacrifier la seule chose à toi que tu adores.

— Milo n'est pas à moi. J'en ai pris la responsabilité. Raison pour laquelle je dois agir dans son intérêt. À long terme, confier Milo aux soins d'une autre personne est aussi dans mon intérêt. Je ne me reprocherai pas de ne pas avoir fait ce qu'il fallait quand j'en ai eu l'occasion.

— D'accord, chéri, je sais que tu as compilé quantité de calculs mystérieux et inquiétants avec les prémonitions terribles de l'Arrière-Grand-Homme, qui, vu son âge, n'a

157

peut-être plus les idées très claires. Mais c'est une décision sérieuse, et tu vas devoir t'expliquer mieux que ça.

— J'ai imaginé différents scénarios, annonça-t-il d'un ton méthodique. Et ils sont tous cucul. Willing emmène Milo à Prospect Park. Il lui défait sa laisse. Milo lève la tête vers lui et attend. « Cours ! » lui ordonne Willing. Milo halète langue pendante et le regarde d'un air confiant. Willing lance un bâton. Milo s'élance pour le rattraper. Willing sort du parc, éprouvé mais déterminé. Le chien le rattrape avec le bâton. Willing donne un coup de pied au chien. Milo a mal – surtout à cause de la trahison. Des larmes coulent sur le visage de Willing. Celui-ci frappe de nouveau le chien, plus fort, et commence à lui lancer des pierres. Le chien finit par comprendre le message. Milo s'éloigne en direction des bois, la tête basse. Il lance un dernier regard à son maître, où se lisent incompréhension et amour indéfectible. Coupez !

» Ou, poursuivit-il, Willing empoisonne le dernier repas de Milo. Un steak. Le seul steak que sa mère ait acheté depuis des années. Milo dévore la viande, sous le regard triste de Willing. Willing tient son chien dans ses bras pendant toute l'heure qui suit, tandis que le petit corps de l'animal est secoué de convulsions. Puis Milo devient tout flasque dans les bras de son maître. Scène poignante dans le jardin, avec Willing insistant pour creuser lui-même la tombe.

» Ou, conclut-il d'un ton triomphant, la version rapide. Un soir d'été ordinaire, sur le perron, Willing sans avertissement défonce le crâne de Milo avec un maillet.

Curieusement, son expression était impitoyable.

Willing leva les yeux comme s'il s'attendait à être applaudi pour sa performance.

— Je t'avais averti, ajouta-t-il. Écœurant.

Florence se demanda ce qui était le plus perturbant dans ce récit : l'emploi détaché de la troisième personne du singulier, l'imagerie violente ou la sauce Disney.

— Je suis censée déduire quoi de tout ça, demanda-t-elle, à part le fait que j'ai été trop naïve en pensant que tu ne te droguais pas ?

— Bientôt, on n'aura plus les moyens de le nourrir.

— Oh, chéri, protesta-t-elle d'une voix douce. Peut-être qu'il vaudrait mieux que tu ne viennes pas faire les courses avec moi. Tu as pris notre situation bien trop à cœur. On a peut-être du mal à boucler nos fins de mois avec mon salaire, mais on a toujours de quoi nourrir Milo.

— Je le sais. Mais quand on ne le pourra plus, tout le monde sera comme nous, et on ne pourra plus donner d'animaux.

— D'où tu tiens ça ? demanda Florence, perplexe.

— Pas de l'Arrière-Grand-Homme, si c'est ce qui t'inquiète. Mais hors de question de donner Milo au premier venu. Et certainement pas à la SPA, qui tôt ou tard va être un camp de la mort. Brendan. En face. Il a deux jeunes enfants. Il aime bien Milo. Et Milo est un bon chien pour des enfants petits. Il est amical, tendre et ne mord jamais.

— Pourquoi spécialement Brendan ?

— Il a de l'argent. Du vrai argent. C'est toi qui me l'as dit. Il t'a mise en garde. Ce qui signifie qu'il est tuyauté.

Totalement abasourdie, Florence insista auprès de Willing pour qu'il se donne une semaine de réflexion. Ce qu'il fit. Il resta inflexible. Elle finit par en conclure que c'était une occasion de lui donner une leçon. S'il conjurait ainsi toutes sortes de mauvais présages, il devait peut-être, comme les alarmistes de son espèce, payer le prix de ses sornettes quand, en dépit de tout, le ciel ne nous tombait pas sur la tête. Il regretterait sa décision, mais ils pourraient toujours avoir un autre chien.

Signe bienvenu d'une disposition émotionnelle normale et saine, Willing ne voulut pas donner lui-même Milo. À la surprise de sa mère, non seulement Brendan se montra reconnaissant du cadeau qu'elle leur faisait en leur offrant un chien si agréable et affectueux, mais il s'abstint de lui demander pourquoi son fils avait décidé de priver leur foyer de leur compagnon à quatre pattes. Peu de temps après, Brendan et sa famille déménagèrent, prenant congé à la hâte de leurs voisins, expliquant qu'ils partaient « à l'étranger ». Ce qui était étrange, puisqu'il était toujours illégal de sortir plus de cent dollars du pays. Jusqu'à la levée des restrictions – l'abrogation des contrôles devait survenir d'un moment à l'autre maintenant – personne ne partait « à l'étranger ». Ils emmenèrent Milo avec eux. En guise de leçon, Willing, nullement abattu ou empli de remords, semblait soulagé. Au moins, annonça-t-il, Milo était en sécurité.

7

L'arrivée de la reine guerrière

— VOTRE PÈRE DEVAIT LIBÉRER ses appartements à 11 heures du matin au plus tard, *comprende* ?
À Wellcome Arms, la réceptionniste ne portait plus de badge nominatif. Elle avait relevé ses manches. Mâchait du chewing-gum. Et répondait de façon impolie. Carter avait remarqué ce même relâchement des convenances à New York. Les policiers patrouillaient, col de chemise ouvert, chaussures non cirées. Les portiers n'ouvraient pas la porte aux locataires frêles, ne se proposaient pas pour porter les courses, et donnaient l'impression de dormir dans leur livrée. Parfois, les changements étaient subtils – un maître d'hôtel ne vous escortait plus jusqu'à votre table, mais indiquait d'un mouvement de tête agacé que vous pouviez vous asseoir où bon vous semblait –, mais, au quotidien, le sentiment prévalent était celui de transformations majeures. L'annulation de certaines règles semblait ouvrir les vannes à l'obsolescence de toutes les autres.

— « Libérer ses appartements » ? répéta Carter. Ce n'est pas un hôtel, que je sache !

— C'est une entreprise, *chico*, répliqua-t-elle du tac au tac. Une entreprise à but lucratif, ce que j'ai immense ras le bol d'expliquer à vous autres, si vous voulez tout savoir.

— Je ne crois pas qu'il y ait une longue liste d'attente pour les appartements de mon père. Je me trompe ?

Carter laissa retomber le stylo sur le comptoir. Désormais, signer le registre semblait une formalité totalement inutile.

— Vous devriez être reconnaissante d'avoir eu des résidents qui sont restés aussi longtemps que mon père. C'est grâce à eux que vous avez gardé votre emploi.

Les surfaces révélaient qu'une réduction du personnel avait déjà commencé. Les plinthes étaient recouvertes de poussière noire. Les chaussures de Carter n'avaient pas couiné lorsqu'il avait traversé le couloir en marbre, où l'odeur d'urine sautait aux narines – bien que la moitié des portes, ouvertes, donnent sur des unités inoccupées. Passé la porte menant aux lotissements luxueux, la pelouse était haute de plus de dix centimètres. Alors que, en juin dernier, elles n'étaient que profusion de pensées et de soucis, les plates-bandes ne contenaient plus que de la terre nue. Carter n'avait pas entendu de chevaux. Il n'aurait pas été surpris qu'ils aient été abattus.

La porte de la maison de Douglas et Luella était elle aussi grande ouverte. Signe alarmant, les cadres contenant des jaquettes de livres avaient été décrochés, emballés dans du papier bulle et posés çà et là dans le couloir ; aucun ne tiendrait dans la voiture. Le tapis pourpre était tout aplati tant il avait été foulé aux pieds, et taché d'herbe.

Son père, comme toujours, se trouvait dans la bibliothèque, dont les rayonnages étaient vides. Douglas se tenait immobile au milieu des tours de cartons, les yeux dans le vague. Son costume crème était fripé, et il ne portait pas de lavallière – affectation parfois agaçante dans le passé, mais dont l'absence était pire encore. Douglas n'était ni chic ni élégant, mais paraissait faible et amaigri. Quelque chose dans sa posture s'était effondré. Enfin, Douglas Elliot Mandible accusait pleinement ses quatre-vingt-dix-huit ans.

— Papa, c'est quoi, tout ça ? demanda Carter en montrant les cartons.

— La bibliothèque, évidemment.

— La bibliothèque, mais on y est, répliqua Carter d'un ton patient.

— Je ne me suis pas transformé en Luella, fiston. Les livres, pas la pièce.

— Si tu es aussi sain d'esprit que tu le prétends, tu te souviens sans doute de ce que je t'ai dit. Quelques vêtements, tes médicaments et tes affaires de toilette, et quelques souvenirs. Petits, les souvenirs, pas de ceux qui rempliraient un camion de déménagement.

— J'ai supposé que tu louerais un véhicule de taille adéquate.

— Je suis venu avec la BeEtle – dans laquelle toi, Luella, et une petite quantité de bagages tiendrez à peine. Nous ne sommes pas en capacité d'engager des frais supplémentaires en ce moment, et notre maison est déjà pleine de bazar. Tu peux télécharger tout ce qu'il y a dans ces cartons sur une puce de la taille d'une coccinelle. C'est le moment idéal pour rejoindre le monde moderne.

— Mais ce sont des premières éditions autographiées ! Si c'est de l'argent qu'il nous faut, cette bibliothèque vaut un montant à six chiffres, facile !

— New York croule sous les vieux livres, papa.

Carter s'efforçait de rester gentil, mais il ne pouvait cacher son exaspération.

— Ta génération nous a laissé des cargaisons entières de livres papier, dont les générations suivantes ne veulent pas. Les collectionneurs n'ont que l'embarras du choix. Mais d'abord, quels collectionneurs ? Tu connais une seule personne prête à lâcher du liquide en ce moment en échange de pulpe de bois tachée ? Si la réponse est non, tous ces cartons restent ici.

La sévérité du ton était résolument parentale. Pourtant, accéder enfin au statut d'adulte pleinement responsable n'était pas aussi gratifiant que Carter l'avait autrefois espéré.

Battant en retraite vers son fauteuil près de la baie vitrée, Douglas s'y laissa tomber plus qu'il ne s'y assit.

— Balancer à la poubelle une collection de cette qualité est un acte de pure barbarie.

Carter s'agenouilla près du fauteuil.

— Ce que ces objets ont d'important, tu peux l'emporter avec toi. Tu les as lus, non ? Ils sont dans ta tête.

— Dans ma tête, il ne reste plus que chagrin et confusion.

Redoutant que son père ne sombre dans le mélo, Carter posa une main sur son épaule, qui lui sembla bien frêle et bien anguleuse. Il réprima un juron.

— T'as de quoi manger ?

— Pas beaucoup. Pas depuis l'avis d'expulsion. Oubliées les asperges à la béarnaise. C'est tout juste si on nous donnait quelques morceaux de pain, et une sorte de jambon qui ressemblait à de la pâtée pour chiens. Ce que j'aurais pu tolérer, si le personnel n'avait pas sifflé mon bar. Tout ce qu'il reste, c'est de la liqueur – un cadeau – au goût infâme d'écorce d'orange macérée dans de l'essence.

— Depuis quand les aides-soignants se servent-ils dans tes affaires ?

— Je les ai entendus rouspéter à propos de leur salaire qui n'était pas indexé sur l'inflation. Puis ils ont commencé à voler. À ce propos, s'il y a bien une chose que tu dois réussir à caser dans ta minuscule voiture, c'est le service en argent des Mandible.

Douglas tapota un coffret rectangulaire en acajou posé sur la longue table. Carter en connaissait le contenu ; le M gravé tout en enjolivures sur chacun des couverts était distinctif.

— Ça pourrait se révéler utile, ne serait-ce que pour le métal – à moins que les fédéraux décident de confisquer aussi l'argent. Depuis des semaines, je ne quitte pas ce coffret des yeux. Je le cache sous mon oreiller pour dormir, et tu n'imagines pas à quel point c'est inconfortable.

— Si tu m'avais dit que cette taule partait à vau-l'eau, je serais venu à ton secours plus tôt.

— C'est pour ça, fiston, que j'ai préféré retarder l'inévitable. Je crains que l'effet de nouveauté apporté par la prise en charge de Luella ne s'estompe bien vite.

— Tu revois Mimi. Mimi. Regarde-moi. Si tu crois que je ne suis pas au courant !

Quand on parlait du loup : Luella arriva, vêtue de ce qui avait dû être autrefois une robe élégante, mais dont l'ourlet était effiloché à force de tirer dessus, et le tissu bleu ciel était incrusté de taches de nourriture. À la proéminence de son ventre répondait, derrière, le renflement d'une couche pour adulte. Carter s'était habitué à cette incarnation dégradée de la seconde épouse de son père, mais, quinze ans auparavant, le choc avait été violent. Naturellement, il éprouvait de la rancœur pour la façon dont, en 1992, la jeune femme avait fait des avances à son employeur, se rendant indispensable dans tous les sens du terme. Il soupçonnait également que, à l'époque, la situation financière de son père avait rendu plus acceptable pour Luella leurs vingt-deux ans de différence. Mais quand son père s'était remarié avec elle, Carter avait dû reconnaître qu'elle était canon : son mètre soixante-dix-huit décomplexé, svelte, majestueuse, le port altier, des ongles impeccables, et un goût sûr en matière vestimentaire. Il ne pouvait guère blâmer son père (même si, bien sûr, il ne s'en était pas privé). Même à soixante-dix ans et des poussières, elle n'avait pas totalement perdu sa silhouette – juste tout le reste.

— Cette femme fait des manières, ajouta Luella, avec une pertinence occasionnelle plus déconcertante que ses inepties. Mais, *moi*, je descends de la reine guerrière de Côte d'Ivoire, Nana Abena Pokuaa ! Qui a régné pendant trente ans sur le royaume baloué des Akan ! Bouracan !
Moi, je suis de lignée royale, alors que *Mimi* n'est qu'une roturière. Baleinière ! Une famille de traders et de boursicoteurs. Démolisseurs et confiscateurs !
Elle se pencha vers Douglas, le doigt accusateur.
— *Si tu crois que je ne suis pas au courant !*
— Par moments, elle est convaincue que je vois de nouveau ta mère, expliqua Douglas. Ce qui est assez extraordinaire, car, dans ces moments-là, elle semble savoir qui je suis. Le reste du temps, la seule partie intacte de son cerveau, c'est celle qui pond des rimes.

— Salut, Luella, lança inutilement Carter. Aujourd'hui, on part en voyage.

— Voyage, saccage, à l'abordage ! Jourd'hui, zigouigoui ! Elle gloussa comme une petite fille, une main sur la joue dans une posture timide, avant de donner des coups de langue comme si elle essayait d'attraper une mouche. Ces coups de langue étaient l'un de ses tics que Carter trouvait particulièrement répugnant.

— Elle va faire des histoires pour monter dans la voiture ?

— Elle peut piquer une crise sans prévenir, répondit Douglas. Mais qui sait ? On aura peut-être de la chance. Je suis désolé de l'état dans lequel elle se trouve, mais les aides-soignants se sont mis en grève après le premier loyer en retard. Je n'ai pas l'énergie de changer sa robe plusieurs fois par jour. Tu es certain que Jayne est d'attaque pour ça ?

— Oh, Jayne est un vrai petit soldat, répondit machinalement Carter, alors qu'au fond il pensait : « Qu'est-ce que ça peut faire, qu'elle le soit ou non ? Il y a une alternative ? Déposer ta femme dans un panier devant chez quelqu'un ? »

En réalité, Jayne était hors d'elle. Pour se débarrasser de tout d'un seul coup, Carter lui avait asséné un double crochet gauche droite : cet héritage sur lequel ils comptaient pour leur retraite ? Envolé. Son père ne s'était pas retiré du marché assez vite pour sauver sa chemise. Les obligations valaient autant qu'un droit de propriété sur le Brooklyn Bridge. L'or et les stocks d'or étaient confisqués. La plus grande partie de l'argent liquide était absorbée par les intérêts, étant donné que, il y a de ça des années, un sombre crétin avait convaincu Douglas d'acheter sur marge. La résidence Wellcome Arms pompait le peu de liquidités qui restait, à hauteur de vingt-sept mille dollars par mois. Surprise numéro deux : devine qui vient dîner.

Jayne n'était pas dépourvue de générosité, mais elle était secrète, et depuis sa dépression, elle trouvait la compagnie des autres considérablement stressante. Elle semblait avoir perdu l'aptitude simple à trouver spontanément des sujets de conversation, tout en éprouvant une terreur indicible à la perspective que des silences s'installent lorsqu'ils recevaient. S'ils conviaient des amis à prendre un verre, elle mettait Carter sur le gril pendant une heure avant leur arrivée pour trouver de quoi ils allaient bien pouvoir parler – une perte de temps, car les échanges sociaux ne fonctionnaient pas de la sorte, et jamais aucun de ces sujets prémédités n'arrivait naturellement dans la conversation. Au bord de la panique, elle les introduisait de façon arbitraire, quitte à étouffer dans ses balbutiements toute discussion prometteuse. Pour Jayne, la perspective d'avoir à interagir à perpétuité avec des invités sous son toit était épouvantable.

En outre, pour toute femme de soixante-neuf ans, adopter une Luella, à peine plus âgée, c'était se confronter quotidiennement à la perspective d'un avenir redoutable. Quant à Douglas, il n'avait jamais réellement *remarqué* Jayne, qui était une personne sensible, intelligente et intuitive, mais qui, même dans sa période moins phobique, avait toujours été plutôt discrète. Sa personnalité manquait d'envergure pour Douglas, lequel, depuis des décennies, avait allègrement accepté son hospitalité et l'avait tout aussi allègrement retournée, sans prêter beaucoup d'attention à qui précisément remplissait son verre ou quel verre lui-même remplissait. Sans un sou vaillant à quatre-vingt-dix-huit ans, son beau-père n'avait peut-être jamais été aussi peu intimidant, seulement ni l'un ni l'autre ne pouvait s'appuyer sur une relation longue et chaleureuse.

En résumé, ils couraient tout droit à la catastrophe, et, en plus, de la pire sorte qui soit : pas un cataclysme majeur comme en 2024, duquel il était possible de se remettre en restant soudé, mais un cauchemar continu et infini auquel seule la mort viendrait mettre un terme. En moins d'une semaine, Carter pourrait bien réclamer qu'on le laisse partir le premier.

— Et Medicaid ? avait immédiatement suggéré Jayne, cherchant toutes les autres options possibles. Si Douglas se retrouve sans ressources, il remplit les conditions pour être pris en charge par l'État en maison de retraite.

— Il y a six mois, ça aurait été le cas, avait expliqué Carter. Mais je te l'ai dit : les règles ont changé. Si la personne a de la famille qui possède des biens, Medicaid ne paie pas l'addition. Nos plans d'épargne 401(k) et nos retraites ont été anéantis, mais nous sommes propriétaires de cette maison.

— Et Nollie ? Pourquoi ton père et sa cinglée de femme devraient-ils être notre problème à nous seuls ?

— Tu sais bien que ma sœur vit en France.

— Fais-la revenir. C'est toi qui t'es farci les visites à New Milford pendant des années.

— Exact, car ce sont toujours les honnêtes gens qui se font baiser. Ce n'est pas uniquement par snobisme que Nollie s'est installée en Europe. Cet océan entre la famille et elle est un pare-feu. Qui lui a permis d'éviter mariages, enterrements, anniversaires et Noëls pendant des décennies – sans parler des corvées à Wellcome Arms.

— Mais elle doit bien avoir mis de côté de quoi voir venir. Grâce à son prétendu « best-seller international ». Même depuis l'étranger, elle pourrait payer une maison de retraite. Peut-être une moins luxueuse. Mais avec autant de personnes âgées devenues insolvables, il doit y avoir dans tout le pays quantité de places disponibles dans les établissements moins chers.

— Nollie et mon père se sont montrés tous les deux assez cachottiers sur le montant de ses droits d'auteur. Même si elle ne doit plus toucher grand-chose maintenant. Avec la foire d'empoigne qu'est devenue l'édition, où le moindre pékin écrit et où il n'y a pas le début de la queue d'un lecteur – et a fortiori d'un acheteur –, combien tu paries qu'elle pleurerait misère ? Quel que soit l'état réel de ses finances, c'est une ligne de défense plausible.

Jayne avait commencé à vider le lave-vaisselle, histoire d'avoir des assiettes à heurter bruyamment.

— Je ne lui ai jamais pardonné d'avoir refusé toute discussion quand tu as fini par te risquer à mentionner que, peut-être, simple hypothèse, une femme âgée mégalomane et sans enfant et son frère cadet avec trois enfants et quatre petits-enfants ne devraient pas partager moitié-moitié un héritage. Car enfin, elle comptait faire quoi de cet argent ? Se payer une île et un gigolo pour se faire masser sa peau de croco ? Alors que la pauvre Florence a dû prendre un locataire...

— Peu importe, maintenant, l'avait coupée Carter.

En réalité, ce profond désaccord entre sa sœur et lui le chagrinait véritablement. La dispute acerbe sur le fait que, d'un point de vue moral, il pouvait peut-être prétendre, au décès de leur père, à une part plus importante de l'héritage que sa sœur, parce que, après tout, il avait une *descendance* et pas elle, ressemblait maintenant à une version pervertie du « cadeau des Rois mages ».

— Douglas aurait dû changer son testament dès qu'il est devenu évident que Nollie resterait une vieille fille nullipare...

— Ce vocabulaire est indigne de toi. Et je te rappelle que j'ai abordé le sujet avec mon père, sur ton insistance, et tu t'en souviens : c'était terriblement gênant. Il a fait la sourde oreille. Il m'a dit que nous avions eu des bourses universitaires pour nos enfants et nos petits-enfants, et une aide pour constituer l'apport de la maison, alors que Nollie n'avait rien eu de tout cela, et que cela suffisait : il ne voulait pas « faire de favoritisme ». Mais on en a parlé à satiété, et désormais, ce n'est plus que de la rhétorique.

— Je me fiche que l'argent se soit évaporé, avait poursuivi Jayne sur sa lancée, rangeant avec fracas des couverts dans un tiroir. La cupidité de ta sœur et son jusqu'au-boutisme ne sont pas anodins. Sa susceptibilité, son « C'est ma moitié d'héritage, et j'en fais ce que j'en veux », sa protestation vertueuse sur le fait que c'était ton choix d'avoir des enfants et qu'elle « ne devrait pas avoir à en payer les conséquences », alors qu'elle était trop égocentrique pour être mère elle-même…

— Ça suffit ! avait crié Carter.

Il était ahurissant de constater à quel point l'hostilité née d'un problème de partage pouvait survivre quand bien même il n'y avait plus rien à récupérer. Curieusement, les sentiments de Jayne à l'égard de l'héritage Mandible avaient toujours été plus marqués que les siens – comme si l'avarice jadis éradiquée réapparaissait avec d'autant plus de force quand l'objet convoité était suffisamment près mais néanmoins hors de portée. C'était le seul domaine où Carter avait pu constater une cupidité chez sa femme. L'avidité avec laquelle elle avait désiré cet héritage était une possible conséquence de l'indifférence de son beau-père envers elle : autant essayer d'y trouver son compte dans une relation qui, sinon, lui donnait le sentiment de ne pas être à la hauteur ou d'être inintéressante. À moins que sa cupidité ait été le fruit de son soutien indéfectible à son mari dans les tensions continuelles qui l'opposaient à sa sœur. Hélas, cette préférence conjugale était brute et rudimentaire, et dépourvue de toute nuance. Jayne avait pris parti dans une rivalité subtile et ambivalente – faite tout à la fois de cette rancœur et de cette admiration que Carter éprouvait à l'égard de sa sœur, et qui se mêlaient dans une seule et unique émotion qu'il aurait été bien incapable de désigner par un mot –, qu'elle avait réduite à un simple antagonisme. Ainsi, elle l'avait souvent forcé à prendre fait et cause pour sa sœur, alors qu'il aurait été plus enclin à la critiquer.

Cependant, il avait été véritablement offensé par le sous-entendu de Jayne, selon lequel, en ne s'opposant pas avec plus de fermeté à Nollie afin d'obtenir une répartition plus juste de l'héritage, il avait failli dans le soutien qu'il devait à sa famille. Jayne était restée fille unique après le suicide de sa sœur cadette à l'adolescence (une tragédie, oui, mais pour laquelle il y aurait dû y avoir désormais prescription quant aux troubles psychiques induits – mais pour rien au monde sa femme n'aurait renoncé à ce trauma, qui semblait lui conférer une sorte de statut protégé, à l'instar de ceux conférés aux monuments historiques). Selon Jayne, seule l'assurance que leur seule fille encore en vie n'aurait aucun souci à se faire grâce à la Mandible Engine Corp. avait encouragé ses parents à dépenser sans remords pour leur retraite jusqu'au moindre cent économisé. Il aurait été inconvenant de reprocher au couple de profiter d'un argent qu'ils avaient eux-mêmes gagné, aussi Jayne et Carter n'avaient pas pipé mot quand les deux retraités étaient partis en vacances à Bali et avaient contracté un prêt hypothécaire inversé. Quand ses beaux-parents avaient péri lors d'un accident de montgolfière au Maroc quelques années plus tôt, ils n'avaient laissé que des dettes. Ce qui, dans un certain sens, était aussi entièrement la faute de Carter.

Jayne et lui étaient mariés depuis quarante-trois ans ; ils avaient des petits-enfants. Mais il avait vendu la mèche à propos de la fortune Mandible dès le début de leur histoire. Inconsciemment, il lui avait peut-être fait miroiter cet argent. Leur mariage avait résisté à l'épreuve du temps, mais il arrivait parfois à Carter de compatir avec son père – tenu de vivre avec cette interrogation lancinante : qu'est-ce qui rendait sa compagnie si fabuleuse ?

— C'est une femme vaniteuse et égoïste, qui, pour une fois dans sa vie, devrait être forcée à mettre la main à la poche, avait résumé Jayne en rangeant avec fracas une dernière sauteuse.

Alors que Carter avait continué de réfléchir à la façon dont il pouvait contraindre sa sœur aînée à assumer ses responsabilités familiales, ce soir-là, son fleX s'était mis à vibrer. Sauf que Nollie n'appelait pas tant pour proposer son aide que pour finalement devenir à son tour un problème.

— Tu n'imagines pas le niveau d'anti-américanisme dans ce pays, avait déclaré sa sœur aînée, ouvrant le feu. Et dire que je trouvais que c'était gratiné avant. J'ouvre à peine la bouche que…

— Je croyais que ton français était si parfait qu'on te prenait pour une Française, avait rétorqué Carter d'un ton sec.

Autrefois fins et soyeux, désormais plats, les cheveux de sa sœur teints en nuance caramel s'étaient encore clairsemés, dévoilant des plaques de cuir chevelu. À soixante-treize ans, elle avait conservé une attitude dominatrice et une turbulence juvénile. Au bout d'une vie de sarcasmes, le pli naso-génien était plus marqué à gauche qu'à droite. Sa constitution menue et sèche n'avait pas empêché l'inexorable survenue de bajoues comme chez leur mère. Son cou – la seule partie du corps humain qui ne ment jamais sur l'âge d'une personne – s'était strié, avec une bouffissure naissante sous le menton. Nul doute que sa sœur procédait à une évaluation similaire chez lui, avec le même mélange doux-amer de triomphe et de peine. En son temps, Carter avait été passablement bel homme ; Nollie, elle, avait été un vrai canon. Curieusement, il s'était fait, bon gré mal gré, à ses joues qui s'affaissaient, à ses cheveux qui devenaient plus rares. Or tous les changements qu'il remarquait dans le physique de sa sœur aînée lui faisaient l'effet d'un choc. On s'imagine toujours qu'on savourera la destruction de nos Némésis. On a tort. Systématiquement.

— Je n'ai jamais rien prétendu de tel, avait-elle fait valoir. C'est toi qui me suspectes toujours de cabotinage du simple fait que je vive à Paris. Mon accent est sensiblement meilleur que celui de l'Américain moyen, c'est-à-dire juste un peu au-dessus d'épouvantable. Je n'ai jamais affirmé qu'il était impossible de deviner ma nationalité. J'aimerais bien. On nous a toujours détestés pour notre grossièreté, et pour la domination que nous exercions sur le monde. Désormais, on nous déteste *parce qu'on ne domine plus* le monde. Maintenant, on nous considère comme des voleurs hypocrites qui ont mené l'ensemble du système monétaire international au bord de l'effondrement, et seuls Poutine et consorts, avec leur brave bancor, sont venus à sa rescousse. Ça a pris une étrange tournure personnelle. Les Français en veulent aux expatriés, parce qu'il n'y a pas de touristes américains, maintenant qu'une baguette coûte l'équivalent de cinquante dollars. Hier soir, à la *supérette*, une femme m'a renversé un pot de crème fraîche sur la tête.

Nollie avait toujours eu des opinions très arrêtées, et Carter n'aurait pas été surpris qu'elle se soit attiré à la fois les foudres et la crème fraîche, en se montrant incapable de tenir sa langue, même au supermarché. En son temps, Enola Mandible faisait un véritable show dans les festivals littéraires où elle était conviée après la publication de son seul et unique best-seller. Il avait assisté une fois à l'une de ses interventions, au 92nd Street Y, devant le genre d'assemblée acquise à sa cause – un public déjà très satisfait de l'attraction principale et qui ne demandait qu'à l'être plus encore. Elle n'hésitait pas à balancer des idées que quiconque avec un peu d'éducation aurait considéré comme le minimum syndical dans les dîners en ville, mais qui, pour ses fans enthousiastes, prenaient des allures de révélations – de celles qui changent une vie. Elle y allait aussi de ses mêmes blagues foireuses et, comme les écrivains avaient la réputation fondée d'être guindés et barbants, ce public « pré-emballé » la trouvait désopilante.

— C'est bien beau, tout ça, avait dit Carter, mais on doit parler de papa…

— Bien sûr, mais on peut s'en parler en face à face. C'est ce que je voulais te dire, Carter. Je rentre chez nous.

Nollie n'avait pas qualifié les États-Unis de « chez nous » depuis des lustres.

— Et c'est où, chez nous ? avait prudemment demandé Carter.

— Eh bien, avec toutes ces chambres que vous avez… j'ai pensé que je pourrais venir chez vous comme d'habitude.

— Impossible. C'est ce que j'essaie de t'expliquer. Papa et sa moitié complètement barrée vont s'installer à la maison. Il n'a plus les moyens de se payer cette résidence de voleurs. J'espère vraiment que tu ne comptais pas dessus, parce que c'en est fini de la « fortune » Mandible.

— Putain de merde ! Comment ça ? Elle a fondu ?

— Jusqu'au dernier cent.

Le silence, qui n'était guère le mode de communication privilégié de Nollie, en disait long : elle comptait dessus. Évidemment. Comme chacun d'eux.

— J'imagine que ça ne devrait guère me surprendre, avait-elle fini par dire d'une voix triste. Pourquoi les choses seraient-elles différentes pour notre famille.

Ce n'était pas une question.

— Merde, est-ce qu'il reste des Américains riches ?

— Si c'est le cas, ils font profil bas. Donc, si effectivement tu rentres ici, abstiens-toi de te plaindre et de l'ouvrir. Ce qui n'a rien de naturel pour toi, alors tu devras faire attention. Tout le pays est persuadé que les über-riches se sont barrés avec la caisse. La vérité, c'est que, pour se faire dépouiller, il faut avoir quelque chose à se faire voler. Ceux qui ont vraiment morflé sont donc nécessairement ceux envers lesquels *personne* n'éprouve la moindre compassion.

— Peut-être que nous ne devrions pas attendre la moindre sympathie, avait riposté Nollie d'un ton vibrant, quand, à aucun moment, nous n'avons mérité cet argent…

— Épargne-moi ton discours moralisateur, tu veux ? Jayne et moi avions songé à partir nous installer dans un ranch du Montana avec notre part d'héritage Mandible. Et maintenant, on se retrouve coincés, les uns sur les autres, dans ce trou à rats de Carroll Gardens, avec comme perspective une reconversion en auxiliaires de vie gériatriques à plein temps.

— Vous avez bien ces deux autres chambres…

— Papa ne peut pas dormir avec Luella, qui a besoin de sa propre chambre, parce qu'elle souffre apparemment d'agitation nocturne. Jayne a donc besoin plus que jamais de sa « pièce au calme ».

— Ah oui, j'avais oublié. Jayne et sa « pièce au calme ».

— Laisse tomber les sarcasmes. Toi aussi, tu prends pas mal de place, chère sœur. Si tu cherches un endroit où squatter, pourquoi ne pas te réconcilier avec maman ? Son appartement est de la taille d'un terrain de football.

Dans le règlement du divorce, en 1992, Douglas avait obtenu le mobilier et l'équipement de Bountiful House, mais leur mère avait conservé le quatre pièces du couple sur West End et la 88ᵉ Rue Ouest. Hélas, la fureur de Mimi en voyant Nollie approuver la « redécouverte du désir » de son père avait de toute évidence la durée de vie de déchets radioactifs. Nollie avait elle aussi durci sa position, et même si elle se refusait aujourd'hui encore à l'admettre, se voir reniée par sa mère et bannie de la maison où elle avait grandi avait été pour elle terriblement blessant. Cette querelle expliquait en partie son départ brusque pour l'Europe quelques années plus tard – grâce aux recettes d'une fiction à peine romancée reprenant le triangle Mimi-Luella-Douglas dans des termes aptes, le cas échéant, à alimenter les griefs de sa mère.

— Je refuse de parler de *ça*, avait répliqué Nollie. En outre, elle s'apercevrait immédiatement que ce rapprochement est intéressé et qu'il a pour but de me procurer un point de chute aux frais de la princesse. Elle est âgée, mais pas stupide.

— Tu devrais peut-être rester en France.

— Impossible. En tant qu'Américains, on est physiquement en danger dans toute l'Europe. On se fait agresser. Et pas seulement avec de la crème fraîche.

— Dans ce cas, ne sors pas la nuit. Ça finira bien par se tasser.

— Pour tout te dire, ce n'est pas franchement la joie dans ce pays. La moitié de la population est perpétuellement en grève, et à quoi bon avoir un système ferroviaire d'excellence si c'est pour qu'il ne soit jamais en service ? Ils fulminent de ne pas pouvoir prendre leur retraite à cinquante-deux ans. Et tous exigent allocations familiales, retraites en or massif, chèques déjeuner, mutuelle, semaine de travail écourtée, et deux années complètes d'indemnités chômage avec un salaire d'avocat – car tout cela relève des *droits de l'homme*. Sans compter tellement de vacances et de jours fériés que ces connards n'en branlent pas une un tiers de l'année. Ah, et aussi, ils veulent *tous* être fonctionnaires, et la plupart le *sont*. La charrue avant les bœufs, dans tous les domaines. Et tout le monde, entassé dans ladite charrue, à se demander pourquoi elle fait du surplace.

— La situation doit quand même être meilleure qu'ici, avait insisté Carter.

— En plus, tout ce pataquès avec les musulmans prend des proportions insensées, avait poursuivi Nollie, imperturbable. Si je descends les Champs-Élysées, je me fais agresser et insulter. Si je me trouve dans un quartier moins central, je me fais malmener parce que je ne suis pas vêtue d'un sac-poubelle. Même en France, ils ont laissé tomber tout leur baratin sur l'assimilation, et ont préféré mener une politique d'apaisement servile. En fait, des pans entiers du pays sont des zones interdites pour les Français. Et c'est la même chose dans toute l'Europe, maintenant. Il n'y a nulle part où aller.

— Je crois que j'arrive à me faire une petite idée de la façon dont tu dois te faire apprécier là-bas.

— Tu parles ! C'est comme aux États-Unis. Tout le monde est résigné. L'Amérique, maintenant, c'est le Grand Mexico, et l'Europe une extension du Moyen-Orient.

— Écoute, t'as de l'argent ?

— Un peu, avait avancé prudemment Nollie. Heureusement, en bancors.

— Tu ne peux pas détenir de bancors aux États-Unis.

— Le pays de la liberté ! Mais officiellement, on n'a pas le droit de faire grand-chose. Au moins, le taux de change hallucinant est en ma faveur – et il continue de grimper chaque jour. Mais bordel, il se passe quoi chez vous ? À chaque fois que je regarde, le dollar a encore baissé.

— J'ai une idée – mais je ne veux pas parler pour Florence –, mais si tu as des *ressources*, il est possible qu'elle puisse t'héberger. Son locataire est loin de lui verser un loyer correct ; il est devenu un autre de ces cas sociaux dont elle s'occupe. Et Florence et toi avez toujours semblé bien vous entendre.

Ce qui est un vrai mystère pour moi, s'était abstenu d'ajouter Carter.

— J'aime bien son gamin, Willing, avait commenté Nollie. Alors qu'en général, je n'aime pas trop les gosses. C'est marrant, il m'a fleXtée il y a un moment. Il voulait savoir si c'était dur d'émigrer en France. Je lui ai dit que ce n'était même pas la peine d'y penser, mais sa question, même bizarre, montrait qu'il avait du courage. De toute façon, il me faudra quelques mois pour faire mes cartons ici, alors on a le temps de réfléchir aux options possibles.

— J'y penserai. Et, je voulais te dire – Carter avait dû se forcer un peu –, ça me fera plaisir de te revoir.

Bilan : il n'avait pas réussi à obtenir de sa sœur le moindre soutien, financier ou logistique, pour leur père et la femme qui lui servait d'animal de compagnie. Typique. Toute sa vie, Nollie n'en avait fait qu'à sa tête. Le concept de devoir lui était totalement étranger, et seuls ceux qui savaient ce qu'était le devoir et ce qu'il impliquait en assumaient la charge.

Carter s'autorisa une dernière déambulation dans les appartements de son père afin de dire adieu aux nombreux objets qui avaient meublé son enfance, prenant au passage quelques discrets clichés souvenirs avec son fleX. Même si leur teinte était assombrie par le passage du temps dans cet antre – et future décharge – qu'était la bibliothèque, le canapé capitonné en cuir quatre places et ses fauteuils assortis témoignaient d'une finesse d'exécution qui ne serait bientôt plus de ce monde. *Idem* pour la table à manger en érable ondé, aux pieds en pattes de lion, dont Nollie et lui étaient tenus à l'écart lors de réceptions tapageuses réservées aux adultes, auxquelles étaient conviés les grands esprits et les érudits du moment ; aujourd'hui, on ne trouvait probablement plus de grands esprits ni d'érudits de cette trempe. Partout, sur tous les meubles, des trésors – rebuts onéreux mais sans la moindre utilité qu'on offrait aux riches, comme cette pendule d'ornement en forme de livre ouvert, dont les minuscules chiffres mal placés ne permettaient pas de lire l'heure, et dont la pile n'était plus fabriquée depuis les années 1980. Une fois que les résidents de l'acabit de son père seraient partis, le personnel organiserait sûrement une braderie géante, mais il n'en tirerait pas grand-chose. Carter avait contacté quelques agents immobiliers pour la liquidation des effets de son père, mais ils devaient être submergés de demandes : aucun ne l'avait rappelé.

À l'époque où imaginer la ruine soudaine de Douglas n'était qu'une hypothèse aussi effrayante qu'improbable, Carter supposait que l'impact, dans l'équation de leur relation, de la disparition pure et simple du paramètre argent serait considérable. Jamais il n'aurait cru que leur relation puisse en être à ce point chamboulée. Car la fortune que Douglas venait de perdre n'était pas seulement une composante essentielle de leurs interactions : pour ainsi dire, elle était la seule. Horreur, ce boni jamais honni avait conditionné tout ce que Carter avait fait ou dit en présence de son père.

La stupéfaction provoquée par cette carence soudaine ne tenait pas seulement à l'ampleur du changement induit, mais à sa nature. Rétrospectivement, la richesse n'avait fait qu'altérer le caractère de Douglas Mandible. Elle avait fait de lui un être soupçonneux, cynique et froid ; elle l'avait rendu secret, manipulateur et supérieur. Elle avait amplifié une dissymétrie père-fils qui, à l'âge avancé de Douglas, aurait dû tendre à se déliter. Ces derniers temps pourtant, Douglas était extrêmement expressif, en demande, et direct.

Avant ce choc, Carter, lui, n'avait absolument pas conscience que la situation lui pesait à ce point. Des dizaines d'années durant, faire la danse du voile, témoigner d'une déférence exagérée à l'égard de son père, hésiter entre se risquer à quelques allusions occasionnelles à cette fortune ou, au contraire, en éviter rigoureusement toute mention, s'interroger sur les motivations véritables de ses pèlerinages dociles à New Milford, en *ayant confusément hâte de voir son père rendre son dernier soupir* – tout cela lui donnait le sentiment d'être vénal. Vulgaire. Indigne, scandaleux et immoral. Et il en voulait à son père – pour la complicité avec laquelle il l'avait fait se sentir, lui, son propre fils, comme un lamentable vermisseau, et pour son abus de pouvoir grossier (par exemple, le sadisme avec lequel il avait temporisé, avant l'allocution de Dénonciation, dont il avait joué avec lui, tardant à lui annoncer la sentence, ce qu'il restait des investissements, prenant manifestement son pied au passage – le souvenir de cette scène revint à Carter avec une vague de dégoût). Aussi, alors qu'il s'attendait plutôt à être rongé de fureur à l'idée que son père n'ait pas mieux protégé la tirelire familiale, Carter ressentait surtout du soulagement.

Il était impossible d'être en colère contre ce pauvre bougre. Privé de son puissant bâton financier, Douglas Mandible n'était plus qu'un très vieil homme avec quantité de coquetteries émouvantes, sans plus la moindre influence mais avec pléthore d'amis défunts. Carter avait l'impression de voir véritablement son père pour la première fois. Il n'y avait pas d'édifice colossal contre lequel se ruer en laissant éclater sa colère – juste un homme à demi brisé qui avait besoin de son aide. Naturellement, Douglas pouvait toujours se montrer exaspérant, et les conséquences pratiques de son insolvabilité étaient cataclysmiques. Mais dans l'ensemble, à son grand étonnement, à chacune de ses visites ici cette année, Carter avait été submergé de tendresse, parfois jusqu'aux larmes. (Débarrassé de ses arrière-pensées, il avait continué de lui rendre visite, non ? Paradoxalement, la ruine familiale s'était révélée être un cadeau : il s'était réveillé un matin en se rendant compte qu'il n'était pas un monstre. Il n'avait pas même eu conscience de se sentir comme tel. C'est dire à quel point il était devenu monstrueux.) Devant les excuses larmoyantes de son père qui se reprochait sa mauvaise gestion, Carter avait patiemment psalmodié que les événements de l'automne précédent étaient imprévisibles, que la plupart des riches Américains avaient subi le même sort, et que l'anéantissement de la fortune familiale n'était pas la faute de son père. Qu'il soit ou non intimement convaincu par la berceuse qu'il servait à son père, Carter se retrouvait finalement en capacité d'aimer son géniteur, et de s'aimer lui-même par la même occasion. Libre de se montrer authentiquement gentil – la gentillesse intéressée n'était pas de la gentillesse –, il découvrait également la liberté de se montrer sec, irritable, fâché, impatient, de ne pas prêter attention ou d'oublier, comme *un être humain normal*. À présent, il pouvait enfin mesurer à quel point le désir de plaire imposait une distance, biaisait la relation même quand une affirmation supposément agréable était parfaitement vraie, et sapait tout sens de l'humour.

C'est avec affection que Carter glissa le coffret en acajou contenant l'argenterie dans un sac en toile usé de la défunte librairie Barnes & Noble. D'un pas nonchalant, il le porta jusqu'à sa voiture, où il le déposa sur le siège arrière, en veillant bien à verrouiller son véhicule avant de retourner chercher les bagages.

À la grande consternation de Carter, Douglas s'était accroché à une énorme valise en cuir des années 1940, recouverte d'autocollants de destinations exotiques, adaptées aux croisières en bateau avec tripotées de porteurs. Pas de roulettes ! Pas de porteurs non plus, depuis que le personnel du Wellcome se montrait mal aimable avec les résidents aux loyers impayés. À soixante-dix ans, Carter n'aurait pas dû tirer des charges aussi lourdes, surtout avec une arthrite aux genoux et un disque lombaire récalcitrant. Ce qui n'empêchait pas les aides-soignants lats musclés de le regarder avec un mépris indifférent depuis les marches de la réception.

Enfin tirée jusqu'à la BeEtle, la maudite valise ne tenait pas dans le coffre. Sous le regard impitoyable de ces aides-soignants, rien de plus humiliant que de sortir du bagage paternel costumes blancs, lavallières, boxers monogrammés, ainsi que les chaussures en cuir de Cordoue finement cousues et de les fourrer dans les grands sacs en toile conservés sous le siège passager pour les courses à Fairway. Coincés entre les piles de couches pour adulte, que Carter, inspiré par la prudence, avait prises dans les placards de l'appartement, ces biens et accessoires ressemblaient à des articles de seconde main. Jamais Jayne n'accepterait de repasser tout ce lin.

Luella s'était fait la belle. Il fallut à Carter et à son père une demi-heure pour la retrouver, gémissante, prise dans la clôture barbelée délimitant la résidence. Or, curieusement, plutôt que d'aider sa femme à déprendre sa robe du barbelé, Douglas retourna d'un pas traînant vers la voiture. Luella se débattait et se reprenait dans le barbelé presque aussi vite que Carter parvenait à l'en dégager, et criait à tue-tête : « Phaseurs paralysants activés, capitaine ! »

Enfin, il réussit à libérer Luella.

— Allons-y, Luella ! C'est bien, gentille fille, avance !

Comme elle lui emboîtait le pas, il songea qu'il comprenait comment son père en était arrivé à la traiter comme un animal de compagnie.

Pourtant, arrivée à la voiture, elle recommença à se débattre, moins comme un chien que comme du bétail pressentant qu'on le conduisait à l'abattoir.

— Jamais, veux pas, peux pas, non ! hurla-t-elle en faisant des moulinets avec ses bras.

Comme souvent les jeunes enfants, Luella trouvait dans la négation son seul moyen de s'affirmer.

— Mieux vaut la laisser s'épuiser, recommanda Douglas depuis le siège passager.

Effectivement, au bout de quelques minutes d'agitation frénétique, Luella se laissa tomber comme une masse sur le gravier, yeux révulsés, membres flasques.

— Ses vaccins sont à jour ? demanda Carter en faisant démarrer la voiture. Parce qu'elle s'est éraflée sur cette clôture barbelée rouillée. Il y a peut-être un risque de tétanos.

— L'espoir fait vivre.

Pendant le trajet déprimant jusqu'en ville, Carter alla à la pêche aux informations.

— À l'heure actuelle, tu as la moindre source de revenus ? Retraite, rente, actions d'entreprise ?

Maintenant qu'il n'y avait plus d'argent, ils pouvaient parler d'argent.

Le gloussement de Douglas se transforma en quinte de toux.

— Il y a toujours la sécurité sociale !

— Ne te moque pas. Il y a plein de gens à qui la sécurité sociale permet de garder la tête hors de l'eau.

— Mais elle est financée comment, cette sécurité sociale ? Les prélèvements sur la masse salariale doivent être au ras du sol.

— Impossible de supprimer ces allocations, ce serait l'insurrection nationale !

— À mon âge, sur un piquet de grève, je doute d'effrayer beaucoup de bureaucrates.

— Il te reste le bulletin de vote.

— Pour le moment, rétorqua Douglas. Je sais que nous, les vieux croulants, on a tendance à voir les choses de façon lugubre. Mais à ta place, je ne compterais plus sur rien, et ça inclut le droit de foutre dehors ces bons à rien.

Dans la mesure où se lamenter sur le déclin de la démocratie américaine ne présentait que peu d'intérêt, Carter laissa tomber le sujet.

Après un trajet avec moult détours imposés depuis la fermeture partielle de la voie express Brooklyn-Queens, ils s'engagèrent dans Carroll Gardens.

— Je croyais que ce quartier était devenu une citadelle étincelante de la classe moyenne aisée, fit remarquer Douglas. Pas aussi chic que dans mon souvenir.

Dans toutes les rues, les commerces fermés contribuaient à ternir la réputation du quartier. Des restaurants haut de gamme qui, neuf mois plus tôt, géraient des listes d'attente interminables, affichaient sur leurs vitres sales des pancartes à LOUER. Des boutiques spécialisées en babioles de luxe – carillons pour berceau et ce genre de choses – étaient condamnées. La municipalité avait réduit les dépenses allouées au nettoyage des rues, et les trottoirs étaient jonchés de détritus. Non seulement les mendiants étaient plus nombreux, mais ils étaient aussi plus âgés et mieux vêtus. Si la mendicité augmentait généralement pendant les périodes de récession, les pancartes, en revanche, étaient inédites : RUINÉ PAR MON PROPRE GOUVERNE-MENT. ALVARADO M'A PLUMÉ – AIDEZ-MOI SVP. MA FILLE ET MEDICAID ! REFUSENT DE ME PRENDRE. JE POURRAIS ÊTRE VOTRE GRAND-MÈRE. Carter n'avait pas renouvelé la location de son garage, et les rues étaient encombrées de voitures abandonnées que les flics ne se pressaient pas particulièrement d'enlever. Comme il allait leur falloir un peu de temps pour se garer, Carter déchargea ses passagers et leurs bagages devant la porte. Avertie de leur arrivée par fleX, Jayne était sortie sur le perron pour les accueillir, avec, sur le visage, un rictus figé, comme dans un film d'épouvante. Elle nageait dans l'une de ses amples robes longues et foncées qui lui arrivaient à la cheville et dans lesquelles elle se blottissait depuis sa dépression – chez les femmes mûres, les vêtements amples servaient souvent à dissimuler une prise de poids, mais pas chez Jayne, qui, entretenant avec la nourriture un rapport névrotique, était difficile et d'une minceur inquiétante. L'expression torturée sur son visage – qu'elle imaginait sûrement refléter la joie, l'ouverture et le contentement – était une souffrance pour tous ceux qui la regardaient. Elle continuait de se teindre les cheveux dans une nuance noire sévère qui accroissait encore l'impression de mystification. Quel dommage. Jayne Darkly avait été une belle femme, nature et authentique, et l'image qu'elle donnait d'elle ne lui rendait pas justice.

À propos de mauvaise impression : avec une élégance qui rappelait ce qui, en elle, avait attiré Douglas, Luella, soulevant gracieusement sa robe au-dessus du genou, descendit de voiture avec une prestance royale.

— Quel plaisir ! s'exclama-t-elle en déposant une bise légère sur les joues de son hôtesse. Je suis désolée de vous déranger, mais je ne sais pas ce que je donnerais pour une tasse de thé.

Jayne lança un coup d'œil surpris à Carter, qui haussa les épaules.

— Tu ferais bien de ne pas t'y habituer.

8

De la joie d'être indispensable

QUAND LOWELL ORGANISA une « réunion de famille », ses enfants ne comprirent pas ce qu'il voulait.

— Ça signifie que vous vous pointez tous sans exception au salon à la même heure et que vous la bouclez.

Ces derniers mois, les compétences parentales de Lowell avaient perdu en sensibilité.

— Mais mon équipe met au point sa stratégie pour le débat de jeudi soir, objecta Goog.

— Je me fiche royalement de ton équipe et de ton débat, et très bientôt – Lowell redoutait de dévoiler trop tôt le pot aux roses – ce sera le cadet de tes soucis à toi aussi.

Cette pratique formelle n'étant pas dans les habitudes familiales des Stackhouse, la convocation autoritaire n'en passa que plus mal. Goog s'enfonça dans le canapé, les bras croisés, l'air renfrogné. Bing donnait des coups de pied répétés dans le repose-pied. Savannah s'était mise en boule par terre et limait ses ongles d'un air boudeur, le corps tourné ostensiblement vers la baie vitrée, comme s'il n'y avait personne dans la pièce.

Lowell et Avery s'étaient mis d'accord sur le sujet qui, dans le couple parental, ouvrirait la réunion. À son crédit, Avery s'était portée volontaire, consciente qu'on « rejetait toujours la faute sur le messager », ce à quoi Lowell avait répliqué :

— Ils nous détesteront bientôt tous les deux. Autant se comporter en homme. Les occasions se font rares.

Alors Lowell resta debout, tandis qu'Avery, perchée sur le bras d'un fauteuil relax, semblait sur le point de fondre sur celui de leurs enfants qui essaierait de filer.

— Quand j'avais votre âge, commença-t-il – pas la plus appropriée des introductions car, quand il était enfant, il faisait la sourde oreille à tout discours commençant par « Quand j'avais votre âge » –, je n'avais qu'une vague notion du métier qu'exerçaient mes parents, et, à vrai dire, je m'en fichais un peu. Je me fichais de la façon dont ils se débrouillaient pour remplir le frigo. Tout ce qui comptait, c'était que j'aie de quoi me faire un sandwich quand je le voulais. Je n'avais pas carte blanche pour faire ou acheter tout ce qui me passait par la tête, mais j'étais raisonnablement privilégié – cela dit, bien moins que vous trois. J'imagine que tous, vous êtes au courant des grands changements intervenus dans ce pays depuis l'automne dernier, parce que c'est l'éducation qu'on vous a donnée. Je crains qu'ils n'impliquent également de grands changements pour notre famille. Votre mère et moi tenons à ce que vous sachiez que ce que nous nous apprêtons à faire n'est pas contre vous. Nous n'avons pas le choix.

— C'est quoi, ce roulement de tambour à deux balles ? demanda Goog. Dans les cours de prise en parole en public, on nous conseille d'éviter trop de précautions oratoires. Quand il y a trop de *ratata ratata ratata*, l'auditoire est déçu, quoi qu'on annonce ensuite.

— Crois bien que tu vas l'être ! rétorqua Lowell. À compter du trimestre prochain, Bing et toi irez dans un lycée public. Nous n'avons plus les moyens de payer les frais de scolarité de Gates et de Sidwell. Goog, tu iras au Theodore Roosevelt High School de Petworth.

— Mais, Petworth est…, commença à protester Goog.

— Petworth est *quoi* ?

Lowell tenait à le lui faire dire.

— Lat, murmura Goog d'un ton honteux.

— Et c'est quoi, le problème ? insista Lowell.

Sa question resta en suspens.

— Bing, poursuivit-il, nous avons tenté de t'inscrire à la Deal Middle School, plus près, avec, peut-être, une... population lycéenne *de même sensibilité*. Mais ils n'ont pas de disponibilités pour l'automne. Trop de parents dans la même situation que la nôtre. Donc, pour l'année prochaine, ça sera Tubman Elementary à Columbia Heights.

— Est-ce qu'ils ont un orchestre, à Tubman ? demanda Bing d'une petite voix.

— Oh non, tous mes potes sont à Gates, et Roosevelt est cafardable ! s'écria Goog. Et beaucoup d'écoles publiques ne participent pas au programme de débats inter-écoles. Je parie que Roosevelt n'a même pas d'équipe de lacrosse.

— Non, Goog, pas de lacrosse, et non, Bing, si j'étais toi, j'éviterais de me trimbaler aujourd'hui dans ce quartier-là avec un instrument qui a de la valeur, même s'ils ont un orchestre.

— Je vais devoir t'accompagner et venir te chercher en voiture au lycée, annonça Avery à Bing, habitué à faire à pied les quelques centaines de mètres jusqu'à Sidwell Friends School. Pour des raisons de sécurité.

— Et tu comptes faire comment ? intervint Savannah d'un ton froid, toujours concentrée sur ses mains, sans lever les yeux vers le reste de la famille. Je croyais que tu bossais.

— Le cabinet de maman, répondit Avery, optant curieusement pour la troisième personne du singulier, est une partie du problème. Les patients de maman n'ont plus les moyens de payer leurs séances. Ce qui signifie que maman ne peut plus payer le loyer de son cabinet.

Le manque total d'implication dans la réalité professionnelle des parents auquel Lowell avait fait référence plus tôt était déjà palpable. Les raisons qui les poussaient à retirer leurs fils de leurs écoles privées suscitaient manifestement l'indifférence la plus totale. Mais tous les ados se ressemblaient : ils ne s'intéressaient qu'à leur petite personne.

— Peut-être que si tu proposais une thérapie vraiment utile, répliqua Savannah, autre chose que cette soupe ésotérico-mystique, les gens continueraient peut-être de venir.

— Ce qui est utile aux gens, rétorqua Avery avec un contrôle admirable, n'est pas toujours immuable.

— Quant à toi, s'immisça Lowell en regardant sa fille, nous sommes tous très fiers que tu entres à Risdee. C'est une réussite remarquable. Mais je crains que tu doives te résoudre à une inscription différée, et je ne peux pas faire non plus de promesses pour l'année prochaine.

Savannah se tourna vers lui. Jamais il n'avait lu un tel mépris à son encontre dans son regard. Petite fille, elle lui avait témoigné une affection inconditionnelle, et cette froideur inhabituelle le glaçait. Peut-être était-il impossible de connaître véritablement quelqu'un tant que les choses se passaient toujours selon son bon désir.

— C'est à cause du coût, c'est ça ? Je crois détecter comme un schéma qui se répète. Si c'est ça, je peux faire une demande de bourse. Si t'es aussi *fauché*, j'y aurais peut-être droit.

— Comme tu veux, répliqua Lowell. Mais bonne chance. Dans tout le pays, les dotations aux universités ont fondu comme neige au soleil. Et ça inclut Georgetown, qui ne m'a pas versé mon salaire ce mois-ci. Probablement un simple oubli, mais en attendant, ça complique un peu les choses.

— C'est quoi, une *dotation* ? demanda Bing.

— Une sorte de compte épargne. Quand tout est normal, les universités peuvent fonctionner sur les intérêts et les dividendes.

— Mais *tu* disais que le marché allait rebondir ! attaqua Goog. *Tu* disais même qu'il rebondirait plus vite que ce que tout le monde croyait ! Et *tu* disais aussi qu'on allait s'en mettre plein les poches !

— Je pourrais encore avoir raison sur le long terme…

— « Sur le long terme, nous serons tous morts », cita Goog. John Maynard Keynes. Aucun intérêt pour nous d'avoir une éducation correcte *sur le long terme.*

— Je ne me fatiguerais pas à l'expliquer à la plupart des ados, mais tu es suffisamment intelligent pour le comprendre, reprit Lowell. Le taux d'intérêt de notre emprunt immobilier a doublé. Avec le loyer actuel du cabinet, les revenus de ta mère sont négatifs. Les étudiants n'ont pas les moyens de s'inscrire à l'université où j'enseigne. Réponds-moi franchement : tu ne crois pas que certains de tes copains vont devoir aussi se rabattre sur Gates ?

— Olivia Andrews devait le faire, mais elle a obtenu une bourse. Parce que son père s'est suicidé.

— Je dois y voir une quelconque allusion ?

Goog haussa les épaules.

— Ça a plutôt pas mal marché, comme stratégie. Du moment que ça marche, non ?

— Chéri, intervint Avery. Ce n'est pas drôle.

— Aucun de vous n'a jamais cru en mon talent, se plaignit Savannah. Vous n'avez jamais voulu que je fasse des études d'art. Et maintenant, vous pensez que vous pouvez me forcer à faire un truc pratique, genre un diplôme de mandarin.

— Hors de question que tu fasses des études, répliqua Lowell. Je veux que tu te dégotes un boulot.

— Dans quoi ?

— Je m'en fiche. Tout ce qui pourra aider à remplir les caisses de la famille.

— Si je me retrouve à servir des hamburgers, *tu* ne verras pas la couleur de mon fric.

Comment en étaient-ils arrivés là ? Avaient-ils fait quelque chose de mal ? Tout ce temps, auraient-ils dû refuser à leurs enfants ce qui leur faisait plaisir et qu'eux, en tant que parents, étaient en mesure de leur offrir, selon ce principe abstrait que cela leur forgerait le « caractère » ?

— Si je devais retourner des hamburgers, répliqua Lowell, je te donnerais l'argent. Deux poids, deux mesures, on dirait.

— Oh, désolée ! Le grand retour du travail des enfants. Merci Dickens.

— Voici ce que je propose, suggéra Goog. Tu souscris un prêt en mon nom, pour m'envoyer à Gates. On trouve un système pour calculer le montant du salaire que je toucherai après mon diplôme pour te rembourser. Et on pourra indexer le pourcentage à mes augmentations de salaire.

— Personne n'accordera le moindre prêt à ton père, mon garçon, dit Lowell. Et même si c'était le cas, les taux d'intérêt actuels sont autour de 11 % et continuent d'augmenter.

— Quel est l'état de nos fonds propres, alors ? risqua vaillamment Goog.

— Nous payons à différé d'amortissement. Bien essayé.

Goog perdit son sang-froid.

— Je n'arrive pas à y croire !

— Pas besoin d'y croire pour que ça arrive, répliqua Lowell. C'est ce qui est drôle, avec la réalité.

En dépit de toute sa prétendue fascination pour les travaux de son père, Goog ne croyait pas véritablement au primat de l'économie, ce que Lowell mettait sur le compte de la précocité singulière de son fils : l'investissement de celui-ci dans les nombreux domaines sur lesquels il nourrissait des opinions si arrêtées était principalement rhétorique. Il n'avait pas encore la capacité d'établir un véritable lien entre un débat scolaire sur un amendement budgétaire mal ficelé et un réseau autoroutier inter-États manquant si cruellement de financement que des centaines d'Américains décédaient chaque année dans des carambolages sur l'I-85 provoqués par des nids-de-poule – lien qui impliquait la prise de conscience de l'éventualité de se retrouver soi-même au nombre des victimes. Ayant disposé de la même précocité que son fils au même âge, Lowell se demandait si lui-même entretenait encore à ce jour ce lien purement rhétorique aux enjeux pressants de sa profession. Avery ne cessait de lui reprocher de toujours vouloir avoir raison. Mais peut-être qu'il se fichait royalement d'avoir véritablement et pleinement raison, ce qui aurait eu une importance. Peut-être ne se souciait-il que de gagner.

— Quand on a des enfants, plaida Savannah, on n'est pas supposé s'en laver les mains et dire : « Désolés, on ne gagne pas d'argent, à ton tour d'en rapporter ! » Mon prof d'arts plastiques me dit que je suis immense douée, et je ne vous laisserai pas gâcher ma vie !

Elle se leva, furieuse, pour quitter la pièce, et Lowell la rattrapa par le bras, ce qui lui valut un regard incrédule de sa fille.

— Cette réunion de famille n'est pas terminée. Il y a d'autres annonces, *les enfants.* Cet été, oubliez les camps de vacances. Pas de stage de débats, artistique ou de quatuor à cordes, pigé ? Pas non plus de stage scientifique, de sports d'eau ou de survie dans la forêt – même si celui-ci pourrait être un bon investissement.

Il lâcha sa fille, qui se mit à pleurer. Avery l'accusa de n'être qu'une brute. Effectivement, il avait communiqué ces décisions d'un ton rageur. Ce qui lui avait procuré une certaine excitation.

— Tu t'en prends à eux pour éviter de te punir toi-même, déclara Avery lorsqu'ils se retirèrent dans leur chambre pour la nuit.

— Absolument pas, répliqua Lowell. M'en prendre à eux est une façon de m'en prendre à moi.

— C'est trop alambiqué pour moi, et pourtant, je suis psy.

La fatigue était perceptible dans sa voix.

— Écoute – est-ce que je veux jeter les garçons en pâture dans une école publique ? Évidemment que non. Bing se fera dévorer tout cru. Quant à Goog, sa grande culture générale, sa lucidité, l'art qu'il a de s'attirer les bonnes grâces des profs, tout ce qui le rend populaire à Gates va faire de lui un bouc émissaire tout désigné à Roosevelt. Et pour Savannah… C'est une chose de prendre une année sabbatique et de partir en Europe apprendre l'italien. Et une autre de glander toute la journée à faire des conneries et à végéter. Quel gâchis. Tout ce qu'on leur a fait entrer dans le crâne à coups de centaines de milliers de dollars va leur ressortir aussi sec par les oreilles. Et j'ai l'impression de ne pas avoir fait ce qu'il fallait pour eux. Mais pas comme tu le crois. Ce que je veux dire, c'est qu'on ne leur a jamais dit « non ». Et maintenant, on s'attend à ce qu'ils apprennent en une nuit l'adversité, l'abnégation et la déception.

— On ne peut pas simuler l'adversité, plaida Avery. Quand on avait les moyens, on pouvait fournir. Là, on ne peut plus. Et si tu n'avais pas acheté toutes ces stupides actions...

— En 1919, Coca Cola était aussi une action *stupide*, la coupa Lowell. On ne peut pas investir ou prendre une quelconque décision financière sur la base d'une possibilité quasi infinie de contingences. Depuis octobre dernier, l'échelle à laquelle s'est produite la destruction des richesses dans ce pays était foncièrement inenvisageable et impossible. Si on s'était adressés à un conseiller financier ne serait-ce que l'année dernière en disant à cet homme...

— Ou à cette femme, rectifia Avery.

— « Ou à cette femme », répéta Lowell d'un ton acerbe : « J'aimerais que vous protégiez mon portefeuille d'actions de la destruction du monde tel que nous le connaissons. Merci de choisir des fonds communs de placement qui réalisent leurs investissements en tenant compte du Jugement dernier, de la submersion de toutes les villes côtières de la Terre en raison de la montée du niveau des mers, de la guerre nucléaire et de la peste incurable. » Il, *ou elle*, t'aurait envoyée sur les roses, quelle que soit ta valeur nette. Prendre une part, même minime, dans toute économie, ne serait-ce que percevoir un salaire et acheter des côtelettes, cela signifie avoir foi dans les règles de cette économie et dans leur stabilité. Il n'existe *aucune* assurance que le jeu ne changera pas. Aussi, quoi qu'il se passe, on continue à jouer. Ce qui veut dire que quand Apple baisse, tu achètes de l'Apple. Comme tu l'as d'ailleurs toujours fait. Si ce n'est finalement pas une bonne affaire, parce que, pour des raisons hors de ton contrôle, c'est tout le jeu qui tombe à l'eau, rien d'autre n'aurait marché.

— C'est juste que si on avait gardé un peu plus d'argent liquide...

— L'argent liquide est aussi un *investissement*, répliqua Lowell d'un ton brusque. Et, historiquement parlant, un très mauvais investissement. L'un des pires. Si on a pour ambition de constituer un peu de capital, je ne vois pas comment on peut se passer d'investissements.

— Mais admettre ses erreurs provoque parfois un étonnant soulagement...

— Quelles erreurs ? Tous ces fonds de pension avec leurs diagrammes de répartition entre 62 % d'actions et 27 % d'obligations... Tous ces comptes d'investissement avec des stratégies opposées de « croissance » ou de « revenus »... Ces questionnaires déférents de Morgan Stanley sur le niveau de « risque » qu'on est en mesure de supporter – en passant sous silence qu'il n'y a pas de case « zéro » sur ces foutus questionnaires... « Niveau élevé » ou « Niveau faible » ? Ou encore « Marchés émergents » ? Tous ces ajustements délicats, les « Peut-être que nous devrions nous engager un peu plus dans le secteur de l'énergie et nous mettre un peu en retrait sur les industries pharmaceutiques »... Au final, *tous* ces comptes ont été ratiboisés. Toutes les stratégies n'ont servi à rien.

— Que d'efforts pour rien, dans ce cas, murmura Avery.

— Ça a permis d'occuper pas mal de gens. Mais il y a un bon côté : si personne n'avait raison, alors personne non plus n'avait tort. Si tout le monde s'est fait baiser, peu importe ce qu'il a fait, parce que personne n'a rien à se reprocher. Et moi non plus. Malheureusement, ce raisonnement logique ne semble jamais convaincant les nuits d'insomnie.

Pourtant, quand un coup avait retenti à la porte de la chambre parentale, Lowell s'en était voulu d'avoir assumé avec tant de zèle son nouveau rôle paternel de « méchant ». C'était Bing – avec, dans les mains, une poignée de billets, l'argent de poche qu'il avait économisé pour se payer un nouvel archet pour son violon.

— Je veux vous aider, dit-il, en offrant les billets à son père.

Il était choquant que seul leur fils de onze ans ait semblé saisir la gravité de la situation. Mais plus choquant encore : ces trois cents dollars et quelques ? Lowell les avait pris.

Lowell devenait susceptible, mais le fait est qu'il s'en prenait de tous les côtés.

Quand ses parents avaient pris leur retraite – eux avaient été de *vrais* scientifiques ; son père microbiologiste à l'université Tufts, sa mère la sorte de zoologue ambitieuse qui avait découvert une famille de grands tritons crêtés sur un site de construction, ladite découverte ayant abouti à l'interruption d'un projet immobilier de dix milliards de dollars –, ils s'étaient tournés vers leur fils aîné pour des conseils en matière d'investissement. Désireux de rendre service (et de se faire mousser ?), Lowell n'avait pas été avare de recommandations. Retirait-il maintenant un quelconque crédit de les avoir dissuadés de placer leur capital dans l'or ? Non, ses parents étaient au bord de la crise de nerfs, car leur portefeuille d'actions impeccablement proportionné – stratégiquement diversifié et judicieusement réparti entre croissance et revenus, un peu comme une assiette parfaitement équilibrée sur le plan nutritionnel à coups de céréales complètes, légumes verts et filet de poisson riche en oméga-3 – s'était effondré. Tous les deux en avaient fait des tonnes pour lui assurer qu'ils ne le considéraient pas le moins du monde responsable de la situation, et il n'avait pas eu besoin de l'acuité psychologique professionnelle de sa femme pour traduire : tout était entièrement sa faute.

Pire encore, c'était sur l'insistance de Lowell qu'ils avaient vendu la gigantesque demeure familiale de Brookline deux ans plus tôt. Le capital ainsi libéré et les revenus d'investissement étaient censés financer des virées pseudo-scientifiques à l'étranger, qui ne serviraient certes pas à collecter des données significatives, mais continueraient de nourrir la fiction inoffensive qu'ils étaient toujours professionnellement impliqués. Mais l'appartement « confortable » bien que plus petit de Fort Lauderdale dans lequel ils avaient emménagé ne devait servir que de villégiature ensoleillée entre deux excursions vers l'Arctique ou la toundra russe – qu'ils ne pouvaient plus se payer désormais. Cet appartement où ils se retrouvaient confinés constituait leur seul bien durable ; coincés là-bas, ils avaient pris la Floride en grippe.

Cela n'aurait servi à rien, supposait-il, de leur rappeler que, pendant son enfance, ses parents avaient tous les deux répété à l'envi qu'ils n'étaient pas intéressés par l'argent, que l'essentiel était d'exercer un travail pour lequel on éprouvait de l'intérêt (une homélie que Lowell s'était fait fort de renverser, puisque l'argent était tout ce qui l'intéressait). Pourtant, ses parents avaient toujours été de vrais écureuils, raison pour laquelle ils avaient pu se constituer une épargne saine en dépit de leurs salaires modestes. Cette posture de désintérêt pour l'argent n'était donc que pur mensonge, car Lowell ne connaissait aucun autre couple chez qui la question revenait à cette fréquence sur le tapis. Telle ou telle chose était *soldée*, le prix de telle autre était *exorbitant*, leur prime d'assurance *avait grimpé en flèche*, en l'absence pourtant de tout sinistre... La moindre de leurs décisions, jusqu'à celle d'acheter des haricots verts fins et tendres plutôt que la variété dure et charnue, continuait d'être évaluée à l'aune de la *meilleure affaire*. C'est ainsi qu'ils avaient atterri dans ce sordide appartement de Floride : c'était une *bonne affaire*. Enferrés dans cette perspective selon laquelle l'argent est un jeu, ils confondaient leurs billets de tombola avec le gros lot. Car la seule chose que cette chasse aux bonnes affaires « rapportait », c'était plus d'argent encore – dont la seule valeur résidait dans le fait de permettre de se payer des haricots verts *jeunes et tendres* plutôt que la variété *dure et charnue*.

Avant la Dénonciation, Lowell devait presque coller un flingue sur la tête de ses parents pour qu'ils acceptent de dîner dehors. Puis, assurés que leurs deux fils s'en sortaient très bien – Aaron était dans la sécurité informatique et avait fait fortune avec l'Âge-pierre –, Dave et Ruth avaient affirmé ne plus se serrer la ceinture puisqu'ils n'avaient plus besoin de transmettre un héritage à leurs fils. Comme, pour les mortels, une gratification indéfiniment différée équivalait à une *absence* de gratification, leur incapacité à changer de vitesse économique dans leurs vieux jours, à faire des folies, car sinon, quand auraient-ils pu dépenser leur argent, à impliquait au bout du compte l'illusion de la vie éternelle. Si, à soixante-dix ans, Dave et Ruth avaient intégré dans leurs tripes qu'ils allaient bientôt mourir, ils auraient mangé des crevettes tigrées tous les soirs de la semaine.

Concernant leur prétendu manque d'intérêt pour l'argent, les récents événements auraient dû se charger de mettre un terme à ce mythe. Dave et Ruth étaient *hors d'eux*. Mais, là encore, Lowell ne connaissait aucun mortel qui ne soit fortement attaché à son capital, quel qu'en soit le montant : essayez de chaparder deux dollars dans le chapeau d'un mendiant, et vous verrez ce qu'il se passe. Faire preuve d'une véritable apathie en la matière nécessiterait tant d'énergie, tant de fanatisme idéologique forcé, que cette indifférence équivaudrait à une forme de préoccupation. C'était l'une des fascinantes propriétés de l'argent : il excitait les passions.

Donc, s'étant fiés aux sages et bienveillants conseils d'investissement de leur fils aîné, Dave et Ruth devaient maintenant acheter des haricots verts durs et charnus, non par pathologie mais par nécessité. Lowell se sentait-il coupable ? Oui, *Avery*. Bien entendu. Mais était-il véritablement à blâmer pour les épreuves que traversaient ses parents ? Ne serait-ce qu'*un tout petit peu* ? NON ! Naturellement, Aaron avait lui aussi sollicité des conseils d'investissement auprès de son frère aîné – conseils qui, en substance, ne différaient nullement de ceux prodigués à l'époque par les grandes institutions financières, à l'exception d'un seul, éviter l'or, *ce qui s'était révélé fichtrement juste* (tout conseiller financier digne de ce nom aurait dû savoir que l'Emergency Economic Powers Act de 1977 n'avait jamais été abrogé ; pourtant, quand Alvarado y avait eu recours, tous avaient crié au scandale). Était-ce aussi la faute de Lowell si un affairiste du secteur numérique, marié et ayant deux enfants, était passé en un clin d'œil de riche à désespéré ? NON ! Plus frustrant encore, maintenant que l'avis de Lowell *avait de l'importance* – maintenant qu'il se trouvait en totale opposition à l'orthodoxie du moment («Vendez, vendez, vendez» – ce qui revenait à «Montez en haut d'un immeuble et sautez») –, ni ses parents ni son frère ne voulaient l'écouter. Les investisseurs qui sauraient garder la tête froide s'en sortiraient. La seule réponse rationnelle aux cours dérisoires était de *tenir bon, tenir bon, tenir bon*. Le stoïque Lowell avait alors des envies de pleurer quand il voyait sa famille, en bon mouton de Panurge, frôler l'abîme et aggraver ses pertes.

À chacun sa merde. Pour Avery et lui, ce n'était pas tout rose non plus.

En fait, Lowell n'avait pas toujours été aisé. Au MIT, pendant son troisième cycle, il vivait sur une maigre bourse que des vacations d'assistant venaient compléter. Avant son premier véritable poste universitaire à Amherst, il avait fait des jobs alimentaires, donnant des cours – y compris dans des *community colleges* –, une plongée dans les tranchées qui avait contribué à le convaincre plus encore de ce qu'être au bas de l'échelle signifiait. Lui ne s'était jamais trouvé au bas de cette échelle. Il avait été en bas du haut.

Jamais il ne s'était retrouvé avec une facture qu'il n'était pas en mesure de payer. Sans y réfléchir à deux fois, il avait depuis longtemps relégué dans une même catégorie lointaine, la catégorie des bons à rien, des irresponsables et des incapables, ceux qui ne gardaient aucun matelas de sécurité sur leurs comptes, qui dépensaient sans compter pour la simple et bonne raison qu'ils avaient de l'argent, qui contractaient des prêts sur salaire pour payer leurs factures d'électricité, qui cumulaient les arriérés et vivaient dans la peur des huissiers. Concernant la dette, lubrifiant qui avait toute sa faveur sur le plan idéologique, Lowell préconisait l'endettement comme solution imparable autant à l'échelle des entreprises qu'à celle des nations, mais payait rubis sur l'ongle ses factures Visa. Son refus de contracter des crédits ressortissait de l'émotionnel. Il détestait se sentir redevable, dépendre de quelqu'un d'autre.

Ce qui faisait de lui un gogo adepte de valeurs protestantes ringardes que la majeure partie du pays avait allègrement abandonnées. Pendant toute la durée ou presque de sa vie professionnelle, l'économie internationale avait puni le frugal et récompensé le dépensier. Drôle de leçon pour un homme dans sa position que s'être montré incapable d'en tirer les conséquences. Il suffisait de regarder le sud de l'Europe. Le Club Med qu'était la zone euro avait englouti des milliers de milliards, les avait dépensés, et n'avait rien remboursé. Pas très sympa. Mais malin. L'économie ne récompensait pas la gentillesse mais la ruse.

Rien à faire, Lowell était irrécupérable. Avec son rapport de solvabilité immaculé, il aurait dû emprunter un max, et, avec la Dénonciation, s'en tirer sans rien rembourser. Par le biais d'une déclaration de faillite personnelle en bonne et due forme ou en passant tranquillement entre les mailles du filet, comme tout le monde. Raison pour laquelle sa carte Visa Premier USA, dont il était détenteur depuis 2001, et tous les autres rectangles en plastique de son portefeuille venaient d'être annulés. À moins de cesser de prêter aux citoyens insolvables de cet État mauvais payeur, les entreprises de cartes bancaires allaient plonger : un autre filet de sécurité qui lâchait.

Pendant ce temps, le « retard » sur son salaire de juin à Georgetown s'était reporté sur juillet. Lowell n'arrivait tout bonnement pas à s'enfoncer dans le crâne qu'une institution qui s'était engagée légalement à verser telle somme tel jour du mois en arriverait à ne pas le faire. Il semblait croire que, comme l'université lui *devait* son salaire, elle *allait ipso facto* le lui *verser*, avec cette confusion entre le « devait » et le « allait » qui frisait la dyslexie. Il gagnait sa vie en analysant des systèmes, et en évaluant les paramètres susceptibles d'améliorer ou de nuire à leur fonctionnement. Il n'avait pas la moindre expertise dans ce qui se passait quand ces systèmes ne fonctionnaient pas du tout.

À mesure que l'été avançait, il voyait avec horreur leurs liquidités s'évaporer. Ils se rapprochaient à vitesse grand V du moment à partir duquel Avery s'abstiendrait d'acheter des cantaloups, non parce qu'ils n'en avaient pas envie, ou parce qu'on avait découvert dans ce fruit une concentration de toxines supérieure encore à celle des fraises. Non parce qu'elle rechignait à alourdir encore ses sacs de courses quand elle faisait ses courses à pied. Ni parce que ce melon n'était pas une *bonne affaire*. Non, très bientôt, Avery n'achèterait plus de cantaloups parce *qu'ils n'auraient plus d'argent*.

Avec ce qui se passait à Georgetown, Lowell découvrait ce que les « nécessiteux » avaient appris bien avant lui : que fait-on quand une créance arrive à échéance, et qu'on n'a pas de quoi la payer ? On ne la paie pas. On ne la paie pas en juin. Ni en juillet. Et quand août arrive, on s'est mis au diapason.

Quand Avery avait entrepris sa spécialisation, séparer radicalement souffrance mentale et souffrance physique avait semblé relever de l'aberration, dans la mesure où traiter un patient dans sa globalité impliquait de prendre en charge l'ensemble de ses *ressentis*. Une fois parvenus à l'objectif ô combien éprouvant mais néanmoins clair et extrêmement structuré, nombreux étaient les patients post-chimio qui souffraient de dépression. Soudain, le seul et unique fait de rester en vie avait cessé de constituer un but principal valable. La maladie manquait à certains patients, habitués à la terreur stimulante d'une mortalité ayant acquis un statut tout à la fois proche et personnel. D'autres patients souffrant d'affections plus bénignes, comme l'arthrose, étaient furieux des éventuelles limitations induites par leur arthroplastie du genou sur leurs ambitieux programmes de running, et bouillaient de déverser leur désespoir d'avoir à renoncer ainsi à leur objectif, à quatre-vingts ans passés, de courir autant de marathons qu'avant. Hommes aussi bien que femmes, tous ses patients avaient été surpris de se découvrir vieux – ce qu'Avery, en son for intérieur, considérait comme un manque d'attention caractérisé. Le physiomental était une discipline éclectique, s'inspirant du tai-chi, de toute une palette de thérapies verbales, du yoga, de la musculation et de la thérapie par les larmes – tout ce qui marchait un tant soit peu.

Avant de démarrer sa formation, la dernière chose dont elle s'était souciée était de savoir si le physiomental était reconnu par Medicaid et Medicare. Pendant la plus grande partie de sa carrière, l'absence de prise en charge avait été une bonne chose (les taux de remboursement du gouvernement étaient cafardables), mais, en 2030, elle la privait des seuls clients qui auraient eu les moyens de recourir à cette approche thérapeutique. Elle n'aurait pas dû prendre pour une dépréciation de son travail le cortège d'annulations de rendez-vous, mais certaines l'avaient tant affectée que son professionnalisme en avait souffert. Ainsi, trahissant peut-être ses propres priorités, elle s'était écriée devant une patiente jusque-là fidèle : « Je parie que vous avez toujours les moyens de vous payer une caisse de vin tous les mois ! », ce à quoi ladite patiente avait répondu d'un ton calme : « En fait, deux. »

Lowell était si dominateur que, sans le sas que lui offrait son travail, elle craignait pour la pérennité de son mariage. Pour autant, il avait été vraiment adorable de l'aider à déménager le cabinet qu'elle avait loué pendant neuf ans, s'efforçant de faire contre mauvaise fortune bon cœur. À quelque chose malheur était peut-être bon : confrontés eux aussi à des déceptions, leurs enfants trouveraient peut-être un certain réconfort dans une forme de maternage à l'ancienne.

L'été à Washington était chaud et déprimant, plus encore maintenant que Lowell avait interdit la climatisation. Ils avaient aussi désactivé Mojo, dont les coûts mensuels de maintenance étaient exorbitants, et curieusement, sa mise hors fonction avait été ressentie comme une perte de nature intime ; maintenant qu'il n'était plus possible de crier un ordre pour avoir des brownies maison tout chauds, c'était comme si un domestique trop longtemps rabroué avait déserté les lieux. Les enfants étaient renfrognés, livrés à eux-mêmes, désœuvrés, et légitimement furieux d'avoir vu tous leurs projets pour l'été tomber à l'eau.

— Vous vous apercevrez peut-être, dit Avery aux garçons qui, dans la cuisine, jetaient des coups d'œil furieux à leurs fleX, que, dans le public, vous aurez plus d'occasions de briller. À Gates et à Sidwell, où l'admission est si sélective, il est difficile de sortir du lot...

— Je suis déjà brillant à Gates, ronchonna Goog. N'essaie pas de nous vendre comme une opportunité exceptionnelle le fait de se retrouver dans les bas-fonds.

— Nous connaissons des heures qui n'ont rien d'ordinaire, mon chéri. Mais comme le dit ton père, dans quelques mois à peine...

— Tante Florence, la coupa Goog, dit qu'*elle* a eu son diplôme de fac l'année la plus cafardable qu'il soit. Tous ceux qui ont été diplômés cette même année ont immense galéré, alors que tous ceux qui ont décroché leur diplôme quelques années plus tard s'en sont super bien sortis.

Florence aurait vraiment mieux fait de garder pour elle ses théories discutables sur les supposées raisons de sa piètre réussite, quand le véritable problème résidait dans le choix de son double cursus tarte à la crème.

— Je ne crois pas que travailler dans un centre d'hébergement pour sans-abri signifie qu'on « galère immense »...

— T'aurais envie de faire ça, *toi* ?

— Non. Mais ta tante Florence est plus altruiste que moi.

— Même si le pays se remet, j'appartiendrai peut-être moi aussi à une génération marquée. On pourrait tous se retrouver avec de la cendre sur le front, comme Caïn.

— Dites à papa, déclara Savannah, traversant la pièce vêtue d'un micro-short avec cette expression savamment travaillée de contrariété permanente, que j'en ai terminé de ces jobs débiles.

Soit. Avec ces flots de touristes étrangers qui prenaient d'assaut la ville, les secteurs de l'hôtellerie et de la restauration de luxe étaient en plein essor. Cependant, les adolescents se retrouvaient désormais en concurrence avec d'anciens gestionnaires de fonds spéculatifs de quarante ans, prêts à se mettre à genoux pour décrocher un boulot de serveur.

— Pourquoi Goog et toi n'envisagez-vous pas de partir pour Gloversville, à la Citadelle ? suggéra Avery. J'ai parlé à oncle Jarred la semaine dernière, et il aurait besoin de petites mains pour l'aider à ramasser les légumes et nourrir le bétail. J'ignore combien il pourrait vous payer, mais plus que moi pour vous voir traînasser dans la cuisine à faire griller des toasts.

— J'y crois pas ! s'exclama Savannah. Non seulement je suis devenue une sorte de bonne à rien sans perspective de diplôme universitaire, mais maintenant il va falloir que je joue les ouvriers agricoles.

— Ouais, maman, renchérit Goog. Dis à oncle Jarred que c'est fait pour ça, les immigrants clandestins.

— En fait, depuis l'amnistie, répliqua Avery, sans vraiment se rendre compte qu'elle sciait la branche sur laquelle elle était assise, la plupart des immigrants ne veulent plus faire ce travail non plus.

— Ça ne s'appelait pas une amnistie, rectifia Goog.

À treize ans, il avait écrit un seul malheureux article sur cette très attendue loi de réforme de l'immigration de 2020 – année de promulgation elle aussi instrumentalisée comme symbole de clairvoyance politique –, qui avait propulsé l'adolescent au rang de spécialiste.

— J'irai à la Citadelle, annonça Bing d'une voix calme. Pendant le stage de biologie, on a appris à arracher des carottes. J'avais trouvé ça frais. Et puis, il faut bien que quelqu'un gagne de l'argent, sinon on n'aura pas de quoi aller au supermarché.

— Tu es un peu jeune pour travailler aux champs, rétorqua Avery en lui ébouriffant les cheveux. Je risquerais d'être condamnée pour violation des lois sur le travail des enfants. Mais j'aime beaucoup ton attitude positive, mon chéri.

— C'est un lèche-cul de poule mouillée à sa maman, railla Goog, qui sait pertinemment que tu ne l'enverras pas arracher des patates. Il te dit seulement ce que tu as envie d'entendre.

— « Lèche-cul de poule mouillée » est une confusion de métaphores, le reprit Avery.

À certains moments, ses deux fils étaient assez proches l'un de l'autre, même si, en choisissant leurs prénoms, elle avait opté pour des noms de deux moteurs de recherche concurrents. (Évidemment, elle était attachée à ces noms, qui avaient semblé si inventifs, originaux et modernes quand Lowell et elle les avaient choisis, et aujourd'hui, elle était bien en peine d'en imaginer d'autres pour eux. Mais la recherche à tous crins de la modernité n'engendrait peut-être que l'obsolescence programmée. L'un de ces moteurs de recherche avait si résolument laminé l'autre qu'elle se demandait si ses deux fils ne risquaient pas de voir une sorte de fatalité dans la hiérarchie qui en avait résulté.)

Mal à l'aise d'avoir du temps à revendre dans une ville où il était de bon ton d'être débordé, Avery, pour se calmer, embarquait parfois ses gamins avec elle pour faire les courses. Pour des questions d'économies, de nombreux magasins désormais se passaient de climatisation, et Avery avait la nostalgie de l'époque où, en juillet, aux États-Unis, il fallait faire ses courses en parka. Seules les boutiques de luxe, qui avaient la faveur des touristes étrangers, marchaient du feu de Dieu. Fréquentés seulement par une poignée de familles du quartier désireuses de trouver où se rafraîchir par cette chaleur écrasante, Macy's et consorts étaient quasiment déserts. Faire ses courses avait viré au sport spectacle. Et il y avait presque quelque chose d'excitant à suivre, semaine après semaine, l'augmentation du prix d'un malheureux short fabriqué au Sri Lanka.

Fort heureusement, les enfants en avaient marre des musées, puisque les promenades le long du National Mall étaient exclues. Ce lieu emblématique de la nation était si souvent le théâtre de manifestations violentes contre l'augmentation du coût de la vie que la longue pelouse était devenue marron à force d'être piétinée. Les autorités municipales étaient incapables d'anticiper sur les tags qui défiguraient les marches du Capitole – TRAHIS PAR UN SALAUD DE LAT – ou qui maculaient le rebord du miroir d'eau du Lincoln Memorial : STOP OU BANCOR !

Sur le National Mall, les appels à manifester reflétaient une incohérence des plus typiques. Des raves joyeuses, avec danse et alcool, célébraient la fin des über-riches unanimement méprisés, et des pancartes proclamaient : MAINTENANT CEUX QUI PUAIENT LE FRIC PUENT TOUT COURT ! ou encore : OH LES PAUVRES RICHES... ILS SONT DEVENUS PAUVRES ! Ce qui n'empêchait pas ces mêmes manifestants de revenir le lendemain pour crier leur indignation contre ces riches qui s'en sortaient indemnes, à grand renfort de pancartes : LES BANQUIERS DE WALL STREET SAVAIENT ! RAPATRIEZ LES FORTUNES PLANQUÉES À L'ÉTRANGER ! AUJOURD'HUI COMME HIER, LES BANQUIERS ONT LE BEURRE ET L'ARGENT DU BEURRE ! Ces contradictions rappelaient à Avery la réaction du Moyen-Orient au 11 Septembre, elle avait alors quatorze ans : ces mêmes musulmans qui affirmaient dans les sondages que l'attaque terroriste contre le World Trade Center avait été orchestrée par les Juifs portaient aussi des T-shirts à l'effigie d'Oussama ben Laden. Comment ça, on ne pouvait pas avoir le beurre et l'argent du beurre ?

Même les légions de touristes asiatiques qui, au printemps dernier, prenaient encore d'assaut le Smithsonian semblaient en déroute. À agiter leurs billets de cent dollars comme des geishas leur éventail bon marché, quantité de touristes ingénus aux chaussures ridicules se faisaient tabasser. Quand la rumeur s'était propagée sur le Web que les Chinois distribuaient leur fric par poignées pour se tirer des pattes de leurs agresseurs, lesdits agresseurs préférant cette option à celle consistant à les ruer de coups de pied, le phénomène s'était alors amplifié, les voyous s'étaient passé le mot, tout ce gentil petit monde se bousculant alors au portillon pour faire des bénéfices sur les agressions racistes.

La fermeture de son cabinet aurait navré Avery davantage encore si sa petite activité n'avait pas été une simple goutte d'eau dans un océan de problèmes curieusement exaltants. Ces temps troublés n'auraient pas dû être excitants, et ressentir cette exaltation qu'elle s'efforçait à tout prix de dissimuler la mettait mal à l'aise. De nombreux Américains parvenaient à peine à nourrir leur famille. N'empêche : elle ne pouvait s'empêcher de repenser à ses patients qui avaient frôlé la mort et à l'urgence vivifiante qui avait alors été la leur. Elle se sentait privilégiée d'éprouver cette même énergie, ce même frisson d'adrénaline, ce même rejet de toute forme de complaisance, sans avoir à y laisser ses cheveux. Même si elle déplorait qu'ils aient dû reporter l'entrée à l'université de Savannah et se résoudre à placer les garçons dans le public, elle savait que Goog et Bing sauraient se distinguer par leurs brillants résultats, et que leurs trois enfants seraient remis sur les bons rails quand le pays aurait retrouvé les siens. D'ici là, ils apprenaient à l'école de la vie ce que l'argent ne pouvait acheter.

Par fierté, Avery n'avait jamais véritablement considéré comme un filet de sécurité le patrimoine familial censé lui revenir un jour. Gagner soi-même sa vie était bien plus estimable que de bénéficier de l'aumône d'un industriel mort et enterré depuis des lustres. Les Stackhouse associaient à leur patrimoine une sorte de pureté morale qui aurait été entachée s'il s'était agi d'un héritage, et Avery songeait qu'elle n'aurait jamais voulu de cette vieille fortune corrompue. Pourtant, l'effritement du tas d'or qui aurait dû leur revenir à un moment ou un autre n'était pas sans déclencher le même genre de sensations douloureuses que des ampoules provoquées par des chaussures trop petites, mettant à vif la peau, dans sa fine couche supérieure quasiment indispensable. Car si l'abrasion cutanée se poursuivait, la couche sous-jacente serait à vif à son tour. À l'arrière-plan, la fortune Mandible avait constitué un film de protection supplémentaire, sans lequel sa famille se retrouvait plus exposée d'un degré.

Certes, ils ne mangeaient plus de thon rouge, mais ils ne mouraient pas de faim. Ils avaient un toit au-dessus de la tête, joli, qui plus est. Et qu'importe si Avery ressassait la remarque blessante que Savannah avait faite en juin – à savoir que si sa mère s'était spécialisée dans une approche thérapeutique « utile », elle aurait pu continuer à vivre de son activité. D'autant que, dans un sens, sa fille avait raison : l'essentiel d'hier constituait une extravagance aujourd'hui. Contraint et forcé, on pouvait vivre sans musculation des triceps et sans introspection guidée. Alors quel soulagement, en ces temps tourmentés qui relevaient justement des compétences de son mari, de penser que les Américains continueraient d'avoir besoin de professeurs d'économie.

Quand il fut convoqué en août pour une réunion avec le recteur, Lowell supposa qu'Ellen Packer souhaitait s'excuser en personne du retard inadmissible dans le versement de son salaire. Quand les temps sont durs, on fait des coupes dans le budget de l'association des étudiants et on limite les heures d'ouverture de la piscine. On ne punit pas le corps enseignant.

Une revendication légitime conférait une forme de pouvoir, et avant la réunion, Lowell hésitait à choisir l'attitude adéquate : passer un savon à l'employée ou se montrer magnanime. D'humeur désinvolte, il tapotait le sol des souliers roses qu'il avait choisi de porter, pendant que Packer le faisait attendre à la réception. À aucun moment, le secrétaire du recteur ne l'avait regardé dans les yeux, pas même quand ce jeune homme lui avait annoncé que le recteur s'apprêtait à le recevoir.

Ellen Packer était grosse. Pas potelée ou rondelette, mais carrément obèse genre : « Vous voulez ma photo ou quoi ? » avec une absence de remords telle qu'elle fit douter Lowell du résultat qu'il attendait de cette entrevue. Naturellement, jamais il n'utiliserait l'adjectif « gros » en société, qui, avec ses connotations péjoratives, avait rejoint les qualificatifs de race et d'orientation sexuelle, pas frais au possible, et d'ailleurs bannis du vocabulaire, point barre. Cependant, les changements des quinze dernières années ne relevaient pas d'une simple question de vocabulaire. Affalée derrière un bureau aussi massif qu'elle, Packer était d'une énormité qui relevait de l'affirmation politique. Depuis que les obèses étaient devenus majoritaires, les gens corpulents avaient subrepticement damé le pion à leurs contemporains plus chétifs. Car enfin, des mots comme « poids » et « densité » impliquaient importance et sérieux ; le *poids* d'un journal lui donnait de l'impact. Des gens comme Packer déployaient leur masse pour souligner qu'ils étaient des forces sur lesquelles on devait compter. Devant ses bras charnus et avachis qui tenaient son fleX, Lowell ne la plaignait pas : il était intimidé.

— Professeur Stackhouse, je ne vois pas ce que nous aurions à gagner à tourner autour du pot, annonça-t-elle après qu'il eut pris place dans le fauteuil redouté devant son bureau – il continuait d'être surpris par sa voix aiguë et musicale. J'aimerais vous remercier pour votre long dévouement à notre université, et j'espère que vous n'allez pas prendre les choses comme une expression du mécontentement de l'administration à l'égard de vos compétences en matière d'enseignement ou de recherche. Mais je suis au regret de vous annoncer que nous allons devoir mettre un terme à votre contrat.

Lowell était si abasourdi que sa protestation fut émise une fraction de seconde trop tard.

— C'est impossible. Je suis titulaire.

— Tard hier soir, le conseil a voté la révision des statuts de Georgetown. À compter de ce mois de septembre, l'université ne compte plus de postes de titulaires, et tout précédent engagement à proposer ultérieurement un poste permanent est annulé lui aussi. Les salaires du corps enseignant constituent une proportion inacceptable du budget de l'université.

— Mais la titularisation est le garant de la liberté d'enseigner…

— La titularisation est un anachronisme, le coupa-t-elle. Vous pouvez me citer une autre profession offrant ainsi un emploi à vie ?

— Il existe des procédures pour destituer un professeur de son poste de titulaire, rétorqua Lowell en s'efforçant de canaliser sa colère pour l'empêcher de virer à la plainte sacrificielle. Ces procédures sont complexes, et impliquent autre chose qu'un seul et unique rendez-vous dans le bureau du recteur. En outre, elles sont rares, et concernent le plus souvent des accusations pour harcèlement sexuel ou insensibilité raciale. Accusations dont je n'ai jamais fait l'objet – à moins que vous ayez d'autres *nouvelles réjouissantes* à me communiquer.

— Portez plainte si ça vous chante, répliqua-t-elle d'un ton détaché.

Elle avait dû avoir cette conversation plusieurs fois avant leur rendez-vous de 16 heures.

— Cela dit, dans votre situation, ajouta-t-elle, j'y réfléchirais à deux fois avant d'engager de quelconques frais juridiques. L'université a également consulté ses avocats. Tout est carré. À l'heure actuelle, rien de moins que la survie de cette institution est en jeu. Si vous et vos collègues licenciés envisagez un recours judiciaire, gardez à l'esprit qu'il n'y aura peut-être plus d'université à assigner en justice à ce moment-là. Et vous vous assiérez sur d'éventuelles indemnités.

— Mais titularisation mise à part, il ne s'agit ni plus ni moins que d'un licenciement abusif.

— Le licenciement abusif ne s'applique pas quand le poste que vous occupez n'existe plus. Officieusement, je vous concède que, en dehors de l'acception juridique, la perte de votre emploi est injuste. Mais dans cette ville, ce type d'injustice, on en voit à tous les coins de rue.

— Compte tenu de la nature des événements, je suis sidéré que vous renvoyiez quelqu'un du département d'*économie*.

— Je suis sensible à l'ironie de la situation, rétorqua-t-elle platement. Mais si votre discipline était une science plus exacte, la nature des événements pourrait être tout autre.

— Ce n'est pas parce que cette discipline compte quelques hurluberlus que nous sommes tous à côté de la plaque.

Sa remarque était une petite pique trop tentante pour la laisser passer.

— D'ailleurs, à ce propos, auriez-vous l'obligeance de me dire quels sont les autres enseignants de mon département que vous mettez à la porte ?

— Je n'y suis pas autorisée. C'est une information confidentielle. Mais j'imagine que ça se saura très vite.

Elle énuméra à toute allure les noms d'une poignée de ses collègues. C'était la moitié du département. Mais c'est surtout l'absence de certains noms qui frappa Lowell.

— Vous gardez Mark Vandermire ? Ce populiste imbécile doublé d'un fouteur de merde !

— Je ne compte pas justifier chacune des décisions difficiles que nous avons dû prendre. Mais avec la réquisition de l'or et l'accord sur la dette avec la Chine, les recherches du Pr Vandermire sur les métaux précieux continuent d'être pertinentes.

— Autrement dit, l'idéologie a bel et bien joué un rôle dans ce jeu de massacre. Elle est belle, la liberté académique.

Packer fit défiler son fleX.

— Avez-vous ou non affirmé dans un article que les États-Unis pourraient « gérer facilement » une dette nationale de 290 % du PIB, qui, à ce train-là, aurait été celle atteinte à l'horizon 2050 ? Ou que la Réserve fédérale avait en fait « sous-utilisé » la politique monétaire, qui pourrait se permettre d'être « plus expansionniste » ? Que l'inflation était un « bien social » qui aidait les pauvres en soulageant l'endettement, et qu'une « monnaie saine » n'était qu'un « fétiche de riches » ? Je ne suis pas sûre que mes voisins, qui sont loin d'être des nantis, soient d'accord avec vous.

Pas maintenant qu'ils doivent payer vingt dollars un paquet de Michoko.

— Ce petit florilège est l'œuvre de Vandermire, je me trompe ?

C'étaient les mêmes citations que cette fouine de Vandermire reservait à Lowell depuis des mois.

— Qu'importe, je maintiens chacune de ces affirmations, puisque ce désastre n'a rien à voir avec la dette nationale, ni avec la politique monétaire, mais tout, au contraire, avec le bancor ! En outre, qu'en est-il de Ryan Biersdorfer ? Cela signifie-t-il que vous le gardez, car l'université soutient sa conception selon laquelle l'effondrement économique que nous subissons est la meilleure chose qui soit arrivée aux États-Unis depuis le congélateur sans givre ?

— Entre nous, je trouve son iconoclasme trop radical. Mais son essai, *Les Corrections*, a beaucoup attiré l'attention à l'international, et pourrait peut-être l'aider à collecter à l'étranger des fonds pour Georgetown. Au moins, c'est une perspective positive qui semble rasséréner certaines personnes.

— Alors, c'est comme ça que vous choisissez désormais les enseignants ? Vous gardez ceux qui aident les étudiants à se *sentir mieux*.

— Je suis désolée, professeur Stackhouse, je n'avais nulle intention de m'impliquer dans les débats internes qui secouent votre discipline. Je pense que nous allons devoir mettre un terme à cet entretien.

Lowell sentit la panique le gagner. Il n'avait pas voulu que la conversation dérape vers la confrontation.

— Écoutez, et si j'acceptais une réduction de salaire ?

— Alors, je dirais que vous êtes en effet un piètre économiste. Ce pays a un taux d'inflation annuel de 80 % – et ce n'est que le taux *officiel*. La période n'est pas aux réductions de salaire, même si j'étais autorisée à proposer ce type d'option.

— Et qu'en est-il de mes retards de salaire ?

Lowell aurait pu s'inquiéter de passer pour un pleurnichard, mais dans son esprit s'étaient mises à hurler de multiples alarmes – le prêt de la maison, les enfants, et – nom de Dieu ! – la façon dont il allait bien pouvoir annoncer la nouvelle à Avery.

— Sur cette question, votre dossier est excellent. L'université fait tout ce qui est en son pouvoir pour régulariser la situation des enseignants dont elle est contrainte de se séparer.

Repoussant lentement et majestueusement son fauteuil, Mme le recteur se leva cérémonieusement.

— J'espère que vous êtes sensible au fait que je conduise en personne ces entretiens difficiles, alors que j'aurais pu déléguer cette tâche désagréable à un subordonné. Je souhaiterais aussi m'excuser d'avoir à vous demander de partir ainsi, à la dernière minute, juste avant la reprise du trimestre. Jusqu'au dernier moment, le conseil a espéré que les inscriptions d'étudiants asiatiques et indiens compenseraient la chute dramatique des admissions nationales. Mais les violences dans le centre-ville, souvent de nature raciste et abondamment relayées par les médias, ont entraîné une soudaine désaffection des étudiants étrangers, dont les frais de scolarité sont bien plus lucratifs pour nous. Ces étudiants privilégient désormais les campus satellites de l'Ivy League à Delhi, Pékin et Jakarta, où ils se sentent davantage en sécurité. Nos départements à l'étranger sont d'ailleurs les seuls de Georgetown à être bénéficiaires. Mais ces bénéfices ne compensent pas les pertes à Washington, parce que nous avons toutes les peines du monde à rapatrier les bancors. Ce que, plus que quiconque, vous devriez être en mesure de comprendre.

Et, sur cette seule et unique allusion à ses compétences, leur entretien prit fin.

9

Matières mortes

FLORENCE DARKLY CONSIDÉRAIT que le rapport de proximité qu'elle entretenait avec la pauvreté avait toujours frisé le simulacre. Tout au long des boulots minables qu'elle avait exercés et pour lesquels elle était surdiplômée, elle avait toujours su que, d'un claquement de doigts, elle pouvait faire appel au Grand-Homme. Son grand-père pouvait être pingre, mais il se montrait généreux lors des anniversaires et réceptif à l'idée d'effectuer de « bons investissements » si vos arguments étaient solides – c'était ainsi que Jarred avait fait l'acquisition d'une ferme en faillite dans le nord de l'État, ce qui commençait à paraître un poil moins saugrenu. Sans le Grand-Homme, elle n'aurait jamais eu de quoi financer l'apport de la maison, et, à Adelphi, elle mentait à ses collègues en prétendant être locataire. Au service de personnes nécessiteuses, Florence avait honte de ce passe-droit. Les avantages engendraient du décalage. Avoir accès à cette fortune, quand bien même limitée et à deux générations d'écart, équivalait à détenir des pouvoirs secrets. Et par nature, les super-héros étaient des êtres solitaires.

Mais, en juillet dernier, ses parents avaient organisé une conférence par fleXface, et annoncé simultanément à leurs trois enfants que Carter n'hébergeait pas le Grand-Homme et Luella chez eux à Carroll Gardens par simple désir de profiter le plus possible de son père pendant les dernières années de sa vie. Accueillant la nouvelle avec un sombre stoïcisme, Avery s'était fendue d'une brillante démonstration de sollicitude à l'égard de ses parents, les *véritables* victimes de la disparition de cette fortune. « Oh non ! Et ce ranch que vous vouliez acheter dans le Montana ? » (Avec son numéro, elle avait usurpé à Florence son rôle traditionnel de fille attentionnée. Et c'était un peu facile, pour Avery, de réprimer un « Merde ! Il n'y a plus qu'à s'asseoir maintenant sur cette extension de cuisine », compte tenu de l'aisance dans laquelle elle avait toujours vécu, et dont Florence pouvait seulement rêver.) Fidèle à lui-même, Jarred y était allé de son laïus habituel sur le gouvernement et la façon dont il dupait les honnêtes citoyens ; tu parles ! Sa ferme, il l'avait déjà, lui. Avec sa réputation de femme au grand cœur totalement indifférente aux richesses matérielles, Florence avait été la seule, pourtant, à s'en émouvoir véritablement. Quand même, quelqu'un se devait de faire remarquer que l'anéantissement de Dieu sait combien de millions avait bien quelque chose d'un petit peu déprimant.

Devenir soudain mortelle aurait dû donner à Florence le sentiment d'être plus proche des autres au sein de sa « communauté », laquelle n'avait jamais bénéficié du recours secret à un vieil homme pété de thunes habitant New Milford. Or elle éprouvait de la peur. Être dans le même bateau que tout le monde quand ce bateau coulait était d'un piètre réconfort. Tout ce baratin à propos de tendre la main – se tourner les uns vers les autres dans les moments difficiles – marchait seulement quand on se retrouvait *à tour de rôle* avec le canon d'un flingue contre la tempe. Il ne marchait pas quand la crise touchait tout le monde en même temps – à ce moment-là, ladite *communauté* s'atomisait en individus qui, tous au même endroit, voulaient et avaient besoin des mêmes choses, et envisageaient peut-être le recours à tous les expédients possibles et imaginables, y compris la tromperie ou la force, pour se les procurer. Tandis que le taux de criminalité urbain grimpait en flèche dans tout le pays, Florence en arrivait à s'étonner qu'il ait été un jour possible de se déplacer avec un portefeuille ou une jolie montre sur soi. Elle songeait au miracle de la civilisation, qui permettait aux gens de parader le soir avec des sacs de courses ou de jouer avec leurs clés de voiture sans se faire immédiatement agresser. Et prenez tous ces mendiants du centre de Brooklyn : ils continuaient de *demander*.

La véritable pauvreté, c'était faire ce qu'on devait faire et non ce qu'on avait envie de faire. Florence ne se montrait guère enthousiaste à la suggestion de son père d'accueillir chez elle sa tante à son retour de France, mais pendant ce temps, les prévisions de son fils Willing se révélaient justes : les taux d'intérêt des crédits immobiliers ne cessaient de grimper, et ses augmentations de salaire ne couvraient pas celles du coût de la vie. Chaque crochet par Green Acre Farm déclenchait un stress post-traumatique. Elle évitait de repasser pour économiser l'électricité. Pour espacer les douches, elle avait adopté de façon permanente le look pirate, avec un bandana dans les cheveux, qu'elle cultivait autrefois par affectation. Pendant un certain temps, Kurt avait conservé son emploi de fleuriste ; les dollars des touristes asiatiques affluaient dans Brooklyn, et grâce aux bouquets pour les restaurants, la boutique avait réussi à rester à flot. Mais les agressions et les assassinats racistes relayés par les médias décourageaient les voyageurs argentés, les restaurants connaissaient des difficultés, et le fleuriste avait fermé. Kurt n'avait pas réglé les deux derniers mois de son maigre loyer, et elle ne pouvait se résoudre à lui faire la moindre remarque. En outre, même dans l'hypothèse improbable où son locataire continuait de payer son loyer, celui-ci avait été fixé en 2027 et ne couvrait plus sa part des factures.

Elle allait devoir remplacer Kurt par un membre de la famille doté de « ressources ».

— Je ne sais pas, dit Esteban d'un ton calme, assis sur le canapé désormais rafistolé avec du chatterton. Kurt est un lèche-cul, mais au moins, il reste dans son coin. La famille, elle ne peut s'empêcher de fourrer son nez dans tes affaires. Je n'imagine pas ta tante s'installer au sous-sol et ne pas se plaindre des bruits de pas, de la télévision ou de nous entendre jacasser au-dessus de sa tête.

Esteban était très attaché au respect de la vie privé, maintenant qu'il traînait à la maison toute la journée. Au départ, quand il avait perdu son emploi à Over the Hill, il en avait presque ressenti du soulagement. Sur le seul et unique trekking dont il avait été le guide au printemps précédent, un banquier ruiné s'était jeté du haut des New Jersey Palisades, faisant une chute fatale de plusieurs centaines de mètres, avant de s'écraser au sol dans un craquement sinistre en manquant la rivière Hudson. Comme les cas s'étaient multipliés de clients âgés qui, ayant tout perdu, raclaient les fonds de tiroir pour s'en aller avec classe, les trekkings étaient devenus stressants. Chez les clients âgés, l'éventualité de chutes accidentelles en montagne était déjà suffisamment élevée sans qu'il faille en plus s'inquiéter que lesdits clients décident de se jeter délibérément dans le vide. Over the Hill avait acquis une mauvaise réputation, et aucune activité ne s'avérait économiquement viable avec une base de clientèle qui s'auto-éliminait – surtout quand lesdits clients étaient à la fois suicidaires et fauchés.

Par la suite, Esteban avait un peu travaillé en cuisine à Manhattan, dans des restos prisés des étrangers à la recherche de bons plans, et qui déboursaient moins pour des entrée-plat-dessert que pour un soda chez eux. (Concernant les actes de violence, selon les rumeurs, certains avaient été provoqués par des touristes indélicats, passablement imbibés, beuglant des variantes sarcastiques de « La Bannière étoilée » sur la Sixième Avenue.) Esteban détestait ce travail ; sa communauté avait eu sa dose d'assiettes salies de bolognaise, et ce boulot minable et invisible prenait des allures de rétrogradation générationnelle. Mais il détestait plus encore l'inactivité. Il avait fait le pied de grue à des coins de rue pour des missions à la journée, comme son père avant lui, mais la concurrence était rude, y compris du côté des gringos, et quand les contremaîtres d'entreprises du bâtiment venaient faire leur marché, il était rarement choisi. Car il n'avait plus la servilité, l'attitude du « prêt à tout pour des clopinettes », caractéristique de la génération d'immigrants de son père. Il se tenait trop droit. Il regardait les gens dans les yeux. Il donnait de lui l'impression d'un homme qui s'attendait à être payé le prix convenu au départ et qui n'hésiterait pas à se rebiffer s'il était traité de manière injuste. Qui aurait embauché pareil ouvrier ?

— Ma tante est, ou était, auteure, et elle doit apprécier la solitude, dit Florence. Je ne la connais pas bien ; elle s'est installée en Europe à la fin des années 1990 et ne revenait aux États-Unis que pour la promotion de ses livres. Elle trouve révoltant que les écrivains ne perçoivent plus de droits d'auteur, et elle est en grève depuis une dizaine d'années ; même mon père ne croit pas qu'il s'agisse du syndrome de la page blanche. Elle a fait un crochet par New York pour le principe il y a trois ans environ, tu dirigeais un trek à ce moment-là. Willing et elle ont fait une grande balade dans Manhattan, juste tous les deux – ce qui m'avait surpris, car mon père répétait sans cesse que Nollie « détestait les enfants ». Il y a toujours eu des frictions entre mon père et elle, mais moi je l'ai toujours trouvée plutôt cool – *fraîche* – quand j'étais gamine. Mon père était de nature prudente ; Nollie, elle, osait tout. Insolente, téméraire, vivant toujours des histoires d'amour torrides qui se terminaient dans des grands cris et beaucoup de vaisselle cassée. C'était une vraie bombe. Sportive. Mais elle doit avoir quoi… soixante-treize ans maintenant ? Pas le genre de femme qu'on imagine avoir soixante-treize ans.

— Après Over the Hill, je peux tout à fait imaginer quelqu'un de soixante-treize ans, répliqua Esteban. D'ailleurs, pour moi, tout le monde est juste *pré-vieux*.

— Moi aussi ?

— Je continue d'attendre que tu aies seize ans – il l'embrassa –, pour ne pas être accusé de détournement de mineur. Bon, t'es sûre de vouloir échanger un lèche-bottes timide et réglo contre une vieille folle que tu n'as quasiment pas vue depuis tes douze ans ?

— Je ne *veux* personne dans cette maison à part nous trois. Mais on a besoin de cet argent.

Elle redoutait de mettre Kurt à la porte. Quand elle avait pris un locataire, elle ignorait que, pour des propriétaires qui avaient une conscience, la location s'apparentait davantage à de l'hébergement en famille d'accueil qu'à une entreprise. Elle ne supportait pas l'idée de mettre dehors quelqu'un qui n'avait nulle part où aller.

Le lendemain soir, s'armant de courage, elle frappa délicatement à la porte du sous-sol. Elle n'avait pas croisé Kurt depuis son premier arriéré de loyer. Il devait être mortifié.

— Je peux descendre ?

— Bien sûr, tu es chez toi, Florence !

Arrivée au bas des marches, elle l'aperçut fourrer fébrilement une paire de chaussettes dans le panier à linge.

— Je suis grave désolé, si j'avais su que tu venais, j'aurais rangé.

— Rangé quoi ? demanda Florence en balayant du regard son domaine où régnait un ordre germanique.

Le lit était dans un coin, fait. Le tapis, fin, avait une nuance de bleu délavée assez curieuse et un peu déprimante, mais il était dépourvu de la moindre tache. Si on apercevait quelques miettes éparses sur le comptoir à côté de la cuisine, c'était uniquement parce que toutes les autres surfaces étaient immaculées.

Suivant son regard, Kurt se précipita pour éponger le comptoir.

— Désolé, répéta-t-il encore. J'apprends à faire des tortillas.

Drôle de plainte pour un propriétaire, mais le sous-sol était trop propre, songea Florence. À l'exception d'un sac de farine de maïs et d'une salière, les étagères du coin cuisine étaient vides. Suivant son intuition, elle s'avança jusqu'au petit réfrigérateur, et effectivement, il ne contenait qu'une bouteille de jus de fruits remplie d'eau du robinet et un bout de feuille de margarine.

— Kurt, tu dois mieux t'alimenter.

— Tu sais, j'aime pas trop ça, faire les courses, et j'ai tendance à procrastiner.

Il avait maigri. Ses joues creusées combinées à sa dentition lui donnaient un air macabre.

— Et il fait froid ici ! s'exclama Florence. On est en novembre. Un peu de chaleur arrive de l'étage au-dessus, mais je t'ai dit de te servir comme tu voulais du chauffage d'appoint. Il est très performant, et on m'a assuré qu'il n'y avait pas de risque d'incendie avec. Et puis…, ajouta-t-elle en reniflant. Je ne veux pas te mettre mal à l'aise, mais il faudrait tirer la chasse.

Kurt s'empressa d'obtempérer en rougissant.

— Je sais, c'est juste que l'eau est…

— Chère, mais indispensable. Je t'avais dit que cette location était illégale, et c'est *moi* qui ne respecte pas la loi. Mais ça ne signifie pas que tu n'as aucun droit.

Kurt baissa la tête.

— Écoute, reconnut-il en regardant le sol. Je suis surpris que tu ne viennes frapper à ma porte que maintenant. Tu t'es montrée vraiment hyper réglo, t'en as fait beaucoup plus que ce que tu devais. Et j'ai cherché du boulot partout…

— Comme tout le monde, répliqua-t-elle d'une voix douce, en s'asseyant à la petite table en stratifié. Et comme ton travail chez le fleuriste n'était qu'un mi-temps, j'imagine que tu n'as pas le droit au chômage. Tu as de la famille ?

— On a plus ou moins coupé les ponts.

— Le problème, vois-tu, c'est que moi, j'ai de la famille. Ma tante, qui revient de l'étranger et qui a besoin d'un endroit où vivre.

Elle s'abstint de toute allusion aux « ressources » de Nollie.

— Je comprends immense, s'empressa-t-il de déclarer. J'aurai vidé les lieux d'ici demain. Et, promis, dès que j'aurai retrouvé une situation, je te paierai les arriérés de loyer…

— Mais tu comptes aller où ?

— Si jamais t'avais une bâche à me prêter… j'ai entendu dire que les campements dans Prospect Park sont maléfiques, s'écria-t-il avec un optimisme forcé. Tout le monde chante et joue de la musique, raconte des histoires. Comme à Woodstock ! Ça pourrait être une sacrée expérience. Quelque chose à raconter à mes petits-enfants.

Sauf que t'auras jamais de petits-enfants avec des dents pareilles, songea Florence.

— Ce n'est pas le son de cloche que j'ai eu de ces campements. Maléfique peut-être, mais plutôt dans son sens originel. Central Park est pire encore. Et l'hiver arrive.

— Il y a toujours… tu sais bien… les logements subventionnés par la ville… les logements sociaux…

— La liste d'attente avoisine le million de dossiers.

Florence, exaspérée de se trouver du mauvais côté de la conversation, s'efforça de retrouver à l'arraché le beau rôle.

— Mais il reste toujours le réseau des centres d'hébergement municipaux.

Elle avait beau avoir répété, sa suggestion était un peu déloyale. Les centres d'hébergement étaient submergés. Le matin, les files d'attente étaient aussi longues que celles devant les banques un an plus tôt. Adelphi essayait de faire passer le mot que toutes leurs places étaient occupées par des hôtes *de facto* permanents, même après que l'établissement avait doublé le taux d'occupation en forçant plusieurs familles à partager les mêmes petites unités – ce qui avait abouti à un scandale sanitaire qui n'aurait pas manqué d'être révélé dans l'ancien monde où il existait une presse d'investigation. Le personnel, qui ne pouvait veiller au respect de l'interdiction de nourriture dans les chambres, avait laissé tomber. Rats et cafards avaient envahi les couloirs. Les toilettes étaient bouchées. Les canalisations dégorgeaient. À la cafétéria, les portions repas étaient chiches. Des disputes éclataient à propos des petits pains. Pourtant, les demandeurs continuaient d'affluer. Même si leur profil avait changé. Les vêtements défraîchis étaient de marque. Les poussettes étaient grandes, avec des protège-pluie en plastique pour le mauvais temps et des poches latérales extensibles pour les achats et les collations ; les couvertures de bébé étaient en cachemire. Dans le passé, elles valaient des milliers de dollars, et de nombreuses victimes de saisie qui campaient, dépenaillées, sur le trottoir, s'étaient fait agresser et voler ce transport de luxe. Quand elle refusait ce type de personnes, Florence se prenait souvent des bordées d'injures, ainsi que des chiffres faramineux sur les sommes que ces gens avaient versées aux impôts. Si elle avait le malheur de les informer qu'ils devaient préalablement s'enregistrer auprès des services de santé du Bronx, ils ne voulaient rien entendre et refusaient de céder leur place dans la file. Elle était habituée à cette tendance qu'avaient les sans-abri de prétendre être d'anciens physiciens nucléaires – de temps à autre, ces récits lui avaient été servis par d'anciens scientifiques déséquilibrés, qui avaient souffert de dépression et ne s'en étaient jamais remis, mais le plus souvent il s'agissait de délires de mythomanes. Mais plus maintenant, la semaine précédente, ces nouveaux sans-abri étaient encore d'authentiques physiciens nucléaires. Ils étaient peut-être fous, mais c'était de rage.

Florence se leva, lissant ses cheveux. Kurt ne se le ferait pas dire deux fois : il s'en irait, ses maigres possessions dans de grands sacs en toile, direction le parc. Mais à la différence des centres d'hébergement, dans cette maison, il y avait de la place.

— Il y a bien le grenier, mentionna-t-elle d'un ton hésitant. Il n'est pas fini d'aménager, mais il y a assez de place pour un matelas et une commode.

— Oh ! Florence, c'est génial, et je te promets que je ferai si peu de bruit que tu ne te rendras même pas compte…

Florence leva la main.

— Ce n'est pas ce que je veux dire. Tu mesures combien ? Plus d'un mètre quatre-vingts, je me trompe ? Tu ferais une hémorragie en moins de cinq minutes. Je me disais qu'on pouvait peut-être y installer ma tante. Elle fait à peine plus d'un mètre cinquante. Et toi, tu pourrais rester dans le sous-sol. Mais seulement si tu me donnes un coup de main pour descendre tout le bazar, enlever la poussière et les crottes de souris, et rendre l'espace habitable. Et tu vas devoir faire de la place ici en bas, pour tout ce qui se trouve dans le grenier et qu'on décidera de garder.

En lui demandant un service, elle lui en rendait un. Kurt se mit à pleurer. Esteban allait la tuer.

— Autant d'années à Paris, et jamais je n'ai habité dans une mansarde, commenta Nollie d'un ton approbateur.

Rafraîchi, ses lambris baignés d'une lumière chaude et indirecte placée à un endroit stratégique, le grenier était douillet, même si la nouvelle arrivée était accommodante.

Petite et efflanquée, Nollie s'habillait comme une adolescente : vieux jean usé, Converse All-Stars rouges, T-shirt proclamant LIFE'S TOO SHORT TO DRINK BAD WINE, énorme blouson de cuir usé qui donnait l'impression d'avoir pas mal bourlingué. Ses cheveux noués en queue-de-cheval étaient trop fins pour être portés aussi longs. Sous les rides de son visage, il était facile de distinguer la jeune femme acerbe et insolente qu'elle semblait croire être encore. Ses gestes étaient abrupts, empreints d'autorité : elle avait l'habitude qu'on lui obéisse. Florence ne pouvait pas dire que son père ne l'avait pas prévenue.

La septuagénaire monta avec agilité les trois derniers barreaux de l'échelle, avant de jeter son blouson sur le matelas. Son débardeur révélait des bras dont Esteban se moquait à Over the Hill : filiformes et noueux, avec des muscles fluets durement gagnés mais mous, avec, sous les biceps, cette chair flétrie que les retraités auraient tout fait pour éviter. Debout au centre du grenier, les bras le long du corps, elle les ramena en arc au-dessus de la tête, manquant de peu les poutres.

— Ça le fait.

Florence n'avait pas compris.

Pour couronner le tout, Nollie était arrivée avec armes et bagages. Cela dit, si elle pouvait payer un supplément bagages, cela signifiait effectivement qu'elle avait des économies. Willing donna un coup de main pour hisser les valises par la trappe.

— J'ai apporté de petites choses pour le dîner, annonça leur nouvelle résidente en lançant un sac à Willing. Mais pour commencer, je dois le mériter. Me remettre du vol. Avec un sourire impatient, elle les chassa du grenier, avant de relever l'échelle.

Dans la cuisine, Florence déballa les généreux cadeaux : de la saucisse, du jambon de porc nourri au gland, de la viande de cheval fumée, des fromages français exotiques. De quoi faire un vrai festin.

— Putain, *qué es eso* ? s'exclama Esteban.

La charpente de la maison avait commencé à trembler : *poum, poum, poum*. Florence et Willing remontèrent à l'étage, les yeux fixés au plafond.

— Tu crois qu'elle fabrique quoi ? murmura son fils par-dessus le vacarme cadencé.

— Du bricolage, déjà ? suggéra Florence, perplexe. On dirait qu'elle tape sur quelque chose.

Haussant les épaules, ils redescendirent. Le raffut dura environ une demi-heure – une très longue demi-heure, d'autant plus exaspérante que ce vacarme était inexpliqué.

— Mon Dieu, murmura Florence. Qu'est-ce que je nous ai fait ?

Plus tard, Nollie redescendit, les joues rouges, vêtue d'une version plus fraîche du même uniforme bas de gamme ; elle aurait pu paraître en bonne forme pour ses soixante-treize ans à condition de s'habiller normalement pour son âge. C'était de la cécité générationnelle. Avec des fripes qui n'étaient pas à leur taille, les jeunes pouvaient donner une impression de classe ; Savannah, la nièce de Florence, aurait été sexy habillée d'un sac. Les générations précédentes avaient compris qu'après soixante ans, il était de bon ton de compenser la piètre apparence de son costume de naissance par des vêtements ayant le plus de classe possible. Grand-Mimi portait du brocart de soie, des bas et des escarpins chics pour aller à la poste. Mais pour la génération suivante, mal s'habiller relevait tout d'abord de la déclaration politique, ensuite de la nonchalance, puis, enfin, de l'illusion. Pour les retraités, la vieillesse était un autre de ces complots à dévoiler, à l'instar des Pentagon Papers.

Florence montra les victuailles.

— Nollie, c'est vraiment très généreux. Mais comment as-tu réussi à passer la douane ?

— C'est effectivement la croix et la bannière pour *sortir* quoi que ce soit des États-Unis, répondit sa tante. Mais on peut faire *entrer* ce qu'on veut ou presque.

Elle était passée avec trois bouteilles de vin rouge et une bouteille de cognac.

Ils avaient invité Kurt, déjà promu de pique-assiette au statut de membre de la famille. Il insistait pour donner un coup de main, ce qui pesait encore plus à son hôtesse, car avec un repas de charcuterie, il n'y avait rien à faire. Désormais, Florence ne travaillait plus seulement dans un centre d'hébergement, elle y vivait aussi.

Arrosé d'alcool, le dîner était animé ; Nollie présidait. Florence s'efforçait de savourer les opinions radicales de sa tante ; bientôt, elles pourraient perdre de leur fraîcheur. Elle commençait à sentir peser sur elle le poids de la véritable générosité, qui n'avait rien à voir avec la charité plus formelle qu'elle dispensait en échange de son salaire. La véritable générosité n'induisait pas de récompense. Elle nécessitait d'abandonner quelque chose qu'on chérissait et qu'on ne remplacerait pas. En l'occurrence, le sacrifice était celui de la vie privée, de l'intimité et du calme. L'adjonction de la vieille femme volubile et de l'ex-locataire obséquieux transformait radicalement l'atmosphère de son foyer, même dans le cas improbable où ces deux-là décideraient de la boucler. Pour la première fois, elle était mal à l'aise chez elle, et se sentait observée et jugée. Quand elle demandait tout bêtement à Willing d'aller chercher une serviette pour Nollie, elle sentait pointer sous les mots une once de fierté parentale : *Regarde comme j'ai bien élevé mon fils.* En dépit du style décontracté et « bonne franquette » du dîner, elle n'osait pas piocher franchement dans les assiettes de charcuterie et de fromage sur la table basse, et attendait, affamée, d'être sûre que ses invités aient eu suffisamment de prosciutto. Là résidait le plus gros changement : Florence vérifiait désormais que ce qu'elle faisait et disait était *poli* – assurément tout le contraire du concept « faire comme chez soi ».

— La dette nationale allait devenir un enjeu critique, c'était une question de temps, pérora Nollie, son troisième verre de vin à la main. Le plus difficile était de prédire quand. Sans compter que les prophètes trop en avance sur leur temps sont généralement tournés en ridicule. Prenez la population mondiale. Dans mon adolescence, le faible taux de reproduction de l'espèce allait soi-disant entraîner notre extinction. Aux dernières nouvelles, l'espèce humaine était toujours là. Nous frisons même les neuf milliards d'êtres humains – la population a triplé en soixante-dix ans. Et si les « hystériques de la surpopulation » avaient eu raison, mais simplement trop tôt ? C'est pareil avec la dette. Il y a vingt ans, les alarmistes écumaient à propos du surendettement. Rien de grave n'est arrivé non plus – jusqu'à l'année dernière. Vous avez entendu parler de la théorie de la complexité ? Elle aide à comprendre pourquoi tout peut aller très bien un long moment, avant de partir en vrille d'un seul coup.

— Quelque chose me dit que, même si on avait tous un doctorat en « théorie de la complexité », répliqua Esteban, vous vous feriez un plaisir de nous l'expliquer quand même.

Nollie était le genre de Mme Je-sais-tout qu'Esteban détestait. Après Over the Hill, il ne laissait plus rien passer à personne sous prétexte qu'il ou elle était âgé.

— En elle-même, la théorie de la complexité n'a rien de véritablement complexe, rétorqua Nollie d'un ton plaisant, sans mordre à l'hameçon. L'instabilité des systèmes augmente exponentiellement à mesure qu'ils se complexifient. En d'autres termes, ils déconnent de plus en plus, jusqu'à ce qu'un minuscule grain de sable vienne tout foutre en l'air.

Comme avec les châteaux de cartes : on ajoute la reine de cœur, et *vlan*, cinquante-deux cartes par terre. Ou des jongleurs qui jonglent parfaitement avec dix balles, mais font tout tomber si on en ajoute une onzième. Donner à manger, à boire et du travail à neuf milliards d'êtres humains, et encore plus à l'avenir, c'est le système complexe par excellence. Qui sait à quel moment un bébé de plus va foutre en l'air tout le système ?

— C'est absurde, décréta Esteban.

— Tant que ça ? rétorqua Nollie avec douceur. *La goutte qui fait déborder le vase*, c'est la théorie de la complexité en résumé. L'économie : même topo. Complexité extrême, instabilité extrême. Il ne faut pas grand-chose. Car l'autre règle, la voici : les systèmes complexes s'effondrent sur un mode catastrophique. Il suffit de regarder ce qui se passe dehors.

— Et on n'a encore rien vu, déclara Willing.

Tout le monde se tourna vers l'adolescent.

— Tu veux bien préciser ta pensée ? demanda Nollie.

— Non.

Les propos sibyllins de son fils étaient flippants, et Florence se sentit soulagée quand son fleX se mit à vibrer.

— Papa ! J'imagine que tu veux dire bonjour à Nollie. Elle est juste à côté de moi.

— Si tu veux, mais je voulais surtout savoir si tu avais des nouvelles de Grand-Mimi.

Son père semblait stressé. Comme d'habitude, en somme.

— Pas depuis un moment. Pourquoi ?

— Je n'arrive pas à la joindre. J'ai eu beau lui imposer le fleX, elle ne l'allume jamais. Ma mère est l'une des dernières réfractaires possédant encore une ligne fixe. Et elle ne décroche pas depuis des semaines. Elle est peut-être beaucoup sortie, et ne s'est pas rendu compte que le répondeur était saturé de messages. Sauf que, maintenant, la ligne est coupée.

— Elles le sont toutes plus ou moins. Le réseau n'est pas entretenu. Si j'étais toi, je ne m'inquiéterais pas trop. Elle a une auxiliaire de vie à demeure.

— Quand elle a emménagé, Margarita semblait énergique et capable, mais c'était il y a quinze ans. Ce n'est pas un perdreau de l'année.

— Si tu t'inquiètes autant, tu devrais peut-être faire un crochet par chez elle.

— Je ne peux pas, justement, et c'est bien le problème, répliqua son père d'un ton agacé. Tu n'as pas la moindre idée de ce à quoi nous sommes confrontés ici. Et quand je dis « nous », c'est purement rhétorique. Ta mère se barricade toute la journée dans sa « pièce au calme », et je dois la supplier de consentir à faire un peu de baby-sitting, le temps que je sorte acheter du lait quand on en manque.

— Le Grand-Homme ne peut pas s'occuper lui-même de sa femme ?

— Il n'est pas assez fort. Elle peut devenir violente. Et il est devenu terriblement passif. Sans investissements boursiers pour s'occuper, il a perdu toute son énergie. Il fleXe, se balade sur le Net, mais quitte rarement son fauteuil. On les a laissés seuls un après-midi, et, quand on est rentrés, on aurait dit qu'une tornade avait traversé la maison. Tu n'arrêtes pas de nous demander de venir dîner. À ton avis, pourquoi on n'a pas encore accepté ?

Florence s'éloigna discrètement dans la cuisine.

— J'ai un boulot à plein temps, et j'ai un enfant, un mari au chômage, ainsi qu'un locataire sans le sou, sans parler de ta sœur, qui, de ce que je peux en juger, prend beaucoup de place. Genre, toute la maison. Je ne vois pas bien comment je pourrais trouver du temps en plus pour m'occuper de quelqu'un d'autre. Et Nollie, elle ne pourrait pas passer la voir ?

— Bonne chance ! s'écria son père. Ma sœur et ma mère ne se sont pas parlé depuis trente-cinq ans.

Florence finit par lui promettre que quelqu'un passerait chez Grand-Mimi. L'appel se termina avant qu'elle se rende compte que son père n'avait pas demandé à parler à sa sœur. Depuis qu'il hébergeait son père et sa belle-mère, il bouillait de rage, et une partie de cette colère semblait dirigée contre sa sœur. Dommage qu'il joue les victimes. Ayant mis entre parenthèses sa propre vie pour s'occuper de ses parents vieillissants, il donnait de lui l'image d'un homme méchant.

Quand elle rejoignit le festin, Willing s'adressait à sa grand-tante avec une insistance troublante.

— Ça ne peut être la vraie raison. Tu ne quitterais pas la France uniquement parce que les gens ne t'aiment pas. Après tout, tu dois en avoir l'habitude.

— Bien vu ! s'exclama Nollie. En effet, j'imagine que ce n'est pas la seule raison. J'aime être là où les choses se passent. Je suis écrivain. J'aime les histoires.

— Maman dit que tu n'écris plus rien.

Elle sourit.

— On ne peut pas dire non plus que tu fasses de gros efforts pour te faire apprécier ! Quant à l'écriture, oui, j'ai arrêté ; je n'en vois plus l'intérêt. Mais c'est une certaine mentalité, qu'on garde.

— Il ne fait pas bon vivre aux États-Unis en ce moment, déclara Willing d'un ton morose. Tu aurais dû rester le plus loin possible d'ici.

— Je me suis expatriée longtemps, répliqua Nollie d'un ton pensif. Je me suis toujours dit que si je ne m'étais pas embêtée à demander la nationalité française, c'était simplement parce que je voulais m'épargner toutes ces tracasseries bureaucratiques. Quand le dollar s'est effondré, j'ai pris conscience que ma réticence à prêter allégeance à la France ne relevait pas que de la simple paresse. Ce qui est assez bizarre, car je ne crois pas aux vertus du nationalisme. J'ai toujours considéré le patriotisme comme une variation bête et méchante du cheerleading. Je n'ai plus beaucoup d'amis aux États-Unis, et je n'ai pas été réellement proche de notre famille. Mais j'ai senti qu'il fallait que je rentre au pays. Je ne peux pas m'empêcher de me sentir concernée. C'était insupportable, de suivre de loin tous les événements de l'année dernière.

— Tu es américaine, traduisit Willing.

— Aux yeux des Européens, je le serai toujours, et peut-être que je suis fatiguée de batailler contre ça.

Willing ne semblait pas trouver l'explication satisfaisante.

— T'es dingue, je crois, commenta-t-il en se coupant une autre part de camembert. Ce fromage ne va pas durer éternellement, alors, après ?

Le lendemain après-midi, en rentrant du travail, Florence trouva un grand fourgon garé en double file devant la maison. Un Centraméricain costaud déchargeait des cartons sur le trottoir, que Willing transportait à l'intérieur. À la lumière des réverbères, elle s'aperçut que tous étaient adressés à Enola Mandible, chez Florence Darkly. Avec, griffonné sur le côté du carton en haut de la pile : « MVT, poche – GB ».

— C'est quoi ? demanda Florence à Nollie qui surveillait les opérations. D'abord le fromage, et maintenant du bacon, de la salade, des tomates et du beurre de cacahuète ?

Sa tante eut un petit rire.

— *Mieux vaut tard.* Format poche, édition anglaise.

Florence ne l'avait pas lu. Dans son adolescence, tout le monde semblait lire le best-seller d'Enola Mandible à l'exception de sa propre famille. Au premier coup d'œil, MVT semblait constituer la plus grande partie de la marchandise : MVT, broché – portugais ; MVT, DRT – serbe ; MVT, club – flamand.

— Tu sais, avança prudemment Florence, cette maison est déjà bien remplie.

— Je n'ai pris avec moi ni les chaises ni ce genre de trucs, pas même tous mes vêtements. Mais je n'allais pas laisser les livres.

— Là-dedans, il n'y a que des livres ?

Florence n'en revenait pas que quelqu'un soit prêt à payer le transport d'objets aussi superflus. Son père l'avait régalée maintes fois de l'anecdote du Grand-Homme qui avait rangé tout le contenu de sa bibliothèque dans des cartons, dans l'espoir ridicule que son père stocke chez lui toutes ces expressions formelles anachroniques. Mais, alors qu'elle décodait les abréviations au marqueur noir – FV = *Famille virtuelle*, AR = *Avantage retour*, BAT = *Du berceau à la tombe*, TCA = *Le temps c'est de l'argent* –, elle se rendit compte, abasourdie, qu'il s'agissait de multiples exemplaires des mêmes livres, pour la plupart dans des langues que personne chez elle ne parlait, à commencer par Nollie, et que celles-ci les avaient vraisemblablement lus puisqu'elle en était l'auteure. La vanité dont témoignait le nombre de colis dépassait l'entendement.

— Tout va devoir tenir dans le grenier, déclara Florence, gênée de donner un ordre à une aînée. C'est tout l'espace qu'on peut mettre à ta disposition, j'en ai bien peur.

— Ça devrait aller, je crois. Laisse… je vais le prendre.

D'un geste possessif, Nollie intercepta un carton marqué *Matière morte*, le portant elle-même avec difficulté jusqu'en haut des marches. *Matière morte* étant le seul bon titre du lot, Florence était curieuse d'en savoir plus.

— C'est un terme technique employé pour désigner les manuscrits originaux et leurs différentes altérations jusqu'à la publication, expliqua Nollie. Un matériau d'une valeur inestimable pour les critiques littéraires, les biographes et les doctorants. Vendues à une bibliothèque d'université, ces versions pourraient valoir beaucoup.

Par miracle, Willing et sa grand-tante réussirent à entasser les dizaines de cartons en longues rangées serrées sous l'avant-toit, au grand dam de Florence, découragée de voir ainsi ruinés ses efforts de décoration, car la pièce se retrouvait de nouveau encombrée de bazar. Mais, plus encore, elle était alarmée par l'incapacité manifeste de sa tante à intégrer les événements qui s'étaient passés aux États-Unis. Celle-ci semblait avoir sacrément besoin d'ouvrir les yeux sur son pays natal – un pays dans lequel les « critiques littéraires » se résumaient à une poignée d'hurluberlus sur Internet qui condamnaient tous les pavés téléchargés par plus de dix personnes, ainsi que des écrivains autoédités qui parlaient de leurs œuvres sous des noms d'emprunt ; un pays où les gens étaient trop amers de devoir renoncer à leurs rêves pour lire des biographies sur des prédécesseurs chanceux d'avoir pu réaliser les leurs ; un pays où aucun étudiant boursier n'aurait gaspillé sa bourse dans une discipline aussi insignifiante que la littérature, tandis que les universités vendaient à tour de bras les bâtiments qui auraient pu accueillir, l'improbable cas échéant, les premiers jets faiblards de l'auteure vieillissante d'un seul et unique best-seller longtemps exilée en France.

Florence connaissait les épreuves que traversait sa sœur à Washington, même si elle avait un peu de mal à les prendre au sérieux. Avery avait toujours semblé mener une vie de rêve. Sa sœur cadette était mercenaire, matérialiste, conformiste, conservatrice, et ses opinions politiques n'avaient fait que se droitiser au fil des ans. Jamais elle n'avait semblé se tuer à la tâche, pourtant, le lait et le miel coulaient sans peine dans sa direction : maison de ville, voitures de luxe, dîners somptueux, trois enfants enjoués, débordants de talents artistiques, avec un écart d'âge parfait entre eux. Son activité thérapeutique de maboule avait été soutenue par un mari jouissant d'un solide poste universitaire dans une institution au cœur même de l'establishment washingtonien. Avery avait choisi la voie sûre, la route large et bien pavée.

Pour résumer, sa sœur était riche – dénomination indélébile dans le cercle de Florence, et qui privait ceux qui étaient ainsi consacrés de tout droit au pathos. Florence, elle, vivotait de mois en mois, mais des gens comme Lowell conservaient des espèces dans des bocaux disséminés dans toute la maison. Il avait peut-être perdu son boulot, mais des gens comme Lowell en retrouvaient toujours. Florence devait prendre sur elle pour réprimer la pointe de satisfaction qu'elle ressentait à l'idée que sa sœur, enfin, traverse des difficultés, elle devait déployer plus d'efforts encore pour intégrer le fait que ces problèmes étaient réels, considérables et insolubles.

— On vend la maison, annonça Avery sans même un bonjour.

La cargaison grotesque de Nollie venant d'être montée dans le grenier, Florence était agacée par le mode de communication direct de sa sœur sur fleXface. Elle mourait d'envie de lui raconter le culot hallucinant de leur tante, qui s'attendait à ce que ses documents soient achetés par une prestigieuse bibliothèque universitaire.

— Ce n'est peut-être pas une mauvaise idée de prendre plus petit, supposa Florence. Avec Savannah qui entre à l'université.

— Savannah n'entre pas à l'université.

— Je croyais que tu avais dit qu'elle avait accepté de reporter son admission.

— Le report d'admission est de la pure fiction. Et on ne « prend pas plus petit ».

À l'opposé de ses cogitations contemplatives d'autrefois, ses propos étaient devenus plus concis et déclaratifs.

— Quel intérêt, alors, de déménager si vous ne…

— Si on ne vend pas la maison, martela Avery, on sera saisis. C'est ça, l'« intérêt » de déménager.

La frustration manifeste de sa sœur fit craindre à Florence que la tendance à la raillerie dont elle était coutumière avec sa cadette ait pu contaminer leurs conversations, dans lesquelles jamais elle ne se serait attendue à voir surgir un mot comme « saisie ».

Perplexe, elle demanda d'un ton neutre :

— Alors, c'est quoi, le plan ?

— Heureusement, l'immobilier a pris de la valeur. Mais on n'a pas de fonds propres, autres que ceux générés par l'augmentation de la valeur immobilière, et une grande part sera saisie pour couvrir les arriérés d'intérêts.

— Mais vous pouvez utiliser cette plus-value comme apport pour quelque chose de moins cher, non ?

— Florence, tu le fais exprès ? On ne verse pas d'apport quand on ne peut pas obtenir de prêt immobilier !

Si elles s'étaient trouvées dans la même pièce, Florence aurait reculé d'un pas. Tout ce qu'elle disait semblait déclencher la fureur de sa sœur, et la question qu'elle s'apprêtait à poser n'allait pas arranger les choses.

— Pourquoi vous ne pouvez pas obtenir de prêt ?

— Je n'ai pas de boulot ! Mon mari n'a pas de boulot ! Nous n'avons aucun revenu autre que les allocations chômage merdiques de Lowell ! Quelle banque nous accorderait un prêt de, au hasard, un million de dollars ?

— Et toi, tu ne touches pas le chômage ?

— Pas en tant que professionnelle libérale ! Florence, il faut vraiment que tu commences à t'intéresser un peu plus à ce qu'il se passe autour de toi ! J'ai trois enfants. On se nourrit de pain de viande. Goog n'arrête pas de se faire tabasser à l'école. Il est pris pour cible, parce qu'il ne parle pas espagnol.

— Tu aurais peut-être mieux fait de l'encourager à apprendre...

— *Autrefois*, il n'y avait rien d'illégal à apprendre l'*allemand* à la place, la langue de *Goethe*, de *Günter Grass* et de *Bertolt Brecht*, qu'il s'avère en plus *aimer*. Et qui, soit dit en passant, n'est pas non plus enseignée à Roosevelt. De ce que je peux en juger, ils n'enseignent rien à Roosevelt, à part les paroles de « Guantanamera » et comment frapper un gamin sans l'amocher trop pour qu'il revienne le lendemain afin qu'on puisse lui faire subir la même chose.

Florence décida que le moment était malvenu de réagir aux insensibilités raciales de sa sœur.

— Mais vous pourriez louer pendant un petit moment, non ?

— Les propriétaires ne vont pas non plus s'arracher un couple sans emploi. À moins, peut-être, de montrer l'argent liquide qu'on a chez nous. Mais il ne ferait pas long feu, compte tenu des loyers actuels qui sont astronomiques. Ce serait mieux si on pouvait laisser passer l'orage, le temps que l'économie redémarre.

Prenant sur elle, Avery était revenue à un ton plus raisonnable, aux accents suppliants.

— Et où ça ? demanda Florence, circonspecte.

— Idéalement, en ville. Là où Lowell pourrait candidater à des ouvertures de postes en université.

— Quelles sont ses perspectives d'emploi ?

— À l'heure actuelle ?

En dépit de la rage qu'elle sentait monter en elle, Avery s'efforça de rester calme.

— Épouvantables. En fin de compte, je me suis rendu compte, non sans ironie, que les économistes étaient d'une piètre utilité *économique*. Et il n'est pas bon à grand-chose pour le reste non plus. Je dois tout faire. C'est moi qui ai trouvé un acheteur pour la maison.

— Qui peut bien avoir les moyens d'acheter une telle propriété, sauf à avoir magouillé avant le krach ? Selon certaines rumeurs, de gros entrepreneurs avec des relations au Congrès s'en seraient mis plein les poches.

— Tu m'excuseras si je ne marche pas à tes théories gauchistes du complot. Qui peut s'offrir une belle maison *américaine* ? Un type de Shanghai. Les Asiatiques rachètent tout. Pas seulement l'immobilier résidentiel, mais aussi des entreprises. Des monuments. D'un jour à l'autre, il faut s'attendre à se retrouver avec le Mao Monument en plein National Mall.

Florence soupira.

— À propos de théories du complot : papa dit qu'il s'est passé la même chose dans les années 1980 avec les Japonais – « Ces bridés sont partout, ils achètent le Rockefeller Center » –, et regarde où ils en sont.

— Florence.

Puis il y eut un silence. Préparatoire.

— Tu en penserais quoi ? Pour un petit moment seulement. Est-ce qu'on pourrait venir ? S'installer chez toi ?

Autre silence. De Florence, cette fois. Horrifié.

— On viendrait avec de l'argent, poursuivit Avery. On ne serait pas une charge. Et on pourrait contribuer aux dépenses. Et donner un coup de main sur d'autres choses. Tout est si bizarre, maintenant. On devrait peut-être se serrer les coudes. Nous soutenir les uns les autres, comme une famille. Florence. J'ai déjà demandé à papa si on pouvait s'installer à Carroll Gardens, et il a répondu... – elle s'étranglait, maintenant –... il a répondu non. Il n'a fait que pester contre Luella.

Le cerveau de Florence bouillonnait. Cet argent aurait été plus tentant si Nollie, le matin même, n'avait pas déposé discrètement une enveloppe de billets pour couvrir les dépenses.

— Mais cette maison n'a que deux chambres, et elle est déjà remplie de la cave au grenier. Avec un locataire qui n'a de locataire que le nom. Nollie... Vous n'êtes pas obligés de rester en ville, si ? Et Jarred ?

— Je lui ai déjà demandé, répondit Avery d'un air sombre. Il a dit que, si je lui avais posé la question au début de l'été, il aurait peut-être pu, mais là, il a embauché des ouvriers agricoles « temporaires », qui ne sont pas près de partir maintenant. Ils sont là avec leur famille, et tout. Ça avait l'air glauque. Comme si ce n'était pas lui qui décidait. À mi-chemin entre avoir des esclaves et être retenu en otage. Il m'a dit qu'il avait été jusqu'à les menacer d'une arme, et qu'ils lui avaient ri au nez. Ils savaient qu'il ne l'aurait pas utilisé. Je n'avais pas le cœur d'y envoyer les enfants même s'il dit que plus on est de fous, plus on rit. Je serais trop inquiète pour leur sécurité.

— Pourquoi ne pas se tourner vers la famille de Lowell ? Pourquoi en faire uniquement un problème Mandible ?

— Mes beaux-parents vivent aussi dans un endroit qui ne compte que deux chambres, à Fort Lauderdale. Dans lequel mon beau-frère, sa femme et leurs deux enfants viennent juste d'emménager. Ils ont été anéantis par la Dénonciation, grâce aux inestimables conseils en investissement de mon mari.

— Tu ne rends pas service à ton mariage en blâmant Lowell de la sorte, répondit Florence pour gagner du temps. Il n'est pas personnellement responsable du défaut de paiement de la dette nationale.

— Désolée, mais la tentation est assez irrésistible de s'en prendre à quelqu'un sur qui on peut mettre la main. À l'heure actuelle, prendre sur lui les péchés du monde est la seule fonction un peu constructive de Lowell.

De temps à autre, quand on est confronté à un enjeu énorme, par exemple celui de voir se transformer un petit cauchemar assez tranquille en une galère sans nom qui menace de nous engloutir, le cerveau se montre assez efficace.

— Écoute ! Pourquoi ne pas demander à Grand-Mimi ?

Le soulagement était si intense que Florence se sentit défaillir.

— Mais je la connais à peine…, répliqua Avery, hésitante. Elle a toujours été distante…

— Comme tu le disais, c'est un enjeu de famille, et il s'agit de se serrer les coudes. En plus, elle a deux chambres qui prennent la poussière. Elle a quoi… quatre-vingt-quinze ans ? Et à peu près toute sa tête. Elle doit bien se rendre compte à quel point les choses sont devenues difficiles. Ce n'est pas aberrant de lui poser la question, même si cela relève du cadre privé.

Peu à peu, en discutant de cette éventualité, les deux sœurs se détendirent. C'était un bon plan. Les Stackhouse devraient tout simplement se montrer discrets et respectueux. Margarita, l'aide à domicile, était une femme au grand cœur, une amie plus qu'une infirmière, qui comprendrait sûrement qu'il s'agissait d'une urgence pour la famille Mandible.

Mais quand Florence lança l'idée au dîner, Willing ne cacha pas son scepticisme.

— Pourquoi est-ce qu'elle accepterait ?

— Parce qu'elle fait partie de la famille, répéta Florence, avec une sentimentalité dont elle-même n'était pas complètement dupe. Il s'agit de sa petite-fille et de ses arrière-petits-enfants.

— Je n'ai pas l'impression qu'elle se sente le moindre lien envers nous. Elle m'a toujours regardé comme si j'étais un lampadaire.

— Willing a raison, approuva Nollie. Ma mère peut se montrer très froide.

— Elle ne me parle jamais, renchérit Willing. À part pour me dire des trucs comme : « Tu veux un biscuit ? »

Grand-Mimi s'acquittait de ses devoirs familiaux en organisant tous les ans un réveillon de Noël plutôt formel, et elle semblait toujours se réjouir de voir les enfants commencer à pigner auprès de leurs parents pour partir. Mimi peinait à s'intéresser à ses petits-enfants adultes ; alors, à ses arrière-petits-enfants, c'était trop lui demander.

— C'est peut-être mieux que je parte, déclara Kurt. Pour faire de la place aux membres de votre famille.

— Même si j'étais disposée à te jeter à la rue, répondit Florence, je ne vois pas en quoi ça m'aiderait de perdre un invité et d'en gagner cinq.

— En quoi ça *nous* aiderait, rectifia Esteban avec humeur.

Il avait toujours été susceptible sur l'emploi des pronoms personnels dès qu'il s'agissait de la maison dont l'acte de propriété restait au nom de Florence. Ajoutés à cela des dîners comptant deux personnes de plus dont il n'avait rien à faire, il était susceptible. Tout court.

— Nollie ? supplia Florence. Je t'ai dit que mon père espérait que tu puisses faire un crochet chez Grand-Mimi pour voir comment elle allait. Tu n'étais pas très emballée par l'idée. Mais maintenant, tu pourrais y aller avec une sorte de mission. Et surtout, pas en ton nom.

— Je serais le pire émissaire possible auprès de cette femme.

— Ta visite ferait très forte impression, insista Florence. Elle montrerait à quel point l'époque est exceptionnelle et qu'elle nécessite des mesures exceptionnelles.

Nollie se recroquevilla, mal à l'aise. Il était étrange de voir une femme de soixante-treize ans avoir peur de sa propre mère. Mais après la bonne dose d'exhortations manipulatrices à son « courage légendaire », elle finit par céder.

Mobilisée, Nollie s'était attelée à sa mission avec une détermination réaliste. Attachée à sa réputation d'intrépide, elle avait insisté pour prendre le bus jusqu'à la station de métro de Jay Street, bien que, à en juger par l'épaisseur de l'enveloppe qu'elle lui avait donnée la veille, elle aurait eu largement de quoi payer la course du taxi. C'était un samedi après-midi, et, en regardant partir sa tante à qui elle avait répété l'adresse détaillée, Florence s'était réjouie pour une fois du goût de sa tante pour les vêtements usagés. Les transports publics étaient risqués. Des baskets et un jean qui n'étaient pas de marque réduisaient les probabilités qu'elle s'attire des ennuis. Florence avait failli demander à Esteban de lui servir de garde du corps, avant de se raviser, craignant de se montrer condescendante. En outre, si la mère et la fille se lançaient dans une discussion à cœur ouvert, il risquerait de faire le pied de grue pendant des heures.

Or Nollie était revenue bien plus tôt que prévu. Pour le trajet du retour, cette fois, elle avait pris un taxi – dont elle était descendue tremblante, à regarder frénétiquement tout autour d'elle dans la rue tandis qu'elle empochait sa monnaie. Florence s'était détournée de la fenêtre au moment où Nollie était entrée dans la maison, s'empressant de tirer le verrou du haut et de mettre la chaîne. Sa tante s'était dirigée tout droit vers le cognac.

— Alors…, dit Florence, comment ça s'est passé ?

Nollie s'enfonça dans le canapé, les jambes repliées sous elle, les doigts agrippant son verre. Elle ressemblait à une enfant de six ans atteinte de progéria.

— Elle a été méchante avec toi ? Franchement, comment elle pourrait t'en vouloir encore pour *Mieux vaut tard* des dizaines d'années après ?

— Je n'en sais rien du tout, répondit Nollie, comme un robot.

Willing descendit et s'assit sur la troisième marche de l'escalier pour écouter.

— Tu es revenue super tôt, insista Florence. Elle n'était pas chez elle, c'est ça ?

— C'est ça.

La raideur de Nollie n'évoquait pas vraiment cette hypothèse.

— Tu serais... d'accord pour repasser chez elle ? Avery et sa famille doivent quitter leur maison dans les prochains jours...

— On ne peut pas y repasser.

— Nollie, qu'est-ce qu'il s'est passé ? Je dois te tirer les vers du nez !

Willing s'avança vers la porte.

— Elle aime les histoires, comme elle le dit elle-même. Et une bonne histoire, c'est justement *ne pas* raconter ce qu'il s'est passé. Quand on balance direct la fin, c'est mort.

Nollie jeta un coup d'œil à son petit-neveu.

— Je ne suis plus si sûre d'aimer les histoires. Les vraies. Peut-être que je n'aime que les fausses. Ou alors les vraies mais qui concernent quelqu'un d'autre que moi.

Willing se tourna vers sa mère.

— Tu vois ? Elle continue. Grand-père la traite d'« écrivaillon » qui a « cassé la baraque dans les cercles littéraires avec un seul et unique succès, à l'époque où il y avait des cercles littéraires ». Mais moi, je crois qu'elle est douée. Qu'elle a le coup de main.

Florence rougit.

— Nollie, s'il te plaît, ne prends pas mal les remarques de mon père. Willing tire ses propos de leur contexte.

— Je connais parfaitement le contexte, riposta Nollie. Je sais ce que Carter pense de mon travail. Et si ce n'était pas le cas, je serais contente que Willing me le dise.

Il semblait déjà exister une connivence entre eux deux, et Florence comprenait désormais ce qu'éprouvait parfois Esteban : de la jalousie.

— Continue, demanda Willing.

— J'ai été abasourdie par Manhattan, expliqua Nollie en avalant une bonne lampée. Tous ces mendiants. Et très agressifs, en plus. Menaçants. Quand je vivais sur Upper West Side, les clochards étaient fous. Maintenant, ils ne sont pas spécialement dingues, ils sont vindicatifs. Et c'est ce qui m'a surprise : la rancœur est pire que la folie. Les fous sont enfermés dans leur propre monde, et leur énergie tourne en rond, comme dans un mixeur. Mais cette agressivité-là, elle est comme une flèche. Dirigée contre les autres.

— Vous autres, vous êtes habitués. Mais moi… Ces familles qui campent dehors en plein cœur de Broadway. Toutes ces boutiques fermées. Des restaurants qui n'ont pas mis la clé sous la porte mais qui ne relèvent pas leurs rideaux. Les infos en Europe, elles ne parlent pas de ce que c'est, de marcher dans les rues ici. Moins New York que Lagos.

» Je suis descendue à la 79ᵉ Rue. Je pensais faire un crochet par Zabar, et arriver chez ma mère avec un morceau de sa morue charbonnière préférée en guise de gage de paix. Zabar est installé sur la 81ᵉ et Broadway depuis cent ans. J'y achète de la moutarde à l'ancienne et des éponges végétales depuis que je suis gamine. Mais le magasin a été vandalisé. Quelqu'un a tailladé sur le bois du comptoir : J'AI BOUFFÉ VOTRE SAUMON. J'ai trouvé ça presque spirituel. J'ai décidé de me passer de cadeau.

» Devant l'immeuble de ma mère, il n'y avait plus de portier. Heureusement que j'avais apporté les clés ; je les ai trimballées avec moi partout en Europe depuis 1996.

Nollie se tourna.

— Tu vois, Florence, je n'étais pas si opposée que ça à cette mission. Je ne me suis jamais résignée à ne plus la revoir. On est deux obstinées, qui ruminent leurs rancœurs. Mais je ne vois plus l'intérêt de cette dispute. Qui sait ? Il est peut-être possible de grandir encore, même à soixante-treize ans.

— Dans ce cas, il y a de l'espoir pour nous tous, commenta Florence.

— Le sol était recouvert de gravier. Les boîtes aux lettres étaient ouvertes. Dans la 58, il y avait un exemplaire coincé du *Foundation Journal*, mais le numéro datait de septembre dernier. L'ascenseur ne marchait pas, alors j'ai pris l'escalier.

Un type qui en descendait m'a bousculée durement, comme s'il le faisait exprès. Ses vêtements étaient négligés, à une exception près : un chapeau blanc immaculé. J'ai trouvé ça *bizarre*, parce que, quand j'étais gamine, mon père en avait justement un comme celui-là.

» Je tremblais quand j'ai sonné. Je n'avais pas la moindre idée de la façon dont j'allais être reçue, comme ça, à l'improviste. Je ne voulais pas risquer de provoquer chez elle une crise cardiaque. Et ça aussi, ça m'inquiétait : si elle n'avait pas décroché le téléphone à cause d'un problème de santé ?

— Si Grand-Mimi était à l'hôpital, intervint Florence, quelqu'un...

— Ce n'est pas à ce genre de problème auquel je pense. En fait, je n'avais pas seulement peur qu'elle continue de refuser de me parler. Ou qu'elle puisse être *souffrante*. Je sentais bien que quelque chose clochait. Quand j'ai sonné, le judas s'est soulevé. J'ai vu un œil. Ce n'était pas celui de ma mère.

— Margarita..., dit Florence.

— Le judas s'est refermé, et le cache a bougé, comme si quelqu'un le faisait tourner. Personne ne m'a ouvert. J'ai sonné de nouveau, et j'ai entendu rire à l'intérieur. Des voix jeunes. Puis l'homme que j'avais croisé dans l'escalier est revenu avec une bouteille de gin. Il m'a poussée de l'épaule en me demandant : « Y a un problème, m'dame ? » Il a sorti un jeu de clés. Je les ai reconnues. Accrochées à un badge de DONNEUR D'ORGANES. Ce devait être celles de ma mère. Ce type n'avait pas l'air d'un donneur d'organes, sauf peut-être s'il s'agissait de prélever les organes des autres.

— Elle a peut-être dû prendre des locataires..., suggéra Florence.

Nollie ignora la théorie farfelue de sa nièce.

— Je sais que je m'attire moi-même des ennuis. J'ai du caractère. Mon dernier ex, Gérard, me disait qu'il fallait que j'apprenne à me *maîtriser*. Il disait que je ne me rendais absolument pas compte que j'étais toute petite, âgée, et surtout, pas aussi forte que je l'imaginais. Il disait que je devais apprendre à me sentir *intimidée*. Mais ce n'est pas dans mes cordes. Alors, quand cet homme a voulu entrer dans l'appartement, j'ai demandé : « Où est Mimi Mandible ? C'est l'appartement de ma mère, et je dois m'assurer qu'elle va bien. » Il a répété : « Mimi Mandible », comme s'il s'agissait du nom le plus drôle et le plus bête qu'il ait jamais entendu. J'ai insisté pour qu'il m'explique ce qu'il faisait ici, et il a marmonné quelque chose comme : « Casse-toi, vieille conne. » Il m'a poussée, et je suis tombée.

— Tu vas bien ? demanda Florence.

— Courbaturée, mais rien de cassé. Alors que j'étais à terre, le type a soulevé son chapeau, singeant la galanterie, et a répété : « Mimi Mandible ! Mimi Mandible ! » avant d'entrer dans l'appartement. Personne n'avait jamais trouvé aussi hilarant le nom de ma mère.

» À ce moment-là, j'aurais dû partir, je m'en rends compte maintenant. Mais j'étais dans une telle colère ! L'appartement 58, c'est chez moi – et dans un sens, en avoir été bannie depuis plus de trente ans le rend encore plus mien. Je me suis dit que cet endroit m'avait déjà été pris une fois, et que deux fois, c'était inadmissible. Carter et moi, on a fait la course avec les autres gamins de l'immeuble dans ces escaliers. J'ai grandi derrière cette porte, et cet appartement est rempli de tout ce qui appartient à ma mère, ses bijoux, son parfum, ses magnifiques chaussures – et on fait la même pointure. Un jour, tout cela devrait me revenir, comme souvenirs de mon enfance et de ma mère. Pendant des dizaines d'années, je me suis accrochée à l'idée que c'était elle qui avait cherché la dispute, et qu'*elle me* devait des excuses. Après avoir vécu tant d'années avec papa, maman plus que quiconque devrait être à même d'apprécier l'importance d'un *livre*, et savoir que l'*art* doit passer avant les *sentiments*.

Si Nollie se moquait de quelqu'un, c'était avant tout d'elle-même.

— Mais soudain, tout cela m'est apparu vain. Même *moi*, je me fichais de mon livre, de tous les livres. Il fallait que j'entre dans cet appartement. Dans mon imagination, j'allais la sauver de cet horrible type qui se moquait de son nom, et elle s'accrocherait à moi, pleurerait de gratitude et me pardonnerait.

— Tu t'es servie de tes clés, devina Willing.

— Tout s'est passé très vite, mais j'en ai vu suffisamment – ce que je regrette. L'appartement ressemblait à un dépotoir monstre. Par terre, des ordures, des sandwichs tout durs, des seringues. Dans le couloir, quelqu'un qui dormait ou qui était défoncé s'était enroulé dans un des tapis persans de maman. Une fille, nue en dessous de la taille, est passée devant moi vêtue des lambeaux du vison de maman ; elle m'a fixée sans me voir. Il faisait un froid de canard, le chauffage ne devait plus fonctionner. Et ça puait ! Le service en porcelaine qu'elle avait reçu à leur mariage, le bleu sarcelle avec la bordure en argent, était brisé, il y en avait des morceaux partout. On aurait dit qu'ils s'étaient servis de la collection de vases de maman pour jouer au foot ; des débris jonchaient le couloir. Par l'entrée du salon, j'ai aperçu d'autres jeunes, la plupart dans les vapes. Le cuir crème était couvert d'un truc qui ressemblait à du vomi. Carter et moi, on se faisait sacrément remonter les bretelles si on avait le malheur de manger du chocolat sur ce canapé et ces fauteuils.

— Dis-moi que tu es partie sans demander ton reste, dit Florence.

— Je ne suis restée que quelques secondes sur le seuil. Puis le type au chapeau est sorti dans le couloir, il était en train de siffler la bouteille de gin. En me voyant, une lueur est passée dans ses yeux, et il s'est jeté sur moi. J'ai pris un morceau de vase à mes pieds – le vase Art déco avec les dentelures en cristal, que j'ai toujours trouvé laid –, et je l'ai lancé sur lui. J'ai seulement réussi à le toucher au genou, mais je crois qu'il a eu mal. Puis je me suis enfuie en courant. Quand Carter et moi on faisait la course dans ces escaliers, c'était toujours moi qui gagnais. Je ne me suis même pas retournée pour voir si le type s'était lancé à ma poursuite, et j'ai foncé vers Broadway et attrapé un taxi. Finalement, cinquante ans d'exercices de gym fastidieux servent à quelque chose.

Le récit, plus que la fuite, semblait l'avoir épuisée.

— On devrait appeler la police, dit Florence.

— Je l'ai fait, répondit Nollie d'un ton impassible. La répartitrice a promis d'envoyer quelqu'un, mais j'ai des doutes. Elle m'a avertie que les « incidents de squat » étaient monnaie courante, et quand je lui ai expliqué que ma mère avait quatre-vingt-seize ans, j'ai senti qu'elle se désintéressait de l'affaire. La police était « débordée », a-t-elle expliqué. Ils devaient « établir des priorités ».

— À l'école, déclara Willing, tout le monde dit que c'est du temps perdu que d'appeler la police. Leur préoccupation principale, c'est de se protéger eux-mêmes.

— Qu'ont fait ces gens de Grand-Mimi et de Margarita ? demanda Florence.

— Je préfère ne pas y penser, répondit Nollie.

— Mais déjà, comment des étrangers s'y sont-ils pris pour entrer ?

Nollie haussa les épaules.

— Ce ne doit pas être très compliqué de suivre deux vieilles femmes qui font leurs courses. Tu ne te sens jamais vulnérable quand tu introduis ta clé dans la serrure de chez toi ? Maintenant, moi, oui.

— Nollie a raison, approuva Willing. On ne peut pas y retourner. Pas sans arme.

— Willing ! s'écria Florence. Les armes sont interdites dans cette famille !

— Dans les années 1990, ajouta Nollie, j'aurais dû ravaler ma fierté et faire la paix avec ma mère. Je pensais que c'était une question d'intégrité artistique que de refuser de faire amende honorable à propos du roman qui m'avait rendue célèbre. Mais ce n'était que de l'obstination bête et méchante. La vérité est que le portrait que je fais de ma mère dans *MVT* n'a rien de flatteur. Je n'apprécierais pas non plus que quiconque écrive sur moi que j'ai le « sex-appeal d'un maquereau mort », et que tout le monde puisse le lire. Il n'aurait jamais fallu que je retire ce que j'avais écrit ; de toute façon, ça aurait été impossible. Tout ce que j'avais à faire, c'était m'excuser de l'avoir blessée, ce qui ne m'aurait rien coûté.

Elle se leva pour se resservir un doigt de cognac.

— J'ai fait une terrible erreur.

— L'erreur, répliqua Willing, a été d'y aller sans arme.

10

À rien malheur n'est bon

EN THÉORIE, AVERY ACCEPTAIT l'idée que, dans une situation d'urgence, les aspects matériels deviennent secondaires eu égard à la sécurité de sa famille. Dans les films catastrophe, les protagonistes ne tergiversent pas dans des immeubles en flammes en se demandant comment sauver le canapé. Pourtant, espérer d'elle qu'elle envisage avec le détachement le plus total d'abandonner un fauteuil d'une valeur de six mille dollars revenait à supposer qu'on puisse choisir l'option « changer de personnalité » dans les paramètres de son fleX.

Elle tournait en rond, ressassant les mêmes pensées. Impossible de débarquer dans le mouchoir de poche déprimant qu'était la maison de Florence avec un camion rempli de meubles haut de gamme. Il restait certes la solution du garde-meuble, mais le loyer mensuel viendrait s'ajouter à leurs charges. Elle avait entendu dire qu'une famille voisine, contrainte elle aussi de vendre à un bridé opportuniste – voilà, elle l'avait dit, ne serait-ce que dans sa tête –, était passée par tout le cirque du dépôt au garde-meuble, aussi éprouvant qu'un déménagement, pour finalement tout perdre par défaut de paiement du loyer mensuel dudit garde-meuble.

Les Stackhouse auraient pu organiser un vide-grenier géant ou contacter une entreprise de déménagement, mais la ville regorgeait d'objets de toutes sortes, si bien que c'était à peine un marché. Vos tables basses en bois de manguier ne trouvaient pas preneur, mais pour un sac de riz de deux kilos, les acheteurs potentiels se bousculaient au portillon. Dans les campements installés sur les rives du Potomac, les sans-abri dormaient sur des matelas de luxe Posturepedic récupérés sur des trottoirs. La gnôle se faisait rare ; en revanche, on n'avait que l'embarras du choix parmi les verres et coupes Waterford en cristal taillé ; dans les immenses marchés aux puces apparus aux quatre coins de la ville, des services entiers en cristal partaient pour dix dollars. Autrefois, Belle Duval avait longuement réfléchi au paradoxe déconcertant de la richesse, à savoir que, passé le seuil étonnamment bas des besoins vitaux, « il n'y avait pas grand-chose à acheter ». Néanmoins, ce paradoxe n'avait manifestement pas prémuni les nantis contre une fièvre acheteuse, et les villes américaines croulaient sous les déchets de luxe, ce qui tendait à valider le principe suivant : si ça ne sert pas à vous couvrir le corps ou à vous protéger des éléments, c'est de la daube.

Dès lors, la seule option intelligente était d'accepter l'offre dérisoire que leur avait faite leur acheteur pour le « contenu », d'autant que l'agent immobilier les avait prévenus qu'ils risquaient sinon d'avoir à s'acquitter d'une taxe pour l'enlèvement de leurs biens personnels. D'un point de vue émotionnel aussi, il était plus facile de tout abandonner que de décider laquelle des deux tables basses garder. En outre, partir en tirant simplement la porte derrière soi épargnait aux enfants un « choix de Sophie » sur leurs affaires, et elle avait réussi à vendre à Bing l'idée qu'ils partaient pour une sorte d'« aventure » – hameçon auquel les deux autres, hélas, étaient trop vieux pour mordre.

Cependant, une fois acceptée l'inéluctabilité de cette dépossession quasi complète, Avery s'était sentie étonnamment puissante – non seulement plus légère et moins encombrée, mais forte, comme si elle était capable de retourner à tour de bras bureaux et lits, à la manière d'un survivant de tremblement de terre boosté à l'adrénaline. Elle percevait la double acception du mot « possession » : un objet qui vous appartient, mais aussi une sorte de spectre qui prend possession de vous. Avait-elle jamais possédé ces tables basses en bois de manguier, ou avait-elle été possédée par elles ?

Lowell, lui, était désespérant. Il se déchargeait de tout sur elle : jeter les produits ménagers à moitié pleins ; sélectionner dans un tiroir cinq paires de chaussettes sur trente. Se souvenir que, en dépit de ce bouleversement historique, ils étaient tenus de conserver pour raison fiscale sept ans d'archives financières. Résilier l'eau, le gaz, l'électricité. Réussir enfin à joindre l'Armée du Salut, pour s'entendre répondre que les organisations caritatives étaient submergées par les dons d'articles ménagers, et que leurs ustensiles de cuisine, outils de jardinage, linge de maison, décorations de Noël, ainsi que la plus grande partie de leur garde-robe, finiraient à la décharge. Trouver pour leur SUV la poignée de stations-service qui vendaient encore de l'essence sur le trajet jusqu'à New York. Pendant ce temps, son époux autrefois si raffiné s'était replié dans son bureau, en peignoir, et passait tout son temps à pianoter sur son fleX, affirmant à qui mieux mieux que quelqu'un se devait d'opposer un « contre-argument » à Ryan Biersdorfer et de « restaurer la confiance ». Mais un universitaire débraillé et sans emploi n'était pas en mesure de restaurer la confiance de quiconque, à commencer par celle de sa femme. L'heure n'était pas à l'*écriture*.

En définitive, Avery était étonnée de ne pas être plus bouleversée. Manifestement, la nécessité est mère de la réinvention de soi. Avery se réveillait tôt sans réveil. Les derniers jours sur la 36e Rue Nord-Ouest, elle était animée d'une détermination qu'elle n'avait jamais éprouvée à l'idée de dénicher les côtelettes de veau les plus goûteuses. Longtemps protégée du malheur par une activité libérale dans laquelle elle réussissait, et par un conjoint avec un gros salaire, elle avait l'impression d'avoir repoussé une couverture dans une maison surchauffée. Une douceur avait étouffé la plus grande part de sa vie d'adulte, et soudain, l'air froid de novembre lui mordait la peau. De nouveau, les choses semblaient avoir de l'importance. Par exemple, ce qu'elle faisait de son temps ou disait à ses enfants. Dès lors, on était en droit de se demander, tandis que les Stackhouse et consorts hésitaient entre retapisser le repose-pied en taupe ou en mauve, et que les gens défavorisés vivaient de vraies vies, prenaient de vraies décisions, avaient de vraies relations, pleines de tensions, de cris et de moments forts – si, en définitive, les pauvres n'étaient pas ceux qui, tout ce temps, ne s'étaient pas éclatés le plus.

Quand toute la famille descendit de la Jeep Jaunt dans laquelle elle s'était entassée (pour faire court, ils avaient dû vendre l'élégante GMFord Catwalk de Lowell), l'ambiance était joviale. Étreintes vigoureuses et salutations joyeuses rappelaient les visites passées, quand les enfants étaient plus jeunes et impatients de passer du temps avec leur tante et leur cousin à New York. Dès qu'elle eut serré sa sœur dans ses bras, Avery chassa de son esprit la pensée qu'ils n'étaient pas des invités mais des parasites à durée indéterminée. En outre, depuis son mariage avec Lowell, Avery était considérée comme celle de la fratrie qui avait la belle vie, si bien que l'inversion des rôles avait quelque chose de libérateur. Aussi loin qu'elle s'en souvienne, dans ce pays, une situation avantageuse avait toujours conféré un *dés*avantage social réel.

Ils portèrent leurs sacs jusqu'au sous-sol sombre, duquel un locataire désargenté avait été expulsé ; pour des raisons qui dépassaient Avery, celui-ci n'avait pas été mis dehors, mais s'était installé dans le salon au rez-de-chaussée. L'air était humide. Un matelas deux places était posé par terre, à côté de deux matelas pneumatiques une place. Le tapis – d'une nuance de bleu qui jurait avec tout – était aussi fin que du feutre. La salle de bains n'était pas équipée d'une baignoire. Un coin cuisine se composait d'un petit évier et d'une cuisinière, et d'un mini-réfrigérateur orné d'affreuses décalcomanies de marguerites blanc et jaune. La déchéance était vertigineuse, depuis la cuisine spacieuse aux panneaux de cuir à Washington, et son Mojo programmé pour préparer du poulet à la cacciatore. L'allégresse initiale d'Avery retomba.

Ce qu'elle s'efforça immédiatement de dissimuler.

— Vous voyez ? dit-elle d'un ton joyeux aux enfants, qui découvraient avec incrédulité leur nouvelle maison. Ça sera comme des vacances au camping.

— J'ai horreur du camping, dit Goog.

— Maman ! s'écria Bing en sursautant. Il y a plein de bestioles !

— Et ça pue, ajouta Savannah.

— Nous avons eu quelques problèmes d'humidité, concéda Florence d'un ton égal.

— Oh, ne fais pas attention à Savannah, dit Avery. Elle ne comprend pas que tous les sous-sols sentent un peu le renfermé.

— Pas le nôtre, répliqua Goog. Et en plus, il y avait une table de billard.

— Dommage que vous ne l'ayez pas apportée, fit remarquer Florence. Tu aurais pu dormir dessus.

Avery sentait chez sa sœur un flegme avéré, un refus nouveau de se laisser provoquer. Auparavant, Florence était plutôt à cheval sur ses principes. Elle avait mentionné être constamment « assaillie » dans le centre d'hébergement où elle travaillait, et, là-bas, cette façon de ne pas réagir à la provocation devait lui faciliter les choses.

— Le sous-sol a été traité contre l'humidité il y a deux ans, expliqua Florence à Avery. Mais quand j'ai essayé de contacter l'entreprise pour faire jouer la garantie de cinq ans, le site Web était hors ligne. L'entreprise avait fait faillite.

— Je sais, répondit Avery. J'ai failli emporter notre aspirateur robot. Mais la languette en plastique centrale est cassée, le fabricant a coulé, et impossible de se procurer des pièces détachées.

— La véritable tragédie de l'Amérique, déclara Willing depuis les marches menant au rez-de-chaussée.

Avec son inflexion neutre, impossible de savoir si c'était du sarcasme.

— La « véritable tragédie de l'Amérique », répliqua Goog, c'est d'atterrir dans ce trou à rats.

— Merci, dit Florence en jetant à un coup d'œil à sa sœur. Belle éducation, ma chérie.

— La tragédie, c'est de se retrouver à la rue, rétorqua avec vigueur Avery. Sans famille généreuse pour vous offrir un refuge.

— Si cet endroit est un « refuge », demanda Savannah d'un ton sec, à l'écart du reste de la famille comme une spectatrice indifférente, est-ce que ça fait de nous des réfugiés ?

— Oui, répondit Avery. Dans un sens, nous sommes des réfugiés.

— Sornettes, ma chère, la contredit Lowell depuis l'escalier extérieur, où il bataillait avec leur plus grande valise. Nous sommes aux États-Unis, pas au Yémen. Très bientôt, tu trouveras ridicule d'avoir tenu des propos aussi exagérés.

— Je ne comprends toujours pas pourquoi on ne peut pas louer un logement potable, gémit Goog. On n'est pas fauchés. T'as dit qu'on avait fait un bénéfice sur la maison.

— Aucun revenu, riposta Avery, égal zéro bail, zéro prêt. Ce que n'importe quel prodige de l'économie devrait savoir, au cas où je ne te l'aurais pas expliqué au moins dix fois.

Abandonnant leurs bagages, Lowell commença à explorer le sous-sol, sourcils froncés – vérifiant la stabilité d'une petite table, débranchant une lampe avant de la déplacer dans la pièce, tâtant, à genoux, le mur sur sa longueur.

— Chéri, dit Avery, qu'est-ce que tu fabriques ?

— Je cherche une prise. Je dois installer un espace de travail. Sur le trajet, quelques idées me sont venues que je dois mettre par écrit.

Avery s'efforça de tolérer la suffisance de son époux sur « son travail », une quelconque analyse économique vitale sans laquelle le monde s'écroulerait. Le monde s'étant déjà écroulé, sa tolérance s'était muée en mépris. Rétrospectivement, c'était plutôt gonflé de la part de toute la famille de se moquer sans grande subtilité de son activité de thérapeute en physiomental, qu'ils avaient tous qualifié de charlatanisme, alors que toute la discipline de Lowell avait été confondue comme une bien plus vaste supercherie ; au pire, les cures d'Avery se bornaient à promettre plus qu'elles pouvaient tenir, alors que la bande de charlatans de Lowell avait fait des ravages. Avery, elle, s'était chargée humblement de tout emballer et de tout nettoyer, d'apaiser toutes les angoisses et les indignations des enfants, de franchir tous les obstacles bureaucratiques pour la vente de la maison – tandis que Lowell était rivé, renfrogné, à son fleX, tapant avec frénésie sur son clavier, appuyant par intermittence et pendant d'interminables secondes sur la touche de suppression à droite, avec une expression mélodramatique de dégoût. Il suscitait chez Avery un souvenir déplaisant : elle à quatre ans, jouant avec le vieux coffre à activités de son père chez Grand-Mimi – à tourner une manivelle qui n'actionnait rien, un cadran de téléphone qui n'appelait nulle part, à ouvrir un tiroir vide et à remonter une pendule qui ne donnait pas l'heure.

— Lowell, tu as fermé la voiture à clé ? demanda Florence. Vous n'êtes pas seulement à New York, mais à New York puissance dix. On ne peut rien laisser sans surveillance.

Lowell soupira, avant de ressortir d'un pas traînant.

— Je crains que nous ne soyons à court de matelas, sans parler d'espace pour les installer, continua Florence. Aussi, j'ai pensé que Goog pourrait s'installer avec Willing à l'étage. Ce n'est qu'un lit une place, mais Willing est plutôt fluet.

— Oh, pitié ! s'exclama Goog. C'est tellement dépassé d'être homo. Je préfère encore dormir dans la voiture.

— Tu es d'accord, Willing ? demanda Avery, qui, connaissant les enjeux de territoire chez les adolescents, aurait pu s'abstenir de poser la question.

— Peu importe que je sois d'accord, répondit Willing.

Aussi embarrassant que cela puisse être, il avait raison.

— Désolée, mais cette maison n'est plus ce qu'elle était, dit Florence à sa sœur d'un ton calme. Je t'avais prévenue qu'on serait à l'étroit.

— C'est moi qui devrais m'excuser, marmonna Avery. En ce moment, ces gosses sont de vrais cacaviocs…

— Ils sont encore sous le choc. J'ai vu ça chez quantité de gens. Personne n'a jamais de problème pour grimper dans l'échelle sociale, et on a toujours l'impression qu'une amélioration de nos conditions de vie est méritée. Dans l'autre sens, ça n'a rien de naturel. En plus, ça semble injuste, et c'est ce qui est le plus toxique. Alors que toute une catégorie de personnes ont toujours eu la vie dure et que, pour elles, l'adversité est la norme. Ces gens ne pensent peut-être pas mériter les épreuves auxquelles ils sont confrontés, cependant ils les acceptent, c'est leur lot ; ils ne s'en prennent pas aux dieux. Mais je n'ai jamais rencontré quelqu'un dont la vie s'est soudainement dégradée qui pense avoir mérité ce revers de fortune. L'indignation, la consternation, la fureur, la toute-puissance… Les revers ne font jamais ressortir le meilleur chez les gens.

Lowell revint en secouant la tête.

— C'est hallucinant ! On nous a volé les *chips de maïs* !

— C'est quoi, ce boucan du diable ? demanda Avery ce soir-là, tandis que Florence remuait un plat de couscous sur la cuisinière.

— J'ai fini par lui poser la question, répondit Willing sur le seuil de la cuisine. Ce sont des jumping jacks. Nollie en fait trois mille par jour.

— Elle dit que ça lui prend en tout et pour tout trente-deux minutes, mais ça paraît interminable. Willing ? demanda Florence à son fils. On n'a pas assez d'assiettes. Je crois que Nollie en a monté une dans le grenier. Tu veux bien y aller ? Mais ne t'avise pas de l'*interrompre* avant qu'elle ait fini ses *exercices*. Je m'y suis risquée une fois. Je me suis fait incendier.

— Mais elle a soixante-treize ans ! s'exclama Avery.

— Tu sais comment sont les personnes âgées, rétorqua Florence, la tête baissée vers la planche à découper. Toutes cinglées. Même papa, qui, de journaliste paisible, s'est métamorphosé en fou homicide. Maman se barricade dans sa « pièce au calme », comme si la maison avait été envahie par Al-Qaïda. Luella poursuit ses velléités de décoration. La semaine dernière, elle a déchiré tout le papier peint dans la salle de bains à l'étage. Maman vient nous rendre visite demain soir en tant qu'« émissaire ». Sinon, ils devraient venir tous les quatre, et ce serait un « calvaire ». J'aurais été touchée si elle cherchait surtout à éviter de me déranger. Mais je crains qu'elle ait seulement voulu dire que ce serait difficilement gérable pour elle.

— Des nouvelles de Grand-Mimi ?

— Elle a été officiellement portée disparue, comme quantité d'autres gens.

La planche à découper requérait un niveau de concentration superflu pour sa sœur. Florence était une cuisinière experte qui aurait pu trancher des tomates dans son sommeil. Elle n'établissait aucun contact visuel. Avery se sentait mal à l'aise, et ne pouvait s'empêcher de soupçonner que tel était l'effet escompté, si ce n'est délibérément, du moins en raison d'une fureur que sa sœur ne savait comment contrôler. Avery avait le sentiment de déranger.

— Tu sais, dit Avery en effleurant la manche de sa sœur. Je suis désolée que les choses se soient passées ainsi.

— Moi aussi, répondit Florence. Mais c'est pire pour vous. Perdre tout comme ça.

Elle ne semblait pas sincère.

— Ce n'est pas comme si nous étions ici en visite, dit Avery, le regard rivé au sol.

— Non, en effet ! admit Florence avec un petit rire qui frisait le sanglot. Où est passée l'eau grise qui était dans l'évier ?

— Dans le récipient en plastique ? Je l'ai vidée. C'était dégoûtant.

— Tu n'aurais pas dû faire ça, lui reprocha Florence, les mâchoires contractées. C'est l'eau pour la vaisselle.

Auquel cas, Avery venait de sauver sa famille du choléra.

— Écoute... est-ce que je peux t'aider pour le dîner ?

— Esteban ! s'écria Florence, en ignorant la requête de sa sœur. *¿Mi querida ?* On ne tiendra jamais à huit autour de la table ! Il nous faut d'autres chaises.

— Je ne veux pas m'asseoir à la table des enfants ! gémit Bing depuis le salon.

Tous les enfants regardaient la télé, et une dispute avait déjà éclaté à propos de la curieuse prédilection de Willing pour les informations financières. Manifestement, les Stockhouse n'allaient pas passer beaucoup de temps dans ce sous-sol sinistre. Avery était contrariée d'avoir promis à Florence de faire le maximum pour ne pas la gêner. Elle ne voyait pas comment elle allait pouvoir préparer les repas familiaux dans cette dînette aux décalcomanies de marguerites. Pensée qui la poussa immédiatement à mentir :

— J'espère que tu ne crois pas que nous espérons que tu cuisines systématiquement pour nous.

— On va prendre les choses comme elles viennent, tu veux bien ?

Il irradiait de Florence une tension palpable, comme si sa sœur gardait pour elle quantité de choses, ce dont Avery, en l'occurrence, lui savait gré.

Heureuse d'avoir trouvé quelque chose à faire – Florence refusait-elle de lui déléguer la moindre corvée pour qu'elle ne se sente pas un peu moins inutile et ainsi moins redevable ? –, Avery proposa son aide à Esteban pour déplacer la table basse du salon, pièce qui heurtait son goût avec son mélange défraîchi de bric-à-brac de seconde main – lampadaires à franges, paniers, coussins en crochet ornés de petits miroirs, tapis orientaux aux couleurs passées. Cela n'aurait pas dû avoir d'importance – *seule comptait la sécurité de sa famille* –, mais la sobriété de son intérieur douillet et confortable, dont la décoration avait été soigneusement élaborée au fil des années, lui manquait. Cette pièce aurait pu sembler confortable si les affaires du pique-assiette, empilées dans un coin, ne lui conféraient pas des allures de vide-grenier paroissial, tout en donnant aux autres l'impression d'être des intrus dans le seul espace commun de la maison.

Ils placèrent la table basse dans la salle à manger à côté de la grande, avant d'y dresser trois couverts supplémentaires. Kurt et Willing se dévouèrent pour prendre les sièges pourris, et Savannah se joignit à eux en bout de table, afin d'être le plus loin possible de tout le monde. Avery se précipita au sous-sol pour annoncer que le dîner était prêt. Dans son bureau improvisé, Lowell, voûté sur son fleX, fit tout un cirque, et, prétendant devoir terminer un passage crucial, laissa tout le monde poireauter dix bonnes minutes, alors que le plat de couscous refroidissait.

Enfin rassemblés, les convives auraient pu se laisser aller à la jubilation propre aux réunions de famille, si la nature indéterminée de la présence des Stackhouse n'avait pas plané au-dessus du petit groupe comme une dépression atmosphérique – temps maussade et lourd doublé d'un ciel noir qui pouvait persister des jours durant avant de s'évacuer par le truchement d'un orage bienvenu mais violent. L'occasion était encore davantage faussée par la présence de l'excentrique locataire – ex-locataire –, qui parlait peu mais dont la gratitude était oppressante. Ces dents-là suffisaient à couper l'appétit à Avery. Pourquoi Florence ne s'était-elle pas débarrassée de ce type ? Soit sa sœur se laissait facilement attendrir, soit c'est l'image qu'elle se plaisait à avoir d'elle-même, et, le cas échéant, qu'elle faisait payer à tous. Sans ce profiteur qui n'était même pas de la famille, et si Nollie avait été plus raisonnablement orientée vers leur père que vers une nièce – Avery trouvait la vieille femme autoritaire et radicale dans ses opinions –, ils tiendraient tous autour de la table, Lowell et elle pourraient avoir un peu de calme et de tranquillité au grenier, et leurs enfants un espace à eux au sous-sol. Cette organisation était si réalisable qu'Avery sentit l'agacement monter. C'était à cause de ces rebuts sociaux que l'arrivée de sa famille semblait représenter une telle charge.

— Florence, ça a l'air délicieux.

Avery remua le contenu de son assiette en déplorant en son for intérieur l'absence de poulet. Elle pouvait faire abstraction de la carence en protéines, mais plus difficilement de l'absence d'alcool. Les deux bouteilles de vin que Lowell et elle avaient apportées étaient une contribution, et nullement les trois pains et cinq poissons censés nourrir les cinq mille hommes. Florence en avait versé le volume d'un dé à coudre dans les verres à jus de fruits des six adultes – ce qui n'était pas mieux que rien, mais pire que tout. La seconde bouteille avait été sagement rangée sur une étagère en hauteur.

— C'est trop épicé ! s'écria Bing. Je me suis brûlé la langue !

— Les jalapeños sont un petit plaisir pour l'occasion, dit Florence. On n'en achète pas beaucoup, seulement pour donner du goût.

— Quel bonheur de manger quelque chose d'un peu relevé ! déclara Esteban. Ce plat est maléfique !

— Maman ! gémit Bing. C'est comme si des diables attaquaient ma langue avec des fourches !

— Ici, on aime la nourriture épicée, résuma Willing d'un ton ferme, en soutenant le regard de Bing, comme pour lui dire : *C'est maintenant que commence cette phase de ta vie où tu n'auras ni toujours, ni souvent, ni peut-être même jamais ce que tu veux, et cette phase pourrait durer indéfiniment.*

Horrifié, Bing se recroquevilla sur sa chaise.

Arrivée à table avec son propre plat, Nollie parsema son assiette de flocons de piment. À son âge, elle aurait pu être au-delà de cette vantardise adolescente consistant à se faire passer pour plus robuste qu'on ne l'est. Dans son assiette, le couscous, rouge, semblait carrément immangeable.

— Ça fait beaucoup de gens à nourrir, Florence, déclarat-elle. Je vais peut-être devoir revoir le montant de mon obole et renflouer la boîte à gâteaux.

— Moi aussi ! s'exclama Avery. Ne crois pas que tu aies à porter seule tout ce petit monde.

— Quand j'étais enfant à Long Island, intervint Esteban, dix personnes seulement dans une maison de deux pièces, ça aurait été royal. Les cent mètres carrés en face de chez nous à North Bellport ? Ils étaient soixante-cinq là-dedans. Ils dormaient à tour de rôle. Chez nous, on n'était jamais moins de quinze.

— Donc, dit Nollie en hochant la tête, ce n'est pas nous qui avons assimilé les immigrés clandestins, mais les immigrés clandestins qui nous ont assimilés.

— Nollie, tu étais à l'étranger, murmura Florence dans le silence embarrassé, personne ne dit plus « clandestins » aujourd'hui. Ce n'est pas frais.

— De toute façon, je ne suis pas clandestin, répliqua Esteban. Je suis né au Brookhaven Memorial de Patchogue, dans l'État de New York. Je suis aussi américain que vous, *mi tía*…

— Et cela, grâce à notre généreuse Constitution, rétorqua Nollie, les yeux brillants – elle adorait déclencher des disputes –, en effet, vous l'êtes. Même si, pour un Américain, vous êtes plutôt susceptible.

Esteban décocha à la vieille femme un regard implacable.

— Heureusement que Florence est une exception. Sans elle, toute votre famille aurait un problème d'état d'esprit. À continuer de penser que vous êtes spéciaux.

— C'est tout ce pays qui a un problème d'état d'esprit, répondit calmement Nollie. Et c'est vous, les Hispaniques, qui avez marché à cette idée d'une Amérique prétendument spéciale. Ce n'est pas la faute de ma famille si vous vous êtes fait entuber.

— Si j'étais vous, je ne ferais pas si facilement une croix sur les États-Unis, lança Lowell. Tu as vu que le Dow

Jones est en train de remonter, Goog ? Qu'est-ce que je t'avais dit ?

— Il ne remonte qu'en dollars, répliqua Willing assis à la table basse.

— Et en quoi d'autre il est censé remonter ? railla Goog.

— Dans une économie hyperinflationniste…

— Oh là, tout doux, Willing ! s'exclama Lowell. « Hyperinflation » est un terme technique. Dans ma discipline, la définition de Philip Cagan est largement acceptée : au moins 50 % par *mois*. On en est très loin. Dans les années 1920, l'inflation allemande était de 30 000 %, et l'inflation serbe de *trois cents millions* de pour cent. Et en Hongrie, après la Seconde Guerre mondiale, elle était de *1,3 fois dix à la puissance seize* – littéralement inconcevable. C'est sans commune mesure.

— Désolée, murmura Avery à sa sœur. Je crois que ça manque à Lowell, de ne plus enseigner.

— Donc, dans une économie à *forte inflation*, rectifia Willing, et il était difficile de dire qui se montrait le plus condescendant, tous les actifs semblent prendre de la valeur, y compris les actions. Mais ces profits ne sont pas réels. En bancors, le marché continue de baisser.

C'était un peu méchant : Avery se réjouissait assez de voir son mari se faire renvoyer dans les cordes par un adolescent de quatorze ans. Il avait éduqué leur fils aîné pour qu'il soit un clone de lui, mais Willing n'avait pas mémorisé le même script. Évidemment, leur neveu n'avait sûrement pas la moindre idée de ce dont il parlait – des connaissances sporadiques pouvaient se révéler pires que la véritable ignorance, et il n'y avait pas zèle plus aveugle que celui de l'autodidacte –, mais il s'en tirait remarquablement bien à voler dans les plumes bien lissées de Lowell.

— Quand ton pays a sa propre monnaie, fiston, riposta Lowell, rien ne te force à évaluer les profits par rapport à une autre monnaie. C'est un système fermé.

— Si c'est un système fermé, c'est uniquement parce que les États-Unis ne participent quasiment plus au commerce mondial, rétorqua Willing.

— Nous sommes engagés dans un long bras de fer pour déterminer quelle monnaie régnera sur le monde, intervint Goog. C'est une épreuve de force entre le dollar et le bancor.

— Il est difficile de parler d'*épreuve de force*, fit remarquer Willing d'un ton calme, quand il n'y a pas de compétition. De deux ans l'aîné de son cousin, Goog n'était pas disposé à céder du terrain.

— Le dollar est une monnaie historique qui a stabilisé l'économie internationale pendant plus d'un siècle, *Wilbur*. Le bancor n'est qu'un concurrent parvenu dont les contraintes sont inapplicables parce que trop sévères. On doit seulement garder notre calme. Après tout : regarde ce qui s'est passé avec les *bitcoins*.

— *Historique* ? répéta Willing. L'*histoire* du dollar est celle d'une perte systématique de valeur. Une pile de papier contre des billets à ordre pouvant être échangés contre du blé, de l'or et des terres rares ? Je sais ce que je préfère avoir dans mon portefeuille.

— Ce serait un acte de trahison que d'avoir des bancors dans ton portefeuille, *Wilbur*.

Au départ, l'erreur de Goog sur le prénom de son cousin cet après-midi-là avait semblé affectueuse. Elle ne l'était peut-être pas.

— Le bancor va s'écrouler. Tu es le genre d'imbécile naïf qui s'est retrouvé avec des coffres de billets confédérés à la fin de la guerre de Sécession.

— Moi, naïf ? répliqua Willing en jetant un coup d'œil méprisant à Lowell avant de se tourner vers son cousin. *Qui habite chez qui ?*

— Les garçons ! s'écrièrent Avery et Florence simultanément.

Florence débarrassa les assiettes et Avery se leva pour l'aider. Elle était mortifiée de constater que ses enfants avaient à peine touché à leurs assiettes – et encore plus mortifiée de voir que sa sœur, au lieu de jeter les restes à la poubelle, les plaçait dans un contenant en verre au réfrigérateur. Ce n'était pas hygiénique !

Quand elles regagnèrent la salle à manger avec ce qui avait contenu plus d'un litre et demi de crème glacée, Goog et Bing n'auraient pas dû réclamer une troisième boule. Willing avait renoncé à sa part. Avery ne croyait pas qu'il n'en voulait pas. Un demi-litre de glace ne suffirait pas pour dix personnes.

Kurt, sérieux comme un pape, donnait son avis à Savannah :

— Tu vois, les républicains ne peuvent pas à la fois rejeter la faute sur des puissances étrangères hostiles *et* sur un président prétendument incompétent...

— On se fiche de ce qu'ils font, les républicains ! répliqua Savannah, au comble de l'ennui, ce qui se traduisait par sa posture avachie. C'est comme se soucier des zoroastriens !

— Vous savez qui ne peut vraiment pas se permettre de voir le Parti républicain disparaître de la surface de la Terre ? demanda Nollie. Les démocrates. Quand vous êtes en permanence au pouvoir, tout est votre faute.

Nollie assenait des verdicts avec l'autorité de ceux qui veulent avoir le dernier mot, ce qui donnait à Avery des envies de meurtre.

— On reconnaît aussi les avancées quand elles sont là, nuança Florence. Comme passer d'annuelle à mensuelle l'indexation des prestations de sécurité sociale sur le coût de la vie. Ça fait une différence énorme pour nos parents, et pour le Grand-Homme et Luella.

— Mesure que les républicains ont combattue bec et ongles, fit valoir Kurt.

— Les républicains veulent supprimer Medicare, rien de moins ! s'exclama Florence avec passion. Baisser les allocations chômage ! Diminuer le nombre de bénéficiaires de Medicaid ! Vous parlez d'un programme ! Pas étonnant qu'ils se soient fait laminer aux élections de mi-mandat.

Ainsi, Florence, l'ancienne militante, l'habituée des piquets de grève, était toujours là quelque part. Avery, qui en avait soupé des vaines vitupérations contre l'injustice, se promit de ne jamais leur avouer qu'elle avait déjà voté républicain, même si, en cet instant, elle devait se faire violence. En définitive, c'était peut-être une bonne chose que sa sœur ait rationné le vin.

— Ce sont encore et toujours les mêmes balivernes sur l'austérité prônée par le Parti républicain, intervint Lowell. Or c'est le moment de relancer les dépenses gouvernementales. D'investir dans les infrastructures, comme un second New Deal. De renforcer la base industrielle de l'Amérique et de réduire la dépendance aux importations.

Lowell aurait vraiment dû sortir davantage. Ses platitudes économiques habituelles étaient totalement déconnectées de la réalité : foules déchaînées sur le National Mall, campements sur le Potomac, files de voitures sur l'autoroute en direction de New York avec des matelas et des paquets de vêtements arrimés sur le toit, version contemporaine des *Raisins de la colère*. Avery avait la même impression en écoutant les conférences de presse de la Maison-Blanche. L'administration faisait ce qu'était censé faire le gouvernement américain, et tenait les propos qu'elle était censée tenir par la bouche de ses officiels, mais l'exercice semblait factice – avec la même application calculée que mettent les gosses à faire des gâteaux de boue.

— Au fait, tout le monde, ma mère est payée vendredi, annonça Willing. Ça signifie qu'on va faire les courses. Immédiatement.

— Pourquoi tant de précipitation ? demanda Lowell.

— Lors de sa prochaine paie, les prix auront augmenté.

— Deux semaines ne peuvent pas faire une si grande différence, protesta Lowell. Tu n'as pas l'impression d'en faire un peu trop, fiston ?

— Manifestement, commenta Willing, c'est tante Avery qui fait les courses dans votre famille.

— Tout ju-uste ! chantonna Avery. Et tout le re-este au-ssi-i !

— Les prix augmentent d'une semaine sur l'autre, expliqua Willing, et parfois même d'un jour sur l'autre. Et rien n'est prévisible. Certains produits n'augmentent pas, et puis, d'un coup, le prix des sacs congélation double. On n'en achète plus. On se sert de récipients en verre.

Pendant que Goog utilisait la salle de bains à l'étage, en premier puisqu'il était un invité, Willing en profita pour assembler les faits irréfutables comme des cubes devant lui : 1) Selon les coutumes de ce pays, dans la mesure où il continuait d'y prévaloir une quelconque culture unifiée, prendre soin de sa famille était une obligation. Les liens pouvaient s'être distendus au fil des ans, mais ils n'étaient pas encore rompus. 2) Que vous vous « aimiez » ou non était hors sujet. 3) Les Stackhouse n'avaient nulle part où vivre. 4) Le sous-sol ne pouvait pas contenir suffisamment de matelas pour les cinq membres composant cette famille. 5) Si tout le monde devait faire des sacrifices, Willing devait en faire lui aussi. En d'autres termes, qu'il trouve insupportable l'invasion de Goog dans son petit royaume au premier étage était hors sujet, au point que ce fait ne méritait même pas de se voir attribuer de numéro.

Que cette pièce soit « sa » chambre n'était que pure vanité, et il était peut-être trop vieux pour l'entretenir. Cette maison était la propriété de sa mère. Il avait l'autorisation de dormir dans cette pièce, et sa mère venait de donner la même autorisation à son cousin. Mais il tenait à cette porte qu'il pouvait fermer, autant qu'au protocole, quand bien même artificiel, stipulant que pour avoir le droit d'ouvrir cette porte, les autres devaient d'abord frapper. La solitude était essentielle pour ses recherches. Cela pouvait sembler prétentieux. Tant pis.

Son antipathie pour Goog n'était pas assez marquée pour réellement offrir matière à divertissement. Goog était rondelet. Pas gros, mais ses membres ne présentaient ni articulations, ni saillies, ni aspérités. Tout ce qu'il disait, il le tenait de quelqu'un d'autre. Ce qui faisait craindre à Willing que lui-même puisse aussi manquer d'originalité. Peut-être ne faisait-il que se distancier, par réflexe, d'un ado qui débitait tout comme lui des idées préconçues. Certes, Willing se targuait de *trianguler*. Mais même la triangulation aurait pu être aussi l'une de ces idées qu'il avait piochées ailleurs. Il allait devoir y réfléchir. Puis il y réfléchit. Pour finalement en conclure que l'époque étant ce qu'elle était, l'originalité n'avait pas la moindre importance.

Willing avait décidé de ne pas en vouloir à sa mère. Pour autant, il était incapable de souhaiter la présence de son cousin dans sa chambre du simple fait qu'une hospitalité joyeuse aurait été plus pratique. Les vêtements et les articles de toilette dans la valise ouverte n'avaient leur place nulle part, et créaient de la confusion dans un système parfaitement organisé.

Lorsque son cousin, d'un pas lourd, ressortit de la salle de bains en lui lançant un regard furieux, le plus dur à accepter fut la présence physique, quasiment mammifère, de son nouveau colocataire : la puanteur de ses chaussettes quand il retira ses chaussures, sa mauvaise haleine, car Goog était manifestement de ces imbéciles qui se brossent uniquement les dents le matin, l'aspect couche de son slip et l'obligation pour Willing de tourner la tête pour éviter d'apercevoir une touffe de poils derrière la braguette. La révulsion était animale. Willing avait la désagréable impression d'avoir échangé Milo contre un animal de compagnie plus gros et plus stupide, qui n'était même pas propre.

Willing était allongé, raide au possible, tout au bord du matelas, au-dessus du couvre-lit, avec sur lui un mince plaid pris sur le canapé du salon, abdiquant le reste du lit. Ils ne parlaient pas. Goog semblait s'en vouloir d'empiéter sur l'espace de Willing au moins autant que son cousin lui en tenait rigueur. Car Goog non plus n'aimait pas son cousin. Ce point commun pouvait-il constituer une base suffisante pour une relation fonctionnelle ? Willing se le demandait.

Quand, le lendemain matin, sa femme proposa leur première contribution au budget des Darkly, Lowell trouva le montant délirant. Soit, d'accord pour un geste exprimant leur gratitude, mais agir de manière à donner l'impression d'être exagérément redevables n'aurait pour effet que d'augmenter leur dette. De toute façon, il était bougon. Il avait mal au dos à cause du matelas trop mou, et ses draps six cent cinquante fils lui manquaient. Ici, les oreillers étaient plats. Ils n'avaient aucune intimité, et devaient porter T-shirt et boxer alors que lui dormait nu depuis ses douze ans, et avec des enfants agités somnolant des deux côtés, il se demandait bien comment Avery et lui pourraient faire l'amour. Au rez-de-chaussée, rien à manger à part des toasts – ni œufs, ni bacon, ni même un semblant de café, pas même un mélange d'orge à 90 %. Lui qui avait parfois du mal à tolérer la compagnie de sa propre famille, voilà qu'il se réveillait tous les jours avec l'impression de participer à une conférence chaotique à laquelle le tout-venant avait été convié. Il n'y avait pas assez de places pour s'asseoir. Dès lors, le « petit déjeuner » se résumait à faire le piquet dans la cuisine pour grappiller des miettes par terre. Il battit en retraite au sous-sol.

Le premier point de son ordre du jour concernait la poursuite de ses recherches d'un poste universitaire. Au départ, il s'était limité à la crème de la crème des universités, là où était sa place : les universités de l'Ivy League, naturellement, l'université de Chicago, Stanford, le MIT. Mais il allait devoir ratisser plus large, peut-être s'abaisser jusqu'à Emory ou Chapel Hill, où ils pourraient laisser passer la récession dans un bâtiment relativement confortable en dégustant un verre – et non un dé à coudre – de vin. D'ici peu, avec la réémergence de forces du marché fluides, les économistes keynésiens classiques seraient de nouveau en vogue. Il fallait restaurer une croissance stable et prévisible du PIB et dire au revoir à des thésauriseurs ringards comme Vandermire – qui, à l'heure actuelle, propageaient l'idée ridicule que s'accrocher à des bougeoirs comme moyen d'échange rationnel se justifiait par l'introduction du bancor – et incendiaires comme Biersdorfer, le prêcheur de l'économie, et ses « Repentez-vous ! ». Lowell rejetait les propos de son ancien recteur, qui avait dénigré sa discipline au motif qu'elle n'était pas une science « dure ». Mais la leur était dangereuse, et ses praticiens, en proie à l'hystérie, perdaient rapidement le sens des fondamentaux.

— *Quoi ?*

Avery croisa les bras devant son bureau de fortune.

— J'aimerais accompagner Florence au supermarché.

— Tu n'as pas besoin de mon aide pour porter des sacs si vous prenez la voiture.

— Certainement pas de tes bras musclés, répliqua-t-elle avec une pointe de raillerie. Tu dis que l'économie t'intéresse. Et tu as *aussi* dit que ce que j'ai proposé de donner à Florence était beaucoup trop. Alors, viens avec nous, ce sera un excellent *travail de terrain*.

— Peut-être une autre fois.

— Non, maintenant. Hors de question que je passe un jour de plus dans cette maison sans prouver qu'on va assumer notre part.

Devant son inflexibilité exaspérante, il céda. Il expédierait ces courses stupides en deux temps trois mouvements. Décidément, les femmes en faisaient parfois toute une histoire, de cette tâche banale qui consistait à remplir le frigo. Au moins, s'il les accompagnait, il s'assurerait qu'il y ait plus de vingt grammes de poulet au dîner de ce soir. Il pourrait prendre un pack de bières, et quelques bouteilles de viognier – mais si les six adultes avaient la même consommation moyenne que lui, il faudrait acheter une caisse tous les quatre jours. Ce principe de partage était totalement crétin. Il devrait demander à Avery de retourner seule au supermarché pour qu'ils se constituent leur stock personnel.

L'aspect le plus rebutant de ces courses était la perspective de se retrouver en compagnie de sa belle-sœur, qu'il ne connaissait pas assez bien pour décider s'il l'aimait ou non, et Lowell préférait que ces choses-là soient claires. En dépit de sa louable profession, Florence se montrait plutôt dure, ce qui la rendait difficile à cerner. Lowell établissait un lien vague entre bienveillance et stupidité, mais cette employée de centre d'hébergement qui avait gâché ses études en droit de l'*environnement* n'était pas le genre de chiffe molle gnangnan à laquelle on aurait pu s'attendre.

En revanche, après la conversation éprouvante du dîner de la veille, Lowell s'était forgé une opinion assez catégorique sur le fils de Florence – un avorton qui jouait les M. Je-sais-tout et qui s'était autoproclamé diseur de bonne aventure financier. Évidemment, comme Goog, ce gamin était précoce. Mais l'ayant été lui-même, Lowell n'était pas épaté outre mesure par des adolescents capables de réciter le tableau périodique des éléments ou quoi que ce soit d'autre. Au contraire : il les avait à l'œil. Précoce ne signifiait pas nécessairement intelligent, encore moins sage, et le contraire absolu d'informé – car plus on se targuait de savoir quelque chose, moins on écoutait et moins on apprenait. Pire, en s'appliquant, des jeunes moins doués rattrapaient, voire dépassaient souvent les prodiges au début de l'âge adulte, alors que pendant ce temps, le gamin qui n'avait aucun effort à faire n'était jamais confronté à la nécessité du travail acharné. C'est ce qu'il ne cessait de répéter à Goog, ou du moins ce qu'il n'avait cessé de lui rabâcher avant que son fils aîné soit tragiquement jeté aux *leones* à Roosevelt High.

Mais ce gamin, Willing, n'y était pas allé avec le dos de la cuiller côté conneries, et à moins que sa performance de la veille ait été une sorte de show ponctuel destiné à impressionner la famille en visite, Lowell en arriverait probablement à étrangler ce petit salopard avant la fin de la semaine. Il irradiait de cet ado une sorte d'inspiration divine, comme s'il était en lien psychique direct avec le défunt rédacteur en chef du *Wall Street Journal*. Inoccupé pendant qu'Avery donnait un coup de main pour débarrasser, Lowell avait eu le temps d'observer son neveu : il

268

était trop à l'aise quand il restait sans rien dire. Il avait tendance à fixer les autres, et n'éprouvait pas la moindre gêne quand on le prenait sur le fait. Il passait beaucoup de temps à ne rien faire – et ne semblait jamais perdu dans son propre monde, ni glander ; il était là, 100 % présent. Quand il ouvrait la bouche, comme lors du dîner où ils avaient partagé ce plat de couscous minable, il s'affirmait avec une fâcheuse assurance, nullement méritée, et il faisait preuve d'une obstination, d'une ténacité, qu'il tenait probablement de sa mère. Il avait été difficile à décontenancer, d'autant qu'il n'était pas porté sur les insultes ; ce n'était pas naturel pour un gamin de cet âge de cacher aussi bien sa susceptibilité. Car enfin, pour qui il se prenait, à balancer pareilles imbécillités sur l'économie ? Nul doute qu'on lui soufflait ce qu'il devait dire.

Lowell était donc terriblement agacé que ce blanc-bec les accompagne aussi.

— On a une liste ? demanda-t-il au volant de la Jaunt.

— Ça ne sert à rien, répondit Willing du siège arrière, bien que la question s'adresse à Florence.

— Il me semble qu'une liste évite qu'on rentre chez soi en se rendant compte qu'on a oublié le parmesan, fit valoir Lowell. Et cela permet de limiter les achats d'impulsion...

— Il n'y aura pas de fromage, prédit l'Oracle, comme s'il prononçait une incantation de l'Ancien Testament. Ça se conserve trop bien. Et il n'y aura rien d'autre que des achats d'impulsion.

— Avec toutes ces pénuries, expliqua Florence, une liste de courses finit par n'être qu'un rappel douloureux de tout ce qu'on voulait et qu'on n'a pas pu trouver.

Lowell n'en revenait pas que ce quartier soit considéré comme *hype*, voire hip hip hip hourra. L'architecture résidentielle des rues comptait parmi les plus laides qu'il lui ait été donné de voir : des blocs de brique rectangulaires et exigus, avec un revêtement en pierre, du papier goudronné qui gondolait, des portails en fer peint, des auvents en aluminium démontés, et des pelouses de la taille d'un plateau de jeu de société. Les gentrificateurs avaient poursuivi leurs extensions avec des vérandas à ciel ouvert, mais même une rénovation à grande échelle ne pouvait dissimuler la profonde beauferie qui constituait l'âme véritable du quartier. Les résidents d'origine savaient comment décorer leur home sweet home dans l'esprit d'East Flatbush : fleurs en plastique, nains de jardin, flamants roses et girouettes coq.

Au supermarché Green Acre Farm – assez mal nommé, car Utica Avenue était une sorte de terrain vague bordé de magasins de pneus et de garages, sans la moindre touffe d'herbe –, le parking était bondé, et Lowell eut de la chance de trouver une place juste au moment où un client partait. À l'intérieur, le supermarché ressemblait à un camp militaire où des puissances hostiles avaient négocié une trêve temporaire et fragile. Les clients agrippaient leurs caddies, prêts à les défendre bec et ongles, et ne les laissaient jamais sans surveillance, comme s'il s'agissait de transporteurs de troupes risquant d'être réquisitionnés par l'ennemi. Ils lançaient des regards obliques sans jamais se regarder, préférant détailler avec une absence totale de sans-gêne le contenu des autres caddies. Certains étaient recouverts de bâches, comme si le contenu des placards alimentaires relevait du secret d'État. Les clients, sur leurs gardes, parlaient à voix basse. Envoyés en éclaireurs trois rayons plus loin, les enfants exécutaient leur mission avec la gravité de soldats missionnés pour porter des messages codés jusqu'aux lignes de front.

— Regarde, Willing, ils ont des œufs ! s'exclama Florence à mi-voix. Vite !

Willing slaloma parmi la foule, avant de revenir, triomphant, avec une demi-douzaine d'œufs.

— On achète pour dix, objecta Lowell. On ne peut pas en prendre plus de six ?

— La limite est fixée à une demi-boîte par groupe de personnes, rétorqua Willing. Et ils sont sous bonne garde.

— Oui, d'ailleurs, c'est vrai, ça, pourquoi il y a autant de vigiles ?

Des employés en uniforme se trouvaient dans chaque rayon. Au grand étonnement de Lowell, ces hommes, costauds, étaient armés.

— Le taux de vol à l'étalage est hallucinant, expliqua Willing. À l'école, tout le monde se vante d'arriver à planquer des boîtes de haricots blancs dans la doublure de son manteau, en dépit des vigiles et des caméras.

Intrigué, Lowell s'éloigna pour explorer le lieu. Il était habitué à ces immenses supermarchés regorgeant de tentations du sol au plafond, où le principal défi était d'échapper au surstockage – vous aviez oublié que vous aviez déjà six boîtes de tomates pelées chez vous –, d'éviter les chips et le chocolat au risque de prendre du gras, sans oublier l'angoisse paralysante qui vous saisissait lorsque vous deviez choisir entre quarante-cinq saveurs de soupe. Mais ici, il manquait quantité de produits, certains rayonnages étaient vides. Avec à l'esprit la remarque de Willing sur le fromage qui « se garde trop bien », il se définit un ordre : légumes secs, céréales, surgelés et conserves – et plus spécialement celles contenant de la viande, par exemple du chili ou des saucisses viennoises – où les rayons étaient systématiquement dévalisés. Pour les produits disponibles – on ne s'arrachait guère le pamplemousse au sirop (19,99 $) –, la réimpression des étiquettes de prix devait être devenue trop compliquée, et sur nombre d'étiquettes, les prix avaient été rayés et corrigés au style bille au moins cinq ou six fois.

— C'est quoi, cette ruée sur les non-périssables ? s'enquit Lowell en retrouvant les autres. Tout le monde s'est cloné en Jarred et se prépare pour la fin du monde ?

— Le stockage compulsif a commencé, déclara Willing d'un ton pontifiant.

— Pourquoi tu dis ça sur ce ton ? lui rétorqua Lowell sans cacher son agacement.

— C'était inévitable. J'ai essayé de convaincre ma mère de commencer à faire des stocks il y a plusieurs mois déjà. Elle ne voulait rien savoir. Maintenant, c'est beaucoup plus dur d'acheter vingt sacs de farine. Il y a des règles. Non qu'on ne puisse les transgresser. Certains élèves de l'école passent leurs week-ends à écumer différents magasins dans tout Brooklyn, à acheter une boîte de ci, un pot de ça. C'est comme ça qu'on contourne les limitations.

— Willing, j'en ai assez de t'entendre rabâcher, le rappela à l'ordre Florence. Tu peux me dire ce qu'on aurait fait de vingt sacs de farine ?

— Tu aurais pu les échanger. Tu aurais eu du vrai argent. Qui vaut mieux que ton salaire. Tu aurais eu du pouvoir.

— Après le *flower power*, le *farine power*, railla Lowell, mais ni Willing ni sa mère n'avaient regardé suffisamment de documentaires sur les années 1960 pour saisir la plaisanterie. Tu veux dire que ces pénuries sont artificielles ? Il y aurait suffisamment à manger si les gens se contentaient comme avant d'acheter un seul pot de mayo…

Ils n'avaient pas les yeux sur leur caddie. Willing se retourna pour le surveiller, avant de se mettre à courir après un type, la cinquantaine, qui descendait l'allée à pas rapides, une boîte de Quaker Oats à la main. Willing se campa devant lui.

— Rends-moi ça, ordonna-t-il.

— Je ne sais pas de quoi tu parles, gamin, répondit le type.

— T'as volé ça dans notre caddie. C'était la dernière.

— C'est du vol seulement si je sors d'ici sans la payer. Pour le moment, ça s'appelle « faire ses courses ». Maintenant, dégage.

L'homme passa devant Willing et continua son chemin.

— Alors, comme ça, on vient de franchir un autre Rubicon, commenta Florence. Avant, la honte était un garde-fou.

Lowell aurait probablement dû intervenir, mais il n'avait pas la moindre envie de se battre pour des flocons d'avoine.

Dans les longues queues jusqu'aux caisses, les clients regardaient le butin des autres, et parfois envoyaient leurs enfants chercher les produits qu'ils avaient ratés. Leurs caddies contenaient des denrées que Lowell trouvait bien peu appétissantes, pourtant ses compagnons se félicitaient de leurs prises. (Mouton haché – beurk. Gésiers de poulet ? *Pitié.* Quant aux betteraves, il avait toujours détesté ça.) Tout en supportant le regard furieux de sa belle-sœur, il déposa nonchalamment dans le caddie deux bouteilles de chardonnay Blossom Hill, après avoir offert royalement de régler les achats – sur une impulsion inconsidérée, car, à sa grande consternation, il y en avait pour plus que les mille cent dollars qu'il avait sur lui.

Déposant les achats sur le tapis, Florence mit la main sur la boîte de Quaker Oats.

— Willing ! Tu as accusé cet homme, et regarde, la boîte est là !

— Il l'avait prise. J'ai retrouvé le type avec sa femme au rayon céréales. Pendant qu'ils avaient le dos tourné pour dévaliser les céréales au chocolat, je la leur ai reprise.

Florence secoua la tête.

— Chéri, tu n'aimes même pas les flocons d'avoine. Il faut que tu apprennes à lâcher.

— C'est ça ! répondit Willing. Et toi, tu ferais vraiment mieux d'apprendre à tenir.

— Je refuse de laisser les événements me transformer en animal, en estomac sur pattes complètement décérébré.

— Les animaux complètement décérébrés ont de quoi bouffer au petit déjeuner, rétorqua Willing.

11

Dégoût d'égout

FLORENCE ET SA TANTE partageaient généralement le même écœurement : la situation aux États-Unis n'était pas aussi catastrophique que les médias étrangers le laissaient entendre avec une sorte de jubilation sadique. Des reportages à sensation sur des sites Web européens décrivaient les villes américaines comme *La Nuit des morts vivants*, livrées à des pilleurs déchaînés qui s'enfuyaient avec des télés, alors qu'il n'y avait plus d'électricité nulle part pour les brancher, tandis que les personnes âgées faisaient rôtir leur chat dans l'incendie qui ravageait leur mobilier. Soit, il y avait bien eu *un peu* de pillage, surtout dans les supermarchés et les magasins d'alcool. Il y avait *quelques* pénuries, mais ce n'était pas comme si neuf millions de New-Yorkais affamés stockaient dans leurs congélos les corps découpés en petits morceaux de leurs voisins, pour les servir plus tard avec des fèves et un bon chianti, ainsi que la presse étrangère voulait le faire croire.

Quant à l'inflation qui obsédait la presse allemande, Lowell soutenait qu'il n'existait aucune similitude entre l'expérience teutonne après la Première Guerre mondiale, quand les clients des restaurants payaient directement leur repas à l'entrée, car l'addition aurait été plus élevée au dessert. À la fin, les marks étaient imprimés d'un seul côté, car la Monnaie manquait d'encre. Mais les billets verts avaient-ils subi la moindre altération ? Les dollars ne continuaient-ils pas à afficher d'un côté le portrait des présidents américains et, de l'autre, IN GOD WE TRUST ?

Pourtant, au-delà de ces signes de réconfort, ils étaient tous confrontés à un dilemme. Bientôt, Lowell ne toucherait plus d'indemnités chômage. En tant que vacataire, Esteban n'y avait jamais eu droit. Kurt aurait dû demander l'aide sociale, et les allocations augmentaient frénétiquement d'un mois sur l'autre ; de toute façon, si la Banque centrale se lâchait sur la planche à billets, quoi de mieux que de distribuer les billets verts comme une sorte de pot-de-vin généralisé pour inciter les sauvages à rester chez eux les doigts de pied en éventail ? Cependant, des obstacles supplémentaires attendaient ces nouveaux demandeurs – dont la plupart étaient des citoyens dociles, anciennement solvables, qui ne risquaient pas d'incendier l'hôtel de ville. Si Kurt avait déposé une demande d'allocations uniquement parce que Florence l'avait supplié de le faire, il ne se considérait nullement comme un nécessiteux devant être pris en charge par l'État. Conclusion : il avait foiré l'entretien. (Hélas, il avait un endroit où vivre. Et dans le foyer, une personne travaillait.) Ce qui leur laissait la sécurité sociale de Nollie et le très sollicité salaire de Florence comme seuls revenus.

Lowell et Avery avaient l'argent de la vente de la maison – un montant qui restait mystérieux ; Nollie quant à elle avait des « ressources ». Mais avec le temps, cet argent représenterait de moins en moins de pouvoir d'achat. Florence en nourrissait énormément d'amertume – maintenant plus que jamais, ils devaient en avoir devant eux pour les situations d'urgence –, mais à l'heure actuelle, la stratégie la plus raisonnable était de tout dépenser au plus vite.

Comme Willing affirmait que les marchandises deviendraient la nouvelle monnaie, Avery s'empressa de mettre cette idée en pratique. Pour Florence, les courses étaient une corvée, pour Avery, un divertissement. Ce dont Florence fit les frais, apprenant à ses dépens qu'il ne fallait pas donner carte blanche à sa sœur, sauf à la voir dévaliser le magasin.

Revenant de chez Home Depot sur la 19ᵉ Rue, Avery fit irruption dans la maison, bras chargés, pupilles dilatées, taches violettes sur le visage trahissant son hypertension.

— C'est quoi ? demanda Florence en montrant les sacs de courses remplis à ras bord.

— J'ai fait un de ces cartons ! s'écria Avery en passant devant elle, avant de laisser tomber son butin sur le sol du salon.

Plusieurs flacons de Super Glue Gorilla – Nouveau bouchon anti-séchage ! Sèche 2 fois plus vite – tombèrent d'un sac.

— Et attendez, il n'y a pas que ça ! Goog surveille la voiture.

Quand Avery eut fini de vider les sacs, Florence, d'un geste malaisé, piocha dans le butin. Elle y trouva plusieurs sacs de cannelures – quant à savoir pourquoi ils auraient besoin de changer plusieurs fois la moustiquaire des fenêtres, mystère, d'autant qu'Avery n'avait pas acheté de moustiquaire de rechange. Il y avait du bourrelet de calfeutrage double face, une vingtaine de bouteilles de nettoyant Comet.

— Avery, qu'est-ce qu'on va faire de tous ces supports en L ? Et où on va stocker tout ce bazar ?

— « Ce bazar » ? répéta sa sœur, furieuse. Ce sont de vraies marchandises. Faites de métal et d'autres matériaux à la valeur durable. Elles servent à fabriquer, réparer et coller. Ce ne sont pas des bouts de papier, et pas non plus des abstractions – ce qu'on ne peut pas vraiment dire des dollars. J'ai eu une chance incroyable, j'ai été maligne et rapide, et j'ai coiffé sur le poteau des centaines d'autres clients quand, chez Home Depot, ils ont déchargé tout un stock d'articles d'avant la Dénonciation, parce que la Chine ne veut plus échanger de vraies marchandises contre notre argent. Je me suis donné beaucoup de mal pour les récupérer, et vous devriez me dire merci. Quand un crétin enfoncera la porte d'entrée des voisins, ils seront prêts à échanger tout un carton de lait longue conservation contre des charnières, et on sera les seuls du quartier à en avoir.

Ce laïus, supposa Florence, avait été préparé à l'avance. Qu'elle soit contrainte de sacrifier l'espace restreint alloué à sa famille au sous-sol pour stocker ce butin absurde aurait dû décourager Avery de ce genre de fièvre acheteuse – motivée par le même raisonnement du « au cas où », du « on ne sait jamais de quoi on pourrait avoir besoin » qui avait enseveli les tarés sous des tonnes de vieux journaux et magazines, avant que la disparition de la presse écrite prive les accumulateurs de leur matériau de nidification préféré. Mais une autre expédition à Home Depot dans le but de confirmer combien son butin aurait coûté deux semaines plus tard n'avait suscité chez Avery que plus d'extravagance. D'un raid au Walgreens, elle rapporta ainsi de nombreux kits de traitement pour mycose des orteils, quantité de tubes de comprimés de nettoyage pour prothèses dentaires, alors que tous les occupants du foyer avaient de vraies dents, ainsi que des gélules de phytothérapie pour la dépression, qui auraient pu être d'une véritable utilité étant donné que cette avalanche absurde de biens de consommation affectait grandement Florence, si seulement ces gélules avaient eu un quelconque effet. Ils avaient maintenant du dissolvant pour vernis à ongles, mais pas de vernis, et de la pommade anti-biotique périmée qui n'aurait eu aucun effet sur des super-bactéries résistantes quand elle était encore bonne. Grâce à une virée remarquablement « fructueuse » chez Staples, au cours de laquelle, selon Goog, sa mère avait failli en venir aux mains pour la dernière boîte d'élastiques assortis, ils possédaient désormais des dizaines de milliers de Post-it, des centaines de feutres, plusieurs cartons d'enveloppes manille extra-longues, et des cartouches de remplacement pour une imprimante 3D qu'ils n'avaient pas.

En toute justice, Avery n'était pas seule. Tout le pays, rapportait la presse, était en proie à une véritable fièvre acheteuse tant et si bien que, pendant quelques semaines, l'économie américaine enregistra une croissance du PIB.

Cependant, même pour les plus consciencieux en matière d'hygiène dentaire, il existait une limite à la quantité de fil dentaire ciré mentholé qu'ils pouvaient stocker, et la reprise avait été de courte durée.

Avec cette proximité familiale imposée, Florence avait promis à Esteban de ne pas faire comme sa mère, qui avait tendance à réprimer ses griefs et à bouillonner en silence, comme une conserve maison dans un placard, où des bulles pouvaient apparaître en surface et se mettre à gonfler sous l'effet de la toxine botulique. Pourtant, ce n'était pas une discussion abstraite sur la meilleure façon de résoudre les conflits qui mit le feu aux poudres, mais un camion de livraison de chez Astor Wines & Spirits. En rentrant du travail, Florence reconnut le logo à dix mètres, et quelque chose vrilla en elle.

— *C'est quoi, ça, encore ?* hurla Florence sur le trottoir, tandis que le pauvre livreur faisait signer le bon de livraison dans l'escalier menant au sous-sol.

— Des produits de première nécessité, répondit Avery d'un ton laconique, tandis que le livreur regagnait sa camionnette au pas de course.

— Le dentifrice est un produit de première nécessité, aboya Florence. Pas un cabernet-syrah acide et étonnamment souple en bouche.

— En fait, on boit surtout du blanc, répliqua Avery sans se départir de son calme, poussant le dernier carton à l'intérieur. Mais en supposant que ce soit tes affaires, ce dont je doute, pourrait-on en parler ailleurs que dans la rue ?

— Tu crois que, depuis des mois, j'ignore ce qui se trouve dans ces cartons à côté des pots de peinture ? cria Florence après sa sœur dans l'escalier. Tu pourrais faire un effort pour mieux les cacher, plutôt que de les recouvrir de ce vieux rideau de douche ; c'est une insulte à mon intelligence. Tu crois que je ne sais pas pourquoi Lowell et toi disparaissez après le dîner – le seul moment où vous semblez apprécier de passer du temps en bas ? Vous ne partagez même pas ! Vous vous barrez vous murger en douce !

— Apparemment, pas si en douce que ça. Si tu as tellement besoin d'un verre, tu peux toujours descendre.

— Ce n'est pas moi qui ai besoin d'un verre. Au contraire, je crois qu'il faut plus que jamais en ce moment garder la tête froide. Le taux de l'emprunt a grimpé en flèche. On est étranglés par les dépenses d'alimentation. Et vous deux, vous gaspillez nos maigres économies dans une cave à vin privée !

À Brooklyn, les disputes familiales à la lueur des lampadaires étaient une vieille tradition, et les voisins ne sourcillaient pas. Mais ils n'en perdaient pas une miette. Les distractions se faisaient rares.

Refermant derrière elle la porte du sous-sol, Avery monta l'escalier.

— Lowell et moi, on participe aux dépenses communes. Mais j'ignorais que notre argent appartenait maintenant à tout le monde…

— Avery, tu as un problème d'alcool ?

— Oh, je t'en prie !

— *Tu as un problème d'alcool ?* Parce que c'est la seule explication que je vois…

— Ce n'est pas parce que notre idiot de *presidente* a dénoncé la dette nationale qu'on doit pour autant passer au rationnement. Pour moi, un verre de vin en fin de journée…

— Avery, je ne t'ai pas vue boire « un » verre de vin depuis que tu as quatorze ans.

— À quoi bon vivre si on supprime tous les petits plaisirs de la vie ?

— Supprimer l'alcool, et la vie ne vaut pas la peine d'être vécue : c'est un raisonnement d'alcoolique. Si j'ai tort, prouve-le-moi et renvoie ce vin.

— C'est inacceptable, tempêta Lowell en montant à son tour l'escalier. Ta sœur et moi sommes majeurs. Tu n'approuves peut-être pas la façon dont nous dépensons notre argent, mais ce n'est pas parce que nous sommes des invités chez toi...

— Je me rends compte que vous avez misé beaucoup professionnellement tous les deux sur l'idée qu'il s'agit d'une « récession » temporaire, répliqua Florence. Mais on ignore combien de temps cette spirale va durer et jusqu'où elle va nous entraîner, et à nous quatre, on a quatre enfants à nourrir !

— C'est ton fils, protesta Avery, qui nous rebat les oreilles de l'urgence à convertir les dollars en marchandises susceptibles d'être échangées...

— Ne joue pas les hypocrites !

La voix de Florence avait basculé dans son registre aigu peu agréable.

— Oui, bien sûr, j'ai entendu parler de la façon dont l'alcool et le e-tabac fort servent de monnaie dans le parc, mais vous êtes en train de boire votre fric !

— Écoute, argumenta Lowell, cette organisation commune ne peut marcher que si nous maintenons certaines limites...

— Vraiment ? Et comment suis-je censée maintenir certaines « limites » quand le bien principal que je mets en commun avec Nollie, Kurt, et toute votre famille, c'est ma maison ?

— Alors, c'est ça ? cria Avery. Il faut vraiment que tu contrôles la moindre chose qui se passe dans *ta maison* ? C'est toi la maman ours, et on doit te demander l'autorisation de boire, de dire des gros mots ou de manger du poulet non bio ?

— Du poulet *tout court* ! C'est ça, le problème. DU POULET TOUT COURT !

Attiré par le vacarme, Esteban les rejoignit sur le trottoir.

— Eh ! Même dans mon ancien quartier de North Bellport, ce genre de dispute sur le trottoir, c'était la honte. C'est quoi, *el problema, amigos* ?

La touche d'espagnol, qui visait peut-être à insuffler une note de légèreté, retomba comme un soufflé.

— Toi et moi, on ne s'autorise des rapports sexuels que tous les quinze jours, rétorqua Florence, comme ça, le tube de spermicide pour mon diaphragme peut nous faire plusieurs mois. Tu ne voulais même pas prendre d'ibuprofène pour cette contracture musculaire la semaine dernière, parce que le tube était presque terminé. Pendant ce temps-là, eux, ils se soignent en levant le coude ! Même si leur investissement dans ce « produit de première nécessité » que constituent deux verres sans fond de chardonnay, n'est, paraît-il, « pas mes affaires ».

Florence se mettait rarement en colère. Esteban était dans ses petits souliers, et ne savait trop comment réagir.

— Hmm, dit-il en agitant la main. Ce n'est pas évident de trancher.

— Ça devient nos affaires à partir du moment où ils dépensent toutes leurs économies, insista Florence. Et à ce compte-là, rétrospectivement, ça peut aussi devenir nos affaires la façon dont ils ont gaspillé leur argent avant d'en appeler à notre miséricorde.

— On a tous besoin d'une petite soupape, déclara Esteban, à qui sa Dos Equis manquait aussi. D'un petit plaisir.

— Petit ? On ne parle pas ici de mignonnettes comme celles qu'on sert à bord des avions, mais de caisses entières !

— Deux seulement, rectifia Avery d'un ton méprisant.

— Un petit plaisir ? continua Florence qui ne décolérait pas. Vous ne croyez pas que j'aimerais, moi aussi, aller dîner de temps en temps en tête à tête avec mon compagnon, ou aller au cinéma, comme quelqu'un de normal ? Vous ne pensez pas que j'aurais aimé offrir un vrai cadeau à mon fils pour ses quinze ans en janvier, plutôt que de griffonner quelques mots sur une carte minable ? Comment se fait-il que vous imaginiez que, *moi*, je me passe parfaitement bien de chocolat, de bacon et de vrai café ? Pourquoi ça ne me manquerait pas à *moi aussi*, de boire du vin de temps en temps ? Et je ne dirais pas non de temps en temps à une ligne de coke, au cas où vous me considéreriez comme une rabat-joie coincée, mais je n'en achète pas non plus ! Pas plus que je ne mets de l'argent de côté pour m'offrir des vacances en Italie. Je m'appelle *Florence*, et jamais je n'irai en Italie, hein ? Jamais ! Parce que le moindre cent que je gagne sert à éviter à neuf autres personnes de mourir de faim ! Vous ne croyez pas que j'apprécierais moi aussi un peu de fantaisie, de légèreté, de spontanéité dans ma vie ? J'en ai plus que marre que tout le monde me reproche à demi-mot d'être sévère, radine et mesquine, comme si c'était mon choix, parce que je ne suis qu'une rabat-joie, que je ne sais pas m'amuser, et que je travaille dans un centre d'hébergement pour sans-abri à cause de mon naturel sinistre ! Je déteste mon boulot, vous m'entendez ? J'adorerais filer ma démission, mais je ne peux pas, parce que, apparemment, je suis une sorte... d'imbécile de petite sœur des pauvres !

— Manifestement, il est grand temps qu'on s'en aille, dit Avery. Tant de ressentiment refoulé. Je savais que tu avais des choses sur le cœur, mais à ce point...

— Ne sois pas ridicule ! s'exclama Florence en tapant du pied. Et tu penses aller où, avec trois gosses et un mari qui a la tête dans les nuages ?

— On trouvera une solution, murmura Avery.

— Si tu avais pu trouver une solution, vous ne seriez pas ici.

Florence, les bras croisés sur la poitrine, fixait Avery qui se mit à pleurer. Crier après sa sœur dans la rue avait eu pour Florence un effet cathartique, et sa colère retomba. Depuis l'enfance, elle avait toujours cédé aux larmes de sa sœur. En soupirant, elle parcourut le bout de trottoir qui la séparait d'elle, ouvrit les bras et la serra contre elle. Puis tous les quatre se réconcilièrent au sous-sol autour d'un chenin blanc récolté dans le nord de l'État de New York, dont un seul verre suffit à rendre Florence pompette, résultat de longs mois d'abstinence. Ce n'était pas leur première dispute, et ce ne serait pas leur dernière. Mais même si tous laissaient libre cours à leur rage et leurs vitupérations, ils se retrouvaient ensuite face à face, contraints de regagner chacun le matelas qui lui avait été attribué. C'était un luxe de plus que la famille Mandible ne pouvait plus se permettre : une brouille permanente.

Florence était particulièrement contrariée par l'exagération dont faisaient preuve les sites Web étrangers dans le traitement des pénuries d'eau. Au contraire, la municipalité affrétait de plus en plus de camions-citernes, et les pénuries n'étaient pas plus fréquentes qu'avant la Dénonciation.

Cependant, elles étaient nettement plus désagréables. Avec dix résidents et deux toilettes, les barils de pétrole ne contenaient pas suffisamment d'eau de pluie pour vider les toilettes à une *fréquence appropriée* plus de deux jours durant. Par la suite, la pudeur se révélant aussi superflue que le persil frais, tous allaient faire pipi dans le fond du jardin ; la *grosse commission* nécessitant quant à elle l'usage d'une truelle. Mais c'était l'hiver : l'air froid fouettait vos fesses nues comme une gifle, et la terre était dure. Avery avait avoué que Savannah et elle avaient toutes les deux opté pour l'*auto-entreposage*, tant que cette victoire de l'esprit sur la matière restait faisable.

Quand l'eau coulait dans les tuyaux – la plupart du temps, contrairement à ce qu'avançaient avec perfidie les médias étrangers –, Willing avait, par provocation, pris l'habitude de monter la garde devant la salle de bains des Stackhouse quand ses cousins prenaient leur douche. Cette famille n'était pas habituée à économiser l'eau, et considérait les douches interminables comme un droit fondamental. Depuis leur arrivée, la facture d'eau avait triplé. Quand elle préparait le dîner, Florence entendait immanquablement depuis le sous-sol une variation de cet échange :

— Dégage de cette porte, espèce de pervers ! criait Goog.

— Ça fait quatre minutes, annonçait Willing d'un ton égal.

— Tu colles ton oreille contre la fissure, en espérant m'entendre me branler.

— Tu peux te masturber aussi longtemps que tu veux, du moment que tu coupes l'eau. L'eau savonneuse est un lubrifiant plus efficace quand elle ne coule pas par la bonde.

— T'as laissé Savannah prendre une douche pendant dix minutes, j'ai chronométré ! T'essayais juste de mater ses seins.

— Cinq minutes, rectifia Willing, imperturbable. Je t'aurais prévenu.

À ce moment-là, le robinet au-dessus du faitout pour les pâtes devenait un goutte-à-goutte.

— Wilbur, espèce de connard ! J'ai du shampoing plein les cheveux !

Willing avait appris à actionner la vanne d'arrivée d'eau à des fins punitives d'une grande efficacité. Son objectif était honorable, mais ses interventions comme gendarme de l'eau n'amélioraient pas ses relations avec ses cousins. Fonction qu'il appréciait peut-être même un peu trop.

S'ajoutait aussi l'enjeu du papier-toilette, aux connotations émotionnelles chargées. Dans la plupart des grandes villes, tout le monde le stockait par lots familiaux, ce qui entraînait des pénuries et une flambée des prix. Au centre d'hébergement, il était devenu impossible de continuer à approvisionner les toilettes, car les résidents piquaient les rouleaux ; le département des services aux sans-abri avait envoyé un mémorandum annonçant l'arrêt du financement de toutes les fournitures papier, quelles qu'elles soient, au net détriment olfactif d'Adelphi. Les lieux publics tels que les grands magasins et les musées avaient eux aussi cessé de fournir de quoi se nettoyer après ses ablutions personnelles, vraisemblablement après avoir été victimes du même genre de chapardage par une clientèle issue d'une classe sociale supérieure.

Au départ, Florence avait scotché une recommandation de DEUX FEUILLES PAR ESSUYAGE au-dessus de chaque porte-rouleau, demande polie qui, au vu de la diminution constante du stock au sous-sol, avait été purement et simplement ignorée. Discrètement, elle avait essayé de prendre sa sœur à part en suggérant peut-être qu'elle « allait trop souvent aux toilettes » ; si elle était capable de discipliner son tube digestif pendant les pénuries, elle pourrait peut-être imposer un niveau similaire d'endurance à sa vessie. Oh surprise ! Avery l'avait très mal pris. Florence avait aussi dû réprimander Savannah parce qu'elle jetait des feuilles de papier-toilette couvertes de traces rouges et beiges : sa nièce le gaspillait en coton à démaquiller. Il était horriblement gênant de devoir en arriver à fliquer ses invités jusqu'à ce niveau aussi répugnant, mais puisque c'était à la fois une question d'argent et de disponibilité de la ressource, elle n'avait pas le choix. Boules de coton, essuie-tout ou serviettes en papier utilisés comme substituts endommageaient la tuyauterie, et allaient bientôt devenir aussi difficiles à dénicher que le vrai papier-toilette.

L'inévitable, tant redouté par Florence, avait fini par arriver : les déplacements répétés au supermarché ne suffisaient pas au réapprovisionnement, et ils entamaient leurs deux derniers rouleaux. Des posts furieux sur Internet faisaient état des mêmes pénuries dans le New Jersey, à Long Island, et dans le Connecticut. Elle savait que certains de ses voisins troquaient leur stock, un rouleau à la fois, contre de la viande rouge et du poulet, ce qui relevait ni plus ni moins du chantage caractérisé. Elle avait alors chargé Willing de quelques recherches, avant de convoquer une réunion de famille.

— J'ai bien conscience que tout cela est horriblement gênant pour tout le monde, dit Florence. Mais jusqu'à ce que la situation s'améliore, nous allons devoir nous passer de ce qu'il faut pour s'essuyer quand on va aux toilettes. Willing ?

— Avant la plomberie d'intérieur, commença Willing, les Américains se servaient de vieux journaux, ou des pages du catalogue Sears. Mais il n'y a plus ni magazines ni journaux papier.

— Comme papa serait fier ! rétorqua Avery. Enfin une bonne raison de regretter la fin du *New York Times*.

— Les Romains se servaient d'une éponge plongée dans le vinaigre, placée sur l'extrémité d'un bâton, poursuivit Willing. Vous avez entendu parler de cette tradition indienne, qui veut que l'on mange avec la main droite ? Ce n'est pas juste un rituel, mais un impératif biologique. Je savais qu'ils s'essuyaient avec leur main gauche, mais j'ignorais qu'ils le faisaient sans papier.

— Beurk, c'est immonde ! gémit Bing.

— Jamais ! s'écria Lowell. Plutôt utiliser les dessus-de-lit.

— C'est plus ou moins là où nous en sommes, répliqua Florence. J'ai un sac de chiffons propres, et je suis prête à faire le tri dans mes placards. Tout ce que vous ne portez pas fera l'affaire, et on va le couper en petits morceaux. Avec du vinaigre près des toilettes aussi, on peut améliorer le système hygiénique.

— Mais interdiction de jeter le tissu dans les toilettes, avertit Willing.

— Dans les mégapoles comme Rio et Pékin, intervint Nollie, les gens ne jettent plus de papier dans les toilettes depuis des années. L'état des égouts ne le permet pas. Ils le jettent dans une poubelle, à côté des chiottes.

— C'est une question d'habitude, renchérit Willing. On s'habitue à tout.

— Eh bien, pas moi. J'opte pour la solution américaine : je vais faire les courses.

— Je marche avec maman, dit Savannah. Vous n'êtes que des barbares.

Avery et sa fille sortirent précipitamment. Elles prirent la Jaunt et s'absentèrent pendant des heures.

Avant de rentrer la mine déconfite. Après avoir écumé Long Island et le New Jersey jusqu'à vider, ou presque, le réservoir d'essence de la voiture – essence elle aussi des plus rare et au prix exorbitant –, elles avaient rapporté en tout et pour tout un paquet de serviettes en papier (réservées aux tampons hygiéniques faits maison), ainsi que deux bouteilles de vinaigre blanc : autant dire, un aveu de défaite. Pendant ce temps, le reste de la famille avait passé un après-midi de folie à découper des « torche-culs » dans des draps déchirés, de vieilles serviettes, des chaussettes usées, des chutes de tissus restant d'ourlets de rideaux, et de ce que Florence avait pu dénicher dans les boutiques de seconde main. Des carrés arlequin s'amoncelaient en piles ambitieuses comme des couettes verticales. Quand Florence mettrait de nouveau la main sur un paquet de neuf rouleaux au supermarché, elle ne s'attendrait pas à éprouver un tel sentiment de perte.

Willing aurait pu cesser d'aller en cours parce qu'on lui enseignait des choses inutiles : l'algèbre et les capitales des États. S'il avait eu son mot à dire, ils auraient appris à purifier l'eau et à retourner la terre pour cultiver des plantes comestibles. À allumer un feu avec des allumettes mouillées. À monter une tente, ou en fabriquer une avec un poncho de pluie. À faire des nœuds, planter des pommes de terre. À attraper et dépecer un écureuil. À charger une arme.

Les élèves d'Obama High étudiaient la biologie, mais les professeurs n'appliquaient pas leurs cours au bon environnement. L'écosystème urbain était d'une fragilité considérable. Et d'une interdépendance extrême. Trop de choses devaient marcher pour qu'une ville soit en état de fonctionner. Et on ne pouvait pas y compter. En fait, on ne comptait sur rien.

Lorsque les effets de la Dénonciation avaient commencé à se faire sentir, les gens, sur les réseaux sociaux, s'échangeaient des tuyaux sur les meilleures poubelles où fouiller et les supermarchés où on trouvait des saucisses de petit déjeuner. Mais, très vite, les citadins avaient gardé les bons plans pour eux-mêmes. Si Pathmark avait jeté de l'emmental en tranches juste un peu moisi, la dernière chose à faire était de refiler l'info aux autres.

Donc, Willing continuait d'aller en cours, car ses camarades de classe constituaient d'excellentes sources d'information. Les parents en auraient été alarmés s'ils l'avaient su, mais leurs enfants étaient de vraies pipelettes. Ils ne pouvaient s'empêcher de se vanter des stocks que réussissaient à accumuler leurs parents. Grâce aux fanfaronnades de ces garçons, il avait appris que les Rosangel sur Tilden stockaient deux cartons de farine de maïs à gros grain. À court d'espace en raison des bonnes affaires qu'ils ne cessaient de rapporter de leurs expéditions au supermarché, ils entreposaient les cartons dans leur patio, derrière leur maison : il n'y avait plus qu'à se servir. En face, les Brown, des bobos qui n'avaient pas encore renoncé à certaines coquetteries comme l'« intolérance au lactose », conservaient une réserve inépuisable de lait de riz à la vanille de chez Trader Joe's dans leur sous-sol, dont la petite fenêtre au-dessus de la machine à laver n'était jamais fermée. Au coin, les Garrison avaient rangé des centaines de boîtes de pois chiches dans la cabane à outils de leur jardin. Le cadenas était convenable, mais les charnières de la porte étaient placées à l'extérieur. Les défaire avait été l'enfance de l'art. Et surtout, une fois revissées, il ne restait aucun signe de l'effraction. Quant aux Doritos et autres snacks salés gardés dans la cave de tout un chacun, Willing n'y touchait pas. Le bruit des sachets l'aurait trahi.

Naturellement, sa mère lui avait enseigné qu'il était mal de voler. Avec ses prédispositions, il aurait pu élaborer quantité de rationalisations à ses chapardages. Sous l'effet de la panique, la plupart des familles avaient stocké à outrance. Et ces stocks mal protégés étaient des mets tout trouvés pour les rats et les insectes. Après une coupure d'électricité en mars, les rues d'East Flatbush avaient été envahies de poubelles regorgeant de viande puante dont les habitants avaient rempli leurs congélateurs ras la gueule. Willing ne pillait jamais en grande quantité ; ces prélèvements parcimonieux étaient moins du vol qu'une sorte de taxe.

Cependant, Willing n'éprouvait nul besoin de se livrer à des rationalisations. Il perfectionnait une compétence, du même ordre que savoir purifier l'eau et faire du feu, qui se révélerait des plus utiles plus tard, quand le « Tu ne voleras point » aurait rejoint d'autres anachronismes comme l'intolérance au lactose. Si le fait que Willing se mette à voler témoignait d'une aggravation de la corruption de l'ordre moral américain, ce dernier, de toute façon, pourrirait avec ou sans Willing. La dégradation de son éthique relevait simplement de la nécessité de rester en phase avec le monde dans lequel il vivait, du même ordre que télécharger sur son fleX la dernière version du système d'exploitation.

Jusqu'à présent, sa mère n'avait pas cherché à savoir d'où provenaient ces mystérieuses provisions supplémentaires dans son garde-manger. Tout le monde mettait la main à la pâte, et elle n'allait pas faire la fine bouche devant un sac de riz long grain Carolina. Elle devait bien s'en douter. C'était de la *disonancia cognitiva*. Personne à part lui n'écoutait quand la *señora* Perez avait énoncé le concept en sciences sociales, mais Willing avait apprécié la dénomination sophistiquée donnée au mécanisme consistant à se mentir à soi-même.

Certaines personnes se lamentaient sur leur malheur. Mais Willing savait que le pire était à venir. Et il se réjouissait d'être si occupé. Bonne chose que, à quinze ans, il soit silencieux, mince et d'un naturel vigilant. Avec l'agilité d'un ninja, il s'introduisait en silence par n'importe quelle porte ou fenêtre. (Entrer dans toutes les maisons ou presque était d'une facilité déconcertante, surtout avec un coupe-verre, seul et unique outil qu'il avait choisi pour lui dans les prises rapportées par Avery après sa virée à Home Depot.) En outre, une grande partie de ce qu'il récupérait provenait des bennes à ordures et des poubelles. Il fournissait la maison en tissu destiné à la fabrication des torche-culs. Il s'aventurait aussi loin que Prospect Park pour dénicher des bouts de bois et de petites bûches, pour qu'ils puissent faire des barbecues dans le jardin et avoir chaud au moment des repas, afin d'économiser le gaz naturel. Au printemps, quand sa mère avait décidé de planter des légumes dans le jardin – rien d'inutile ni plein d'eau, comme les radis ou la laitue, mais des variétés qui tenaient au corps, comme la courge –, il avait dû lui rappeler que ce bout de terrain avait été utilisé comme latrines. Il avait alors passé une bonne semaine à remplir les sacoches de son vélo de terre qu'il allait prendre au cimetière Holy Cross, avant de la vider dans le jardin, pour constituer une couche supérieure de quinze centimètres d'épaisseur non contaminée par des déchets humains – après quoi il avait exhorté tout le monde à utiliser un seau si jamais des pénuries d'eau venaient à se reproduire. Il plantait les légumes et arrosait. Selon un reportage, dans tout le pays, des jardins d'agrément étaient convertis en jardins potagers. Avant la Dénonciation, la pelouse avait été la variété la plus cultivée aux États-Unis – trois fois plus que le maïs, couvrant une superficie aussi vaste que l'État de New York. Mais la pelouse, ça ne se mangeait pas. La remplacer par de la betterave était une décision frappée au coin du bon sens.

C'était une période stimulante, industrieuse. Meilleure que celle qui allait suivre.

En outre, son traitement médiatique constituait un fascinant sujet d'étude. Depuis des mois maintenant, les présentateurs avaient qualifié les événements qu'ils traversaient de « crise », « catastrophe », « cataclysme » et « calamité », et commençaient à être à court de substantifs commençant par *c*. Ils avaient déjà épuisé tous ceux avec *d* comme initiale, qu'il s'agisse de « désastre », « débâcle » et « dévastation ». Des mots comme « épreuve », « adversité », « tragédie », « malheur » et « souffrance » ne signifiaient plus rien – ils ne convenaient pas, semblant évoquer des expériences mineures. La langue elle-même souffrait d'inflation, et quand tout deviendrait dix fois pire, les présentateurs se retrouveraient coincés. Il n'y aurait plus de mots pour qualifier la phase nouvelle. CBS News s'en sortirait peut-être par la litote : ce qui était arrivé à l'Amérique était « fort dommageable », « fort déplorable », « assez malheureux », « plutôt désolant » ou encore « très triste ».

Bien sûr, les difficultés avaient déjà commencé. Quand sa mère avait déniché un litre de lait frais, elle avait insisté afin de le garder pour le thé – elle adorait le thé au lait –, mais elle l'avait gardé si longtemps que la plus grande partie avait fini par se cailler. Quand, versant le lait, elle avait vu les grumeaux dans sa tasse, elle s'était mise à pleurer. Bing volait de la nourriture chez eux, ce qui était autre chose que de piller les voisins, et ce chapardage commençait à se voir, car l'adolescent de douze ans était le seul membre de la famille à grossir. Lowell ne fichait rien de ses journées, à part taper comme un sourd sur son fleX, rédigeant son « traité » au sous-sol, et Willing commençait à se demander si son oncle n'était pas devenu fou. Esteban était plus hargneux ; faire le pied de grue dans la rue pour dégoter des petits boulots à la journée ressemblait trop à ce qu'avait vécu son père. Il n'embrassait plus aussi souvent Florence, ne l'enlaçait plus aussi souvent devant l'évier. Kurt était si terrifié à l'idée de causer le moindre problème qu'il était dehors la plus grande partie de la journée ; il revenait l'air frigorifié et abattu. À part faire la queue debout des heures durant derrière des camions d'alimentation, il devait probablement marcher le plus clair de son temps. Tout le monde en était là. Il n'y avait pas grand-chose d'autre à faire.

Goog et Bing ne profitaient pas trop des cours dispensés en espagnol, mais aller au lycée avait au moins le mérite d'offrir un semblant de normalité. Méprisant vis-à-vis de lui à la maison, Goog en revanche se reposait sur « Wilbur » au lycée pour assurer la traduction, dépendance qu'il détestait. Il y avait plus de petits Blancs à Obama High maintenant, puisque nombre de familles n'avaient plus les moyens d'envoyer leur précieuse progéniture dans des écoles privées, laquelle progéniture risquait les ennuis si elle ne parlait pas l'espagnol. Willing avait essayé d'apprendre quelques verbes à Goog, mais son cousin s'accrochait à l'allemand comme seconde langue, ce qui était immense stupide, car pour communiquer, même en Allemagne, on s'en sortait mieux avec le turc.

Cet abruti de Bing avait réussi à faire plus fort encore en emportant son violon, afin de jouer dans le petit orchestre fort peu musical du collège. L'après-midi où son fan-club habituel avait jeté l'instrument dans une haie et cassé l'archet, Willing avait demandé à son jeune cousin :

— Mais pourquoi apprendre le violon, alors que les meilleurs violonistes ont déjà tout enregistré ?

— Parce que, avait répondu Bing, pensif, un musicien pourrait un jour composer une nouvelle œuvre, et on aura besoin d'un violoniste pour le jouer.

— Mais un ordinateur pourrait le jouer, avait répliqué Willing. Mieux que toi jamais, à t'entendre.

Bing s'était mis à pleurer. Avec un soupir, Willing avait alors réparé l'archet, grâce à la Super Glue Gorilla d'Avery, même si ce n'était vraiment pas un service à rendre à Bing.

Savannah disparaissait souvent, ce qui troublait Willing, à la fois parce qu'il s'interrogeait sur la nature de son occupation pendant ces moments-là et parce qu'il lui en voulait de ne pas être là. Tout était agaçant chez elle. Elle était bégueule et inutilement amère. Elle se comportait comme si elle était au-dessus de tout, et traînait dans la maison, alors qu'elle aurait pu au moins voler des trucs, comme un membre productif de la société. Cependant, elle avait une vie secrète, et c'était passionnant. Elle était jolie, et il s'en voulait de constater que cela faisait une différence pour lui. Toutes les fois qu'il rentrait et qu'elle n'était pas là, c'était comme si l'air se figeait dans la pièce. Malgré lui, il ne pouvait s'empêcher de comprendre sa façon de voir. Elle était censée aller à l'université. Elle aurait dû quitter ses parents étouffants et ses frères crampons et commencer une nouvelle vie. Apprendre à la dure qu'il valait mieux ne pas se soûler à la tequila, changer de filière en se rendant compte finalement que la création de tissus ne l'intéressait pas, tomber amoureuse des types dont il ne fallait pas. Au lieu de quoi, elle se retrouvait coincée avec sa famille, dans une maison pleine de tantes et de cousins, comme dans une fraternité, l'alcool en moins. Ça devait être l'horreur. Pas étonnant qu'elle adresse à peine la parole à son cousin lunatique de quinze ans.

Raison de plus de se réjouir quand il se retrouva, une fois n'était pas coutume, en tête à tête avec elle dans le salon. Dans cette maison bondée, le plus petit moment d'intimité était du luxe.

— On est foutus, tu sais, lui dit Savannah, allongée nonchalamment sur le canapé. Pour notre génération, c'est fini.

Elle alluma une cigarette. Une vraie cigarette.

— Pourquoi tu ne te sers pas d'une vapoteuse ? lui demanda-t-il d'un ton hésitant.

— Les vapoteuses ne tuent pas.

Cette lassitude du monde n'était qu'affectation.

— L'odeur va te trahir.

— Et ils vont faire quoi, m'envoyer dans ma chambre ? Quelle chambre ? Refuser de payer mes frais de scolarité ? M'envoyer au lit sans dîner ? Avec la bouillie qu'on mange, ça fait pas une grande différence.

Elle était belle, mais le vide dans ses yeux relativisait sa beauté. Il se demanda où elle avait trouvé le fric pour ses clopes. Elle était aussi maquillée – luxe dont la plupart des femmes se privaient désormais. Willing acceptait de ne pas l'intéresser. En revanche, il était navrant qu'une jeune fille prometteuse de dix-neuf ans ne s'intéresse à rien ni à personne.

La tâche la plus lourde incombait à Willing, car personne d'autre ne voulait s'en charger. Tous prétendaient être trop occupés, ou qu'ils le feraient la semaine suivante, ou encore qu'ils ne voulaient pas se montrer intrusifs et arriver à un moment inopportun. Mais la vérité crue était qu'ils n'avaient aucune envie de le faire : *dissonance cognitive*. Ni Nollie, qui ne cessait de répéter qu'elle n'était pas la bienvenue, ni ses cousins, ni Avery ni même sa mère, ce qui était plutôt curieux. Si ce n'est que la situation avait encore empiré au centre d'hébergement : à Adelphi, le boulot, disait-elle, consistait surtout à protéger les résidents légitimes de la foule campant sur les trottoirs et qui voulait leurs places. Les sans-abri avec une chambre étaient devenus des privilégiés ; désormais, disait-elle, « plus personne ne se plaignait de la vue ». Que la situation puisse encore se détériorer n'était pas même envisageable.

— Je ne peux pas m'occuper de tout le monde, déclarat-elle dans un moment de franchise.

Aussi, toutes les deux semaines, Willing enfourchait son vélo, avec dans les sacoches quelques provisions que les voisins avaient *contribué* à constituer pour les plus vieux, et filait jusqu'à Carroll Gardens. Parfois, pendant le trajet, il réfléchissait et se demandait si avoir été encouragé – non, en avoir reçu l'ordre – à appeler ses grands-parents « Jayne et Carter » pouvait jouer sur la façon dont il les voyait. Avec plus d'acuité, mais moins de générosité – comme si des appellations génériques chaleureuses et vagues offraient peut-être une forme de protection. Il les considérait d'un œil plus clinique. Plus comme de vraies personnes que n'importe qui d'autre, et cette lucidité n'était pas nécessairement en leur faveur. À l'école, les autres élèves appelaient leurs grand-mères « Mamie », « Mémé », « Abuela » ou encore « Yaya ». Quand il avait fait référence à la sienne par son prénom, « Jayne », dans une dissertation avec pour sujet « Décrivez votre arbre généalogique », ses camarades de classe avaient trouvé ça tout à la fois bizarre et nul. De façon irrationnelle peut-être, il ressentait une perte, comme si, privé des appellations traditionnelles, il n'avait en fait ni grand-mère ni grand-père, mais deux connaissances âgées avec lesquelles il n'avait pas grand-chose en commun.

Cependant, « Jayne et Carter » n'allaient pas bien. Au bout d'un certain nombre de visites, ils avaient passé la phase où tout le monde faisait semblant, même s'il lui arrivait parfois de souhaiter qu'ils en soient encore tous là. Le plus gros problème était celui des couches pour adultes ; il y avait longtemps qu'ils avaient épuisé leur stock. Willing apportait souvent de vieux draps et dessus-de-lit, ainsi que des vêtements usés trouvés dans les poubelles des gens dont les maisons avaient été saisies, mais le tissu se faisait rare.

Inévitablement, ses grands-parents devaient laver et réutiliser les langes de Luella : immonde.

Jayne et Carter gardaient Luella attachée – à sa chaise ou alors en laisse, fixée à un pied de table. Quand Willing l'avait rapporté à sa mère, celle-ci avait été atterrée. Mais Willing trouvait l'expédient raisonnable. Au cours d'une crise, Luella pouvait tout saccager. Non que la différence soit flagrante désormais, compte tenu de l'état des lieux.

À croire que la démence était contagieuse. Plus personne ne faisait les lits, ne rangeait, ni ne sortait les poubelles. C'est à peine s'ils faisaient la cuisine, et il n'y avait pas d'heures fixes pour les repas. Quand l'envie lui en prenait, quelqu'un ouvrait de la soupe et mangeait à même la boîte. Naturellement, Luella ne savait plus utiliser les couverts, mais maintenant, les trois autres eux aussi mangeaient avec leurs doigts. Pire encore était la perte du concept de conversation. Les échanges avaient pris la forme d'une suite d'itérations aléatoires :

— Il y a un nouveau campement d'anciens résidents de maisons de retraite sur Smith Street, disait Carter.

— Nous n'avons presque plus de pommade à la cortisone, enchaînait Jayne.

— Si Alvarado continue de se braquer contre le bancor, déclarait ensuite l'Arrière-Grand-Homme, il va perdre l'élection de 32.

Aussi, quand Luella s'écriait : « Mon mari vous paiera tout ce que vous demandez ! », le coq-à-l'âne était parfaitement dans le ton.

Luella était persuadée d'avoir été kidnappée – et, dans un sens, c'était le cas – et qu'Arrière-Grand-Mimi avait orchestré l'enlèvement. Ils devaient en avoir eu assez de rectifier : « Non, ma chérie, c'est Douglas, tu te souviens de lui ? Et voici son fils Carter, qui est *mon* mari, et tu habites chez nous… » Donc, ils jouaient le jeu. Un jeu qui confinait au sadisme.

— Nous avons transmis nos demandes, lui disait ainsi Jayne, mais ton mari n'a plus le sou. Tu es toute seule.

L'Arrière-Grand-Homme renchérissait malicieusement :

— Non, non, la rançon va arriver, ma chère. Quatre gros chèques de la sécurité sociale, de milliers de dollars chaque ! Qui chacun vont payer un sandwich.

Willing continuait d'apprécier ses discussions avec l'Arrière-Grand-Homme (ou « AGH », diminutif que le patriarche semblait affectionner ; pas facile d'avoir un surnom tendance à quatre-vingt-dix-neuf ans). Mais le garçon préférait leurs échanges par fleX, qui conféraient un surcroît de fermeté à des affirmations plus hésitantes lorsqu'elles étaient formulées en face à face. Ce printemps-là, ils avaient abondamment débattu de la conception largement répandue que l'« expérience américaine » avait échoué. Aussi, lors d'une visite en juin – que plus personne ne qualifiait d'« anormalement froid pour la saison » ; l'un des avantages à passer voir ses aînés était de lui permettre de se réchauffer, car avec ces « quatre gros chèques de la sécurité sociale », ils faisaient marcher le chauffage central –, Willing avait relancé le débat. Il estimait qu'il était thérapeutique de forcer ses trois parents un peu à côté de la plaque à avoir des échanges sur un sujet donné, à la manière d'un clinicien qui leur demanderait de compter à rebours de sept en sept à partir de cent.

— Mais on ne peut pas fermer un pays comme une entreprise, souligna Willing.

Ils avaient pris place autour de la table de la cuisine, couverte de taches collantes et de vaisselle sale. Des pièces imposantes du service en argent des Mandible étaient ternies, et tachées de beurre. Il s'était vu proposer un verre d'eau avec une rondelle de citron : de toute évidence Jayne s'était mise en quatre pour le recevoir.

— On ne peut pas s'en laver les mains d'un simple « Pas de bol ! » L'« expérience » n'a pas marché, ajouta-t-il. Ma génération a encore de nombreuses années à vivre.

— C'est à ta génération de faire renaître le pays de ses cendres, croassa AGH.

— J'ai quinze ans. Je ne peux pas inventer un nouveau pays en partant de zéro.

— Le pays n'ira nulle part. C'est seulement l'économie dont il faut recoller les morceaux.

— Dans ce cas, pas de problème ! déclara Carter d'un ton désinvolte.

— Le problème d'Alvarado, c'est qu'il continue de penser qu'il est *président des États-Unis*, poursuivit AGH, en prononçant le titre d'un ton ronflant. Ce type entre avec son cortège, et tout le monde tremble. Les Hispaniques sont très portés sur l'« exception américaine, pays de la liberté ». Sinon, tout ce qu'ils auraient fait, c'est émigrer d'un dépotoir du tiers-monde où on parle espagnol à un autre dépotoir du tiers-monde où on parle espagnol, et bonjour l'intérêt !

— Beaucoup de Lats repartent, fit valoir Jayne. Souvenez-vous de ce que je vous dis : on va les regretter.

— Tout le monde affirme qu'on traverse une crise économique, rappela Willing. Mais c'est aussi une crise psychologique, une dépression. Dans laquelle vous êtes aussi. Pourquoi l'« expérience américaine » serait-elle terminée parce qu'on n'est plus la plus grande puissance du monde ? On ne l'a peut-être jamais été. Quantité de pays ont été des empires. Et plus maintenant. Et les habitants sont frais avec ça. C'est totalement puéril.

— Ils vont me tuer, murmura Luella à l'oreille de Willing. Dis à Mimi que Douglas était malheureux en ménage avant notre rencontre ! Ce n'est pas ma faute !

— Ce n'est jamais la faute de personne quand on tombe amoureux, lui répondit Willing avec solennité.

Peut-être avide de ces conversations cohérentes que Willing avaient imposées, Jayne semblait agacée de le voir ne serait-ce qu'adresser la parole à Luella.

— Les Américains ne sont pas déprimés, affirma-t-elle. Ils sont dans le déni. Tout le monde pense que cette crise est temporaire, et que, d'un jour à l'autre maintenant, nous recommencerons à siroter des cafés latte en terrasse. Toutes les autres crises économiques ont eu une fin. Donc, au pire, on s'inquiète d'une « décennie perdue ». La notion même de tout perdre, d'un déclin permanent et irréversible est étrangère au psychisme de ce pays.

— Pourtant, c'est à ne rien y comprendre. Tout part en sucette depuis toujours. Autoroutes délabrées, ponts effondrés, voies ferrées vétustes. Des aéroports qui ressemblent à des stations de bus. Je me demande bien pourquoi les étrangers ont continué de venir s'agglutiner ici, ou pourquoi il leur a fallu si longtemps pour se raviser et prendre leurs cliques et leurs claques.

— Vous n'avez vraiment pas la bonne attitude, décréta Willing d'un ton triste. Vous méritez peut-être ce qui vous arrive.

— Et c'est une conception que soutient toute une école de pensée, rétorqua AGH. On n'a que ce qu'on mérite. On voulait le beurre et l'argent du beurre. On a été trop laxistes dans l'éducation de nos enfants. On a pris notre suprématie pour acquise, alors qu'on n'avait rien pour l'étayer. Les évangélistes du Midwest affirment que l'heure du Jugement dernier est venue. Sauf qu'il n'y a pas d'Élu pour faire office de main droite à qui tu sais. Nous sommes bons pour repartir dans le désert comme des nomades !

— *Know I'm no-mad, no-mad ! You know it !* hurla Luella sur l'air de « Bad » de Michael Jackson.

Willing observait la scène. Vêtue d'une chemise de nuit rayée défraîchie, ligotée à un fauteuil avec ses poignets fixés aux accoudoirs par du chatterton, Luella n'était pas sans rappeler les premiers condamnés à la chaise électrique. Elle avait les yeux écarquillés, dont on voyait surtout le blanc, comme si elle s'était déjà pris une décharge. Ses dents étaient longues et jaunes, avec les gencives rétractées caractéristiques de la parodontite. Drapée dans une longue robe noire de sorcière de conte de fées, émaciée, sa grand-mère, s'arrachait de nouveau les cuticules jusqu'au sang, avant de tamponner les perles rougies avec une serviette. Dans le passé, Willing avait toujours trouvé son grand-père plutôt en forme, et d'une normalité ennuyeuse : prévenant, modeste – tout le contraire de sa sœur Nollie. Mais désormais, Carter semblait empli d'animosité. Assis, les bras repliés, les mains serrées autour de ses biceps, il fulminait, le regard noir. Ses tendons métacarpiens étaient tendus comme les cordes d'une raquette de tennis. Croiser son regard donnait l'impression de regarder dans le double canon d'un fusil de chasse.

En dépit de son élégance passablement écornée, AGH avait au moins renoué avec son habitude vestimentaire du costume crème, mais le tissu était froissé. Les épis de ses cheveux blancs ébouriffés trahissaient bien plus qu'un fatalisme capillaire. C'était affligeant de voir à quel point le patriarche était diminué, une fois dépouillé de sa cravate, de sa manucure, de ses accessoires – carafes en cristal, stylo plume platine Montblanc dépassant élégamment d'une pochette extérieure. Même sa vapoteuse était désormais remplie d'un e-tabac moins onéreux, à l'odeur de désinfectant. Pourtant, deux ans ou presque après la Dénonciation, une chose n'avait pas changé : l'Arrière-Grand-Homme se réjouissait de la situation – avec le même goût déconcertant que les adultes avaient pour les expressos. Une fois, Willing avait bu une gorgée de vrai café. C'était infâme. Mais c'était probablement la raison pour laquelle ce breuvage trouble était si apprécié.

Ça se voyait, dans cette cuisine. Il y avait trop de personnes âgées. Qui, toutes, n'avaient pas la bonne attitude. Qui, toutes, savouraient cette calamité à laquelle ils étaient confrontés – l'implosion, le vortex qui aspirait tout, le vertige. Ils croyaient qu'ils allaient pouvoir tout emporter avec eux, comme ces pharaons inhumés avec leurs trésors.

Willing se leva.

— Je ne suis pas d'accord.

— Will, ne te méprends pas, dit Carter, même si Willing était persuadé au contraire d'avoir bien compris, et que son grand-père ne s'était jamais soucié de lui. Simplement, ce n'est pas la façon dont j'avais imaginé ma vie à soixante-dix ans.

— Chéri, sois honnête, répliqua Jayne. Tu n'as jamais imaginé ta vie à soixante-dix ans, un point c'est tout.

— Avoir de quoi manger, c'est important, expliqua Willing. Et un endroit pour vivre. Mais qu'est-ce que vous regrettez de ne plus pouvoir acheter ? Vous semblez si dégoûtés...

— Dégoût ragoût bagout ! babilla Luella. Dégoût ragoût ! Dégoût bagout !

— Au moins, vous êtes ensemble, conclut Willing.

— C'est peut-être bien ça, le problème, railla Jayne, en tirant sur une autre cuticule.

— Se faire dépouiller, dit AGH, est une expérience émotionnelle forte. Bien plus intense que n'avoir soudain plus les moyens d'acheter un bateau. Et nous n'avons pas été dépouillés par des étrangers en maraude, mais par notre propre gouvernement. La Dénonciation a rompu le lien entre Washington et le peuple américain – qui, au mieux, n'était qu'un lien de principe.

Willing haussa les épaules.

— Tous les gouvernements volent leurs concitoyens. C'est leur raison d'être. Les rois et compagnie : eux aussi, ils volaient leurs peuples. Le président l'a fait d'un coup, cette fois. Ça vaut peut-être mieux qu'un peu à la fois. Au moins, on sait où on est.

— À patauger dans les égouts, répliqua AGH.

— D'égout dégoût ! ponctua Luella.

— Mais tu m'as expliqué, dit Willing à AGH, que depuis très longtemps déjà, la dette nationale était trop élevée pour être remboursée. Tu disais que, sans les créditeurs étrangers exigeant d'être remboursés en bancors, le gouvernement aurait dû faire baisser la dette en augmentant l'inflation. Ce qui revient au même, d'après toi. C'est toujours jouer sur la dette. C'est toujours une forme de défaut de paiement. C'est toujours de la triche. C'est tout aussi « irresponsable » et tout aussi malhonnête. De toute façon, la Dénonciation nous pendait au nez, d'ici à quelques années. Elle est juste arrivée du jour au lendemain. La belle affaire. Tu l'avais prédit. Je ne comprends pas pourquoi ça te met autant en rogne.

— Ce n'est pas parce que tu vois le mur arriver que t'as envie de te le prendre, répliqua AGH.

Malicieusement, Willing avait aussi qualifié de « malhonnête » l'érosion classique de la dette sous l'effet de l'inflation, et s'était réjoui de voir son oncle s'étrangler. L'argent, expliquait Lowell d'un ton cinglant, n'était doté d'aucune qualité morale ; il n'était qu'un « carburant », et dans une économie, le plus important était que le moteur tourne. L'économie était un ensemble de « mécanismes » fonctionnant bien ou mal, et l'appréhender au moyen de concepts hors sujet comme ceux de « justice », d'« honnêteté » ou encore d'« équité », équivalait à condamner ces mécanismes au dysfonctionnement. Le seul « bien » qui entre en ligne de compte, c'était le bien plus grand que constituait une machine performante, et dont tous les rouages bénéficiaient. Ç'avait été l'un des plus grands moments de Lowell, et une fois que Willing avait traduit le véritable sens de cette tirade, à savoir que, fondamentalement, le gouvernement et le capitalisme étaient tous deux dépourvus de scrupules, le point de vue de son oncle avait semblé clair pour tout le monde.

— J'aurais dû préciser, poursuivit AGH. Alvarado n'a volé que les Américains qui avaient des économies, ce qui exclut plus de la moitié du pays. Alors, oui, je suis « dégoûté », comme tu dis. Je suis puni pour n'avoir pas dépensé toute la fortune de la famille quand j'en avais l'occasion. Pour n'avoir pas sifflé à chaque repas du château-lafite-rothschild à trois mille dollars. Pour avoir essayé de faire en sorte que ma famille, et donc toi, mon garçon, profite au bout du compte de ma prudence.

— Papa, avec une propriété à Oyster Bay, on ne peut pas vraiment considérer que tu as mené une vie d'abnégation, grommela Carter.

— Un paquet de fric obtenu sans avoir à lever le petit doigt ne m'aurait peut-être pas servi à grand-chose.

— Ce paquet de fric aurait pu t'envoyer à l'université, rétorqua AGH.

— L'université non plus ne m'aurait peut-être pas servi à grand-chose. À quoi bon des études d'ingénieur ? En ce moment, il est plus important de savoir faire pousser des légumes.

— Dans ce cas, j'aurais pu t'envoyer dans un *institut agricole*, répliqua AGH, d'un ton frustré. « L'argent, c'est de l'énergie stockée. » Voilà la meilleure définition de la richesse que j'aie jamais lue. En d'autres termes, depuis 29, ce pays fait marcher la clim en laissant les fenêtres ouvertes.

— Mais si la fortune Mandible existe, objecta Willing, c'est parce que l'un de tes ancêtres était doué pour inventer des moteurs Diesel. Aucun de vous ne l'a gagnée. Vous avez eu de la chance. Puis, en 29, plus vraiment. Mais la chance ou la malchance n'ont rien à voir avec le bien et le mal. Et puis, de la chance, t'en as encore. Tu as la sécurité sociale. Qui est indexée sur l'inflation. Et tu as Medicare. Les jeunes, eux, n'ont rien de tout ça. Tout le monde au-dessus de soixante-huit ans bénéficie d'une protection sociale. Nollie mise à part, personne chez nous n'a de protection.

— Je serais curieux de voir quelle protection aurait Nollie contre un bon coup de poing dans la figure, marmonna Carter. L'enfant prodigue avait la France comme excuse. Maintenant, elle ne fait même pas huit kilomètres pour nous remplacer une nuit ou deux.

— Nollie nous aide beaucoup chez nous, déclara Willing. Là-bas aussi, on se croirait dans un zoo.

— Enola est un esprit libre, affirma AGH. Et elle aurait peut-être davantage envie de passer, Carter, si tu lui montrais que tu avais envie de la voir, plutôt que d'attendre d'elle qu'elle fasse office d'auxiliaire de vie bénévole. Je nourris l'espoir que son retour aux États-Unis l'incitera à se remettre à écrire. Il y a un grand livre à faire sur le bouleversement que nous vivons, et elle serait la chroniqueuse idéale de l'époque. Elle a toujours eu l'œil. Pour la plupart des gens, ce qui se passe devant notre porte est une tragédie. Pour Enola, c'est du matériau.

— Génial, railla Carter. L'auteure idéale du prochain best-seller américain est une oisive poids plume qui doit sa célébrité à une autobiographique romancée à peine déguisée et qui a quitté le pays depuis des dizaines d'années.

— Mais par rapport à ce que tu disais, Willing, intervint Jayne, ramenant sur les rails sa vraie première conversation depuis des semaines, je crois que Douglas a raison concernant le risque moral. Les Américains qui ont subi les plus lourdes pertes sont ceux qui avaient une attitude consciencieuse et responsable vis-à-vis de l'avenir. Ceux qui avaient épargné pour l'avenir. Qui croyaient en l'avenir. Qui avaient mis de l'argent de côté, avec l'idée d'assumer la responsabilité d'eux-mêmes et de ceux qu'ils auraient à leur charge. Le pessimisme qui te chiffonne, Willing, résulte de cette sensation de trahison. Désormais, les gens qui croyaient en l'avenir ont l'impression d'avoir été dupés. D'être les victimes de la pire mauvaise blague qui soit.

Ses grands-parents s'étaient creusé la cervelle pour trouver une façon de formuler la volatilisation de l'héritage du Grand-Homme sous une forme qui ne les fasse pas passer pour des gens à la cupidité ordinaire, désormais furieux d'être privés de ce qui devait leur revenir. Après tout, pour des démocrates libéraux, se retrouver à la tête d'une montagne d'argent qu'ils n'avaient pas gagné aurait été une injustice au regard même des valeurs politiques qu'ils défendaient. Maintenant, ils pouvaient se sentir lésés au nom des « gens qui croyaient en l'avenir ». C'était malin. Willing admirait la gymnastique intellectuelle. Effectuée par des gens à la cupidité ordinaire, désormais furieux d'être privés de ce qui devait leur revenir.

— L'une des principales responsabilités du gouvernement est de fournir une monnaie fonctionnelle, déclara AGH.

Jayne et Carter avaient détourné les yeux, ce qui signifiait qu'ils avaient entendu ce laïus plus d'une fois.

— Qui dit « monnaie fonctionnelle » dit trois critères. Tout d'abord, c'est une *unité de compte* – pour comptabiliser qui doit quoi à qui. On peut mettre ça de côté aujourd'hui, parce que, avec les taux d'inflation actuels, les gens endettés jusqu'au cou peuvent effectivement rembourser des prêts d'un millier de dollars avec dix cents. Ensuite, la monnaie est un *moyen d'échange*, ce que le dollar n'est plus vraiment – sauf si on dépense dans la journée l'argent gagné le matin. Car le troisième rôle de la monnaie est d'être une *réserve de valeur*. De toute ma vie, le dollar n'a jamais été une réserve saine de valeur.

Avec l'âge, AGH était devenu plus emphatique, et quasiment impossible à interrompre.

Willing leva les mains, consterné. Il n'aurait pas dû avoir à jouer les missionnaires, mais quelqu'un devait bien le leur dire.

— Je ne sais pas comment, mais vous allez tous devoir vous en remettre. Le fait d'avoir été « dévalisé » est en train de vous bouffer. C'est comme laisser le gouvernement gagner une deuxième fois.

AGH pouffa.

— Présenté comme ça, le gamin a raison.

— Tu es un jeune homme très intelligent, Willing, approuva Jayne, sur un ton qui lui donna la chair de poule.

— Il n'y a aucune intelligence à faire état d'une évidence, répliqua Willing.

Au même instant, Luella grimaça, puis son visage se détendit dans un sourire béat.

— *Know I'm no-mad ! No-mad ! You know it !*

L'odeur qui imprégnait la maison en permanence s'intensifia. Les trois autres se regardèrent en soupirant.

— C'est mon tour, dit Jayne, en faisant le gros dos. Mais Carter, tiens-toi prêt. La dernière fois qu'elle est repartie dans son délire d'enlèvement, elle m'a donné un coup de pied dans le tibia.

— Avant que tu partes, fiston…, annonça AGH en prenant Willing à part.

Il baissa la voix, comme pour lui transmettre une dernière parole de sagesse que son arrière-petit-fils se rappellerait peut-être des années durant ; à son âge, toute séparation pouvait aisément être définitive.

— Impossible de mettre la main sur des laxatifs. Si jamais tu en trouvais une boîte ou deux…

C'était littéralement un monde de merde.

— Je vais voir, répondit Willing d'un ton navré.

En rentrant chez lui, Willing débarqua en pleine dispute.

— J'ai dix-neuf ans, et c'est mon affaire, disait Savannah à sa mère.

— Ce qui me dérange, c'est justement que ça soit devenu une affaire, répliqua Avery avec véhémence.

Savannah jeta un regard à son cousin, avant de sembler se décider à tout déballer.

— Tu serais *fraîche* avec ça, maman, si je le faisais gratuitement ? Compte tenu de la situation, ce ne serait pas très malin.

— La situation, on la gère, et tu n'as pas à t'avilir de la sorte.

— On gère que dalle, répliqua Savannah. Tu leur as pas encore dit ?

La tante de Willing rougit.

— Je ne sais pas de quoi tu parles.

— Je vous ai entendus parler, papa et toi. Votre boudoir au sous-sol n'a pas de murs. Y en a plus, pas vrai ?

Sa mère baissa les yeux vers le sol, bras croisés.

Se tournant vers Willing, Savannah cracha le morceau.

— L'argent, celui de la vente de la maison. Y en a plus. Terminé. Kaput. *Pasado*. Au revoir, les *contributions* domestiques ; bonjour, l'infâme dépendance. Heureusement, on a des tas de charnières et de cotons-tiges pour voir venir. Et aussi une petite réserve de pinard, que tu ferais mieux de faire durer, maman. Florence n'est pas près d'acheter du viognier quand elle a à peine de quoi payer le vinaigre avec lequel on se torche le cul.

— Ton père se démène pour trouver un autre poste universitaire, dit Avery. Et en attendant, j'ai… j'ai réfléchi à la possibilité d'avoir une activité depuis la maison. Peut-être pas des séances de physiomental, mais une activité de traiteur, ou même du repassage !

— Maman, enfin ! Plus personne n'organise de réceptions, et encore moins avec traiteur, et la plupart des gens portent les mêmes fringues pendant un mois !

— La seule chose que je sois trop fière pour faire, c'est ce que toi, tu fais.

— T'es trop vieille pour cette vocation-là. Et quelqu'un doit bien rapporter un peu de thunes dans cette baraque, à part Florence. Vous voulez voir l'inflation marcher à notre avantage pour une fois ? *Mes* prix à moi, ils *augmentent*.

Prenant son manteau, Savannah sortit de la maison.

— Tu étais au courant ? demanda Avery à Willing.

— Je m'étais posé la question, reconnut-il.

— Sans même parler de déshonneur, c'est dangereux. Il y a des maladies. Que les antibiotiques ne peuvent pas toujours soigner.

— Elle n'a pas une grande palette de compétences, fit valoir Willing. Et elle a raison sur ce point : ma mère ne peut pas nourrir dix personnes. Sauf qu'il y a un autre gros problème avec la voie professionnelle que s'est choisie Savannah. De ce que j'ai pu voir dans la rue.

— Lequel ?

— La concurrence.

12

Entremise, récompense et sacrifice

CE DEVAIT ÊTRE aux alentours de juillet 31. Florence, qui examinait à la lumière un billet de cent dollars, appela son beau-frère.

— Lowell ? Tu pourrais monter, s'il te plaît ?

D'un pas traînant, son beau-frère arriva du sous-sol, vêtu de l'un de ses costumes, dont l'aspect était assez courant au centre d'hébergement : coupe soignée mais tissu froissé, et plusieurs mois sans avoir vu le pressing. Lowell avait cessé de se raser, et taillait à la va-comme-je-te-pousse une barbe qui croissait déjà en touffes irrégulières. Les barbes de longueur inégale étaient à la mode, tout comme la coupe de cheveux maison : résultats de coups de ciseaux approximatifs et de contorsions devant des miroirs de salles de bains. La généralisation de ces pratiques capillaires avait entraîné la faillite de la majorité des salons de coiffure.

Elle lui tendit le billet.

— Il y a quelque chose de changé.

Lowell commença à examiner le billet cireux.

— Il a l'air faux. J'ai bien peur que tu ne te sois fait avoir.

— C'est ce que j'ai d'abord pensé. Mais il y en a partout en ville. Regarde.

Elle sortit une liasse de son portefeuille – les modèles courants n'étaient plus assez grands pour contenir tous les billets nécessaires à une expédition standard au supermarché, et le sien ne pouvait plus se plier –, puis elle étala les billets sur le comptoir de la cuisine.

— Ce n'est pas la même qualité de papier. Et l'encre n'est pas la bonne non plus. Elle est plus vive. Plus verte. Plus criarde.

— Ils en changent souvent la conception pour *empêcher* la contrefaçon.

— Mais on ne parle pas ici d'ajout d'hologrammes ni de gravure plus sophistiquée. Et le portrait de Ben Franklin fait comme un pâté. C'est plus mal fait.

— Et tu m'en parles… parce que ?

— Tu as dit que la dégradation de l'aspect des deutsche-marks avait été un signe avant-coureur…

— Ce n'est pas moi qui dirige la Monnaie fédérale. S'ils ont décidé d'économiser sur les coûts de production, grand bien leur fasse. À une époque de restrictions budgétaires, ça n'a pas de sens de gaspiller des ressources sur un simple moyen d'échange dépourvu de toute valeur intrinsèque et qui ne sert qu'à représenter de la valeur.

Alors qu'il s'éloignait, elle lui cria :

— Tu sais comment je sais que ce n'est pas un faux ? Parce que tout le monde s'en fiche !

Elle ne savait pas trop ce qu'elle attendait de lui. Des excuses, alors qu'il n'avait rien fait de mal ? Ou un autre de ses accès d'optimisme improbable, où il lui assurerait qu'ils récupéreraient en un rien de temps leurs dollars couleur avocat au toucher duveteux ? L'air triste, Florence se mit à séparer les anciens billets de leur variante plus grossière et plus rigide. Les nouveaux billets étaient aussi plus petits, à la manière dont les pots de glace – ni vu ni connu je t'embrouille – étaient passés d'une contenance d'un litre et demi à celle d'à peine plus d'un demi-litre. Florence se considérait comme assez peu intéressée par l'argent, aussi était-elle surprise par l'acuité de sa peine.

Jusqu'ici, de toute l'existence de Florence, le billet d'un dollar, dans son apparence, était resté inchangé. En dépit des spécimens qu'elle manipulait tous les jours, elle n'en avait jamais regardé un avec une réelle attention. Raidissement de la cornée oblige, à quarante-six ans, elle alla chercher une loupe pour examiner un exemplaire de ceux qui avaient marqué sa jeunesse. En toute franchise, la gravure était ringarde. Les feuilles de laurier autour des quatre 1 et sous l'effigie de Washington. Les minutieuses fioritures entrecroisées sur le pourtour. Les traits fins parallèles ombrant THE UNITED STATES OF AMERICA. L'affirmation, quelque peu incertaine aujourd'hui, selon laquelle ce billet avait cours légal pour toutes les dettes publiques et privées – THIS NOTE IS LEGAL TENDER FOR ALL DEBTS, PUBLIC AND PRIVATE. Les multiples nombres, lettres et signatures à la finalité ambiguë. Le revers était plus grandiose encore, le hachurage plus exubérant. L'insistance à imprimer ONE par-dessus les chiffres, dans les coins, semblait exagérée. Sur la gauche, la pyramide avec, dans sa pointe triangulaire, l'œil de la Providence imperturbable, comme en lévitation, conférait au billet une connotation mystique, comme si la monnaie avait des pouvoirs magiques (et peut-être en avait-elle : remettre à un complet étranger une liasse de morceaux de papier verts en échange d'un beignet relevait peut-être en effet ni plus ni moins du miracle). En regard, l'aigle à tête blanche, avec, dans ses serres, d'un côté des flèches et de l'autre, un rameau d'olivier, rappelait aux citoyens comme aux étrangers lequel des deux procédés, dans l'histoire, s'était révélé le plus convaincant.

Une citation latine donnait toujours une touche de prétention, à défaut de témoigner aussi d'un goût pour les propos obscurs. Pour la toute première fois en ces dizaines d'années où elle avait compté et tendu ces billets pour régler des achats, où elle les avait insérés dans les fentes avides de distributeurs de cartes de métro et les avait repêchés dans les poches des jeans, elle chercha les traductions en ligne. NOVUS ORDO SECLORUM, c'est-à-dire « Nouvel ordre des siècles », impliquait que la création des États-Unis marquait le début d'une ère de transformation, non seulement pour les Américains, mais aussi pour l'ensemble du monde.

La flagornerie était poussée un cran au-dessus avec ANNUIT CŒPTIS, autrement dit : « Il approuve cette entreprise » –, « Il » étant Dieu, bien sûr (qui d'autre ?). E PLURIBUS UNUM, elle en comprenait déjà la signification – « De plusieurs, un », bien que, dans l'Amérique fracturée et factionnelle de son époque, E PLURIBUS PLURIBUS constitue une devise plus appropriée. Au bas de la pyramide, une date en chiffres romains, sur une hauteur de moins d'un millimètre : 1776. Jusqu'alors, Florence n'avait jamais remarqué que les chaînes de petites boules de taille décroissante partant des médaillons étaient des perles, au nombre de treize. Car il n'y a qu'en Amérique où le nombre 13 porte bonheur : la pyramide comptait treize niveaux ; au-dessus de l'aigle brillaient treize étoiles ; le bouclier héraldique sur le poitrail du rapace était strié de treize bandes. Ce pauvre bout de papier était si lourd de symboles, c'était un vrai miracle qu'on puisse encore ne serait-ce que le soulever du sol. Pourtant, dans une supérette, ce puissant sésame n'aurait pas même pu acheter une boule de chewing-gum.

Florence sortit la liasse épaisse de son portefeuille pour comparer l'ancienne mouture du billet d'un dollar à la nouvelle. Elle vérifia deux fois : aucun nouveau billet d'un dollar. De toute évidence, à l'instar des pièces de monnaie en théorie encore en circulation, mais en pratique quasiment mises au rebut, les billets d'un dollar n'étaient plus imprimés.

Elle devrait se contenter de la comparaison de billets de cent dollars. Le billet à l'effigie de Benjamin Franklin avait été modifié quand elle avait une vingtaine d'années, époque à laquelle elle n'avait que très rarement l'occasion d'en avoir dans la main : elle était au chômage et habitait chez ses parents. Mais son père en avait rapporté un pour qu'elle et Jarred puissent l'admirer. Dans sa nouvelle version, le billet semblait seulement avoir gonflé en autosuffisance, grâce à la quantité de procédés ingénieux mis en œuvre pour prévenir la contrefaçon. Il ressemblait moins à un titre ayant cours légal qu'à un billet de jeu de société – emballé comme un cadeau de Noël, avec sa bande indigo verticale tissée dans les fibres mêmes du papier. Un examen attentif permettait de distinguer, sur cette bande, de minuscules Cloches de la liberté, qui se déplaçaient le long d'une trajectoire diagonale quand on inclinait le billet dans un sens et les nombres 100 quand on le penchait dans l'autre. Dans son portefeuille, les billets de cent dollars usés n'étaient pas aussi étincelants que le premier qu'elle avait vu dans sa jeunesse, mais la bande holographique fonctionnait toujours. La Cloche de la liberté dans l'encrier était passée de la teinte cuivre au vert. À la lumière, une réitération spectrale de l'effigie de Ben Franklin surgissait à droite dans l'un des rares espaces vierges. Sur la partie gauche, le nombre 100 répété était tamponné en tout petit et en jaune, dans une police de caractères cucul, selon un motif irrégulier.

Les dernières moutures des billets de cent dollars s'étaient délestées de leur bande verticale, remplacée par un simple trait indigo qui semblait fait au Stabilo. La piètre qualité de l'effigie transformait l'expression résolue de Ben Franklin en grimace sarcastique. Les dispositifs complexes anti-contrefaçon avaient été abandonnés. Le papier était fin et gras. Le billet n'était que vague esquisse, une ébauche, une allusion poussive et paresseuse d'une institution monétaire qui ne voulait plus s'encombrer de tout ce symbolisme fastidieux. Le billet semblait être sans valeur – et en donnait l'impression .

Jusqu'alors, Florence ne s'était jamais interrogée sur son attachement, inattendu compte tenu de sa personnalité, à la monnaie de son pays. À l'opposé de la réputation de rustres des Américains, le dollar se distinguait, par sa dignité et sa réserve, d'autres devises plus flamboyantes. Bien que la nouvelle diminution de la taille des billets confère de façon alarmante à ces derniers les dimensions de billets de Monopoly, les proportions des billets d'origine étaient d'une modestie plaisante. Pour une nation pourtant jeune, sa monnaie avait quelque chose de désuet et d'indigeste. À l'instar de la police du *New York Times*, dont la têtière avait résolument conservé son archaïsme jusqu'au dernier numéro, ou de la bouteille de Tabasco, avec sa forme immuable réconfortante, les dollars semblaient chargés d'histoire, enracinés, intemporels. Contrairement aux billets de banque européens qui, d'après Nollie, n'avaient jamais récupéré ni leur grandeur ni leur spécificité après la débâcle de l'euro. Florence en avait vu des spécimens que Nollie avait rapportés de ses voyages : les pesetas, les drachmes et les lires semblaient ordinaires, dépouillées et interchangeables. Et honteuses de leur propre apparence.

Elle était la première étonnée du caractère émotionnel de sa relation aux vieux billets duveteux dans son portefeuille. Ils étaient associés de façon primitive à ses toutes premières expériences d'entremise, de récompense et de sacrifice. À l'école primaire, en échanger une précieuse liasse contre un Walkman avait constitué un acte fondateur de son affirmation de soi. À seize ans, ces rectangles avaient été le prix gagné pour les six semaines passées à repeindre toutes les pièces de la maison familiale de Carroll Gardens, tous les jours après le lycée, alors que ses amies allaient dépenser leur argent de poche chez Canal Jeans. Laisser tomber par inadvertance un billet de vingt sur le trottoir rappelait aux vertus de l'attention ; retrouver un billet de cinq dans un sac à main faisait goûter aux joies de la sérendipité ; se délester de plus de billets que prévu pour l'anniversaire de sa mère lui avait appris la réciprocité de la générosité. Le billet vert était inextricablement lié à ses expériences de perte et de gain, d'accomplissement et d'insuffisance, de prudence et d'imprudence, de calcul et de lâcher-prise, de bienveillance et de méchanceté, d'abuseur et d'abusé. Dès lors, les grossiers imposteurs, de qualité médiocre, qu'elle avait récupérés en guise de monnaie à Green Acre Farm lors de ses dernières courses donnaient à Florence le sentiment d'avoir été volée, de s'être fait personnellement insulter et l'emplissaient d'angoisse, comme si, en compromettant l'intégrité des emblèmes mêmes de sa valeur, la nation s'était elle-même dévaluée.

Pour des économistes de profession comme Lowell, cette période était la plus captivante qu'ils aient jamais vécue. Pourtant, Avery considérait son traité – qui s'étoffait – ni plus ni moins que comme les pâtés de sable d'un enfant. Justement, l'une des régressions qu'il s'employait à documenter était la façon dont toutes les entreprises intellectuelles étaient reléguées au rang d'aberration – un immense retour en arrière, à la vitesse de la lumière, pour toute la civilisation. Avery avait-elle jamais exprimé un tel mépris pour les contributions de son époux quand celui-ci enseignait à Georgetown ? Que nenni ! Elle frappait timidement à la porte de son bureau, et lui demandait s'il voulait un bol de soupe, avant de s'excuser, s'excuser *abondamment* de l'avoir dérangé. Aujourd'hui, lorsque, penché sur son fleX, il cherchait l'inspiration, elle lui aboyait qu'il pourrait faire l'effort d'accompagner les enfants pour essayer de récupérer des meubles jetés sur les trottoirs, afin de les recycler en bois de chauffage. Persuadée qu'il n'en foutait pas une rame, elle interrompait ainsi sa réflexion de la pire des façons, et mettait en péril l'avenir même de l'érudition américaine.

Lowell devait reconnaître qu'il était étonné par sa femme. Avant ce revers de fortune, il l'aurait décrite comme gâtée. Or, aujourd'hui, être gâté, ce n'était pas si fondamental, tant qu'on avait les moyens de s'offrir les petits plaisirs de la vie. C'était dans la nature même des petits plaisirs de se transformer en besoins. Dans une perspective d'abondance, l'extravagance de son épouse passait pour une forme de raffinement. Au sein de leur couple, c'était lui qui rapportait le plus d'argent, et, en son for intérieur, il considérait le « cabinet » de sa femme un cran au-dessus à peine du club de lecture féminin : une gentille occupation.

Dans la première phase de ce procès de Job sis à East Flatbush, Avery avait adopté un comportement qu'il était tenté de taxer de « geignard ». Mais quelque chose s'était produit peu de temps après qu'ils eurent terminé la dernière bouteille de chenin blanc. Maintenant qu'ils ne pouvaient plus arroser leurs soirées au pinard, impossible de dire que sa femme avait le vin si ce n'est triste, du moins plaintif. Elle semblait avoir pris une résolution : se montrer stoïque, héroïque et altruiste. Chose incroyable, après avoir, de façon fort légitime, décrété qu'il était hors de question qu'ils *se passent de papier-toilette*, son épouse à la phobie hygiénique n'en avait pas le moins du monde voulu à Florence quand, quelques mois plus tard, celle-ci avait annoncé qu'ils ne pouvaient plus continuer à découper vêtements et draps pour essuyer leurs parties intimes, parce qu'ils n'avaient plus de vieux tissus en stock. Mieux : Avery s'était portée *volontaire* pour collecter les sacs de carrés de tissu usagés dans les deux toilettes chaque week-end, et *faire une machine* de ces « torche-culs » abjects, avant d'en replacer des piles moelleuses à côté des toilettes ! La même femme, qui, la première fois qu'elle avait dû sortir sans eye-liner, avait éclaté en sanglots !

La difficulté de Lowell ne tenait pas seulement au fait qu'il vivait avec une femme qu'il ne reconnaissait plus, ce qui aurait pu pimenter leur relation. C'était plutôt une question de yin et de yang. Avery semblait s'être elle-même attribuée le rôle de « survivant valeureux qui se dresse courageusement contre l'adversité et découvre ce faisant des facettes insoupçonnées de sa personnalité », si bien que le seul rôle encore disponible était celui de « gros bébé ». Avec Avery cheftaine *au four et au moulin*, toujours à repriser, cuisiner, faire les courses et la lessive, à inciter Kurt, *qu'elle n'aimait même pas*, à – mais comment donc ! – se resservir un peu de polenta, au motif que le soi-disant locataire semblait mal fichu, se privant elle-même ; à inciter Kurt et Bing à faire des concerts le soir dans le salon, alors que des duos violon saxo étaient d'un ridicule sans nom, sans parler même du fait que *le saxophone de Kurt la rendait dingue* – tout ça sans un poil d'irritabilité, d'aveu d'épuisement ou d'allusion au fait qu'elle abhorrait vivre dans cette horrible maison exiguë avec des gens dont la proximité était devenue plus qu'éprouvante… C'était comme ça. Quelqu'un se devait bien d'apporter une petite note de morosité dans ce *Keep Calm and Carry On* diaboliquement paradisiaque. Susciter un ressentiment honorable, exprimer l'indignation qui flottait dans l'air comme la fumée d'un dîner brûlé – c'était un vrai travail, au même titre que la bonne volonté inlassable d'Avery. Avec un niveau équivalent d'abnégation, il assumait la fonction moins glamour de rappeler aux autres que tout cela était une vraie chienlit, que c'était nul à chier, et carrément injuste. Savannah aurait dû être en première année à l'école de design de Rhode Island, Goog remplir un dossier d'inscription pour le MIT, lui, Lowell, aurait dû donner des conférences à Genève. Il était officiellement le ronchon, le bougon, le grognon de la maison, et il se dévouait à cette fonction corps et âme, autorisant ainsi aux autres leur vertu, leur grandeur d'âme et leur sagesse au regard de cette « dure épreuve qui finirait par passer ». Sa dyspepsie zélée rendait possible toute leur infernale bonté.

Non qu'il en récolte de quelconques remerciements. Au contraire, ses colocataires semblaient le rendre responsable de tout ce qui allait de travers. Mais écrire sur l'inflation ne signifiait nullement qu'on contrôle celle-ci. En fait, personne, pas même le gouvernement fédéral, n'écoutait réellement les économistes sur quelque sujet que ce soit. Les gouvernements faisaient ce qui leur chantait, et dans les démocraties électives caractérisées par une succession gouvernementale rapide, ce qui leur chantait était toujours appréhendé sur un court terme de myope. Quand bien même cet avorton de Willing Darkly cherchait toujours à faire passer son oncle pour le naïf de service, Lowell s'y connaissait suffisamment sur le sujet de la séparation artificielle entre banques centrales et trésors publics nationaux. Manifestement, donc, en reléguant l'impression de la monnaie au rang de chose du passé – ce que, dans un certain sens, elle était –, le directeur de la Banque centrale faisait le jeu du président. À tous les niveaux, Alvarado tirait profit de ce que les corps électoraux, dans leur ensemble, avaient tendance à redouter, à savoir le fait qu'un *État souverain peut tout se permettre.* Le coup de maître sur la monnaie de réserve/monnaie en circulation, la Dénonciation, le refus d'Alvarado de céder devant le bras de fer des tenants du bancor – tout cela n'était que de la politique, et avait bien peu de chose à voir avec l'économie. Le prochain cacavioc qui recourrait au trope populaire selon lequel les économistes étaient les « sorciers » contemporains, Lowell se chargerait de lui éclater la tête.

En outre, personne ne pouvait avancer de théories académiques convaincantes susceptibles de prendre en compte la survenue aléatoire de tous les *deus ex machina*, en d'autres termes, des gens extérieurs au système qui se mettaient à déconner. Cette absurdité du bancor, c'était comme entrer en collision avec une comète. Que la prééminence de la discipline n'ait pas empêché l'anéantissement cosmique n'invalidait pas pour autant Keynes. (Ironiquement, que John Maynard Keynes lui-même ait la paternité de l'inepte substantif « bancor » faisait à Lowell l'effet d'une gifle.) D'ailleurs, c'était du jamais vu : prêter dans une monnaie et exiger d'être remboursé dans une autre – qui plus est, dans une monnaie que vous veniez de *sortir de votre chapeau…*

En réalité, rien de ce qui était arrivé ne donnait tort à Lowell Stackhouse. Celui-ci demeurait convaincu que, jusqu'à un avenir fort lointain, les États-Unis auraient pu continuer à cumuler une dette nationale publique qui augmentait lentement, tout en freinant les taux d'intérêt, à un niveau si faible depuis des lustres que la plupart des banques avaient adopté la pratique courante qui consistait à facturer des honoraires élevés pour la gestion des comptes courants. Car la dette constituait un moteur de croissance et grossissait la part du gâteau de chacun. Imaginez un monde où vous auriez eu besoin de liquidités pour acheter une maison : la classe moyenne ne pourrait pas s'acheter de résidence principale avant ses quatre-vingts ans. « Ni emprunteur ni prêteur », telle était la devise de ceux qui vivaient dans les arbres. La phobie de l'endettement de Lowell dans sa vie privée relevait du problème psychologique ; dans l'enfance, il avait peut-être éprouvé le sentiment de contracter une dette implicite à l'égard de parents, contraints de se priver, du fait qu'ils avaient pris soin de lui – dette qu'un petit garçon ne pourrait jamais rembourser. Car d'un point de vue philosophique, il croyait en la dette – l'*effet de levier*, en langage sophistiqué –, qui, au fil du temps, avait injustement acquis une réputation entachée. Il ne s'offusquait pas même de l'expression « faire grâce de créances », pour désigner un passif annulé, qui sous-entendait qu'un prêt était un péché. Qu'est-ce qui clochait en Amérique en ce moment ? Pas l'endettement, mais une incapacité à emprunter, en d'autres termes, le *manque d'endettement*. À l'heure actuelle, même si c'était temporaire, les États-Unis n'auraient pas eu de quoi acheter une maison.

Les conceptions argumentées de Lowell, ce bon vieux routier de l'économie, étaient d'autant plus courageuses qu'elles étaient impopulaires. Pourtant, même au sein de son propre foyer, du moins ce qui en faisait office, il n'était pas respecté. Alors que même un économiste était réticent à réduire l'ensemble de la vie à des dollars et des cents, les gens vénéraient le travail rémunérateur. À l'heure actuelle, le travail de l'esprit ne rapportait rien. Dans les États-Unis de 2031, scientifiques, universitaires et ingénieurs jouissaient d'un statut inférieur à celui du paysan révéré.

Pour preuve : en août, le beau-frère incompétent de Lowell, Jarred, était monté en ville, son pick-up chargé de fruits et de légumes provenant de sa petite maison dans la prairie de Gloversville. Même Avery, laquelle s'était pourtant moquée dès le départ de son projet agraire rétrograde, avait réagi à l'arrivée de son frère cadet comme s'il s'était agi du Second Avènement, tandis que les enfants s'étaient mis à sauter et à danser de joie avec une excitation qui n'était plus de leur âge. À croire qu'ils n'avaient jamais vu de tomate. Non que la venue de leur oncle ait été motivée par une quelconque largesse familiale. Jarred avait bien dispensé à ses proches quelques pommes de terre, premières pommes et choux frisés, mais la plus grande partie de son chargement était réservée au marché de Grand Army Plaza, où les prix étaient plus que prohibitifs : ils étaient criminels. Tant que les fermiers étaient en mesure de convertir rapidement l'argent en marchandises durables telles que les semences, le matériel agricole et autres biens saisis, tout le secteur agricole engrangeait des profits phénoménaux.

Lowell, qui avait perdu et sa maison et ses cartes de crédit, devait bien admettre que la situation lui restait en travers de la gorge : la dépréciation du dollar avait permis à son vantard et irresponsable de beau-frère de rembourser intégralement l'emprunt immobilier à taux fixe de sa « Citadelle », ainsi que des dettes héritées de ses précédentes lubies. Après avoir enseigné à ses étudiants de Georgetown que l'évaporation de la dette constituait l'un des plus extraordinaires pouvoirs de l'inflation, Lowell n'avait pas de problème avec l'« injustice » macro-économique au service de la correction systémique. Qu'il soit quelque peu dans l'incapacité de suivre son propre dogme sur le plan privé et émotionnel était probablement un manquement intellectuel : quand elle le touchait de près et personnellement, l'injustice micro-économique l'emmerdait lui comme tout le monde.

En revanche, Lowell était réellement soulagé que tout aille bien pour leurs amis Tom Fortnum et Belle Duval, même si ses échanges par fleX avec Tom et ceux de Belle avec Avery mettaient l'accent sur le négatif, par déconvenue. Peu avant la Dénonciation, les parents de Belle, en bonne santé, avaient pris une retraite anticipée. Ils avaient investi les bénéfices d'une start-up de conception d'applications dans l'achat d'un camping-car, et avaient été jusqu'à planifier un tour du monde. Ils avaient été touchés de plein fouet, et tout ce qui restait de leurs projets était le camping-car, garé en permanence dans l'allée de Tom et Belle. Pourtant, le malheur était relatif : à la différence des beaux-parents de Lowell à Carroll Gardens, la mère de Belle pouvait faire la différence entre une brosse à cheveux et un oryctérope, et les parents de Belle n'habitaient pas à proprement parler chez eux. Les enfants de Tom et Belle fréquentaient des collèges de seconde zone, mais ils ne restaient pas à traîner dans le sous-sol moisi de leur tante, ou, pire, à faire des passes en ville pour gagner leur argent de poche, comme Savannah, à ce qu'*affirmait* Avery. (Lowell ne se leurrait pas sur la virginité de sa fille, mais qu'Avery aille jusqu'à qualifier de tapinage les expériences de leur fille… *Quand même*. La mère encore belle mais vieillissante en rivalité avec sa fille séduisante – sa famille n'aurait pas pu trouver quelque chose de plus original ?) Résultat : Tom travaillait pour la Justice, et les patients de Belle, pour la plupart, bénéficiaient de Medicare. Quand elles étaient financées par une politique monétaire permissive, les sommes versées par un gouvernement étaient plus utiles lorsqu'elles étaient dépensées ; une inflation élevée n'éroderait les revenus de Tom et de Belle que lorsque l'injection de liquidités se répercuterait à l'ensemble de l'économie. Désormais, les traitements des fonctionnaires tout comme les taux de remboursement de Medicare étaient indexés à un algorithme d'inflation qui ne nécessitait pour être appliqué aucune action supplémentaire du Congrès. Même si une barre de Snickers finissait par coûter cinq milliards de dollars, ils n'avaient rien à craindre.

Au grand dam de Lowell, Ryan Biersdorfer et son acolyte Lin Yu Houseman dormaient eux aussi sur leurs deux oreilles. Même si *Les Corrections* ne pouvaient engranger de droits d'auteur à la manière des livres brochés d'antan, Biersdorfer avait fort astucieusement défini un prix si bas pour le téléchargement que les acheteurs étrangers mieux nantis ne prenaient même pas la peine de mettre la main sur un exemplaire piraté, et les petites bouchées de pain s'additionnaient. Source de revenus plus substantielle : les conférences. Ryan était très demandé sur le circuit international très lucratif. Ce qui signifiait gagner des bancors (sans doute par le biais d'une société-écran offshore), devise dont, c'était *à ne rien y comprendre*, le cours ne cessait de s'apprécier. Dès lors, plutôt que de convertir ses revenus étrangers en dollars, nécessaires pour être rapatriés, Biersdorfer, selon les rumeurs, achetait de l'immobilier à Paris, en Toscane, à Hanoï et Jakarta. Tout Américain qui qualifiait l'effondrement de son propre pays comme un juste retour des choses et la promesse d'une renaissance socialiste était très prisé à l'étranger, puisque la plupart des concurrents sérieux de l'infatué économiste n'avaient pas les moyens de se payer de billets d'avion. Les Européens étaient fascinés par ce rare Yankee qui avait été autorisé à sortir du pays, dans un amalgame stupide entre contrôle des capitaux et contrôle de la liberté de mouvement. (Tout bien considéré, avoir la liberté d'aller où bon vous semblait à condition de ne rien dépenser là-bas équivalait peut-être à une assignation à résidence.) Dans tous les cas, en ce moment, Biersdorfer et sa groupie asiatique sexy n'étaient quasiment plus jamais aux États-Unis, ce qui, apparemment, faisait d'eux les interlocuteurs idéaux pour expliquer au reste du monde ce qu'il s'y passait.

Lowell n'était pas obsédé par la masculinité, mais c'était dur, pour un homme, d'avoir à jouer de son charme auprès de sa belle-sœur pour avoir de quoi acheter un nouveau baume à lèvres, avant de se voir prier d'utiliser un peu de saindoux à la place. En octobre 31, Georgetown avait fini par verser à Lowell ses arriérés de salaire datant de l'avant-dernier été ; ainsi renfloué, il était pourtant *dans le rouge* : vaisseaux sanguins dilatés, joues rougies, picotements dans les doigts. Résolu pour une fois à ne plus être passif, il proposa royalement de payer les courses de la semaine.

Il passa un pantalon et une chemise habillés, tous les deux portés seulement dix jours depuis leur précédent lavage. (La bataille des lessives était rude, et il avait tendance à céder à Savannah les deux articles autorisés par résident.) En grande pompe, il remplit à ras bord le réservoir de la Jaunt. Devant Green Acre Farm, il se délecta d'avoir autant de place pour se garer, car peu d'habitants de Brooklyn avaient les moyens d'avoir une voiture. D'un pas désinvolte, en sifflotant, il entra dans le magasin, et se fit la réflexion qu'il avait meilleure allure, prise de conscience simultanée et inédite qu'elle s'était précédemment dégradée. Ses mocassins roses en daim avaient peut-être passé de couleur par endroits, mais de loin, ils continuaient d'attirer l'œil. Il se sentait un homme, pour la première fois depuis des mois, une sensation qui dépendait grandement du renflement dans ses poches formé par les billets de banque.

Les produits importés étaient toujours introuvables, et s'il n'y avait plus, comme l'année précédente, pénurie de produits nationaux, il y avait cependant pénurie de revenus. Désormais, il était possible d'acheter des œufs, des brocolis et même de la viande – en y mettant le prix. Enhardi par le virement qui avait été effectué le matin même, Lowell se refusa à regarder les étiquettes de prix griffonnées et acheta ce qui lui faisait plaisir. C'est comme ça que les *hommes* faisaient les courses. Le caddie qui débordait de victuailles attirait encore plus de regards envieux que ses mocassins roses.

Quand tout son butin eut fini de passer en caisse – toutes les caisses en libre-service avaient été retirées, le vol étant devenu trop acceptable –, Lowell se figea. Les mains sur le renflement de ses poches, il demanda à la caissière de lui répéter le montant ; elle obtempéra d'un ton narquois. C'est ce qui expliquait qu'Ellen Packer ait cédé quand il l'avait menacée une fois de plus d'intenter une action en justice : les arriérés de quatre mois de salaire de l'une des plus prestigieuses universités du pays ne suffisaient plus aujourd'hui pour un plein et les courses de la semaine.

Avec toute l'indignation qu'il était en mesure d'exprimer, il sortit du supermarché d'un pas calme, laissant les larbins du magasin remettre les marchandises en rayons. La sortie théâtrale impliquait de sacrifier les sacs de provision en toile, qui contenaient déjà de la bavette de bœuf, et Florence allait lui tomber dessus. Le seul point positif à toute cette humiliation, c'était la place de parking, aussi, laissant la Jaunt où elle était, il commença à descendre Utica Avenue. Il ne rentrerait pas les mains vides. Il pourrait acheter des provisions pour deux jours au Quickee Mart sur Foster.

— Vous avez une petite pièce ?

Avisant d'un coup d'œil oblique un jeune homme pas rasé aux cheveux gras, Lowell remarqua seulement qu'il portait le même genre de costume sans col qu'il trouvait si classe sa dernière année à Georgetown. Le type s'approcha si près que sa manche effleura le bras de Lowell.

— Non, désolé, répondit Lowell d'un ton froid, en se raidissant.

— Jolies pompes, mec.

Le compliment venait de l'autre côté, d'un deuxième type, à l'allure sale, qui lui effleura l'autre bras. Il avait remarqué ces deux jeunes hommes dans le supermarché, où ils avaient, sans grande conviction, pris une barquette de côtelettes d'agneau avant de la reposer. Lowell, qui n'était pas né de la dernière pluie, s'attendait à une forme d'arnaque. Pourtant, le temps de comprendre que les deux types qui l'encadraient n'étaient pas des escrocs mais des voyous, il était trop tard. Même si personne n'avait été témoin de ce moment d'irrémédiable faiblesse, Lowell s'en voulut de ne pas avoir pris la mesure de la situation. Il aurait dû percuter bien avant d'apercevoir le couteau.

Un simple couteau de cuisine, mais d'excellente qualité, en acier, de fabrication allemande, comme ceux que sa femme avait achetés par lots, tous laissés derrière eux quand ils avaient dû quitter Cleveland Park. Ce n'était pas le couteau du chef, mais le couteau *universel*, pour reprendre le terme qui devait figurer sur le descriptif de la boîte, qui était dirigé vers le ventre de Lowell. Décidément adapté à tout, ce couteau.

Leur numéro était si bien rodé que les deux compères eux-mêmes semblaient s'ennuyer ; plutôt que de se concentrer sur ce qu'ils étaient en train de faire, les nouveaux amis de Lowell discutaient entre eux d'un fonds commun en valeurs agricoles avec un rendement étonnamment bon, avant de déplorer la fermeture récente de leur restaurant de sushis préféré sur Liberty Street à Manhattan. Étaient-ils d'anciens financiers de Wall Street, auquel cas la transition entre ces deux formes de vol n'aurait pas manqué d'élégance ? Tenant en respect leur victime – le couteau appuyait juste sous les côtes – ils entraînèrent Lowell sur l'Avenue D, avant de remonter la 49ᵉ Est. Précaution bien inutile que celle de quitter la rue principale ; les autres piétons ne remarquaient pas plus la lame qui étincelait sous le soleil qu'ils auraient pris garde au reflet d'un rétroviseur. Ils poussèrent Lowell dans un jardin envahi par la végétation et le firent tomber dans les ronces. Les malfrats étaient loin de s'attendre à une telle prise quand Lowel vida ses poches, se réjouissant que la Réserve fédérale américaine ait déprécié le dollar, les liasses faisant un excellent coussin de protection.

Plus ennuyeux, ils avaient trouvé son fleX, caché dans son mocassin gauche. Pire encore, s'ils avaient mis la main dessus c'était seulement parce qu'ils lui avaient pris ses chaussures. La joue égratignée par les ronces, Lowell refit le trajet, en claudiquant et en chaussettes, jusqu'à Green Acre Farm. Submergé de soulagement, il se répéta ce sur quoi il ne manquerait pas d'insister en rentrant chez les Darkly : une chance encore qu'il ait décidé d'aller à pied au Quickee Mart. Ils n'avaient pas pu lui voler sa voiture.

— Ce ne sont que des objets, commenta Willing d'un ton patient. Tu confonds les objets avec la signification qu'ils ont pour toi. La signification que tu projettes sur les objets, tu peux la reprendre. Et ils redeviennent des choses vides de sens. Des cubes. Des cubes massifs qui prennent beaucoup de place.

Ils étaient dans le grenier, où seul Willing était autorisé à monter. C'était la pièce la plus chaude de la maison, ce qui ne voulait pas dire grand-chose. Même si la hauteur sous plafond était limitée, sa grand-tante avait plus de mètres carrés pour son usage personnel que quiconque dans la maison. Personne n'y trouvait rien à redire, car, outre Florence, elle était la seule résidente à apporter une contribution à leur modeste économie. C'était par un autre moyen que la sécurité sociale – l'allocation était trop modeste pour permettre une telle générosité –, et il se demandait bien lequel. Il ignorait combien Nollie avait de côté et d'où lui venait cet argent. Naturellement, il était curieux. Nollie était la seule à ne pas dépenser son argent le plus vite possible, avant qu'il se change en tas de cendres. Pourtant, il ne semblait pas s'épuiser. C'était bigrement intéressant. Cependant, elle était très stricte sur ce qu'elle payait : il devait absolument s'agir d'un produit de première nécessité.

— Ce ne sont pas des cubes, protesta Nollie. C'est le travail de toute une vie.

Elle était en boule sur son matelas comme une enfant. Les lacets de ses tennis s'étaient cassés, et elle y avait fait plusieurs nœuds. Son ample pull rouge était trop grand pour elle. Elle portait des gants, comme eux tous à l'intérieur. C'étaient des gants qu'Avery aurait dû acheter à Walgreens, se dit Willing : les siens avaient des trous.

— Il commence à faire froid.

Il parlerait lentement et d'une voix claire. Il devait l'amadouer.

— On est seulement en décembre. Il va faire plus froid encore. Le gaz naturel est trop cher pour qu'on puisse s'en servir tout l'hiver. On va devoir l'économiser pour les situations d'urgence. D'urgence médicale. Pour le reste, il va falloir qu'on se chauffe et qu'on cuisine avec le bidon de pétrole derrière. La neige a recouvert le cimetière et le parc. Qui, de toute façon, ont été dépouillés de tout le bois de chauffage. Et si on en trouvait, il serait mouillé. Tu pourrais nous aider.

— Brûler les livres, c'est la fin de la civilisation, répliqua-t-elle, la mine renfrognée.

— Tous tes romans sont disponibles sur Internet.

— Les versions piratées.

— Le piratage est un compliment.

— Tu m'excuseras si je n'y suis pas sensible.

— Tes exemplaires, renchérit-il, déterminé à pousser sa chance, ils disent tous la même chose. Tu as des cartons entiers des mêmes livres.

— Je les ai gardés pour les offrir à des amis qui me sont chers. Ils ne seront plus jamais imprimés.

— Ils sont produits dans un format obsolète, insista Willing. La plupart de ces « amis qui te sont chers » les considéreraient plus comme un fardeau que comme un cadeau. Ils les feraient brûler chez eux dans un baril de pétrole.

— Donc, si je te donnais un de mes romans, tu te précipiterais en bas pour le faire brûler.

— Oui, répondit-il d'une voix ferme.

— Tu n'as jamais éprouvé le moindre intérêt à l'égard de mon travail.

Elle semblait morose.

— C'est vrai. Peut-être plus tard, quand on en aura vu le bout.

— Parce qu'on en « verra le bout » ?

— C'est le chaos total, concéda-t-il. Mais l'époque n'est pas aux romans. Rien de ce qu'on peut inventer n'est plus intéressant que ce qu'on vit. On est dans un roman.

Ça sembla plaire à Nollie.

— Tu es vieille, dit-il avant de se ressaisir rapidement, mais pas immense vieille. Et en plus, t'es dans une forme maléfique. Avec tous tes jumping jacks. Personne ne croirait que tu as soixante-quatorze ans.

C'était de la flatterie *pro forma* pour quelqu'un de sa génération, d'un genre qui aurait dû immédiatement déclencher chez elle un signal d'alarme. Manifestement, le flagorneur qui lui servait des compliments éculés voulait quelque chose. Pourtant, ça marchait à tous les coups.

— Mais tu ne vis pas dans le passé. Et c'est une des choses qui me plaît chez toi. Tu sembles être plus au fait de ce qui se passe que tous les autres. Lowell qui ne trouve rien de mieux que de cacher son fleX dans sa chaussure. Avery qui ressasse à quel point c'était frais de faire ses courses sur Internet. Ils pigent que dalle. Mais toi, si. Peut-être que c'est

327

à cause de tous ces livres que tu as écrits. Tu as peut-être l'habitude de faire un pas de côté, de suivre toute la trajectoire, de viser toujours le dernier chapitre. C'est pour ça que garder tous ces vieux formats papier, alors qu'on en a besoin pour faire bouillir l'eau des pâtes, ça ne te ressemble pas.

Il sentit qu'elle cédait. Il était soulagé. Il ne voulait pas avoir à faire usage de la force.

— Tu sais, mon père serait horrifié par ce que tu t'apprêtes à faire. Brûler des livres est une atteinte à tout ce que représente le nom Mandible.

— Mais le plus important en ce qui concerne ces livres est en sécurité. Les mots ne brûlent pas. Ils vivent pour toujours sur Internet.

— Tant qu'il y a un Internet, fit-elle valoir.

Ils pensaient la même chose. Ils vivaient tous les deux dans un monde provisoire. À tout jamais, le sol serait mou. Chez Willing, les remous favorisaient la souplesse. Tonifiaient ses muscles d'équilibre. C'était comme avoir le pied marin sur la terre ferme.

— En plus, ajouta-t-il, tu vas mourir. Quand tu ne seras plus là, tu t'en ficheras bien que quelqu'un lise tes livres. Tu te ficheras même qu'on ait pu les lire de ton vivant. C'est ça qui est génial, avec la non-existence. Ce n'est pas non plus que tu t'en fiches. Ce n'est pas comme si tu pouvais encore sentir ; tu es apathique. Tu n'as pas les capacités de t'en soucier. Il n'y a rien pour faire le boulot. Alors, tu te ficheras aussi des Mandible ou de ce qu'ils représentaient. Il en sera des Mandible comme de n'importe quelle autre famille. Il en sera d'eux comme des rochers, des particules de poussière, du Taj Mahal, ou de la Déclaration des droits de l'homme ou encore du théorème de Pythagore. Parce que tu ne seras plus une Mandible, et tu ne sauras pas ce qu'est un Mandible.

Il avait réussi à provoquer un déclic.

— T'as raison ! s'exclama-t-elle d'un ton désinvolte. Une fois que j'aurai clamsé, ces cartons seront foutus en l'air, hein ?

— Oui. Mais maintenant, ils peuvent servir à quelque chose.

— À une seule condition, dit Nollie, en soulevant un carton étiqueté « L'*Extatique*, poche, hongrois », dans une démonstration de force. *Pas touche à la matière morte.*

Quand il informa les autres que Nollie acceptait de sacrifier ses livres pour faire cuire le dîner du soir mais insistait pour conserver les manuscrits sur feuilles volantes, Avery et Florence furent prises d'un fou rire. Les occasions de se laisser déborder par l'hilarité se faisaient rares.

— Tu le crois, ça, dit Avery, en baissant la voix pour ne pas être entendue dans le grenier, elle n'a pas lâché l'idée de faire acheter les différentes versions de ses manuscrits par une prétentieuse bibliothèque d'université. Mais enfin, quelle bibliothèque d'université ? Quelle université ? Elles disparaissent toutes les unes après les autres ! Ce qui prouve bien, ajouta-t-elle avec un regard insistant à son mari, que ce qui lâche en dernier, c'est l'*ego*.

Depuis la cuisine, Lowell, emmitouflé dans une couverture, lança à sa femme un regard furieux.

— Il est essentiel de préserver des institutions de recherche académique de haut niveau. La conservation de ces manuscrits serait plus que justifiée, si seulement la prose de cette infecte bonne femme valait quelque chose.

Les livres brûlèrent très bien, même s'ils laissèrent beaucoup de cendres. Bientôt, Nollie descendit et, prenant le relais d'Esteban qui exprimait une délectation non feinte, insista pour jeter elle-même les livres de poche dans le baril de pétrole. Une fois dans l'action, elle sembla y prendre plaisir. Il devait y avoir quelque chose de grisant au fait de brûler soi-même sa production. L'épreuve du feu. Le verre soufflé à une température très élevée est plus résistant. Willing fixa sa grand-tante du regard. Le visage rougi par les flammes, elle semblait en rage. En proie à une irrépressible colère. Ça, c'était de l'exercice, mille fois meilleur que les jumping jacks. Quand elle aurait fini de jeter *Gris*, *Le Pigiste*,

Avantage retour, *Du berceau à la tombe* et *Famille virtuelle* dans le baril, elle serait plus forte.

La poussière, en petits moutons, scintillait à la lumière des flammes. Willing jeta un coup d'œil triste au terrain vague qu'était désormais leur jardin exigu, en essayant de retenir la leçon. Pendant tout le printemps et l'été, il s'était occupé de leurs modestes cultures – pommes de terre, tomates, oignons, haricots verts. Il les arrosait juste assez pendant les périodes de sécheresse pour que les légumes ne coûtent pas plus cher à faire pousser que ce qu'ils valaient. Il s'était pris d'affection pour les jeunes pousses de légumes : une erreur de principe. À l'exception d'une seule et unique tomate et d'un pied de haricots, la récolte avait été volée. Un gang avait saccagé le jardin la nuit précédente et piétiné les légumes. Cette destruction était délibérée. Willing soupçonnait un élève du lycée. Il continuait de suivre les cours à Obama High à des fins informatives – version espionnage. Mais il ne devait pas être le seul. Il avait peut-être évoqué son jardin une fois, et il aurait dû tenir sa langue.

Noël passa dans l'indifférence la plus totale. Pour les seize ans de Willing en janvier 32, Florence lui prépara un gâteau en carton.

Peu de temps après, Willing tomba sur sa mère, penchée sur sa commode à l'étage. Elle s'était déjà livrée à une inspection en bonne et due forme de la cuisine.

Avant la Dénonciation, il était déjà arrivé à sa mère ou à Esteban de se plaindre qu'il n'y ait « rien à manger ». C'était une façon de parler : Willing comprenait alors qu'Esteban avait oublié de mettre à décongeler les burgers de poulet. Ou, après une journée de travail éprouvante à Adelphi, sa mère était à court d'idées de repas qu'ils n'avaient pas déjà mangé trois fois cette semaine-là. Mais cette fois, aucune boîte d'ananas au sirop ne se cachait dans le fond du placard, aucune conserve de tomates pelées n'avait été oubliée sur une étagère pour une bolognaise sans viande. Pas un reste de maïs dans le fond du congélo ni de paquet de saucisses de porc desséchées à l'emballage déchiré. À côté de la cuisinière, les bocaux – farine de blé et de maïs, sucre – étaient vides. Sur les étagères, point de riz, de couscous ni de kacha. Sa mère avait arrêté de jeter les aliments ayant dépassé leur « date de péremption », notion dont elle se moquait allègrement désormais. Le problème n'était donc pas de surmonter une quelconque réticence à ouvrir une boîte de conserve de viande qui n'était plus de la première jeunesse : il n'y avait plus de conserves. Willing se sentait en partie responsable : ces derniers temps, il avait un peu délaissé ses larcins ; dans le climat actuel de méfiance, les propriétaires avaient amélioré la sécurité, mais il n'y avait rien à voler dans les cuisines – rien du tout, sous aucune forme, nulle part.

Autre sujet, sensiblement différent mais néanmoins en rapport : il n'y avait plus d'argent non plus. C'était la fin du mois ; comme d'habitude, ils avaient déjà dépensé le salaire de sa mère. Nollie était partie voir un ancien petit ami dans le Queens, et sa mère refusait de fouiller dans les affaires de sa tante pour trouver de l'argent liquide. Ç'aurait été du vol. Esteban n'avait pas dégoté de travail de journalier depuis des semaines. Jusqu'à présent, Avery n'avait pas réussi à intéresser leurs voisins à l'achat ou l'échange de ses kits pour mycose des ongles, de ses charnières de porte ou de ses cannelures pour moustiquaire de fenêtre – même en différentes largeurs.

Bien sûr, pour les traders professionnels de la Bourse, l'argent avait toujours été imaginaire – aussi fictif, aussi facile à gagner et à perdre que les points d'un jeu vidéo. Les salariés comme la mère de Willing croyaient que l'argent était réel. Le travail l'était, tout comme le temps ; dès lors, il semblait inconcevable que le résultat de leur combinaison soit cousu de fil blanc. On leur avait promis qu'ils pourraient stocker le travail et le temps, et plus tard l'échanger, ne serait-ce que contre le travail et le temps d'autres personnes. Mais l'argent n'était qu'une idée, et la plupart des gens ne comprenaient pas que les forces naturelles avaient aussi une action sur le plan abstrait : évaporation ; inondation, incendie et érosion ; infiltrations, fuite et pourrissement. La plupart des gens aimaient aussi l'idée de la justice et confondaient ce qu'ils aimeraient avoir avec ce qui était disponible.

Ainsi, sa mère avait vidé sur sa commode un bocal de pièces qu'elle avait accumulées depuis des années. Avec fébrilité, elle triait les pièces par valeurs – un cent, dix cents, vingt-cinq cents –, et constituait, semble-t-il, des piles de dix. En la regardant faire, Willing sentit la tristesse le submerger. Ce n'était pas seulement le désespoir de sa mère. C'étaient les pièces en elles-mêmes. Quand il était petit, une pile de pièces de vingt-cinq cents avait semblé si précieuse. Quelque chose dans la nature même du métal – dureté, brillance, poids, permanence – lui avait toujours donné l'impression que les pièces de monnaie avaient plus de valeur et de substance que les billets. Sur la commode de sa mère, le bocal étincelait comme le trésor découvert dans un coffre enfoui ou rapporté à la surface par des plongeurs depuis l'épave d'un navire. Enfant, il avait arpenté les rues, la poche avant de son pantalon bombée par les pièces qui alourdissaient son jean et tapaient contre sa cuisse. À l'école primaire déjà, il savait que le billet de cinq dollars dans son autre poche valait plus que les pièces. Mais c'était le balancement cadencé et sonore des pièces de cuivre, de nickel, d'argent et d'étain qui lui donnait l'impression d'être riche.

Désormais, une pièce n'était plus qu'un simple disque, un jeton en plastique – une aberration historique, puisqu'il n'y avait plus d'émission de monnaie métallique. Les pièces que sa mère était en train de trier avec fébrilité n'étaient que de la monnaie de singe, et ce qu'elle faisait était stupide. Au bout d'une heure les yeux rivés sur les pièces, elle aurait de la chance si elle avait de quoi se payer une canette de Coca.

D'un geste de la main, Willing renversa les tours de pièces patiemment empilées par sa mère. Les pièces tombèrent par terre et roulèrent sous le lit. Il était le premier surpris : il y avait de la colère dans son geste. Il s'autorisait rarement à laisser libre cours à sa colère, et il se demandait d'où elle venait.

— C'était quoi, ça ? s'écria sa mère.

Il aurait préféré qu'elle ne se mette pas à genoux pour faire la chasse aux pièces de vingt-cinq cents parmi les moutons de poussière. C'était indigne. Personne ne se baissait pour ramasser une pièce de vingt-cinq cents sur le trottoir.

— Maintenant, il va falloir que je recommence tout !

— Tu perds ton temps.

Willing alla chercher une chaussette dans le tiroir d'Esteban, et vérifia qu'elle n'était pas trouée. Dedans, il commença à y introduire des pièces par poignées, jusqu'à ce qu'elle ploie sous le poids du métal, comme ses poches quand il était enfant. Puis il fit un nœud par-dessus.

— Green Acre ne prendra jamais ça, dit sa mère. Ils n'acceptent les pièces que si elles ont été comptées en rouleaux.

— Je croyais que ça existait, les *bas de laine*.

Willing laissa osciller la chaussette comme un balancier, arrêtant la boule de pièces de sa paume. Ça avait du poids. De l'élan.

— C'était ça ?

D'un mouvement ample du bras, il lança la chaussette, et la boule de pièces vint heurter le chambranle de la porte. Il y eut un craquement sonore. Les pièces firent une entaille dans le bois.

Sa mère semblait effrayée.

— Ça fait une bonne arme, expliqua Willing. Une arme vaut mille fois plus que tout ce que cette ferraille pourrait acheter.

— Tu as changé, lui dit-elle.

— Je m'adapte.

— Arrête de t'adapter, alors.

— Ils meurent, les animaux qui ne s'adaptent pas.

— File-moi le sac.

Il avait parlé d'une voix douce, avec une pointe de tristesse. Le garçon ne pouvait guère avoir plus de dix ou onze ans. Au moins, il était blanc, ce qui faciliterait les choses.

Ils se trouvaient sur la 52e Est, dans une rue latérale, à quelques centaines de mètres de Green Acre Farm. Comme d'habitude, les trottoirs étaient jonchés d'excréments humains. Intéressante, la rapidité avec laquelle on identifiait les traces de sa propre espèce.

— J'peux pas.

Acculé contre une clôture, le garçon serra le sac en toile contre sa poitrine. On avait dû l'envoyer faire les courses pour le dîner. Il était fluet, les cheveux roux, avec un tic d'expression apeuré sur le visage qui deviendrait permanent d'ici quelques années. Son manteau n'était pas assez épais pour la température extérieure.

— J'vais avoir des problèmes.

— File-moi ce sac tout de suite !

Willing fit passer son arme-chaussette d'une main à l'autre, comme il l'avait fait dans la chambre de sa mère. Pour Willing comme pour le garçon qu'il menaçait avec, le mouvement avait quelque chose d'hypnotique.

— Ou tu vas avoir des problèmes bien plus graves.

Le garçon jeta un coup d'œil autour de lui. La rue n'était pas très animée, mais elle n'était pas non plus déserte. Ils étaient devant une maison, d'où quelqu'un regarda par une vitre, avant de tirer le rideau. Quand le regard du garçon croisa celui d'une femme d'âge mûr plus bas dans la rue, la femme fit demi-tour, avant de repartir dans la direction opposée. C'était comme ça, désormais.

Le gamin se mit à courir, mais il s'était trahi – un coup d'œil frénétique vers la direction dans laquelle il avait prévu de détaler. Ce qui laissa le temps à Willing de l'attraper par le bras. Le contact fut un choc pour tous les deux.

— C'est bon, c'est bon ! gémit le gamin.

Il lui tendit le sac d'un geste solennel, comme une offrande. Willing lui lâcha le bras. Après avoir jeté un dernier coup d'œil à l'arme-chaussette qui pendait paresseusement sous la main droite de son agresseur, la proie s'enfuit.

Willing examina son butin : des sodas à l'arôme artificiel de cerise, des éponges pas très résistantes, du pain de mie blanc, une livre de viande hachée grasse. C'était bien, la viande grasse. Elle avait plus de calories. Dans l'ensemble, son butin était assez maigre, et pas dans les goûts de sa mère, mais ils ne mourraient pas de faim. Dire qu'il pensait que les pièces sur la commode de sa mère ne seraient même pas bonnes à rapporter le dîner. Comme quoi.

Au départ, il espérait que Savannah soit à la maison ce soir-là, pour parer sa banale manœuvre d'intimidation des atours de la chevalerie. C'était le genre de frasques qui impressionnaient les filles. Mais il ferait mieux de refréner l'envie qu'il avait de s'en vanter. Cela lui paraîtrait à lui-même ridicule peu après et arriverait immanquablement aux oreilles de sa mère. La compétence la plus utile qu'il avait acquise dans l'enfance était la capacité à se taire. À seize ans, cette aptitude était plus difficile à conserver.

Alors qu'il rentrait chez lui avec son butin, il sentait l'excitation de l'événement retomber, assombrie par de la mélancolie. Pour ses précédents exploits, il avait évité, pour les qualifier, les verbes renvoyant au vol : les provisions empilées sur les terrasses avaient été « confisquées », « raflées » ou « taxées ». Mais cette façon-là d'emprunter du sucre aux voisins était différente, et Willing avait conscience d'avoir franchi une limite. Certes, d'autres la franchiraient aussi. D'autres encore l'avaient franchie il y a si longtemps qu'ils l'avaient perdue de vue, et, pour eux, il n'y avait plus de limite.

Pendant le dîner – des lamelles de bœuf haché, deux tranches de pain par personne imbibées de graisse –, Willing fit une annonce :

— On a besoin d'une arme.

— Tu as perdu la tête ? s'écria sa mère.

Il la laisserait éructer sa prévisible indignation, mais il en était las d'avance.

— Je refuse catégoriquement que nous ayons des armes dans cette maison. Je ne crois pas aux armes. La moitié du temps, c'est son propriétaire qui se fait tirer dessus. Et à quoi elle pourrait bien nous servir ?

— À nous protéger de gens comme moi, répondit Willing.

13

Amoncellement karmique II

SUR LE PLAN PHILOSOPHIQUE, Carter acceptait le caractère sacré de la vie humaine. Il acceptait aussi que, dans ce pays, tous les hommes – et aussi les femmes dans les périodes les plus éclairées –, « sont créés égaux », même si, en tant qu'homme instruit et d'un tempérament plus compétitif que son père voulait bien le reconnaître, il avait toujours trouvé cette affirmation un brin optimiste. Certes, il connaissait le sens véritable de la Déclaration d'indépendance, à savoir que tout le monde n'était pas bon en maths, mais que tous avaient les mêmes droits. *Ergo*, même Luella Watts Mandible avait le droit inaliénable à la vie, à la liberté et à l'aspiration au bonheur – le plus fondamental étant le premier, puisque Jayne et lui la privaient incontestablement de liberté, et quant à l'aspiration au bonheur, si tant est que Luella l'ait nourrie, elle l'aurait sans doute oubliée sur-le-champ pour lui substituer un panais à la place. À l'extrême limite, Carter pouvait envisager l'éventualité que subsistent, dans les tréfonds de l'esprit ravagé de paranoïa de sa belle-mère, quelques lueurs infimes, un vestige infinitésimal – moins gros qu'un pois chiche, pas même de la taille d'un grain de maïs – de la séductrice élégante, éduquée, noire seulement pour ce que cette couleur de peau lui conférait d'exotisme, mais blanche assumée pour tout le reste à défaut de l'épithète, qui avait capturé le cœur de son père en 1992 – même s'il ne parvenait pas à déceler la moindre once de femme fatale en elle. En outre, en théorie, l'enjeu de cette prise en charge compatissante et respectueuse au quotidien d'une femme qui, *pour des raisons indépendantes de sa volonté*, avait PÉTÉ TOUS LES CÂBLES et n'était plus qu'une COQUILLE VIDE SEULEMENT CAPABLE DE PISSER, DE CHIER ET DE HURLER, ne relevait pas uniquement du confort physique, de l'estime de soi et du sentiment de sécurité psychique conférés par la tutelle qu'ils assuraient, mais peut-être, dans un registre plus important, de *leur propre humanité*, car *de toute évidence, l'aune à laquelle s'évalue une société* était la façon dont elle traite *les plus vulnérables* de ses citoyens, et finalement, pour sauver son âme et emblématiser ce que signifiait être un véritable Américain, il n'avait clairement d'autre option que de SABORDER CHAQUE JOUR et CHAQUE NUIT DU RESTE DE SA PUTAIN DE VIE.

Ou alors : il y avait peut-être une limite à ce que sa patience, son calme, sa rationalité d'homme éclairé pouvait supporter. Carter appartenait à cette première génération d'hommes qui, aux États-Unis, avaient assumé leur lot de tâches domestiques. Il avait ainsi changé son quota de *x* milliers de couches, et, au moins, ses enfants, à cette occasion, n'avaient pas cherché à le *mordre*. Inutile d'espérer que son père lui prête main-forte avec Luella. Douglas avait atteint de tels sommets dans l'art de la passivité que jamais on n'aurait pu imaginer qu'un quelconque lien l'unissait à cette créature ayant élu domicile dans leur maison.

S'astreignant au périlleux exercice de « fortification des liens du mariage », Carter et Jayne se retrouvaient dans la cuisine, en tête à tête, avant d'aller se coucher, lors de cette précieuse parenthèse qui précédait les « terreurs nocturnes » de Luella, ce moment où elle se mettait à hurler. Ce soir-là, ils sirotaient chacun un minuscule doigt de porto. Symbole de jours meilleurs, ce luxe mesuré contribuait à préserver leur santé mentale. (La vente de la BeEtle rendait possibles quelques petits extras – leur voiture n'était plus qu'une charge, maintenant qu'ils n'allaient plus nulle part, et que la police, même si elle avait renoncé à enquêter sur les cambriolages, les agressions et les homicides, était plus prompte que jamais à dégainer son carnet de contraventions pour infraction au stationnement alterné.) Lors de leurs tête-à-tête, ils allumaient toujours une bougie et éteignaient le plafonnier pour créer un semblant d'atmosphère romantique. Et partageaient, épuisés, les ignominies de la journée.

N'empêche : Jayne lui en voulait – leurs visiteurs à vie étaient des membres de la famille de Carter –, et savoir que c'était injuste n'avait pour effet que d'enfouir plus profondément encore cette rancœur dans la strate émotionnelle la plus pulsionnelle de son esprit, là où ce sentiment atteignait alors toute sa virulence. Pour sa part, il ne pouvait s'empêcher de fulminer quand Jayne se défilait et lui rappelait que les médecins lui avaient vivement recommandé d'éviter tout « stress », avant de se retirer dans sa « pièce au calme », qu'elle fermait à clé, sourde à sa proclamation selon laquelle ils étaient entrés dans une ère brutale de la culture américaine où toutes ces inepties de paranoïaques telles que le *THAD*, l'*intolérance au gluten* et les *animaux de soutien émotionnel* avaient autant de valeur que du pipi de chat.

Cependant, la première cible de son inimitié n'était pas sa femme, mais Luella. Carter n'avait jamais beaucoup apprécié la seconde épouse de son père, même quand elle était en possession de toutes ses facultés. Sa silhouette svelte et gracile qu'elle mettait un point d'honneur à préserver, ses manières ultra-civilisées, son élocution trop précise : il n'avait jamais marché. Tout son numéro n'était qu'une construction artificielle, et Carter avait le sentiment que, désormais, ce raffinement de surface avait volé en éclats, révélant la nature profonde de cette femme : un animal mauvais, rusé, cupide, doté d'une détermination des plus féroces à parvenir à ses fins, suspicieux à l'égard des autres – les magouilleurs calculateurs et égocentriques partaient toujours du principe que tout le monde fonctionnait comme eux, à fomenter des combines, à la seule différence que les autres n'avaient pas leur talent. Carter n'était pas le moins du monde surpris de constater que l'esprit de Luella, à présent en roue libre, débitait des sornettes en rimes.

Il trouvait aussi révélateur que les seuls aliments qu'elle absorbe de son plein gré sans qu'on ait à les lui faire ingurgiter de force étaient bourrés de sucre. Au temps de sa splendeur, Luella affirmait ne pas être un bec sucré – excuse toute trouvée au service de sa silhouette de top-modèle. Ajoutez quelques plaques de protéines et une poignée de mini-AVC au fouillis opportuniste qu'était devenu son cerveau de prédateur, et *tada* : une *gueule* sucrée aussi large qu'un four.

Luella non plus n'avait jamais aimé Carter. Il ne l'impressionnait nullement. Une fois, il l'avait même entendue déplorer auprès de Douglas que celui-ci n'ait pas eu la chance que son seul fils hérite un peu plus de son esprit et de sa joie de vivre. Mais la véritable raison de son antipathie à l'égard de son beau-fils tenait au fait que celui-ci voyait clair dans son jeu. Elle était une imposture, une parvenue, qui, dès le départ, avait projeté d'épouser Douglas dans l'idée de lui survivre et d'hériter de sa fortune, et quand il était devenu clair que Luella, âgée d'à peine soixante ans, commençait à perdre la boule, Carter avait trouvé que c'était la meilleure de l'année ! Sauf que, maintenant, cette revanche lui pétait à la figure. Luella était venue s'échouer comme un tas de merde sur son paillasson, une façon de lui dire : *Tu voulais la vraie Luella ? Voilà, tu l'as. Content ?*

Pis encore, Luella était désormais une sorte de substitut, version poupée crétine et baveuse, de sa propre mère, passée par pertes et profits dans la nébuleuse des disparitions et des meurtres non signalés à Manhattan – ce qui l'avait privé d'un cadre formel pour la pleurer et faire son deuil. Trois ans plus tôt seulement, le décès de cette personnalité incontournable du monde caritatif aurait été l'occasion d'immenses obsèques, sûrement parmi les plus importantes de l'année, qui auraient rassemblé une foule considérable. Entre-temps – et même s'il était nécessaire d'en passer par là –, la plupart des organisations caritatives avaient mis la clé sous la porte, et la variante du gala de célébrités qu'il avait imaginée pour l'enterrement de sa mère n'était plus de mise. Carter ne voyait pas l'intérêt de se mentir à lui-même : il souhaitait la mort de Luella. Alors qu'il n'aurait probablement pas été jusqu'à l'étrangler à mains nues, dans sa *Quatrième Dimension* personnelle, il s'imaginait pourtant bien volontiers trucider la perturbatrice. Car en dépit de tout le battage sur les victimes de démence, sur le fait qu'elles étaient « toujours capables d'éprouver de la joie » et qu'elles avaient « toujours de la valeur en tant qu'êtres humains », lui ne voyait nullement où était la joie à s'occuper d'elle ; leur foyer ne constituait pas le cadre approprié aux expressions vocales bruyantes et aux projets artistiques imaginatifs, à la différence de la sur-stimulante maison de retraite qu'elle avait quittée. Et il avait beau être un progressiste convaincu, il en arrivait inexorablement à la conclusion que, pour avoir un tant soit peu de « valeur » en tant qu'être humain, il fallait être d'une quelconque utilité à quelqu'un.

Au moins, Carter ne souhaitait pas non plus la mort de son père. Leur relation décontaminée de toute arrière-pensée, il continuait d'éprouver une affection profonde pour le Grand-Homme, qu'il n'avait jamais réellement pu se laisser aller à ressentir quand elle se payait avec trop de largesses. De la même manière, l'indigence de la fin de vie de son père confirmait que la personnalité de ce dernier transcendait le martini avec deux oignons. Certes, il n'était pas le dernier à râler, tant s'en faut, mais Douglas s'était adapté à la rétrogradation de son niveau de vie avec un aplomb surprenant. Tant qu'on l'approvisionnait en nicotine liquide, il se plaignait rarement. (En ces temps de pénurie, les nouveaux arômes d'e-tabac tenaient au corps : dinde farcie en sauce, ou encore jambon caramélisé et chutney d'oignons rouges.) Seul le radotage était devenu insupportable : si Carter entendait une fois de plus énumérer les trois critères d'une monnaie fonctionnelle, il allait devenir hystérique. Pour le reste, Douglas s'était adapté tranquillement à la lecture des livres numériques et regardait des tonnes d'émissions télé.

Ce à quoi justement il s'occupait dans sa chambre au troisième étage ce 7 mars 2032. Douglas était obnubilé par la prochaine élection présidentielle, et ce mois-ci, des primaires seraient organisées, entre autres, au Texas et en Floride – des États à forte proportion *lat*, susceptibles de favoriser le président sortant. Naturellement, les républicains étaient hors course : le principal concurrent du *Grand Old Party* avait surnommé Dante Alvarado « Herberto Hoovero », épithète largement condamnée pour son caractère raciste. Cependant, le président avait un opposant sérieux pour la nomination en la personne du leader de la gauche Jon Stewart, qui faisait campagne pour hisser le drapeau blanc à propos du bancor. Même un enfant aurait pu se rendre compte que le boycott d'une monnaie qui s'imposait au plan international était un vrai désastre pour les États-Unis, si bien que les primaires – qui, sans véritable parti d'opposition, *constituaient* les élections – voyaient s'affronter d'un côté le camp des « L'économie pour les Nuls » et, de l'autre, celui des tenants de la consolidation de l'égalité ethnique. Aucun des Lats et des progressistes blancs qui avaient élu Alvarado ne voulait voir le premier président américain né au Mexique effectuer un seul et unique mandat. Carter lui-même était tiraillé, même s'il se gardait bien de s'en ouvrir à Jayne.

Non que Carter puisse gaspiller son énergie à une distraction aussi dérisoire que l'élection du prochain président américain, puisqu'il était totalement absorbé dans la tâche bien plus monumentale qui consistait à faire déjeuner Luella. Elle avait été maintenue attachée deux jours d'affilée, et ils n'étaient pas à Guantánamo. Pour éviter les crampes musculaires et les escarres, ils alternaient, et l'attachaient de temps en temps à une chaise au moyen d'une laisse de quatre pieds. Les jours de laisse, lui faire ingurgiter de force des protéines était plus difficile. Jayne l'avait supplié de ne pas lui donner de fromage. Si sa belle-mère était constipée, à défaut de lavements ou de laxatifs difficiles à trouver, l'un d'eux devrait y aller aux doigts pour extraire la merde de son anus. Mais il était plus facile de la forcer à mâcher du fromage que du poulet. Avec Jayne barricadée dans sa « pièce au calme », Carter, d'humeur mauvaise, opta pour le cheddar.

Or, cette fois, Luella ne semblait pas d'humeur à goûter son *plateau de fromages*, et après avoir mâchouillé le premier morceau en une sorte de pâte visqueuse, elle la régurgita à travers la cuisine, sans épargner au passage la joue de Carter. Puis elle se mit à en retirer méticuleusement les miettes collées sur sa chemise de nuit.

— Tu ne vaux pas le petit doigt de ton père, articula-t-elle distinctement.

Ces moments de lucidité déconcertaient toujours Carter, et si elle l'avait gratifié d'une remarque plus gentille, il aurait peut-être été enclin à plus de douceur. Au lieu de quoi, pour la bouchée suivante, il lui plaqua la main sur la bouche pour l'empêcher de recracher le fromage. Elle se débattit et, l'agrippant par quelques-unes des précieuses boucles de cheveux qui lui restaient, se mit à tirer de toutes ses forces.

Très bien, terminé. Essuyant sa main pleine de bave sur un torchon, il sortit de la pièce d'un pas résolu. Si cela ne tenait qu'à lui, elle pouvait bien mourir de faim.

— Jayne ! cria-t-il en direction de l'escalier. Tu vas devoir surveiller Luella, parce que là, je *m'arrache les cheveux*. Je sors prendre l'air.

Légèrement rasséréné par son petit tour bien mérité, il rentra au bout d'une heure environ, avec l'idée d'avaler un ou deux Advil pour ses genoux douloureux. Une odeur de brûlé lui assaillit les narines dès qu'il ouvrit la porte. Jayne avait-elle fait brûler un plat en cocotte ? C'est à peine si elle faisait bouillir un œuf aujourd'hui, elle, l'ancienne collectionneuse assidue de recettes. Un brouillard avait envahi le couloir, et Luella, qu'il avait laissée en partant attachée à un pied de table, était *trop calme*.

Il se précipita dans la cuisine et trouva *allumée* la bougie de leurs débriefings matrimoniaux au porto. Les yeux brillants, Luella lançait une serviette en papier enflammée dans la poubelle ouverte. Sur le dessus, l'emballage du fromage prit feu. Comme Luella avait dû approcher de la bougie tout ce sur quoi elle avait pu mettre la main et avait lancé ces projectiles enflammés dans toute la pièce, le premier réflexe de Carter, à savoir éteindre précipitamment la bougie, n'était pas à proprement parler complètement proportionné. Les rideaux étaient en feu. La poubelle était en feu. Un morceau de linoléum était en feu, juste autour du pied de table auquel Luella était encore attachée. La fumée épaississait rapidement, et il devait faire un choix : essayer de sauver la maison ou les gens qui s'y trouvaient... Finalement, toute son éducation libérale s'était révélée utile.

— Je les avais laissées sorties ? demanda Jayne d'une voix faible. Si ça se trouve, c'est moi.

— Qu'importe celui ou celle qui a oublié de les ranger, j'aurais dû les voir, répliqua Carter. Tu parles d'une chance... Elle tient une fourchette par les dents, mais elle sait toujours comment gratter une allumette.

Ils étaient agglutinés dans la rue, emmitouflés dans les couvertures qu'on leur avait données pour leur éviter d'être brûlés. Les pompiers avaient pris leur temps, même si, à ce stade, Carter s'étonnait surtout qu'il y ait *encore* des pompiers à New York. L'incendie ne pouvait pas être maîtrisé. Dans la lueur des flammes, Luella dansait avec une allégresse païenne.

— Tu n'étais pas obligé de la sauver, lâcha Douglas.

— J'ai... euh... eu un petit moment d'hésitation, reconnut Carter. Ça m'a foutu les jetons.

Depuis le milieu de l'année précédente, Avery s'était réfugiée dans le labeur : frotter, nettoyer, raccommoder, cuisiner, laver le linge. Elle s'était mise à organiser des trocs de vêtements d'enfants entre voisins. Afin de lutter contre la prise de poids révélatrice de Bing, elle l'avait entraîné dans des séries de jumping jacks (Nollie lui en avait donné l'idée), car le chapardage dans les placards menait tout droit à l'ostracisation. Ravalant sa vexation, elle faisait travailler son espagnol à Goog. La panique l'envahissait seulement quand elle se retrouvait désœuvrée. Le labeur était thérapeutique. Si jamais elle devait un jour rouvrir un cabinet, elle ferait nettoyer le sol à la serpillière à tous ses patients. Par ailleurs, elle s'était jetée corps et âme dans ce nouveau rôle par pur calcul. Sinon, l'alternative aurait été de céder encore et toujours le terrain moral à son irréprochable sœur, qui continuerait de revendiquer compétence, efficacité, stoïcisme, altruisme, sans oublier son *pragmatisme* légendaire, ce qui ferait que tout le monde serait reconnaissant *à Florence*, que les enfants d'Avery commenceraient à admirer *Florence* et à s'ouvrir à *Florence* de leurs problèmes, et que son mari pourrait même en arriver à se demander pourquoi il avait préféré une pleurnicheuse doublée d'une lavette à cette mère courage. L'irritabilité était tout aussi inefficace à produire de la nourriture ou de l'intimité qu'elle l'était à dégoter du papier-toilette. Outre qu'une propension à l'irritabilité la rendrait sans doute assez peu attirante aux yeux d'autrui, l'expérience en elle-même était une petite torture : une émotion fine, intense et acérée, doublée d'une forme d'attaque contre soi. En définitive, Avery ne pouvait pas contrôler le cours de l'histoire. Elle pouvait seulement maîtriser la façon dont elle se laissait affecter par le cours le plus dingue qu'avait décidé de prendre l'histoire. Continuer à jouer les princesses était du perdant-perdant. À la grande joie d'Avery, Florence semblait parfois véritablement contrariée par les nouveaux habits de sainteté de sa sœur – une sainte parfois *plus sainte encore* que le parangon de sainteté de la 55e Rue Est.

Un soir qu'elle se dévouait comme de coutume pour faire la vaisselle seule après un autre de leurs grands dîners communautaires, on sonna à la porte. Avery s'essuya précipitamment les mains pour aller ouvrir. Par le judas, elle aperçut la courbe déformée de ses parents, du Grand-Homme et de

Luella, leurs visages couverts de suie comme s'ils sortaient d'une mine de charbon, leurs corps enveloppés dans des couvertures comme des squaws.

— C'est quoi, ce bordel !

Sous le choc de cette vision, elle avait oublié de surveiller son langage, comme elle avait coutume de le faire en présence du Grand-Homme.

— Luella a mis le feu à la maison, annonça son père avec une curieuse pointe de triomphe dans la voix.

La nouvelle se répandit comme une traînée de poudre, et tout le monde, à l'exception de Savannah – sortie faire ce que sa mère n'osait même pas envisager –, se retrouva dans le salon. Parmi les nombreux « Oh, mon Dieu ! » atterrés, les questions pressantes sur l'état des quatre victimes de la catastrophe, et les beaux discours prônant que le plus important était qu'ils soient tous sains et saufs, une angoisse collective monta, simple murmure sous la surface : ce fâcheux coup du sort portait à quatorze le nombre de résidents de la maison – ou plutôt, si on ajoutait foi à l'affirmation de leur père selon laquelle Luella à elle seule « comptait pour vingt locataires sains d'esprit », à trente-trois.

Ils cédèrent leurs sièges à leurs invités-surprises. Prenant place sur le distingué canapé lie-de-vin qui avait accompagné tant d'années de sa vie, le Grand-Homme jeta un regard attristé sur le chatterton.

— Nos vaillantes troupes, en ruée vers l'or à Brooklyn, déclara Florence d'un ton cryptique. Nollie ? J'étais sur le point de faire du thé pour tout le monde, mais si tu voulais bien…

— Du thé, mon cul, riposta Nollie en accompagnant Florence à la cuisine. J'ai une nouvelle bouteille de gnôle distillée qui décalque la tête !

— Vous avez réussi à sauver quoi que ce soit ? demanda Avery, qui se rappelait toute une série d'objets souvenirs de son enfance rangés dans leur grenier.

— Je crains qu'on ait perdu à peu près tout, répondit leur père.

Il repoussa sa couverture, révélant dans le creux de ses bras un coffre en bois majestueux, portant les stigmates de l'incendie.

— Mais j'ai réussi à sauver le service en argent.

Le Grand-Homme fondit en larmes.

— Tu ne me l'avais pas dit !

Avery ne l'avait jamais vu pleurer.

— J'attendais le bon moment. Avec pareille soirée, ajouta Carter, je ne pensais pas avoir beaucoup de bonnes surprises à sortir de mon chapeau.

Il prit un des couteaux du coffret, orné d'un grand M gravé à la base, dont la lame étincela dans la lumière.

— Il est magnifique ! s'exclama Kurt.

Kurt était typiquement le genre de type à combattre les distinctions de classe pour des raisons idéologiques, mais à tenir instinctivement en plus haute opinion leur famille, porteuse de talismans d'une noble naissance. Avery elle-même ne marchait pas complètement à l'idée d'aristocratie américaine, tandis que Florence rejetait énergiquement tout élitisme, qu'elle considérait comme une insulte. Mais Esteban avait eu raison de dire, à l'époque où les Stackhouse avaient emménagé, que tous les Mandible avaient le sentiment d'être un peu spéciaux, ne serait-ce, comme dans le cas de Florence, que par le refus de se sentir spécial. À l'instar des querelles plus générales sur l'« exception » américaine, les tensions entre les membres de la famille sur la légitimité ou non d'un quelconque sentiment de singularité pourraient désormais cesser. Tout le raffinement et toute la magnificence de Bountiful House à Mount Vernon – les lambris en chêne sculpté, les rampes d'escalier courbes, les luxueux tapis orientaux, le piano à queue, la porcelaine pour cinquante convives – se trouvaient officiellement réduits à un service d'argenterie incomplet et un canapé retapé au chatterton. Même Karl Marx en aurait été chagriné.

— Si vous voulez retourner demain matin à Carroll Gardens pour voir ce que vous pouvez sauver de l'incendie, proposa Kurt, je vous donnerai un coup de main. Sauf si le feu fait encore rage, les pilleurs vont rappliquer dans la journée, et ils vont tout désosser.

— Au moins, vous êtes couverts par l'assurance ? demanda Esteban.

— Je ne sais pas, répondit Carter, mal à l'aise.

— Comment ça, tu ne sais pas ? s'offusqua Jayne.

— Nous sommes à jour de nos primes. Mais j'ai vu aux infos la semaine dernière que Titan Corp. avait fait faillite. C'est un vrai bourbier juridique. Je ne sais pas quel recours nous avons, mais ça risque d'être compliqué de déclarer un sinistre.

— Votre déclaration sera valide si vous n'avez pas été informés officiellement de la faillite, intervint Lowell. Mais la faillite de Titan relève du chapitre 7 – « La liquidation totale » –, et les créanciers vont faire la queue. Même si vous obtenez gain de cause, vous pourriez attendre des années avant de voir la couleur de votre argent.

— Qui ne sera pas indexé sur l'inflation, rappela Willing dans l'escalier. Dans tous les cas, un chèque pour tout le contenu des trois étages de votre maison vous permettra de vous payer un costume bon marché.

— Toujours la même rengaine, hein, mon neveu ? dit Lowell d'un ton amer.

— Pourquoi tu ne m'as dit que notre compagnie d'assurances avait fait faillite ? s'écria Jayne.

— Je voulais d'abord tirer les choses au clair, répondit-il, avec cette expression qui laissait entendre qu'il tentait de se contrôler en présence des autres, et que, s'il avait été seul, il se serait mis à hurler. *Après* que j'ai essayé de donner son bain à Luella sans nous noyer tous les deux, *après que* je lui ai coupé les ongles, ne serait-ce que pour l'empêcher de m'arracher les yeux, et *après* que j'ai ramassé les éclats du plateau de Toscane qu'on *pensait* rangé sur une étagère hors d'atteinte. En parlant du loup, quelqu'un ferait mieux d'aller voir où elle est encore passée.

Avery s'éclipsa, commençant par vérifier le sous-sol, assez peu désireuse que les rares biens qu'il restait encore à sa famille soient saccagés par une enfant terrible d'un mètre quatre-vingts. Dans son activité de physiomental, elle avait suivi des patients atteints de démence. Ils s'étaient toujours montrés gentils et soumis, parfois un peu perdus ou déroutés, parfois très insistants, mais jamais, comme Luella, de la façon dont on la présentait, ou violents ou destructeurs. Avery avait donc toujours été quelque peu sceptique lorsque ses parents parlaient de Luella. Mais maintenant que ses propres vêtements étaient en jeu, il semblait plus prudent, dans le doute, de prendre leurs récits pour argent comptant.

Avery trouva sa « belle-grand-mère » dans la salle de bains à l'étage, Luella projetait du shampoing en amples tourbillons inspirés tout autour d'elle, dans la baignoire, sur les murs, par terre. Lui retirer le flacon des mains revenait à essayer d'arracher une balle de tennis des mâchoires d'un rottweiler. Avery considérait l'expédient auquel en étaient arrivés ses parents – tenir Luella en laisse – comme une violation admissible des droits civiques d'un adulte. Quoi qu'il en soit, la sangle en nylon se révéla bel et bien une aide précieuse pour tirer Luella jusqu'au rez-de-chaussée.

— L'explorateur est de retour ! annonça Avery d'un ton qu'elle s'efforçait de rendre joyeux, avant de tendre à son plus jeune fils le flacon presque vide. Bing, mon chéri ? Dévisse le haut, et vois si tu peux récupérer un peu du shampoing que Luella a renversé par accident.

Récupérer du shampoing constituait une tâche idéale pour son fils de treize ans : il ne pourrait pas le boulotter.

— Putain, c'est quoi, cette odeur ? demanda Goog, en jetant des regards furieux autour de lui.

Pas à proprement parler grassouillet, mais avec une morphologie arrondie – nez retroussé, épaules voûtées –, les formes, il les avait, mais il n'était pas très doué pour les mettre.

— Je crois qu'elle a besoin d'être changée, murmura Avery à sa mère.

— Ça ne fait aucun doute, répondit Jayne. Mais ma maison vient juste de périr dans les flammes. Pourquoi tu t'adresses à moi ?

— On pourrait peut-être laisser cet honneur à Nollie, suggéra Carter, en prenant l'ersatz de tournevis que lui tendait sa sœur sans la remercier. Après tout, Luella est aussi sa belle-mère.

— Je ne sais pas faire ce genre de chose, répondit platement Nollie.

— Il y a deux ans, moi non plus je ne savais pas comment attacher un carré de vieux couvre-lit à une femme adulte en train de se débattre, répliqua Carter. T'apprends vite. C'est ce que tout le monde dit.

— Je vais le faire ! intervint Florence. On doit garder en tête que ce n'est pas la faute de Luella. D'ici quelques années, l'un de nous aura peut-être besoin de…

— Je l'ai fait des centaines de fois ! la coupa son père. Ta tante pourrait bien s'y coller au moins une fois.

Puis il fallut parlementer afin de décider qui allait dormir où. Kurt abandonna le canapé au patriarche et proposa de dormir dans le fauteuil. Willing offrit sa chambre à ses grands-parents, et suggéra que Goog prenne le matelas de Savannah au sous-sol. Quand Jayne s'étonna que sa petite-fille puisse passer toute la nuit dehors, Avery feignit de ne pas avoir entendu la question.

— Et notre Mrs Rochester à nous, sa place n'est pas au grenier ? suggéra Carter.

Il était si furieux contre sa sœur qu'on aurait pu croire que c'était elle qui avait mis le feu à sa maison.

— Je vais m'y installer avec Nollie, proposa Willing.

Cette suggestion était pure rhétorique – Nollie n'autoriserait personne à part Willing dans son sanctuaire –, mais ne répondait pas à la question de savoir où coucherait « Mrs Rochester », car dans ce jeu de pouilleux, Luella était la carte dont chacun voulait se défausser. Avery refusait catégoriquement, avec une véhémence qui frôlait l'hystérie, de prendre avec eux au sous-sol la « belle-grand-mère » incontinente. Deux heures à peine avec cette harpie dans la maison, et elle mesurait mieux maintenant la lâcheté qui l'avait toujours conduite à choisir de se charger de la lessive à East Flatbush – *tout* plutôt que s'occuper de Luella, et permettre à ses parents de goûter une soirée de repos bienvenue. Même maintenant, la culpabilité d'avoir tout fait pour esquiver la corvée de baby-sitting gériatrique était étouffée par une résolution plus forte encore de continuer à se défiler.

En définitive, toutes ces tractations sur les paillasses et les polochons se révélèrent inutiles.

On venait de sonner à la porte. La maison était bondée – remplie de personnes qui se connaissaient et qui, dans un sens, s'aimaient (même si on pouvait parfois en douter), de sorte qu'il y avait à ce moment-là une atmosphère un peu festive. Avery alla ouvrir la porte, demandant d'un ton *enjoué* à la cantonade : « Encore de la famille ? Se pourrait-il qu'on en ait oublié quelques-uns dans le froid ? » Tout à fait : un ton *enjoué*.

Par le judas, elle reconnut la famille sur le seuil de leur porte : des voisins qui habitaient à quelques rues – les Wellington, ou alors les Warburton, un nom commençant par *W*. La femme (Tara ? Tilly ?) avait participé au dernier troc de vêtements organisé par Avery, et avait semblé se réjouir de récupérer le jean de Bing (son fils, hélas, ne rentrait plus dedans en largeur).

— Bonsoir ! s'écria Tara/Tilly sur le perron, en serrant contre sa poitrine sa fille de trois ans. On a besoin d'aide. C'est une urgence, s'il vous plaît !

Un malheur n'arrive jamais seul. Après avoir fait pression avec une insistance déplacée pour empêcher Luella de dormir au sous-sol, Avery, désireuse de se rattraper par une action généreuse, ouvrit la porte.

— Ma petite fille, ajouta la mère en berçant son enfant, est terriblement malade. On doit la conduire à l'hôpital.

Impossible de trouver un taxi, et les urgences du Kings County refusent d'envoyer des ambulances dans ce quartier parce qu'ils se font attaquer. On est vraiment désolés d'interrompre ainsi votre soirée, mais je sais que vous avez une voiture...

Avery fronça les sourcils.

— On peut dire que vous avez le chic pour choisir votre soirée. La maison de mes parents vient de brûler dans un incendie.

D'un naturel porté sur la rivalité, elle leur damait le pion avec une catastrophe de plus grande ampleur.

— Vous savez ce qu'on dit, la loi des séries, rétorqua le mari d'un ton vaillant.

— En effet, répondit Avery avec un petit sourire. Mon époux appelle ça l'« amoncellement karmique ».

— On pourrait seulement emprunter votre Jaunt, si vous êtes occupés, ajouta la femme d'un air hagard.

Avery tiqua un peu en entendant la voisine mentionner la marque de leur voiture – détail que les parents d'un enfant gravement malade n'auraient pas précisé. Mais la voiture était garée juste devant, et cela ne voulait sûrement pas dire grand-chose.

— Pas de souci, je peux tout à fait vous y conduire, répliqua Avery. Ne bougez pas, je vais chercher mes clés.

— S'il vous plaît... ? implora la mère. On pourrait avoir un verre d'eau pour Ellie ? Elle est brûlante.

— Bien sûr, pas de problème.

Avery hésita ; elle ne pouvait pas leur refermer la porte au nez.

— Entrez quelques instants. Il fait un froid de canard, et je ne veux pas laisser la porte ouverte.

La famille s'entassa dans l'entrée.

— Tanya, vous vous souvenez ?

Elle libéra un bras qui entourait sa fille pour serrer la main d'Avery. Les taches de rousseur donnaient toujours un air sympathique aux gens.

Le mari garda sa main droite dans la poche de son manteau et se contenta d'un signe de tête :

— Sam.

Il était bien bâti, avec un physique agréable à l'italienne, mais il était maigre. La déférence de leurs précédentes rencontres avait cédé la place à une rigidité empreinte de tension, celle d'un parent déterminé à conduire sa fille chez le médecin, quel que soit le dérangement infligé aux autres.

— Et voici Jake.

Dans les jambes de son père, le rouquin d'une dizaine d'années grimaça. Avery reconnut le jean.

— Ça en fait du monde, dit Tanya, tandis que sa famille s'agglutinait sur le seuil du salon.

— Rien de tel que la perte de la maison parentale pour provoquer une réunion de famille impromptue, expliqua Avery.

Tanya posa la main sur la main gauche de son mari. Willing observait les événements depuis son perchoir habituel dans l'escalier. Il croisa les yeux du garçon, qui se colla encore plus contre les jambes de son père, avant de lui retourner un regard furieux. Pas vraiment polie, comme expression, quand tes parents viennent demander un service...

Quand Avery revint avec le verre d'eau, Tanya le prit et sembla chercher un endroit où le poser. Ellie n'était-elle pas brûlante ? Avery joua avec le porte-clés. Retirant sa main droite de la poche de son manteau, Sam brandit une arme.

Avery se demanda alors pourquoi tout le monde criait : « Que personne ne bouge ! » en exhibant une arme. L'immobilité la plus totale était, de toute façon, la réaction instinctive.

— Ce n'est pas nécessaire, dit Avery sans perdre son calme. J'ai dit que je vous emmènerai.

— Nous, on ne va nulle part, rétorqua Sam en braquant son arme vers la poitrine d'Avery. Mais vous, si.

— Je ne comprends pas ce que vous voulez, argumenta Avery. Et votre petite fille... ?

353

— Si j'étais vous, je ne m'inquiéterais pas pour elle, répondit Tanya.

Avery avait l'impression d'être la dernière des cruches. Elle qui se vantait d'être devenue plus débrouillarde face à l'adversité ! Mais malgré ses ongles cassés par le ménage, elle était et restait un papillon mondain. Dans ses rapports aux autres, elle vivait toujours dans un monde où le temps s'organisait autour de rendez-vous pour déjeuner ou prendre un café, de courses au profit d'organisations caritatives pour la lutte contre le cancer du sein – un monde dans lequel le pire qui puisse surgir à votre porte était un invité muni d'une bouteille de rouge si bon marché que c'en était une insulte. Et, surtout, un monde auquel, il n'y a pas si longtemps, Sam et Tanya W-machin appartenaient eux aussi. Ayant emménagé en même temps que la vague d'acheteurs fortunés qui avaient pris possession du quartier ces dix dernières années, les *desperados* qui avaient envahi sa maison étaient des « gentrificateurs ».

— Je prends ça, dit Sam en tendant la main vers le porte-clés.

— Je croyais que vous n'alliez nulle part, dit Avery.

Willing se leva. Dans la pièce, le brouhaha des conversations avait cessé.

— Allez savoir, répondit Sam.

— Est-ce que c'est un cambriolage ? demanda Avery d'une voix forte – les autres devaient comprendre ce qu'il se passait. Car, à part la Jaunt, il n'y a pas grand-chose à voler ici ! Des *charnières* ? ajouta-t-elle d'un ton de défi. On en a plein.

— Si, vous avez quelque chose d'énorme, répliqua Sam. Parfois, l'éléphant dans la pièce, c'est la pièce.

— Le moment est mal choisi pour faire des mystères quand vous nous agitez ce truc sous le nez, rétorqua Avery.

— Je ne le dirai qu'une fois : je suis désolé, dit Sam en balayant le salon de la pointe de son arme. À une époque plus heureuse, on vous aurait sûrement invités l'été pour un barbecue. Mais notre maison a été saisie, et on a été expulsés. Ils ont remplacé les serrures, branché l'alarme, changé le code.

— Quand la police est venue pour vous ficher dehors, pourquoi vous ne leur avez pas tiré dessus ? demanda Avery avec un regard noir vers l'arme qu'il tenait.

— La police ! répéta Sam. Quelle police ? Aujourd'hui, les banques font appel à des boîtes de sécurité privées. Armées jusqu'aux dents. De vrais voyous.

— Alors, qu'est-ce que ça fait de vous ?

— Je me fous de ce que vous pouvez penser de moi. Parce que je ne reculerai devant rien pour donner un toit à ma famille. Le vôtre, en l'occurrence. Vous allez devoir partir, tous, je le crains.

Un cri étouffé monta de la pièce.

— De mon temps, claironna le Grand-Homme, un homme d'honneur confronté à la ruine personnelle aurait tué toute sa famille. Avant de se mettre une balle. Cette tradition était efficace. Comme le four autonettoyant.

— Vous voyez, nous avons des personnes âgées ici, reprit Avery. Des infirmes. Vous ne pouvez pas les jeter à la rue.

— Vous voulez parier ?

Le canon de l'arme trahit un tremblement, mais pas assez prononcé pour garantir la réussite d'un éventuel acte de bravoure un brin intempestif.

— De grâce ! s'écria Jayne. Nous avons tout perdu. Je souffre d'angoisse invalidante ! Des niveaux élevés de stress pourraient provoquer chez moi de l'arythmie, une fibrillation ventriculaire, de l'hyperventilation…

— Maman, la coupa Avery d'un ton calme.

— Ouais, et moi, on m'a diagnostiqué un trouble obsessionnel compulsif, un syndrome des jambes sans repos et une allergie aux sulfites, rétorqua Sam. Puis j'ai eu de vrais problèmes. Je vous conseille ce traitement.

— C'est ma maison, s'exclama Florence en se dégageant de l'étreinte protectrice d'Esteban. Nous ne sommes pas locataires, cette maison m'appartient. J'ai la loi pour moi.

— Et la possession en représente les neuf dixièmes, riposta Sam.

— Qu'est-ce qui vous dit qu'on n'a pas d'armes ? demanda Florence, furieuse.

— Ce n'est pas votre genre.

— Chéri, protesta Tanya. Toi non plus, ce n'était pas ton genre.

— Ça l'est, maintenant.

Sa bravade manquait de conviction.

— Vous ne vous en tirerez pas comme ça ! s'emporta Goog. Mon père ira porter plainte, et on vous mettra à l'ombre jusqu'à la fin de votre vie !

— On ne suit pas les infos, hein, fiston ? répliqua Sam d'un ton las. Les flics ont lâché l'affaire. Les invasions de domicile sont monnaie courante dans cette ville. À votre avis, on a eu l'idée comment ?

— Imbécile ! lâcha Luella, attachée au bas de la rampe d'escalier. Ustensile ! Concile ! Pœcile !

Autrefois, elle disposait d'un vocabulaire impressionnant.

— Mais ce sont des gens bien, plaida Kurt par-dessus le chœur grec. Des gens généreux. Techniquement parlant, je suis locataire, mais Florence et Esteban ne m'ont pas réclamé de loyer depuis dix-huit mois. Ils ont accueilli une famille tout entière, un membre âgé de la famille… Rendez-vous compte, à la fin… Florence travaille dans un centre d'hébergement pour sans-abri…

— D'accord, et moi, je faisais de la modélisation de changement climatique à l'Académie des sciences de New York, aboya Sam. Ce n'est pas un concours de B.A.

— On mesure tous, croyez-le, la gravité de votre situation.

Au prix d'une formidable maîtrise d'elle-même, Florence avait rebasculé dans le mode non-réactif et pragmatique qu'elle avait perfectionné à Adelphi.

— Manifestement, il s'agit d'une urgence. Dès lors, il n'y a pas de raison qu'on ne puisse faire de la place à toute votre famille. On a toujours de l'eau, même de l'eau chaude, et du chauffage... Vous pourriez tous prendre une douche. Une longue douche relaxante. Et vous devez avoir faim. On n'a pas grand-chose, mais je suis sûre qu'on pourrait trouver quelque chose à manger pour vos enfants et vous. Vous pouvez baisser votre arme. On peut résoudre ce problème ensemble. D'ailleurs, maintenant que j'y pense, Esteban et moi, on pourrait vous céder la chambre principale à vous et votre famille...

— Vous voulez me faire croire que vous réussiriez à cohabiter pacifiquement avec un type qui a essayé de vous foutre dehors de chez vous sous la menace d'une arme ? demanda Sam. Ne vous payez pas ma tête. Vous rongeriez votre frein et attendriez le bon moment pour me défoncer le crâne à coups de marteau.

— Peut-être, chéri, murmura Tanya. Mais les gosses n'ont rien avalé de la journée...

— Si elle peut trouver deux trois trucs à manger dans sa cuisine, dans ce cas, nous aussi. Quant à choisir entre toute une maison et juste une chambre... le choix n'est pas à proprement parler cornélien.

— Vous avez déjà entendu parler d'occupation des locaux ? railla Carter, enveloppé dans sa couverture couverte de suie comme un figurant dans *Les Dix Commandements*. Quand j'étais gamin, des étudiants s'étaient rendu compte combien il était difficile de forcer à partir un nombre conséquent de personnes en colère et bien décidées à rester.

— Ouais, et une poignée de ces crétins de manifestants se sont fait descendre, répliqua Sam d'un ton impatient. Je vous laisse un petit quart d'heure pour rassembler quelques affaires. Il n'y a rien qui m'y oblige, mais je vais vous laisser vos manteaux. Prenez vos brosses à dents.

— Kurt a raison pour la générosité de ma nièce, mais sa tante, elle, a un vrai fond de méchanceté, gronda Nollie comme une vieille folle qui cherchait à appâter des petits garçons avec du pain d'épice, et Jake la regarda, épouvanté. La première chose que je conseillerai à Florence sera de vous couper l'électricité, le gaz et l'eau. *Vous pourrez dire adieu à vos longues douches.*

— Faites donc ! rétorqua Sam, mais il semblait ébranlé. De toute façon, tout le monde truande et se raccorde gratis au réseau.

— Vous n'êtes que quatre, *hombre*, souligna Esteban, en prenant un faux accent de voyou mexicain qui aurait dû à coup sûr effrayer Sam. Deux sont des *niños*. Comment vous espérez contraindre treize otages pas du tout partants pour une promenade à la fraîche ?

— Bien vu. Très utile – *¿muy útil, sí ?*

Sa prononciation était irréprochable. Bing, à qui il avait fait signe d'approcher, obtempéra, les yeux écarquillés, et Sam agrippa fermement le garçon par le bras.

— Si quelqu'un tente quoi que ce soit, je descends le gosse. Vous ne me croyez pas ? Ne me forcez pas à vous le prouver.

Sam essayait de se convaincre lui-même, mais ils ne pouvaient pas exclure la possibilité qu'il y parvienne avec un certain succès. Libérés pour « rassembler quelques affaires », ils restaient figés.

— Bougez-vous ! ordonna Sam. Ou je retire mon offre, et vous arpenterez Linden Boulevard en chaussettes.

— Pourquoi nous avoir choisis, nous ? demanda Avery à Tanya alors que les autres se dispersaient lentement, comme en transe. Nous sommes quatorze dans cette maison.

— Vous êtes les seuls à nous avoir ouvert, expliqua Tanya.

14

Un système complexe
entre en phase de déséquilibre

WILLING N'AVAIT PAS LA PRÉTENTION d'affirmer qu'il l'avait vu venir... Mais il s'attendait à quelque chose du genre, oui. Raison pour laquelle il avait déjà préparé son sac à dos, qu'il avait placé sous son lit. Les indispensables : papiers d'identité, bouteille d'eau, assortiment de fruits secs, kit de premiers secours, couverture en graphène, couteau de poche, allumettes et briquet, gants, coupe-verre, grande bâche épaisse, bâches en plastique, double des clés de la maison, nécessaire de toilette. Le nécessaire d'urgence étant prêt, il ajouta simplement deux pulls supplémentaires et vérifia qu'il avait bien dans sa poche son fleX roulé en boule ; il n'était pas à jour de son abonnement satellitaire, mais, au moins, l'appareil lui servirait de lampe de poche. Ignorant le dépit incrédule de Goog – « Comment ça, le voyant de la famille *a déjà préparé son sac ?* » –, il descendit calmement au rez-de-chaussée pour formuler une demande officielle.

Les muscles du bras de Sam devaient s'être raidis à force d'agripper celui de Bing. Affaissé contre le montant de la porte, même Bing semblait en avoir assez de paraître terrifié. Le pistolet était lourd. Mais Sam s'empressa d'en relever le canon en voyant Willing avancer.

Le garçon s'arrêta au milieu de l'escalier.

— Si vous êtes d'accord, j'aimerais prendre mon vélo.

— Cyclo, travelo, murmura Luella, toujours attachée à la rampe. Vélodrome, dromadaire, air à bulles, mandibule, Mandible…

— Tu pourrais pas faire en sorte qu'elle la boucle ? demanda Sam, excédé.

— De plus forts que moi s'y sont essayés, répondit Willing.

— Main-forte payée au pied saigné, répondit Luella en écho.

— Le vélo ? insista Willing. Vous avez le SUV.

Il était primordial de ne montrer aucune émotion. L'homme se sentirait coupable, il n'aimerait pas ça et se mettrait en colère. Dès lors, toutes les négociations devaient être menées sans jugement. Comme si demander à un parfait étranger qui habitait quelques rues plus loin que la vôtre si vous pouviez récupérer votre vélo était la chose la plus normale qui soit.

— Non, répondit le rouquin, les bras autour de sa mère. Je veux son vélo.

Sans broncher, Willing fixa le garçon d'un regard qui semblait dire : « Un vélo contre un petit hamburger et un Cherry Coke, pas très équitable, comme marché. »

— Mais tu ne fais jamais de vélo, protesta sa mère.

— Papa a un pistolet, rétorqua Jake. On peut prendre tout ce qu'on veut. Qu'est-ce que ça peut faire, si on s'en sert pas ? On pourrait même le casser si on en a envie. Et peut-être que c'est ce que je vais faire.

Il regarda Willing avant d'ajouter :

— Je vais te le chourer, ton vélo, et le casser.

Willing voyait déjà l'effet boomerang des propos du garçon : *Regarde ce qu'est en train de devenir notre fils.*

— Ouais, bien sûr, prends ton vélo, dit Sam.

— Pouet, tut-tut, pends l'idiot, ponctua Luella.

— Merci, répondit Willing. Permission de rompre les rangs, monsieur.

Il manquait juste le salut militaire.

À l'étage, il trouva sa mère et Esteban dans leur chambre, des vêtements éparpillés autour d'eux.

— Il n'est pas si costaud, murmura Esteban, je pourrais le battre, *sin problema.*

— Sans doute, mais quelqu'un pourrait être blessé, répondit Florence. Je peux te pardonner de ne pas te comporter en héros, mais je ne suis pas sûre que ce serait le cas si l'un des enfants se faisait tuer.

— Ce froussard ne tirera sur personne, répliqua Esteban.

Florence se tourna vers Willing.

— On est censés trouver un plan ? Imaginer un stratagème ingénieux pour virer ces gens de chez nous ? C'est ce qu'on ferait si on était dans un film.

— On pourrait aussi mettre le feu à cette maison, répondit Willing d'un ton détaché. Ils seraient obligés de s'en aller. Mais nous aussi. Et il y a toujours le risque qu'on ne puisse pas maîtriser l'incendie. Et dans ce cas-là, aucune de nos deux familles n'aurait de toit sur la tête. Ce serait un acte de malveillance. Du même ordre que ce que ces intrus ont fait à notre jardin.

— Alors, qu'est-ce qu'on fait ?

— Si on envisage sérieusement de laisser ce *cabrón* nous éjecter de notre maison, est-ce qu'on pourrait s'installer à Adelphi ? Il faut bien qu'il y ait des bons côtés à ton boulot cafardable.

— Le centre d'hébergement fonctionne déjà à 200 % de sa capacité. J'ai des collègues qui ont essayé de faire héberger de la famille. Ils ont été virés.

— Tout est ma faute, décréta Willing.

— Je ne te suis pas, *muchacho*, dit Esteban.

— On aurait dû partir plus tôt, expliqua Willing. J'ai mal évalué les choses. Cette ville. C'est un système complexe, qui est entré en phase de déséquilibre. Il est instable. C'est pour ça que ça ne sert à rien d'essayer d'imaginer un plan. De toute façon, il va falloir qu'on parte. Les gens en bas vont mal finir. Même si tu ne mets pas à exécution la menace de Nollie de résilier l'eau, le gaz et l'électricité, ils n'auront pas de quoi payer les factures. L'approvisionnement sera coupé. En plus, il fait de la modélisation informatique, ce qui signifie qu'il n'aura pas la moindre idée de comment se raccorder illégalement à une conduite de gaz sans faire sauter tout le quartier. Et puis, vous vous rendez compte de la facilité avec laquelle ils nous expulsent de notre maison ? D'autres pourraient leur faire le même coup tout aussi facilement.

— Tu penses qu'on devrait partir, mais pour aller où ? demanda sa mère.

Elle était paniquée. Il allait falloir qu'elle se calme.

— Le Grand-Homme a presque cent ans ! s'écria-t-elle. Luella n'est pas vraiment facile à vivre, et mes parents eux non plus ne sont pas des perdreaux de l'année !

— Pour le moment, au campement, répondit Willing. À Prospect Park. C'est dangereux, mais pas autant que de rester isolés. Là-bas, on pourra faire du troc. Les campements sont des économies en vase clos.

— Du troc ? Avec quoi ? Contre quoi ? protesta sa mère. Franchement, Willing, parfois, tu te prends vraiment pour un M. Je-sais-tout et si ta seule proposition, c'est qu'on devienne tous des sans-abri, je peux t'affirmer, grâce à l'expérience que j'ai acquise dans mon boulot, que ce mode de vie n'a rien d'exaltant.

Il savait que les remontrances de sa mère n'avaient rien de personnel.

— On ne restera là-bas que le temps nécessaire pour se préparer.

— Je ne le crois pas ! *Se préparer.* À quoi ? Au Jugement dernier ? À ce que le Seigneur nous accorde sa rédemption, ou à l'atterrissage d'un vaisseau extraterrestre ?

Ils n'avaient pas de temps à perdre avec ce genre de broutilles.

— Prenez des vêtements chauds, ordonna Willing. Superposez les couches sur vous pour ne pas avoir à les porter. Pensez à prendre un vêtement imperméable. Remplissez d'eau du robinet les bouteilles en plastique dans le vieux conteneur de recyclage.

(La ville n'avait pas collecté l'eau des conteneurs de recyclage – une pratique désuète – depuis un an et demi.)

— Prenez des torche-culs. Le plus possible, parce qu'on ne pourra pas les laver. Si vous arrivez à subtiliser un peu de nourriture dans la cuisine, soyez discrets. Prenez des sacs à dos plutôt que des valises. Les valises attirent l'attention, et sont très faciles à voler. Si vous avez de l'argent liquide, placez-en un peu – suffisamment pour être crédible – dans votre poche ou dans une poche extérieure de votre sac à dos. Cachez le reste dans des chaussures, des sous-vêtements ou dans des paires de chaussettes. Comme ça, s'ils veulent nous prendre notre argent avant de partir, on leur filera le plus visible. Et surtout, quoi qu'il se passe, ne vous énervez pas après Sam et Tanya. Plus nous exprimerons notre colère, plus ils se sentiront justifiés d'agir de manière inconsidérée. On ne peut pas se permettre de donner l'impression d'être imprévisibles. Gardez à l'esprit que, de toute façon, il aurait fallu qu'on parte. Ils nous rendent service.

Au sous-sol, dans la partie réservée au stockage, Willing regonfla les pneus de son vélo. Il attrapa sa trousse à outils, des sacoches, ainsi que quelques tendeurs, tandis que Lowell, derrière lui, pestait contre l'État, dont « la principale responsabilité est la protection de la propriété privée ». Willing ne put réprimer un sourire. Décidément, certaines personnes ne pouvaient tout bonnement pas changer de *paradigme*.

Il se sentit mieux après. Il n'avait pas vérifié les gravats derrière la chaufferie depuis un certain temps, mais ils étaient à l'abri. Si lui-même le pensait, c'est que la cachette était très bonne. Intéressant, que sa mère n'ait jamais demandé où il les avait cachés. Elle avait peur d'être arrêtée. Il se demanda si ça se faisait encore, d'arrêter les gens.

Tandis qu'il accrochait son vélo avec l'antivol à un panneau de stationnement à l'extérieur, Willing aperçut Carter dans l'escalier qui menait au sous-sol. Son grand-père déposa quelque chose sur les marches, qu'il s'empressa de recouvrir de sa couverture. Il leva la tête et, d'un doigt sur les lèvres, intima le silence à Willing.

Impossible de deviner ce que Carter fabriquait, mais, depuis l'incendie, il avait sur le visage une expression de démence qui s'intensifiait. Willing ne voulait pas attirer l'attention de Sam, et le moment était mal choisi pour un cours sur les systèmes complexes entrant en phase de déséquilibre. Il se borna à secouer vivement la tête, dans l'espoir de mettre un terme au plan probablement bancal concocté par le vieil homme, avant d'articuler silencieusement un « NON, ARRÊTE ! », tout en croisant les mains devant lui – code universel signifiant : « Laisse tomber ! » Mais Willing n'était que son petit-fils de seize ans qu'il ne prenait pas au sérieux, et Carter E. Mandible avait deux bonnes années d'envies de meurtre à concrétiser.

Willing se précipita vers l'escalier, intimant d'un geste à son grand-père : « Rentre. » Carter resserra sa couverture autour de lui, le regard mauvais. Il n'était pas décidé à obtempérer.

Inquiet, Willing rejoignit les autres dans le salon. Sam paraissait épuisé. Il ne voulait qu'une chose, qu'ils partent, comme un hôte peut parfois en arriver à souhaiter le départ d'invités ayant abusé de son hospitalité – pour enfin ranger la cuisine, prendre un dernier verre avant d'aller se coucher, regarder les infos.

— Le fric, dit Sam.

Ils vidèrent leurs poches.

— Les clés de la maison, ordonna ensuite Sam, en tendant un panier pris sur la table basse comme s'il s'agissait d'une corbeille de quête. Je ne veux pas être dérangé par des visiteurs.

Tandis que les expulsés s'alignaient dans l'entrée, Sam effectua une fouille approximative de leurs sacs, poussant le canon de son arme dans les compartiments à la fermeture ouverte, avec ces palpations hâtives caractéristiques des gardiens de musée blasés. Malheureusement, il confisqua la demi-miche de pain que Florence avait réussi à subtiliser, en dépit de la surveillance de Tanya dans la cuisine. Mais il autorisa Kurt à emporter son saxophone.

Parce qu'elle avait déjà perdu tout ce qu'elle possédait, Jayne n'avait rien, et restait dans le fond près de l'escalier, enveloppée dans sa couverture, tandis que les autres passaient un par un à l'inspection. Elle avait dû essayer de rester au chaud le plus longtemps possible. Elle avait eu une rude journée.

— C'est quoi, ce bordel ? demanda Sam à Nollie tandis que celle-ci atteignait la porte.

Le carton qu'elle portait semblait bien trop lourd pour une femme de soixante-quatorze ans.

— De la matière morte, répondit Nollie.

— Bannière porte, déforma Luella derrière lui. Tanière sotte. Soupière molle, soupe au lait, lait de vache, vache de ferme, ferme ta gueule...

— Que quelqu'un dégage cette harpie de cette baraque ! cria Sam.

Détachant sa femme de la rampe de l'escalier, Douglas fit sortir Luella.

— Des manuscrits de mes livres, expliqua Nollie. J'ignore s'ils peuvent avoir de la valeur pour quelqu'un, mais ils en ont pour moi.

Sam ouvrit les rabats du carton, qui était rempli à ras bord de feuilles de papier maintenues par des élastiques.

— Il faut vraiment de tout..., hein ?

Sam agrippait Bing comme un parent tient son enfant quand il l'emmène en courses avec lui, et Jake paraissait jaloux. Avery, qui portait le manteau et le sac à dos de son benjamin, était bien décidée à ne pas partir sans son fils. Il ne restait plus que Willing et Jayne à fouiller, quand, soudain, Sam leur lança un regard furieux.

— Il est où, le vieux schnock pas commode qui menaçait d'organiser un sit-in ?

Le regard de Willing fut attiré par un brusque mouvement derrière leur spoliateur. Pour éviter de lancer ce coup d'œil qui l'aurait trahi, Willing décida d'improviser.

— Carter… euh, mon grand-père, doit être aux toilettes.

Surgissant dans l'embrasure de la porte, derrière Sam, Carter leva les bras au-dessus de sa tête. Sa couverture tomba, et il enfonça dans l'épaule de l'intrus quelque chose de métallique, d'une vingtaine de centimètres de long. Sam hurla. Criant à son tour, Jayne rabattit sa couverture sur les têtes de Tanya et d'Ellie, piégeant les bras de la femme qui étreignait sa fille. Un coup partit. Bing poussa un cri strident.

D'un coup sec, Sam arracha le corps étranger de son épaule droite, avant de se retourner pour braquer l'arme sur son agresseur. Tanya se laissa tomber par terre, cherchant à repousser Jayne et à se dégager de la couverture. Elle prit Ellie dans ses bras, avant d'aller se réfugier derrière son mari. Avery se précipita vers son fils pour examiner son pied. En une poignée de secondes, tout était terminé.

— C'est quoi, ce putain de truc ?

Sam brandit l'arme improvisée, un ustensile en argent à deux dents, aux extrémités fines et délicates, maintenant rougies par son sang. C'était un article élégant, de conception raffinée, mais que Sam ne semblait pas d'humeur à admirer.

— Une pince à asperges, répondit Carter sans paraître le moins du monde désolé.

D'un signe de tête, il montra l'arme.

— Allez-y. Faites-moi plaisir.

— Chéri, cette expression ne correspond pas vraiment au contexte, s'écria Jayne en se relevant. C'est drôle si tu t'appelles l'inspecteur Harry et si tu tiens un Magnum, pas quand tu n'es qu'un vieil homme muni d'une pince à asperges qui cherche à se suicider par sale type interposé.

— Foutez-moi le camp, tous ! hurla Sam en les menaçant de son arme.

— Vous avez tiré dans l'orteil de mon fils, protesta Avery. Son pied va geler par ce temps. Laissez-moi au moins prendre une autre paire de chaussures en bas.

— Fini de jouer au chic type. Dégagez !

Son épaule saignait, et il ne semblait pas être le genre de dur à cuire variante héros hollywoodien capable d'encaisser la douleur.

Jayne, Avery, Bing et Willing sortirent à la queue leu leu rejoindre les autres sur le trottoir, d'où ils entendirent le verrou de la porte d'entrée et le cliquetis de la chaîne de leur maison. Bientôt, en écho, les mêmes sons leur parvinrent de la porte d'entrée située au sous-sol.

— Papa, je sais que tu voulais bien faire, dit Avery, le bras autour de son benjamin, qui gémissait, le pied blessé dans sa tennis gauche aux rabats ouverts. Mais cet acte de bravoure était dangereux. C'est un miracle que la balle ait manqué le pied de Bing, mais le souffle semble avoir brûlé ses orteils.

— Une pince à asperges ? dit Nollie. Merde ! Carter, t'as jamais entendu parler de couteaux ?

— Tous les couteaux du service en argent sont émoussés, et la femme montait le guet dans la cuisine.

Carter ramassa sa couverture par terre, puis la secoua.

— Au moins, j'ai tenté quelque chose, rétorqua-t-il d'un ton aigre.

Jayne ajusta la tenue de combat de son mari autour de son cou. Ils avaient fait chou blanc, mais le risque pris n'avait peut-être pas été totalement vain : Carter et Jayne, droits, fiers dans la lueur des lampadaires, semblaient avoir rajeuni.

— J'aurais pu régler son compte à ce *tonto* avec une pelle, mais tu m'as ordonné de ne rien tenter, murmura Esteban à Florence.

— OK, laissons tomber les couteaux, mais pourquoi pas un marteau ? reprit Nollie, qui continuait de harceler son frère. Il y avait une caisse à outils au sous-sol, et notre ami Sam t'a servi l'idée sur un plateau !

(Imaginer Carter Mandible défoncer le crâne de Sam avec un marteau était assez surréaliste. En revanche, Willing pouvait aisément se représenter Nollie en train de le faire.)

— Au moins, ces pinces en argent sont plus efficaces qu'un carton plein de mauvais premiers jets de roman, répliqua Carter.

— Comment on va trimbaler ça, Nollie ? intervint Lowell. C'est encombrant, et ça pèse une tonne. J'ai du mal à voir comment tu vas pouvoir porter ce fichu carton ne serait-ce qu'au bout de la rue.

— Tu veux parier ? riposta Nollie.

Il n'était jamais bien avisé d'émettre des doutes sur les prouesses athlétiques d'Enola Mandible.

— J'ai dû supporter ton égotisme toute ma vie, reprit Carter à l'attention de sa sœur. Mais là, ça va trop loin. En cet instant, sauver les originaux de ton *œuuuuuvre* serait déjà d'une stupidité sans bornes quand bien même tu t'appellerais Tolstoï. Mais tu es loin d'être un génie de la littérature. J'ai lu la critique publiée par le *Times* de ton roman *Le Pigiste* ; je cite : « Prose qui réussit le double exploit d'être tout à la fois insipide et ampoulée »…

— Au moins, riposta Nollie, une *œuuuuuvre* vaut mille fois mieux qu'une poignée d'articles minables sur des *hayons* et des *immeubles*…

— Ça suffit, les enfants ! s'écria AGH. Carter, ta sœur a reçu de nombreuses critiques élogieuses, et personne ne publie plusieurs romans sans se prendre à l'occasion quelques vacheries. Enola, il n'y a rien d'indigne à rédiger des articles sur des immeubles, tant qu'ils sont écrits avec panache. J'ai entendu ces attaques toute ma vie, et, à mon âge, je ne devrais plus avoir à supporter ces chamailleries de cour d'école.

— N'empêche, Nollie, fit remarquer Florence, si on est trop chargés, on risque d'attirer l'attention. Des gangs rôdent dans ce quartier à cette heure de la nuit.

— J'imagine que si quelqu'un nous cherche des noises, railla Avery, on pourra toujours le menacer avec de la *matière morte*.

C'était injuste. Ils s'en prenaient à Nollie, car ils ne pouvaient pas déverser leur frustration sur Sam ou Tanya, ni sur la Réserve fédérale, ni encore moins sur le président.

— Donnez-le-moi, proposa Esteban de mauvaise grâce, alors qu'il portait déjà le sac à dos le plus lourd. Mais ouvrez l'œil si jamais vous voyez une poubelle.

— Non, décréta Willing.

Il prit le carton des bras de Nollie. Il était incroyablement lourd ; peut-être sa grand-tante était-elle dans la forme de sa vie. Sortant une bâche plastique de son sac, il en enveloppa le carton pour le protéger de l'humidité du soir. Il le posa à l'arrière de son vélo, avant de l'arrimer avec des tendeurs.

— Willing, demanda Carter, tu penses que tu pourrais t'occuper aussi de ça ?

Maintenu lui aussi avec un tendeur, le service en argent tenait dans une sacoche. Le métal précieux leur permettrait de faire un troc très avantageux, mais Willing avait déjà dû renoncer à son attachement sentimental à la monnaie fonctionnelle. Il se jura alors de ne pas troquer ces ustensiles gravés contre de la nourriture et un abri temporaire, à moins que leur vie en dépende. Ce service en argent était leur héritage. Sam et Tanya avaient le canapé. La succession Mandible, tout le fabuleux mobilier de Bountiful House, se résumait à ce seul et unique coffret.

Il y avait un peu moins de cinq kilomètres jusqu'à Prospect Park, mais le trajet leur prit des heures. Au départ, Kurt s'était occupé de Luella, mais Florence avait dû se rendre à l'évidence : il était trop gentil. Quand Luella partait dans la mauvaise direction, il ne tirait pas sur la laisse avec assez de fermeté pour la ramener vers lui. Quand elle s'était assise sur le trottoir et avait refusé catégoriquement de se lever, il avait tenté de la raisonner en lui promettant une récompense – approche qui ne marchait pas non plus sur les enfants. Esteban avait pris le relais, en la portant sur son épaule. Mais elle s'était débattue, à grand renfort de coups de pied et de coups de poing, aussi, écœuré, avait-il renoncé. Jayne s'en sortait mieux que les hommes, grâce à la détermination inébranlable, impassible et implacable avec laquelle les femmes, depuis des siècles, s'appliquaient à parvenir à leurs fins. Quant à Carter, pour le moment, il ne disait rien de la peine qu'il éprouvait à l'idée d'avoir perdu sa maison, ni sa fille, la sienne. Tout ce qu'il s'était borné à exprimer, à maintes reprises et avec véhémence, était qu'il ne « s'occuperait pas de Luella une minute de plus ».

Le Grand-Homme aurait pu sembler en bonne forme pour un quasi-centenaire si toute son énergie n'avait pas été pompée par l'incendie et une seconde expulsion éprouvante de son seul refuge. Il devait faire de fréquentes pauses, appuyé contre un parcmètre ou une benne à ordures qui débordait (dans le meilleur des cas, le ramassage des déchets n'était plus organisé que de façon intermittente). Heureusement qu'il avait sa canne, mais il était autant handicapé par son état de confusion que par son grand âge. Quelle épreuve que de dégringoler ainsi du statut de personnalité incontournable de l'édition new-yorkaise à celui d'éminence grise à la retraite doublée d'un boursicoteur installé dans la plus somptueuse résidence pour seniors du pays, puis à celui de moins que rien déambulant dans les rues sombres et jonchées de détritus d'East Flatbush. Pourtant, aussi profonde que soit l'empathie à laquelle s'exhortait Florence, il était exaspérant de le voir marcher aussi lentement.

Goog ne cessait de se plaindre que son sac à dos était trop lourd, et Bing, lui, n'arrêtait pas de pleurer ; le battement de sa semelle gauche sur le béton devait taper sur les nerfs de tout le monde. Avery ne pouvait s'empêcher d'utiliser leur seul fleX sous contrat pour essayer de joindre Savannah, qui avait été la seule des trois enfants à payer son abonnement en temps et en heure. Mais les appels basculaient immédiatement sur sa boîte vocale. Sur l'insistance de son mari, Avery composa le 911 pour signaler le vol et l'occupation illégale de leur maison, mais un message évoquant un nombre élevé d'appels lui suggérait avec insistance de rappeler ultérieurement. Lowell fulminait, de cette indignation bon teint caractéristique de l'establishment, tandis que Kurt s'estimait probablement heureux d'avoir réussi à repousser aussi longtemps son installation dans les campements de Prospect Park. La bruine se transforma en crachin, et le froid humide était épouvantable.

Poussant son vélo, Willing fermait la marche et jetait de fréquents coups d'œil par-dessus son épaule. Ce n'était pas une heure raisonnable pour être dehors. Sur Linden Boulevard, les rares voitures filaient à toute vitesse, et leur seule compagnie était constituée par de petits groupes de sans-abri – d'autres sans-abri *comme eux* –, la mine renfrognée, avec leurs caddies de supermarché plus tentants encore, désormais, que leurs portefeuilles. Florence sursautait lorsqu'ils croisaient des chiens galeux errants. À son grand dam, elle devait reconnaître que son fils avait fait preuve de présence d'esprit en insistant pour donner Milo à la famille de Brendan, alors que jusque-là, elle avait considéré qu'il avait pris une décision totalement irrationnelle. Peu de gens pouvaient désormais se permettre d'acheter de la nourriture pour leur animal de compagnie. Des milliers de chats et de chiens avaient été abandonnés, livrés à eux-mêmes.

Florence aurait dû libérer sa colère, mais elle ne pouvait se le permettre. Au lieu de quoi, elle se focalisait sur l'objectif consistant pour leur petite troupe à trouver un endroit où passer la nuit. Willing avait une bâche ; elle en avait trouvé une autre, laissée par l'équipe de bons à rien qui s'était chargée d'étanchéifier le sous-sol. Ils avaient quelques couvertures. S'ils pouvaient s'installer tous l'un contre l'autre sur une bâche et placer la seconde sur eux, ils seraient peut-être au sec, et au chaud. Elle avait réussi à récupérer des sachets de cacahuètes et de raisins dans les placards, et espérait que la ville avait la bonne idée de fournir de l'eau dans les parcs publics. C'était ainsi que raisonnaient les pauvres. La perspective à long terme était un luxe indéniable de la prospérité. Les miséreux ne se projetaient qu'à très court terme.

Enfin, après avoir grimpé la colline d'East Drive à l'intérieur du parc, ils atteignirent un point d'accès. Dans les lumières sinistres de la ville, Long Meadow s'étendait au-dessous d'eux. Bien triste variante de la Terre promise : sur toute l'étendue qui, dans le passé, avait été un site de prédilection pour les pique-niques et les parties de Frisbee, s'étendait un patchwork de bâches en plastique, planches, cartons comprimés, Placoplatre, tôles ondulées – nombre de matériaux de ces abris de fortune ayant été récupérés sur des chantiers abandonnés qui avaient poussé dans les cinq quartiers de la ville. Le tambourinement de la pluie sur les panneaux métalliques avait presque quelque chose d'apaisant.

Logiquement, pour *se réveiller* de mauvaise humeur, Lowell aurait dû préalablement dormir. Il s'était allongé sur leur paillasse improvisée pour treize, à côté d'Avery, qui avait installé les deux garçons de son côté, le laissant, lui, collé à Nollie. Une telle proximité avec une femme âgée qui, comme eux tous, certes, n'avait pas pris de douche depuis des jours, avait quelque chose de délétère. En plus, elle ronflait. Quand le jour se leva, ils comprirent pourquoi cet emplacement était libre à leur arrivée. Ils se trouvaient sous un arbre, et même si cela leur avait permis d'y attacher Luella, les branches n'avaient cessé de goutter sur son front depuis que la pluie s'était arrêtée de tomber. Leur paillasse commune avait été posée sur la terre nue, sans même un coussin d'herbe pour adoucir la dureté du sol. L'eau avait dévalé le terrain en pente et les bâches baignaient dans une boue qui s'était insinuée dans les revers de son seul pantalon. Il n'avait pas eu le courage de se brosser les dents dans un bidonville à 3 heures du matin avec de l'eau en bouteille ; ses dents poissaient, et il avait une haleine de chacal.

Après avoir péniblement réussi à se redresser, Lowell fut saisi de panique quand il constata que ses chaussures avaient disparu. À cause des gravats jonchés de bris de verre qui recouvraient le sol, quand on se faisait voler ses chaussures, on était foutu. Il valait peut-être mieux les garder pour dormir, même si la crasse entre ses orteils risquait de provoquer des ulcérations. Ses vêtements humides puaient, son menton non rasé le démangeait, ses cheveux étaient plaqués contre son crâne. La différence entre les propriétaires de maisons de ville huppées à Washington et les résidents du centre d'hébergement de Fort Green où travaillait sa belle-sœur était peut-être moins marquée que ce qu'il avait cru jusqu'à présent.

À son grand dépit, Lowell constata que son péteux de neveu avait déjà disparu, emportant avec lui le seul fleX du petit groupe dont l'abonnement était payé. Lowell était résolu à mettre en œuvre tous les recours appropriés pour récupérer le bien de Florence, et un accès Internet était un bon début. Son droit de propriété sur la maison avait fait l'objet d'un acte notarié. Il était effaré de voir avec quelle facilité les autres avaient renoncé aux recours légaux. C'était quand on ne croyait plus dans les systèmes ou qu'on n'en utilisait plus les instruments, que ces systèmes s'effondraient pour de bon. Il suffisait de regarder ce qui avait causé l'inflation, bien plus que la politique monétaire : l'hypothèse autoréalisatrice au niveau de la société que le dollar n'avait aucune valeur et que cela ne ferait qu'empirer. Le monde avait la fâcheuse manie de se conformer aux produits de votre imagination. Comportez-vous comme si une ville était un lieu de non-droit, et elle devenait un lieu de non-droit.

Il devrait trouver le moyen de noter tout ça.

De toute façon, son neveu ne pouvait pas être allé bien loin, puisqu'il avait laissé son vélo – fixé avec un antivol et chargé de ce ridicule carton plein de manuscrits et de cet incongru coffret d'argenterie caché dans une sacoche. Nollie montait la garde. Il aurait mis sa main au feu qu'elle défendrait en priorité les tirages papier de son œuvre, et dans un deuxième temps seulement l'argenterie.

Avant d'*aller travailler*, au grand étonnement de Lowell, Florence distribua à chacun une petite poignée de cacahuètes en guise de « petit déjeuner », en s'excusant qu'il n'y ait plus de raisins, puisqu'elle avait surpris Bing en train de boulotter le sachet. Tout le monde lui tomba dessus. Mais ce n'était pas sa faute s'il était jeune, en pleine croissance, et affamé. Kurt déclara qu'une sorte de videur autoproclamé les avait déjà menacés d'expulsion – d'un bidonville, où allait-on ! –, car les « terreurs nocturnes » de Luella avaient empêché de dormir les squatteurs installés à proximité. Avec l'autorisation de Douglas, Kurt proposa sa seule paire de chaussettes de rechange en guise de bâillon. Offre généreuse, oui. N'empêche, Lowell était sidéré de constater que ce locataire, avec ses deux ans d'arriérés de loyer, était toujours à la charge de leur famille. Apparemment, on était dans l'obligation de continuer à prendre soin des gens pour la simple et bonne raison qu'on avait commencé à le faire. De quoi en inférer qu'il valait mieux ne prendre soin de personne, au risque sinon de les avoir à tout jamais sur les bras.

Prenant quelques torche-culs, Lowell décida de se livrer à une *enquête locale*.

— Enchanté, se présenta-t-il de manière formelle à leur plus proche voisine, une vieille femme sale aux cheveux grisonnants.

Des casseroles et des poêles suspendues à des crochets sur une structure en bois brut mais robuste suggéraient une résidence bien établie. Pas très emballé par la perspective d'une poignée de main, il se limita à un signe de tête.

— Lowell Stackhouse, professeur d'économie, université de Georgetown.

Elle eut un sourire ironique.

— Professeur *émérite*, je présume ? Deirdre Hesham, contrôleur aérien. J'ai pris moi-même une retraite anticipée.

Comme elle connaissait le sens du mot « émérite », il la regarda avec plus d'attention : la « vieille femme » ne devait pas avoir plus de cinquante ans.

— J'imagine que le trafic aérien a dû diminuer de moitié, compatit-il.

— Bien pire encore. Mais maintenant qu'ils ont décidé qu'on pouvait facilement se passer de gens comme moi, si j'étais vous, je ne me risquerais pas sur un vol plus loin qu'Hartford.

Il indiqua qu'il venait d'arriver et s'efforça d'expliquer sa mission avec toutes les précautions oratoires requises.

— N'allez pas près des sanitaires mobiles, le prévint Deirdre. Ils ne les ont pas changés depuis un an. Optez plutôt pour les bois de ce côté-ci, mais attention où vous mettez les pieds, vous n'êtes pas le premier, si vous voyez ce que je veux dire.

Une fois revenu de son incursion dans ce bourbier répugnant, Lowell se lamenta sur la perte de son fleX : il n'avait rien à lire, et ne pouvait se plonger dans son traité (qui aurait *dû* être sauvegardé sur plusieurs serveurs, mais Lowell avait fini par intégrer la distinction cruciale caractéristique de leur époque entre ce qui devait être fait et ce qui l'était en définitive ; il ne pourrait se détendre que quand il aurait son texte sous les yeux). Quand Florence rentra d'Adelphi bien trop tôt cet après-midi-là, la distraction était bienvenue.

— Qu'est-ce qui s'est passé ? demanda Esteban en tendant la main, mais sans la toucher, vers une marque rouge, toute boursouflée en son centre, qui striait la joue de Florence.

— Encore une chance que je portais un bandana, expliqua Florence, tremblante, en effleurant la marque de brûlure autour de son oreille gauche, sinon il m'aurait brûlé tous les cheveux au lieu des quelques mèches qui sont parties en fumée. L'odeur était épouvantable.

Elle leur fit le récit des événements : bien décidé à ne pas se laisser décourager par l'affirmation du personnel d'Adelphi que le centre affichait complet, un homme blanc récalcitrant, résolu à entrer, avait pris Florence en otage avec un chalumeau – « le modèle haut de gamme en acier inoxydable pour caraméliser la crème brûlée ». Pour prouver qu'il avait suffisamment de butane pour être pris au sérieux, il l'avait allumé.

— Tu ne remettras plus les pieds là-bas, décréta Esteban.

— Mais je suis la seule à ramener un salaire, répliqua Florence d'une voix faible.

— Plus jamais, répéta Esteban.

— Il a raison. Tu as fait ta part, maman.

Willing venait de refaire son apparition. Avec un coup d'œil mystérieux à Nollie, il annonça :

— On est arrivés au dernier chapitre.

Quel insupportable morveux. Il demanda à ses cousins et aux adultes de se regrouper autour de l'arbre pour un conciliabule. Pour des raisons qui dépassaient Lowell, ce voyou de seize ans était désormais leur chef autoproclamé. D'un jour à l'autre maintenant, l'adolescent se raserait le crâne, se soûlerait au cognac et exécuterait les membres de sa famille.

— J'ai organisé notre protection, les informa Willing à voix basse.

Entouré de ses apôtres, l'adolescent tira à demi de son blouson un objet. Le métal étincela sous le soleil. *Nom de Dieu.*

— Comment t'as eu ça ? demanda Florence, atterrée.

La veille encore, elle aurait demandé *pourquoi*.

— Tu l'as volé ? Comme le *reste* ?

La densité du regard échangé entre mère et fils piqua la curiosité de Lowell.

— Il se la pète, à se trouver frais, marmonna Goog à son frère.

— Je l'ai acheté, répondit Willing.

— Mais on a si peu d'argent…, plaida Florence.

— Grâce à une chose qui avait de la valeur, continua Willing. Ce qui, donc, exclut les dollars.

— Les gobelets, murmura Florence – quoi que ça ait bien pu vouloir dire.

— Il nous en reste un, ajouta Willing. Mais ne le crie pas sur les toits dans un endroit comme celui-ci. Ne t'avise même pas de le dire à voix basse.

Comme Lowell ne voyait pas en vertu de quoi prononcer le mot « gobelet » pourrait se révéler dangereux dans un parc public, il en conclut que Willing faisait allusion à quelque chose entre sa mère et lui. Cette précaution était absurde. Il était de notoriété publique que les campements comme celui-ci regorgeaient d'armes.

— Tu sais t'en servir ? attaqua Lowell.

— J'ai lu de la doc, répondit Willing d'un ton amusé. Ce n'est pas sorcier. C'est ce qui explique que, depuis des siècles, de sombres crétins aient réussi à imposer leurs quatre volontés.

— Je ne voudrais pas critiquer tes recherches, intervint Esteban, mais si quelqu'un ici doit porter une arme, ne le prends pas mal, ce doit être un adulte.

— Adulte ou non, ce quelqu'un doit être prêt à s'en servir. Moi, je le suis.

Décidément, ce môme était flippant.

— Tu pourrais être un danger pour toi-même, fit valoir Carter.

— On n'a encore rien vu, l'interrompit Willing. Des récits comme le nôtre – et pire encore –, on en lit partout sur le Web. Je crois qu'on s'en est bien tirés. L'expression « agitation civile » utilisée par le gouvernement est trompeuse. Nous n'avons pas affaire à un stress généralisé. Et cette « agitation » est surtout présente dans les grandes villes comme New York. On doit s'en aller.

— Et pour aller où, d'après ton opinion d'expert ? railla Lowell.

— À Gloversville, évidemment.

— Ah ouais ? dit Goog. J'ignorais qu'on t'avait nommé président du monde !

Comme à l'accoutumée, Willing ignora la remarque de son cousin.

— Là-bas, il y a de la nourriture, un toit, ainsi qu'un puits. J'ai parlé à Jarred. Il manque de main-d'œuvre à qui il peut faire confiance. Rien de plus facile que de trouver des gens qui donneraient tout pour un boulot. Mais la nourriture est hors de prix. Les employés sont tentés de voler. Le crime organisé est très présent sur le marché noir des produits agricoles. Il est disposé à tous nous accueillir, si nous sommes d'accord pour travailler. Ce qui inclut de monter la garde, armés, la nuit, dans les champs. Les voleurs dérobent des récoltes entières pendant la nuit. Jarred a aussi de la place pour nous. Les ouvriers agricoles mexicains qui refusaient de partir depuis deux ans ne sont plus là.

— Si Gloversville est un tel paradis, dit Esteban, pourquoi sont-ils partis ?

— Pour retourner au Mexique, bien sûr, répondit Willing. Le Mexique a adopté le bancor et récupéré une grosse partie du commerce perdu par les États-Unis. Leur économie est en plein essor.

— Il a raison, approuva Carter. Même si, ces derniers temps, il est difficile de distinguer le vrai du faux...

— Papa, ça suffit ! s'écrièrent Avery et Florence en même temps.

— Mais c'est la vérité ! répliqua Carter. Les infos télévisées, les webzines sont d'accord sur ce fait, et c'est assez rare pour le souligner : l'immigration s'est inversée. Le Mexique a mis en place une présence militaire considérable à la frontière. Les ressortissants mexicains sont autorisés à rentrer, mais les visas sont refusés aux Américains blancs – même des visas de touristes temporaires. Les immigrés clandestins d'*El Norte* sont expulsés en masse.

— Ben ça alors ! s'exclama Nollie. Les Hispaniques sont des *sans-papiers*. Les Blancs sont des *clandestins*.

— Bandes d'hypocrites, murmura Avery.

— Ce n'est pas de l'hypocrisie, répliqua Esteban. Mais un juste retour des choses.

— À ceci près que la police des frontières mexicaine n'est pas tendre avec les Lats de deuxième, voire de troisième génération, souligna Carter.

— Tu as un passeport mexicain ? demanda Willing.

— Pourquoi j'en aurais un ? rétorqua Esteban.

— C'est vraiment dommage. Il aurait beaucoup plus de valeur qu'un passeport délivré par le département d'État américain.

— Alors là, c'est un revirement auquel je trinquerais volontiers ! ajouta Esteban. Il est grand temps que vous autres, les *blancos*, vous vous rendiez compte de ce que ça fait, d'être rabaissés comme ça. Ils doivent bien se marrer, à la frontière !

— Est-ce qu'on pourrait en revenir à ce qu'on va faire ? supplia Jayne.

Willing montra le campement.

— On a plus de chance que la plupart de ces gens. On a un endroit où aller. Mais on a un problème : comment s'y rendre.

— On devrait retourner chez nous récupérer la Jaunt, suggéra Avery. Ils n'ont pris que ma clé.

— Non, répliqua Lowell d'un ton morose. Ils ont été plus malins que tu le crois. Ils m'ont pris la mienne, ainsi que le double.

— J'ai compté notre argent, reprit Willing. On n'a pas de quoi se payer ne serait-ce qu'un seul et unique ticket de bus ou de train pour le nord de l'État de New York. Et même si on avait l'argent, d'après InnerTube, Port Authority, Grand Central et Penn Station sont pris d'assaut. On n'est pas les seuls à avoir compris qu'il était temps de partir.

— Alors, qu'est-ce que tu proposes ? demanda Lowell. Qu'on s'entasse tous sur ton vélo, comme ces cascadeurs des années 1950 dans les cabines téléphoniques ?

(Le sarcasme tomba à plat : Willing ignorait ce qu'était une *cabine téléphonique*.)

— On va devoir marcher, déclara Willing.

— Jusque dans le *nord de l'État de New York* ? s'écria Lowell.

— Ça représente trois cent treize kilomètres en voiture. Un peu plus, par les petites routes. Esteban organisait des treks le long des Palisades. C'était son boulot. Il pourra nous guider.

— Ça alors ! Qui aurait cru que notre seigneur et roi pût confier son sceptre à quelqu'un d'autre, railla Lowell, ce qui lui valut un coup de pied d'Avery.

— La première partie est directe. Traverser Flatbush, passer le Brooklyn Bridge, remonter la piste cyclable du Westside jusqu'au George Washington Bridge. Toutes ces voies de sortie commencent à être très empruntées ; ce sera donc peut-être plus rapide à pied qu'en voiture. Mais on n'est pas dans un film catastrophe. Il n'y a pas de zombies qui écument les rues. Il n'y a pas de lézard géant sur la Cinquième Avenue. L'Empire State Building est toujours debout. Le centre-ville n'est pas en flammes.

— Fiston, intervint Douglas, qui s'était assis sur la pile des sacs à dos posés sur les bâches. Il nous a fallu quatre heures pour faire cinq kilomètres la nuit dernière. À mon âge, c'est à peu près le maximum que je suis capable de faire par jour. De tête, cela nous place sur les routes, à la merci de la *bonté* d'étrangers, pendant plus de deux mois. Vous, qui êtes plus jeunes, vous avez peut-être une chance. Mais jamais vous n'arriverez à Gloversville avec Luella et moi à vos basques. Vous devez nous laisser ici, vous entendez ? On a fait notre temps. Et on a eu du bon temps. Bien meilleur que celui qui vous attend, à ce que je peux en juger.

— Hors de question de vous laisser ici, répliqua Willing d'un ton ferme. S'il nous faut deux mois, eh bien, tant pis !

— Et les provisions ? demanda Jayne. On a eu à peine de quoi tenir aujourd'hui. Si notre argent ne suffit pas même à nous payer le bus...

— On n'utilise pas d'argent dans les campements, expliqua Willing. Tout est affaire de troc, de crédit, mais on paie aussi avec des marchandises. On ne peut pas porter assez de provisions pour tout le voyage. Mais on peut commencer. Tu sais quoi, Avery ? Les gens ici donneraient n'importe quoi pour mettre sous clé le peu qu'il leur reste. Ils doivent pouvoir fabriquer des stores.

De son sac à dos, il sortit une poignée de sacs en plastique avec le logo de Home Depot.

— Et devine ce qu'on s'arrache ?

Avery sourit.

— Des *charnières*.

C'était un plan insensé. Pourtant, Lowell se réjouit du prétexte que son neveu leur offrait de sortir de ce trou à rats. Il accompagna Avery et les garçons jusqu'au supermarché le plus proche sur la Troisième Avenue, où ils convertirent une partie de leur argent en denrées non périssables avec un ratio calories-poids élevé : fudge, salami, halva – l'antithèse de leur carpaccio de thon accompagné de jeunes pousses de légumes qu'ils aimaient servir chez eux à Washington. À leur retour, Willing avait échangé des charnières contre du raton laveur séché – une spécialité locale.

Pendant ce temps, Florence avait aidé Lowell à convaincre Avery d'arrêter de laisser des messages pour Savannah. Ils ne devraient pas épuiser le crédit restant de leur fleX. De leurs trois enfants, leur fille était celle qui avait montré le plus d'aptitudes à se débrouiller seule. Elle avait des amis à Manhattan, et était à un âge où la compagnie de ses parents lui était insupportable. Ils devaient avoir la foi, et espérer que tout irait pour le mieux. Avery lui avait laissé l'adresse de Jarred, ainsi que l'endroit où ils se trouvaient à Prospect Park – des lieux qui dissuaderaient probablement leur fille de rejoindre sa famille dans un proche avenir.

Comme de bien entendu, Savannah leur avait fleXté en fin d'après-midi :

« J'irai pas vivre dans une putain de ferme. »

Ce peuple élu des plus hétéroclite devait partir en exode dès le lendemain, ainsi que leur Moïse mineur l'avait ordonné, mais en son for intérieur, Lowell considérait qu'ils couraient droit à l'échec en emmenant Douglas et Luella. Ce vieux beau et son épouse démente ne pourraient jamais accomplir un périple de trois cents kilomètres – à dormir dehors, à se nourrir au petit bonheur la chance, contraints surtout d'avaler des kilomètres l'estomac vide. Soit, ils étaient les grands-parents de sa femme, mais vouer leur expédition à un échec certain en vertu d'une supposée loyauté à l'égard d'aînés qui, de toute façon, n'étaient plus très loin de leur dernier voyage relevait de la sensiblerie. Ils feraient mieux de laisser le vieux couple au campement, dans la mesure où la charité se manifestait plus facilement chez les démunis que les nantis. Très vite cependant, Lowell se félicita d'avoir gardé son avis pour lui.

Comme Willing le dirait plus tard, à l'époque glorieuse d'Oyster Bay, le patriarche Mandible fréquentait le milieu des chasseurs et des ball-trappeurs, et il s'y connaissait en armes à feu. Dans la lueur de leur feu de camp ce soir-là, Douglas avait demandé à voir la protection que Willing s'était procurée le matin même, afin de s'assurer que son arrière-petit-fils savait comment mettre le cran de sécurité et charger l'arme. Tout s'était passé en un éclair : Douglas avait tué sa femme d'une balle dans la poitrine, avant de se tirer une balle dans la tête. Au bruit des coups de feu, même Deirdre Hesham en face s'était seulement bornée à baisser ce qui lui servait de store.

2047

1

S'en tenir au programme

RETOURNER AU POINT DE DÉPART, à savoir East Flatbush, aurait dû procurer à Willing une certaine satisfaction. Après tout, c'était ici qu'il avait grandi. Sa mère avait travaillé dur pour acheter cette maison. Grâce aux importantes subventions allouées à l'agriculture durant l'épisode que les politiciens s'obstinaient à refuser de qualifier de « famine » au milieu des années 30, elle avait terminé de rembourser l'emprunt. Les propriétaires légaux new-yorkais en exil avaient une date butoir pour faire valoir leur titre de propriété, passé laquelle celui-ci était automatiquement transféré à l'État. L'État : un cyclone qui avait tout aspiré dans son sillage – maisons, mobile homes, animaux domestiques, enfants. Mieux valait qu'il y pense comme à un événement climatique : ça l'aiderait à garder son calme.

Reprendre possession de la maison de son enfance s'était révélé plus compliqué que ce qu'il avait anticipé. Des années plus tôt, il avait troqué son nom de famille, transmis par sa grand-mère Jayne, contre le patronyme Mandible, en hommage à l'Arrière-Grand-Homme – trop tardif, comme il en va souvent avec les hommages, pour que la personne à laquelle il est destiné le reçoive – qui s'était sacrifié, afin de donner à leur exode une chance de réussir. Cependant, au regard de l'administration, seul Willing Darkly pouvait hériter de la propriété de sa mère, et sa carte d'identité de l'État de New York ne mentionnait pas le bon nom. La patience s'imposait donc pour démêler cet imbroglio. Cela tombait bien : de la patience, Willing en avait à revendre.

Faire valoir son titre de propriété sur le 335, 55e Rue Est impliquait aussi d'en expulser les locataires actuels. Désormais grassement payée en *dólares nuevos* indexés sur le tout-puissant bancor, la police de New York se montrait intraitable dans ce type d'opérations qu'elle conduisait avec délectation. Willing était troublé d'être l'instigateur de cette éviction *manu militari*. Sa mère n'avait jamais expulsé son locataire contrevenant, allant même jusqu'à l'accueillir dans la famille. Bien sûr, Sam, Tanya, Ellie et Jake avaient depuis longtemps été chassés par d'autres expulseurs. À en juger par l'état de la maison, les derniers occupants avaient été peu soigneux (ce dont il devait leur être reconnaissant : la maison avait tellement été saccagée par les squatteurs que sa valeur avait baissé au point de passer juste en dessous du seuil d'impôts sur les successions avec effet rétroactif.) La B.A. que constituait le fait d'emmener Nollie avec lui à Brooklyn compensait peut-être cette expulsion peu charitable. Âgée de quatre-vingt-cinq ans quand ils s'étaient réinstallés en ville et de quatre-vingt-onze ans maintenant, sa grand-tante avait les maisons de retraite en horreur. Et puis, de toute façon, il n'était pas sa mère. Il était un voleur. Il avait agressé un garçon dans la rue. En 2032, il avait pillé des jardins, chapardé dans des vergers et dévalisé des épiceries pour nourrir leur petite troupe dépenaillée pendant leur long périple vers le Nord. Il n'avait pas été un garçon gentil. Il n'était probablement pas non plus un homme bon.

Il avait quitté à regret Gloversville – quand bien même les regrets avaient été mitigés, à la fin. À la Citadelle, le travail de la terre n'avait plus été le même après la nationalisation des fermes par le gouvernement fédéral. Les Mandible avaient été rétrogradés au rang de métayers. Ils étaient autorisés à conserver une petite part de leur production pour leur consommation personnelle. Le reste de la viande, des produits laitiers et des récoltes était confisqué par le département américain de l'Agriculture. Il y avait même des règles sur les parties des cochons que les agriculteurs étaient autorisés à garder : la queue, les épaules, les joues. Les exploitants agricoles passaient pour des profiteurs. À juste titre, pour un certain nombre d'entre eux. Raison pour laquelle cette politique de nationalisations, lors de sa mise en œuvre, avait bénéficié d'une très forte popularité, et avait contribué au raz-de-marée démocrate des élections de 2036. En revanche, elle avait été nettement moins populaire auprès des agriculteurs. Beaucoup avaient mis le feu à leurs récoltes et massacré leur bétail – tout plutôt qu'abdiquer les fruits de leur travail devant un gouvernement qui était le premier responsable de l'effondrement de l'économie. Les citadins affamés avaient cru que ces nationalisations leur offriraient les clés du paradis, à savoir des supermarchés bien approvisionnés aux prix raisonnables. Mais les choses ne s'étaient pas passées ainsi : la plus grande part de la production agricole fédérale était exportée. Washington devait diminuer le déficit de sa balance commerciale, et la Chine voulait du porc.

Au moins, par son intervention, Willing avait réussi à dissuader son oncle Jarred de brûler sa terre. Néanmoins, supporter au quotidien ses accès de rage avait été des plus éprouvant. Un Jarred impitoyable, aux cheveux couleur charbon et aux yeux caverneux, qui avait amené Willing à s'interroger sur la validité spatiale des dénominations politiques « gauche » et « droite ». Car en tournant à gauche, puis à gauche, et encore à gauche, on terminait inévitablement à droite. Jarred avait commencé comme écologiste radical, un positionnement à 90 degrés seulement de celui de survivaliste. Une dernière petite rotation dans la même direction, et il s'était métamorphosé en fou de la gâchette variante libertaire. Willing ne s'intéressait pas à proprement parler à ces catégories, mais elles semblaient avoir de l'importance pour les autres. En revanche, il se sentait concerné par l'état de fureur de son oncle, qu'il considérait comme un véritable gâchis d'énergie. Lors de chacune de ses permutations politiques, Jarred avait besoin, ou pensait avoir besoin, d'un ennemi. Ces bagarres incessantes le vidaient. Et pendant ce temps, l'ennemi, si tant est qu'il existe, restait imperturbable. Un ennemi qui ignorait l'existence de Jarred.

Willing éprouvait de la reconnaissance envers Jarred. Qui lui avait sauvé la vie, à lui et à toute la famille. C'était vraiment dommage que le propriétaire de la Citadelle en soit arrivé à vivre avec tant d'oppression, de souffrance et d'amertume le fait de devoir exploiter sa ferme en serf de la nation. Tout comme Avery, quand les choses s'apaisaient en elle, Willing était capable de s'absorber complètement dans le travail physique – labourer, semer, couper les choux frisés. Il n'avait jamais voulu « être » quoi que ce soit ni « faire quelque chose de sa vie ». À quoi bon imaginer un avenir illusoire ? Peut-être n'avait-il, par tempérament, aucune ambition, ce qui lui allait bien. Il s'en contentait, comme toute personne dépourvue d'ambition.

Il avait conscience de vivre dans un pays où les individus croyaient en leur capacité à façonner leur destin. Mais un inéluctable pessimisme – notamment sur le point précédent, à savoir qu'il existe même quoi que ce soit d'enviable à « devenir », quoi que ce soit à ambitionner, quelque part où aller – caractérisait toute sa génération. À l'exception de Goog, que la malveillance galvanisait, ses cousins semblaient usés avant l'heure, presque vieux dans l'épuisement qui émanait d'eux. La petite amie de Willing, Fifa, ne faisait pas non plus exception à la règle : elle était alanguie, indolente, apathique, molle. C'était ce que Willing aimait chez elle. Sa posture avachie sur ce qu'il restait du canapé lie-de-vin en lambeaux de l'Arrière-Grand-Homme pouvait s'apparenter à de la paresse, mais il y avait, derrière sa façon de préserver et de conserver son énergie, autre chose de radicalement différent. Une belligérance. Elle avait perfectionné, selon elle, ce que les vieux syndicats appelaient la « grève perlée ». Elle avait calculé la cadence exacte à adopter pour qu'on lui fiche la paix. Elle faisait son boulot. Ni plus ni moins. Cette forme de résistance passive se généralisait. Les innombrables chefs au-dessus de votre tête, tous domaines de la vie confondus, vous prenaient beaucoup, mais il y avait moyen de garder, de retenir quelque chose, au risque sinon de ne plus s'appartenir. Fifa s'appartenait. S'il se posait des questions sur le sujet, il aimait croire qu'il s'appartenait lui aussi. Mais il nourrissait quelques doutes : il était possible qu'il ne soit pas là. Qu'il se soit fait voler qui il était.

Raison pour laquelle réemménager dans la maison de sa défunte mère ne s'était pas révélé aussi satisfaisant qu'il l'avait pensé.

Retourner en ville nécessitait de décrocher un véritable boulot. En quittant la Citadelle en 41, il se doutait déjà qu'un travail impliquait de se faire implanter une puce. C'était la procédure habituelle. Comme demander un numéro de sécurité sociale. Une démarche administrative, un protocole indolore ou presque et standard pour leur époque. De sorte qu'il n'avait pas envisagé avec suffisamment de sérieux l'éventualité de s'y soustraire. Il s'était laissé endormir par ce qui était considéré comme normal, attendu et habituel. Naturellement, chaque époque avait ses us et coutumes, sur lesquels personne ne s'interrogeait véritablement. Ses sangsues et ses saignées, ses « remèdes » à l'homosexualité, ses foyers pour orphelins et ses prisons pour mauvais payeurs. Immergé dans un présent largement accepté, difficile de faire la différence entre des traditions comme celles d'enterrer ses morts ou de dîner à 20 heures et d'autres conventions sur lesquelles s'exerçait une pression normative presque hypnotisante, que vos ancêtres auraient probablement considérées comme de véritables affronts envers toute l'espèce humaine. Peut-être se laissait-il aller. Certes, il avait eu des doutes. Mais cela constituait toujours un défi de faire un autre choix quand on vous informait en termes non équivoques que vous n'en aviez aucun.

À l'époque où Willing était enfant, il y avait eu beaucoup de battage autour de la pédophilie et des abus sexuels de tous ordres. Alors qu'il avait quatre ou cinq ans, sa mère l'avait pris à part avec une solennité dont elle était peu coutumière. Elle s'était accroupie devant lui, emplie d'une sollicitude larmoyante qui lui avait donné la chair de poule. Sa voix avait basculé dans un registre tout à la fois grave et à la tendresse exagérée. Il ne devait jamais laisser les adultes toucher ses « parties intimes ». Cette expression ne ressemblait pas à sa mère. Elle avait toujours été directe. Si elle voulait lui parler de sa *bite* ou de son *cul*, elle employait précisément ces mots-là. C'est ainsi qu'il avait su que son esprit avait été contaminé par un virus transmissible. Cette leçon répugnante sur ses « parties intimes » lui avait donné le sentiment d'être sale. Il s'était écarté de sa mère avec une aversion instinctive qu'il n'avait jamais éprouvée auparavant.

À cette époque-là, il était interdit de jouer dehors. Le personnel des garderies devait justifier de son casier judiciaire. Tous les chefs scouts étaient suspects. En revanche, personne ne semblait se soucier de savoir si vous aviez tué quelqu'un. Les tueurs sortaient de prison et se fondaient dans la nature. Ils pouvaient vivre où bon leur semblait. Les délinquants sexuels, eux, étaient marqués à vie – transportés de foyer en foyer par des passages souterrains –, et devaient signaler leurs déplacements, qui étaient ensuite postés en ligne – tout pour faciliter aux parents l'organisation de manifestations afin d'exiger l'expulsion de ces raclures. La zone interdite autour des écoles et des aires de jeux s'élargissait d'année en année. C'était pire d'être un violeur qu'un tueur. Par déduction, mieux valait se faire assassiner que violer.

La dernière chose que voulait Willing, c'était d'avoir à se préoccuper de nouveau de ses « parties intimes ». Cela ne le dérangeait pas de n'avoir plus que des relations sexuelles épisodiques. Fifa et lui aimaient faire l'amour, mais Willing ne comprenait pas pourquoi on en faisait tout un foin, et la plupart du temps, ils étaient trop crevés. Autant s'en dispenser dans le privé.

Cependant, longtemps après que les préoccupations sociétales s'étaient créées de nouvelles fixations, comme un nuage suspendu au-dessus d'autres parties de la ville, il avait fini par prendre la mesure de tout ce battage de l'époque où il était enfant. Ce n'était sûrement pas pire que d'être tué – ce qui ne lui était jamais arrivé, aussi ne pouvait-il réellement l'affirmer. Mais cela n'en demeurait pas moins atroce. C'était comme se faire tuer et survivre. Et vous ne vous souveniez pas seulement de la violence, mais de la partie où vous mouriez. Vous aviez survécu à votre propre mort, mais vous étiez quand même mort, alors qu'habituellement, survivre signifiait qu'on ne mourait pas. Il était sûr que c'était ce qui avait provoqué, dans son enfance, cette attitude chez sa mère – son intonation grave, sa façon de s'accroupir près de lui, la profonde étrangeté de sa mise en garde. Elle l'avait protégé, des années durant, mais elle n'était plus là maintenant pour le faire, et c'était arrivé quand il avait vingt-cinq ans. Tous ces profs, ces psys et ces modérateurs de réunions au lycée, finalement, n'avaient pas exagéré : Willing avait été violé.

C'était le seul mot qu'il avait pour désigner ce qu'il lui était arrivé, un mot que, dès lors, il n'appliquait à personne d'autre, pas même à Fifa. Ce mot, qui décrivait son expérience vécue, mais aussi le souvenir de l'expérience elle-même, était stocké dans une « partie intime ». La stase dont il était affligé encore six ans plus tard, ce pessimisme quant au fait qu'il puisse exister ne serait-ce qu'un endroit où aller si jamais il lui en prenait l'envie, la lourdeur plombante et immobile de ce qu'il vivait – il ne pouvait s'empêcher de se demander si cela avait un lien avec son viol. Il ne se souvenait plus trop de ce qu'il avait ressenti avant. Sur le plan clinique, en termes d'informations biographiques fiables, il se rappelait le profond sentiment d'appartenance éprouvé à la Citadelle. Les repas autour de la grande table ronde, avec tout le monde. L'épuisement fécond après avoir trait les vaches ou nourri les porcs. Une affection pour ce groupe de gens assez différents de lui – ce qui accentuait encore le caractère extraordinaire de cette émotion. Une affection pour chacun, mais aussi pour le groupe qu'ils constituaient, qui était plus que la somme de ses parties. Cependant, depuis que cet engourdissement s'était abattu sur lui, s'il pouvait se rappeler avoir éprouvé de la chaleur, en revanche, il n'arrivait plus à contacter cette chaleur en lui.

Il essayait de ne pas trop y penser (même si les souvenirs faisaient irruption, quand il baissait sa garde, au moment de s'endormir ou au réveil, alors qu'il était encore un peu assoupi). Il s'appliquait plus encore à ne pas en parler. Tout le monde ou presque avait, peu ou prou, vécu la même chose. Dès lors – c'est ainsi qu'il articulait son raisonnement –, il n'y avait rien à en dire. Cet affront médical des plus bénins était moins éprouvant qu'un détartrage. S'il se laissait aller à exprimer sa souffrance, Willing Mandible passerait pour un gros bébé. Et de fait, cet acte était même réalisé maintenant sur les nouveau-nés dans l'heure qui suivait leur naissance. Certes, certains parents s'étaient inquiétés que la procédure s'avère douloureuse et traumatisante pour des nourrissons, une intrusion très grossière. Mais les médecins s'étaient montrés on ne peut plus rassurants. L'anesthésique local était rigoureusement ciblé. Le corps étranger était de la taille d'une tête d'épingle. Une simple pichenette, voire un pincement serait plus douloureux. Les parents feraient mieux de s'inquiéter de la circoncision, qu'on les décourageait vivement de pratiquer. Willing enviait les nouveau-nés. Le trauma réel avait peu à voir avec la douleur physique. La *tabula rasa* que constituait l'esprit du nourrisson exclurait toute représentation horrifiante sur la fonction de ce « corps étranger ».

Depuis l'âge de huit ans, Willing avait compris que la plupart des systèmes dysfonctionnaient. Quelle surprise, jeune adulte, de découvrir qu'ils pouvaient aussi fonctionner trop bien.

Dernièrement, il avait réemménagé sur la 55e Rue Est. Bien que d'un autre ordre, et moins grave, ce retour impliquait aussi une violation. Neuf ans durant, cette maison avait été occupée par des étrangers. Leurs traces et leurs déchets étaient partout – draps sales, bouteilles d'alcool vides, seringues. Plus perturbant encore, les objets familiers – des tasses que sa mère, année après année, avait nettoyées avec amour dans l'eau grise récupérée dans le récipient en plastique : ébréchées, sans anses. Pas une assiette ou un bol qui ait marqué son enfance qui ne soit cassé ou fêlé. Ironiquement, il y avait des vestiges des raids d'Avery à Walgreens, Staples et Home Depot. Willing continuait de retrouver de temps à autre au sous-sol – inventaire hétéroclite – des paquets de charnières, un tube à moitié utilisé de Super Glue Gorilla, une poignée de trombones multicolores. De l'emballage déchiré, il en avait déduit que quelqu'un avait effectivement fait usage des kits de traitement pour mycose des orteils. Les armoires avaient été pillées. Les quelques vêtements, en lambeaux, qui restaient de la garde-robe de sa mère étaient tachés de moisissure. Son cher panier à linge de chez Bed Bath & Beyond, symbole de la dévotion d'Esteban, avait été relégué à la cuisine où il servait de poubelle. Il puait. Son nettoyage à lui seul avait été une tâche herculéenne, et sous la crasse et la poussière se jouaient d'importants enjeux structurels. Une humidité généralisée était de mauvais augure. Ah ! Florence Darkly – toi et ton obsession des mauvaises imperméabilisations.

Dès le départ, il était au courant de la palette des offres d'emploi proposés : auxiliaires de vie à domicile, assurance et facturation médicale, conception et administration de site Web sur la santé, standard téléphonique des numéros d'appels médicaux, fabrication, entretien et réparation de matériel médical, transport médical, recherche médicale, fabrication, recherche, publicité pharmaceutiques, blanchisserie, services de restauration, administration, construction hospitaliers, et emplois dans des maisons de retraite prenant en charge tous les niveaux de décrépitude, de handicap léger à moribond. Comme nombre de gens de sa génération, il avait quitté le lycée sans diplôme. Ce qui excluait la neurochirurgie.

Sur Internet, il avait trouvé un poste dans une maison de retraite sur Eastern Parkway, baptisée Elysian Fields, accessible par un court trajet en vélo. Pour la basse besogne qu'il y avait à assurer – vider les bassins hygiéniques, passer la serpillière –, tout ce qu'ils demandaient, c'était des jeunes robustes. (La jeunesse était la seule qualité requise que possédaient les gens de sa génération.) L'embauche semblait donc presque assurée jusqu'à ce qu'il mentionne, dans une sorte d'après-coup – s'il s'agissait d'un problème, mieux valait le soulever à ce stade –, qu'il ne s'était pas fait poser de puce.

L'information avait surpris tout le monde dans la pièce.

— Voilà qui est des plus irrégulier, avait murmuré un membre du comité.

— Est-ce même légal, maintenant ? avait renchéri quelqu'un d'autre.

À croire qu'il leur annonçait qu'il était porteur du virus de la grippe de l'écureuil gris. Par réflexe, ils s'étaient écartés de deux ou trois centimètres. Aujourd'hui, la pose d'une puce était très souvent un critère non négociable pour l'obtention d'un emploi, pas seulement ici mais dans tout l'État de New York. S'il s'en occupait – « Une affaire de cinq minutes, lui avait assuré l'un d'eux ; c'est un peu plus douloureux pour un adulte que pour un enfant, mais vous serez totalement sur pied le lendemain » ; « Vous pouvez vous la faire poser dans n'importe quelle clinique ou service des urgences, sans rendez-vous, et gratuitement, avait ajouté un autre bureaucrate. Moi, j'étais dans les premiers à me la faire poser, et ça m'a coûté deux cents nuevos » –, il avait le boulot.

Une fois rentré, quand il en avait parlé à Nollie, celle-ci s'y était farouchement opposée – posture très facile pour elle, puisque les citoyens de plus de soixante-huit ans en étaient exemptés.

— Quelle idée monstrueuse ! s'était-elle écriée. Tu vas devenir leur créature.

Mais là encore, les personnes âgées rechignaient toujours face à l'innovation. Si on avait laissé les décatis en faire à leur tête, on en serait encore à se déplacer dans des carrioles tirées par des ânes.

Sinon, Willing aurait pu nettoyer du mieux possible la maison délabrée d'East Flatbush et la mettre en vente en dessous de sa valeur. Nollie et lui auraient pu retourner à la Citadelle. Mais Jarred était devenu irascible. Même si les exploitations agricoles étaient peu à peu reprivatisées maintenant que le pire des pénuries alimentaires appartenait au passé, il était furieux d'avoir à racheter sa propriété. De la famille élargie venue en soutien et qui avait marqué l'adolescence de Willing par son humour et son esprit de solidarité, seul Kurt était resté. Nollie avait peut-être du mal à le reconnaître, mais elle avait besoin d'accéder plus rapidement à des soins médicaux de meilleure qualité que ceux disponibles à Gloversville. Son opposition à un simple prérequis de la vie moderne semblait tout à la fois infantile et sénile.

S'efforçant de ne pas prêter attention à la sensation cotonneuse dans son ventre, comme s'il avait mangé une double ration de raviolis pékinois, Willing était entré d'un pas faussement désinvolte aux urgences du Kings County, et s'était adressé à une infirmière.

— Ça alors ! s'était exclamée celle-ci. Vous êtes terriblement vieux pour être encore puceau ! Comment avez-vous fait votre compte ? Vous ne seriez pas un de ces grévistes, par hasard, qui passent leur temps à légumer sur le canapé de leurs parents ?

— Non, s'était-il contenté de répondre.

Il ne voulait pas de sa main sur son épaule pour le conduire – cette façon péremptoire et collusoire de l'inclure, ce « Bienvenue au club ! » –, mais il était trop tard. Elle lui avait littéralement mis le grappin dessus.

Dans la pièce blanche rudimentaire, on lui avait demandé de s'allonger sur le ventre, tandis qu'ils procédaient à un séquençage rapide de sa salive, prélevée à l'aide d'un écouvillon : la puce serait à jamais liée à son ADN. Il avait appuyé son front contre un support rembourré, que l'infirmière avait ajusté pour que tous les points soient en contact avec sa tête. L'appareil lui avait rappelé l'abattoir où Jarred conduisait les veaux, qu'il ne servait pas à grand-chose d'élever pour si peu de retour sur investissement : une goulotte étroite stabilisait la tête, garantissant que la vis au niveau de la tempe atteigne sa destination. Willing ne pouvait pas bouger d'un poil. C'était l'idée. Et c'était pour sa sécurité, avait expliqué gentiment l'infirmière. Sinon, le moindre tressaillement « risquerait de le rendre paraplégique ». Elle avait ri.

Il n'aimait pas être allongé sur le ventre. C'était une position sexuelle, une posture de soumission. Il avait lutté contre une vague de panique qui était montée en lui quand elle avait actionné un mécanisme derrière lui pour le positionner à la base de son crâne – au niveau du creux doux et tendre, sans défense. Verre et chrome peut-être, mais le dispositif ressemblait à un pistolet. Lorsqu'elle avait tiré, une douleur vive avait fait surgir dans sa tête le visage de l'Arrière-Grand-Homme, émacié, livide, et rouge d'un côté, avant qu'il s'effondre près du feu.

Depuis cet après-midi-là au Kings County, Willing avait eu le sentiment que sa perception de lui-même avait été comme anesthésiée. Il se sentait amorphe, éteint, une loque. Angoissé. Des silhouettes surgissaient dans sa vision périphérique, qui, lorsqu'il tournait la tête, n'étaient pas là. Il était passé par une période où il se lavait la nuque au gant de toilette plusieurs fois par jour. Il se sentait profané, contaminé, et intrusé – comme si la chose sournoise dans son cou n'était pas une puce mais un ver solitaire. Il se sentait observé. Honteux. Il ressentait le besoin de se couvrir, même tout seul, dans son ancienne chambre. Pendant un moment, même Nollie avait gardé ses distances – à marmonner, renfermée, à garder ses pensées pour elle.

— Cette chose, elle peut entendre ? avait-elle demandé, méfiante.

Il n'avait jamais formulé cela directement à personne. Il ne se considérait ni comme un visionnaire ni comme un savant. Il n'avait pas à proprement parler été en mesure de prédire l'avenir. Mais depuis qu'il avait quatorze ans environ, les morceaux disparates qu'il avait rassemblés, sans réelle conviction, avaient constitué un ensemble cohérent. Des faits que d'autres n'avaient pas mis en lien formaient un motif. Il avait su certaines choses, et ces choses-là avaient été vérifiées ou s'étaient révélées vraies. Depuis la pose de la puce, la zone de son cerveau capable de percevoir ainsi clairement les choses s'était comme engourdie. Non qu'il accorde foi aux théories complotistes qui circulaient sur le Net. Il ne croyait pas que le gouvernement fédéral contrôle son cerveau. La puce réalisait les fonctions pour lesquelles elle était programmée. Elle enregistrait les versements directs de son salaire. Déduisait le prix de chaque produit qu'il décidait d'acheter. Débitait ses factures. Notifiait les investissements et les prestations versées par l'État (même s'il n'était concerné par aucun des deux). Soustrayait les impôts locaux, d'État, ainsi que les impôts fédéraux, qui totalisaient 77 % de son salaire. Reportait le moindre de ses achats à l'agence connue jusqu'en 2039 sous le nom d'Internal Revenue Service, en d'autres termes, le fisc – prix de l'article, date et lieu d'achat, ainsi que description exacte du produit, jusqu'à la référence du modèle, son numéro de série ou sa date de péremption. Informait les services fiscaux américains s'il avait acheté un paquet de crackers. Si la puce accumulait un excès de réserves fiscales – un montant excédant celui dont il avait besoin en moyenne pour couvrir ses dépenses mensuelles –, un taux d'intérêt négatif de 6 % était appliqué à l'excédent. Si le solde dépassait différents seuils, ce taux d'intérêt négatif pouvait grimper jusqu'à – 21 %. (Épargner était un acte égoïste. Et c'était nocif pour l'économie. Les taux d'intérêt négatifs se chargeaient également de dispenser aux Américains un cours accéléré en mathématiques qui n'aurait sans doute pas fait de mal à des citoyens peu instruits. À un taux annuel de – 21 %, cent dollars ne valaient plus que trente dollars soixante-dix-sept cinq ans plus tard.) Tout revenu supplémentaire, y compris les bons cadeaux pour les anniversaires, les revenus de biens mis en gage, les recettes de ventes de gâteaux et les gains de parties de poker privées, était aussi comptabilisé sur la puce, et était également taxé à 77 %. La puce résolvait le problème des cartes de crédit susceptibles d'être piratées, volées ou de mal fonctionner. Une puce dans la tête, et vous étiez une carte de crédit ambulante.

Les protestations parentales sur l'implantation de puces sur les nouveau-nés avaient complètement cessé lorsque les États avaient commencé à procéder au dépôt de généreuses « primes bébé » de deux mille dollars sur la puce de chaque nouveau-né. Pour la population dans son ensemble, la pose d'une puce était présentée comme le confort ultime, et ce qui se faisait de mieux en matière de sécurité financière. Plus besoin d'avoir sur soi son portefeuille ou un moyen de paiement que des voleurs pouvaient vous dérober dans la rue. Aux caisses automatiques, il suffisait au terminal de scanner votre tête. Fini les codes et les mots de passe uniques à vingt-cinq caractères, composés de lettres, de chiffres et de symboles. Fini la vérification biométrique – empreintes, reconnaissance faciale et d'iris, que les pirates avaient appris à répliquer dès l'introduction de ces nouveaux procédés d'authentification, car tout élément numérisé pouvait en définitive être copié. Rendant obsolète le compte bancaire, avec ses frais érosifs, il existait pour chaque puce un site Web, baptisé « chipsite », pour gérer les transferts d'argent. Avec son calcul des coordonnées GPS au millimètre près, votre puce communiquait intimement avec votre ADN, se synchronisait avec votre pouls. Si la pulsation cardiaque de toute personne se connectant à votre chipsite ne s'accordait pas au battement de votre puce, votre argent était bloqué. Ainsi, personne ne pouvait se faire passer pour vous, et ce compte qui vous suivait comme votre ombre était à l'abri des prédateurs. (Dans les premières versions, le gouvernement fédéral avait quelque peu survendu cette fonctionnalité. Une vague de « chipnappings » s'était ensuivie, où des malheureux, menacés d'une arme, avaient été contraints de procéder à des transferts monétaires en ligne. Des mises à jour ultérieures avaient garanti que les transferts ne soient pas effectués quand la puce détectait des niveaux élevés d'hormones du stress comme le cortisol ou l'adrénaline, voire des doses massives de tranquillisants susceptibles d'éviter ces pics hormonaux. La même bio-sensibilité garantissait aussi que des joueurs ne puissent pas placer de paris inconsidérés alors qu'ils étaient ivres, ce qui avait eu un effet dépressif manifeste sur l'industrie des jeux.) Certes, vous étiez à l'abri de tous les prédateurs, sauf un. Car cela va sans dire, la moindre transaction était communiquée au Bureau for Social Contribution Assistance, le nouveau service du fisc rebaptisé. (Willing ignorait pourquoi ils s'étaient donné la peine d'en changer le nom. S'ils l'avaient appelé « Department of Bunny Rabbits and Puppy Dogs », au bout de quelques minutes seulement, ce « DBRPD » aurait suscité le même effroi.) La capacité de stockage des données des super-ordinateurs du gouvernement était désormais infinie ou presque, de sorte que l'ancien seuil de déclaration en vigueur pour les dépôts supérieurs à dix mille dollars avait semblé *a posteriori* imprudemment élevé. Désormais, les services fiscaux étaient immédiatement au courant quand un enfant de six ans recevait de sa mère de quoi s'acheter des oursons en gélatine. Deux sachets.

Tout le monde semblait se réjouir de la fin des déclarations de revenus. Rendre à César se faisait sans effort. Fini aussi les petits arrangements sur les déclarations fiscales. Plus d'arrondis intempestifs ni de dépenses personnelles passées en frais professionnels. Sur le plan politique, ces mesures avaient été fort appréciées. Pendant des décennies, les citoyens avaient été convaincus qu'une élite menait la vie de château sans payer le moindre impôt. Curieusement, Willing n'avait jamais croisé personne de cette élite. Ces gens devaient sûrement vivre ailleurs.

Ce même type de raisonnement avait abouti à la suppression totale des espèces en 2042. L'argent liquide était une réserve de valeur désuète. Il créait des difficultés logistiques pour les petites entreprises, et sa nature même le portait à la contrefaçon. C'était la forme de richesse la plus facile à dérober. Longtemps, les criminels avaient conduit leurs affaires au moyen de liasses de billets, de porte-documents renflés, de valises pleines de petites coupures. Aujourd'hui, ces clichés cinématographiques étaient obsolètes. Car l'argent liquide constituait également l'une des seules formes de richesse qui échappait à toute juridiction. Willing se souvenait du geste furtif avec lequel sa mère tendait des billets de vingt froissés au plombier, comme si échanger de l'argent physique contre des services était illégal. Les espèces étaient ce qu'il y avait de plus difficile à suivre, à tracer, à contrôler, et Willing s'étonnait qu'il ait fallu si longtemps au gouvernement pour s'en débarrasser.

La loi, en revanche, avait peu de prise sur le langage, et les expressions relatives à l'argent continuaient d'être *monnaie courante*. Les Américains employaient encore des tournures qui n'avaient plus désormais de fondement littéral. Quand, pour ainsi dire, le solde sur leur puce était bas, ils se plaignaient d'être « sans le sou ». La plupart des citoyens, sceptiques à l'égard des mesures de l'administration américaine, refusaient de « signer un chèque en blanc » à leur gouvernement et de prendre leurs belles promesses « pour argent comptant ». Lorsqu'il avançait ses arguments, Lowell se plaisait encore à dire : « Je te fiche mon billet » ; il était persuadé que les États-Unis retrouveraient très bientôt leur suprématie au plan international, et se réjouissait de voir son pays « rendre la monnaie de sa pièce » à ses anciens alliés qui s'étaient ligués contre lui. Il déplorait la disparition du billet vert et l'introduction des nuevos qui permettaient de tout « payer en monnaie de singe ». Comme il l'avait toujours affirmé, la monnaie était affaire de confiance. Un propriétaire nourrissant quelques doutes sur la solvabilité d'un acheteur désirait « voir la couleur de son argent ». Cependant, depuis 2042, la monnaie américaine n'avait plus de couleur. À croire que c'était le prix à payer pour la survie économique et politique. D'ailleurs, nombre de démocrates qualifiaient la stabilité économique et la perte d'autonomie politique qui caractérisaient la décennie 2040 comme « les deux faces d'une même pièce ». À des années-lumière de ces considérations, Fifa, paressant sur le canapé lie-de-vin de l'Arrière-Grand-Homme, songeait souvent que ce qui passait dans la tête de son petit ami taciturne « valait sans doute son pesant d'or ». Jarred, lui, « n'avait pas un radis » pour racheter sa ferme ; furieux, il aurait sans doute besoin de temps pour « faire contre mauvaise fortune bon cœur ». Les conventions rhétoriques persistaient, et peu importait le caractère désormais éthéré des quantités, les luddites linguistiques nationaux continuaient de considérer qu'on pouvait avoir le beurre et l'argent du beurre et, concernant ledit argent et ses multiples dénominations – oseille, blé, fric, flouze, thunes –, qu'on pouvait en être plein ou pété, qu'il pouvait brûler les doigts, être claqué ou – image déconcertante même à l'époque du dollar papier – jeté par les fenêtres.

À la grande joie d'Avery, les puces sécurisées avaient restauré le commerce électronique. Euphorique à la perspective de pouvoir de nouveau acheter un grille-pain sans sortir de chez elle, sa tante avait compté parmi la première vague de ces nouveaux consommateurs. (C'était intelligent, de faire payer à ces cobayes le privilège de l'implantation de la puce. Le coût élevé de la pose avait d'emblée positionné la puce au rang d'indicateur de statut social.) Malheureusement, pour des gens comme Willing et ses cousins, le retour enthousiaste des achats sur Internet restait surtout théorique. Eux avaient un revenu disponible trop faible pour réaliser beaucoup d'achats. L'économie était massivement alimentée par les caprices des retraités.

En société, Willing gardait pour lui ses réserves sur les puces. Les détracteurs de la grande libération fiscale, considérés comme de vrais cinglés, étaient cloués au pilori. Le fait que le gouvernement sache à tout moment l'endroit exact où vous vous trouviez pouvait être considéré comme une violation des libertés civiles, sauf que la plupart des Américains étaient depuis longtemps habitués à voir leurs mouvements suivis par des entités commerciales comme Google Maps. Depuis des décennies, des puces étaient implémentées sur les vélos. Posées sur les animaux domestiques. Que les êtres humains soient pucés à leur tour semblait inévitable. Acheter des biens en tapotant simplement sur un terminal remontait à l'époque des smartphones, aussi le saut technologique avait-il été minime, alors que le saut sécuritaire, lui, avait été énorme. Désormais, personne ne pouvait s'approprier votre revenu disponible à moins de vous couper la tête, et rien ne détruisait plus sûrement et plus instantanément les fonctionnalités d'une puce que le décès de son hôte. Malgré tout, Willing avait le sentiment qu'on ne s'était pas assez interrogé sur l'emplacement de la puce. Les dispositifs de protection biologiques auraient fonctionné à l'identique si la puce avait été posée dans le bras. L'objectif d'une implantation à la base du cou, tout près de la colonne vertébrale, était de vous dissuader de tout retrait. Quelques refuzniks s'y étaient essayés, en faisant appel à des chirurgiens louches. On les reconnaissait facilement à leur paralysie.

Nollie était probablement un peu dure dans la déception qu'elle éprouvait à l'encontre de son petit-neveu qui, librement, avait décidé de devenir « leur créature ». Elle-même avait un compte bancaire à l'ancienne, et réalisait des achats avec un vieux fleX. (Comme le périphérique n'envoyait pas automatiquement les données, elle devait aussi remplir les anciennes déclarations de revenus. Ces documents administratifs, vestiges d'un autre temps et, à ce titre, louches, étaient systématiquement contrôlés avec une minutie écœurante qui avait poussé de nombreuses personnes âgées au suicide.) Mais les individus sans puce constituaient une minorité sur le déclin : les personnes âgées, les habitants des régions rurales et éloignées, une poignée d'expatriés à l'étranger. Cet anachronisme dérangeait, et les personnes concernées s'attiraient de plus en plus de soupçons et de mépris. Impossible pour elles d'acheter une brique de lait sans qu'on ait à ressortir de vieilles machines. Au supermarché, Willing avait remarqué des mouvements d'agacement chez les clients qui faisaient la queue à la caisse derrière Nollie. Les sans-puce inspiraient la même sorte d'impatience que suscitaient autrefois les réfractaires aux fleXs ou aux smartphones qui les avaient précédés. D'ici peu, toute la population serait pucée, et les comptes d'épargne, les comptes chèques et les comptes d'investissement seraient totalement éradiqués – après quoi il serait impossible de vendre ou d'acheter quoi que ce soit, ou de posséder toute richesse monétaire en l'absence d'un dispositif espion gros comme une tête d'épingle logé à la base de votre cou. Tel était vraisemblablement le projet nourri, et le Congrès l'assumait sans complexe – mesure de bienveillance que l'administration comparait aux campagnes nationales de vaccination contre la polio dans les années 1960.

Bien évidemment, le Web bouillonnait d'hypothèses fébriles, fruits de l'imagination paranoïaque de complotistes cinglés : les puces allaient transformer le peuple américain en une armée de robots décérébrés prête à faire tout ce que lui ordonnerait un dictateur fou à Washington. Et en effet, des recherches étaient en cours, visant à étendre les fonctionnalités de l'implant en connectant à Internet le cerveau lui-même. Cet « accès cognitif » attendu avec une anticipation haletante rendrait obsolète le chipsite, et permettrait à tout un chacun de consulter son compte bancaire en formant simplement dans son esprit la pensée de son solde et d'effectuer des transferts d'argent au moyen d'une calculatrice cérébrale. Peut-être que, dans un proche avenir, il serait possible de lire des webzines, de jouer à des jeux et de regarder des vidéos de chats directement dans sa tête.

À l'heure actuelle, cependant, voici ce qu'il en était : après une baisse dans les années 30, l'espérance de vie s'était très nettement rétablie. En moyenne, les Américains vivaient jusqu'à quatre-vingt-douze ans. Les États-Unis comptaient une proportion jusque-là inédite de personnes âgées. À la différence de la génération de Willing, dont la passivité se traduisait par une faible participation électorale, quasiment tous les vieux votaient, ce qui faisait de la restriction des droits un anathème politique. Cumulés, Medicare et la sécurité sociale absorbaient 80 % du budget fédéral. La population active avait diminué. Les personnes à charge – quatrième âge, handicapés, chômeurs, mineurs – représentaient un ratio de 2 pour 1 par rapport aux pauvres actifs comme Willing. Parallèlement à l'indexation du dólar nuevo sur le bancor, le Congrès avait finalement adopté un amendement d'équilibre budgétaire. Le contrôle des esprits ? À Washington, personne n'en avait rien à foutre de ce que vous pensiez. Tout ce qu'ils voulaient, c'était votre fric.

Dès lors, la décision de Willing de s'enfuir et de retourner à la Citadelle plutôt que de faire ce qu'on lui avait demandé sur Eastern Parkway ne lui aurait procuré qu'un bref répit. Bientôt, ne pas s'être fait poser de puce allait vraisemblablement entrer dans la catégorie des infractions civiles, voire pénales, auquel cas même des marginaux armés comme Jarred seraient arrêtés et *régularisés*. L'image était saisissante : l'iconoclaste dégingandé, les yeux écarquillés, jeté à terre, attaché et marqué par l'État comme un bœuf – Willing pouvait presque entendre son cri de défi silencieux et impuissant. Il en mettait sa main au feu : Jarred préférerait mourir que de se voir poser une puce.

Néanmoins, Willing n'avait jamais vraiment su si son prénom, qui renvoyait à la fois à la volonté et au consentement en anglais, évoquait chez lui une persévérance ou une docilité hors du commun. Malheureusement, son passage volontaire par les urgences du Kings County faisait plutôt pencher pour la seconde hypothèse.

2

2047
(Let's party like it's…)

— JE SUIS DÉSOLÉE, s'excusa Savannah sur maXfleX. Je me fais l'effet d'être une vraie *yeurk*. Il a demandé ce que j'avais de prévu, et ça m'a échappé. Maintenant, il sait que Bing et moi, on doit se retrouver chez toi. Je ne vois pas comment tu peux faire autrement que l'inviter. Mieux vaut ne pas se le mettre à dos.

— T'as raison, répondit Willing d'un ton grave, mieux vaut ne pas se le mettre à dos.

Comme périphériques numériques personnels, les premiers fleX avaient donné entière satisfaction. Aussi, pour que les clients continuent à les remplacer par les derniers modèles, les fabricants avaient eu recours à une solution éprouvée : dégrader les performances. Techniquement, un maXfleX était en mesure de se déployer aux dimensions d'une petite salle de cinéma. Mais personne ou presque ne se servait de cette fonctionnalité, qui avait nécessité un affinement supplémentaire des molécules. Désormais, un appareil réputé pour sa tripotabilité avait tendance à gondoler. À trente-cinq ans, Savannah restait toujours aussi vaniteuse. Elle n'aurait pas apprécié ce pli dur ombrant l'aile de son nez, qui lui donnait dix ans de plus.

— Ce n'est pas une blague, renchérit-elle. Il pourrait te pourrir la vie. Somme toute, c'est un prix modique à payer. Tu vas devoir l'inviter à dîner.

— Et si on annulait ? plaida Willing. Ça va être une vraie *bouse*, cette soirée. Il met tout le monde à cran. Moi le premier. On ne va faire que raconter des *financeries*.

— Tu ne peux pas prendre le risque qu'il comprenne que tu as annulé pour la simple et bonne raison que je n'ai pas su tenir ma langue, et que tu ne supportais pas d'avoir à l'inviter. C'est pas sorcier d'additionner 2 + 2. C'est pas comme si on s'adorait. Mais il trouve bizarre que tu nous aies invités Bing et moi, et pas lui.

— Je vais devoir inviter Goog vendredi, annonça-t-il à Nollie quand il se déconnecta.

— Pourquoi est-ce qu'il viendrait ? demanda-t-elle. Il ne peut pas t'encadrer.

— Je sais, mais il adore me détester. Et c'est plus fort que lui, il faut qu'il mette son nez partout. C'est un des attraits de son boulot : soutirer des infos de première main.

— L'attrait de son boulot, rétorqua Nollie, c'est de se servir de son pouvoir pour filer des sueurs froides à tout le monde.

Question sueur, justement, Nollie venait de finir ses jumping jacks, et elle portait sa tenue de sport. Après toutes ces années à sautiller matin et soir, elle s'était tassée de cinq bons centimètres, et elle en était à esquinter sa troisième paire de prothèses de genoux. Les cicatrices sur ses articulations étaient la seule touche attendrissante sur ses jambes grêles et flétries. En son for intérieur, Willing ne comprenait pas ce qui poussait sa grand-tante à faire ces exercices, généralement pratiqués dans le but d'améliorer son apparence physique. Et là, l'affaire était pliée.

— Gamin, c'était un vrai lèche-cul, ajouta Willing.

— Il l'est toujours. Je suis sûre qu'il rapporte à ses chefs les carcasses flasques des citoyens qu'il a brisés, comme les chats apportent des souris à leur maître. Adolescent, il suivait toujours la ligne du parti. C'est ce genre de type. À se rallier à l'autorité et à répéter comme un perroquet des idées toutes faites.

— On peut dire que jouer les lèche-culs lui a réussi. Une formation bidon. Et il se fait plus de blé que nous, y a pas photo.

— Qu'est-ce que ça change ?

— Ce n'est pas anodin que ça paie si bien de bosser pour ces galeux du Scab.

— Tu ferais mieux de t'entraîner à épeler le sigle, et qui plus est avec les lettres dans le bon sens, lui conseilla Nollie. Tu sais que Goog ne supporte pas cet acronyme.

Personne n'appelait le Bureau for Social Contribution Assistance autrement que « le Scab », et le renvoi à la fin du mot « Bureau » et de son initiale « B », qui l'associait dans l'esprit de tous au terme employé autrefois pour désigner les briseurs de grève et une ancienne maladie, la gale, était tellement couru d'avance que les yeurks du gouvernement auraient dû l'anticiper.

— Ce n'est pas moi qui ai choisi de rebaptiser l'IRS du nom d'une ancienne maladie, grommela-t-il.

— C'est aussi comme ça qu'on appelait les briseurs de grève. Mais c'était bien avant ton époque.

— Ce qui me laisse perplexe, tu sais, poursuivit Willing, ce n'est pas que le BSCA soit la branche le plus importante du gouvernement fédéral. Ce qui m'interpelle, c'est que ça n'ait pas toujours été le cas.

— Oui, répondit Nollie, je vois.

— Je n'ai jamais été très à cheval sur les conventions, déclara Nollie le vendredi suivant, avant l'arrivée des cousins de Willing. Mais tout de même, manger tous assis par terre en piochant à même les bols… c'est comme ça qu'on nourrit les chiens.

— Plus personne ne fait de « dîners », protesta Fifa, en allongeant ses longues jambes sur le canapé. C'est carrément *féroce*. Je ne sais pas comment ma mère faisait pour supporter ça. Tous ces verres. Toutes ces cuillères.

Willing versa plusieurs boîtes de haricots rouges et de pois chiches dans un saladier en acier inoxydable, et concéda une poignée de sel. Ils piocheraient le mélange avec des tortillas de blé et boiraient la vodka dans des gobelets jetables en plastique. Reconnaissants, enfants, d'avoir eu de quoi manger, Willing et sa génération s'étaient rebellés contre l'obsession bizarre de leurs parents à l'égard de la nourriture. Il prit soin de vider l'eau des haricots rouges sur les parois du saladier. Le négligé était devenu un must en matière de présentation.

Pour l'ambiance, il mit en streaming un peu de rétroTech. Sans Nollie, il n'aurait pas été en mesure d'identifier tous les sons, issus d'appareils ou de périphériques tout droits sortis d'une époque révolue : le *drrr-tac-tac-tac* d'un téléphone à cadran, le *iii-tsch-iii-tsch* d'un modem se connectant à Internet, le brassage du tambour des machines à laver, qui nécessitaient des quantités astronomiques d'eau, le grésillement insupportable d'une grosse télé cathodique qui n'arrivait pas à capter de signal, le message « Votre correspondant n'est pas joignable, merci de rappeler ultérieurement » d'un téléphone filaire décroché, de quoi vous rendre hystérique. Le *tap-tap-tap-DING* d'une machine à écrire mécanique, en écho au *ting* d'une caisse enregistreuse, le *ping* d'un texto entrant, le *dada-dring* d'un e-mail reçu et la modulation au marimba de l'iPhone de ceux qui n'avaient pas suffisamment d'amour-propre pour télécharger une sonnerie plus originale. Bien mixés, ils se fondaient dans un crescendo symphonique avec rythme secondaire staccato. Autrefois, ils imprégnaient tant le quotidien que peu de gens se souvenaient du moment où ils avaient disparu, et leur évocation était à la fois revigorante et profondément triste.

Savannah arriva la première. Willing ne comprenait pas comment les femmes avaient la patience de se momifier elles-mêmes dans ces bandes de tissu exigées par la dernière mode du « bandage », mais il devait reconnaître que les interstices où la peau apparaissait étaient particulièrement appétissants. Les bandes sur ses seins produisaient un effet des plus sexy, mais son choix de couleurs – rouge, blanc, bleu – avait sans doute quelque chose d'ironique. Il avait lancé ses invitations avant de se rendre compte que « vendredi prochain » était le 4 Juillet. Au centre du pays, une poignée de petites villes continuaient d'organiser des feux d'artifice en l'honneur de la vieille « Bannière étoilée » – nostalgie de la majesté des montagnes pourpres, de la lumière de l'aube, du « Glory, glory, hallelujah », de la liberté et la justice pour tous. Dans des villes côtières plus tendance comme New York, ce jour férié était devenu une source d'embarras.

À la suite des nombreux décès causés par les bactéries résistantes aux antibiotiques – dont l'une des souches avait entraîné la mort de la mère de Willing –, des codes sociaux moins intimes s'étaient imposés. Esquisser une poignée de main vous trahissait immanquablement comme un yeurk passéiste. Dans le même ordre d'idées, les bises étaient tout aussi féroces, et s'il vous prenait l'envie d'essayer de dire bonjour à une connaissance en l'embrassant, vous vous en seriez probablement mangé une. Willing et sa cousine se saluèrent d'une légère tape sur l'épaule.

— Ces bandages, tu les achètes tout faits ou tu déchires de vieux draps la nuit ?

— Je gagne trop d'argent en m'allongeant sur mes draps pour les déchirer, répliqua Savannah, en s'avançant de son déhanchement sensuel dans le salon avec une bouteille de Light Whitening.

La nostalgie de la bière maison qui, dans les années 30, abreuvait les campements rendait tendance l'alcool de contrebande commercial.

Sur le canapé, Fifa, l'air ensommeillé, salua Savannah. Elle était un peu jalouse d'elle, car Willing continuait d'éprouver un léger faible pour sa cousine. Mais Fifa n'avait rien à craindre. Willing avait conscience que le métier de « consultante en stimulation » qu'exerçait Savannah était désormais une profession établie. De façon un peu caricaturale, il s'était attendu à voir ses traits, ses manières, voire son esprit, devenir plus grossiers, mais il n'en avait rien été. Accréditée, enregistrée, réglementée, et – surtout – imposée, Savannah jouissait d'une expertise respectable.

Elle avait des cartes de visite. Elle ne se cachait pas derrière un euphémisme ridicule comme celui d'« escort ». Elle était une professionnelle haut de gamme. Elle se défendait bien face aux bots – de plus en plus inventifs, bon marché, et programmés pour avaler sans surcoût. Nul doute qu'elle excellait dans ce qu'elle faisait. Certes. Mais Willing avait un côté conservateur. Impossible de légiférer sur ce léger frisson.

— Je pense que tu devrais te remettre à l'art, dit-il en sachant pertinemment qu'il perdait son temps. Ça marche, aujourd'hui. Toute la création artistique d'avant la Dénonciation, c'était des financeries. Du vent. De la vaste blague. Le contemporain, ça ne vend pas cher. Mais tu devrais voir l'expo sur le commerce d'esclaves dans SoHo. Carrément brutal. Et ça ne parle pas du XXe siècle.

— Ouais, acquiesça mollement Fifa – elle avait déjà descendu un ou deux shots –, y a plus personne aujourd'hui pour prétendre que « les jeunes ont que dalle à dire ».

— Ce qui ne garantit pas pour autant qu'il y ait quelqu'un pour les écouter, fit valoir Nollie, qui arrivait avec le saladier de haricots.

Ratatinée, tassée à moins d'un mètre cinquante, Nollie continuait l'été à porter ses T-shirts, minishorts et tennis qu'elle affectionnait depuis toujours, et ressemblait désormais à un gnome tout droit sorti du *Hobbit*. Naturellement, Willing se réjouissait qu'elle se joigne à eux. Il l'aimait bien, et à travers les crénelures, il pouvait voir la provocatrice espiègle et scandaleuse qu'elle avait été cinquante ou soixante ans plus tôt. Mais Nollie n'avait pas eu d'enfants, et n'avait pas eu non plus l'occasion d'être remise à sa place générationnelle par les enfants des enfants de ses enfants. Rien n'avait changé dans la perception qu'elle avait d'elle-même. De sorte qu'il ne lui serait jamais venu à l'esprit de laisser « les jeunes » entre eux à leur soirée.

— Épargne-nous ta compassion bon teint, Noll, rétorqua Fifa avec une pointe de méchanceté. Tant qu'on se baisse pour ramasser les balles de coton, toi et tous ceux de ta génération, vous continuez de toucher la sécurité sociale, et la chimio sur mesure, personnalisée, à ton goût particulier comme la bière artisanale. Sans parler des implants du visage, du cerveau, des prothèses de désir, de pulsion, d'amour et d'espoir. Tout ça pour dire que tu t'en fiches bien, des *œuvres d'art* qu'on peut créer pendant *tout notre temps libre*. Franchement, je me marre quand je repense à mon père, qui rentrait du travail et ressortait faire du running.

Fifa cumulait trois emplois. Elle faisait le ménage et préparait les repas d'une personne dépendante et acariâtre qui habitait dans le quartier de Bay Ridge. Elle installait des barres de douche et des rampes dans des maisons et pour une entreprise d'e-commerce florissante, stayinyourownhome.com. Trois nuits par semaine, elle disposait des rondelles de tomates fraîches dans une usine à sandwichs de Williamsburg, propriété d'un magnat birman. La main-d'œuvre non qualifiée était en concurrence permanente avec les bots, pour un salaire de misère. Fifa faisait le boulot dont les étrangers ne voulaient pas.

Cependant, il était encore tôt dans la soirée pour les piques acerbes. Le timide coup frappé à la porte était donc bienvenu.

— Bonne foi et crédit, mec ! s'exclama Bing en ponctuant son salut d'une tape sur l'épaule de Willing.

— Bonne foi et crédit ! répondit Willing en tapotant l'épaule de son cousin.

Ces salutations propres à la jeune génération dépassaient complètement les plus âgés. Chaque fois que ceux-ci s'efforçaient de se les approprier pour paraître féroces, jamais ils ne mettaient la bonne intention – le visage sérieux, l'expression pince-sans-rire, la subtilité délicate de la pointe d'amertume sous-jacente.

À vingt-huit ans, Bing était un solide gaillard, grand autant que costaud. Les pénuries de son adolescence lui avaient laissé la phobie de manquer un repas, et au cas où une nouvelle famine surviendrait, il était probablement sur-préparé. Néanmoins, il avait pris goût au travail de la terre à la Citadelle, et sa carrure y avait gagné en robustesse. D'un naturel enjoué et généreux, il ne s'était jamais départi de cette facette attachante de sa personnalité qui donnait l'impression qu'il était toujours un peu perdu.

Le dernier arrivé agita un petit sachet.

— J'ai apporté un peu d'héro à sniffer pour plus tard, si ça vous dit.

— Comment tu t'es débrouillé pour en avoir ? demanda Savannah.

— Il y avait des soldes chez Walgreens pour le 4 Juillet. J'étais parti pour de la coke, mais il n'y en avait plus. Merde, t'appuies jamais sur « plus d'infos » sur ton chip-site ? L'héro est juste grave donnée. Pas la drogue elle-même, mais les…

— Taxes ! terminèrent les autres à l'unisson.

— Je crois que tu devrais attendre que Goog arrive, et tout lui donner, suggéra Savannah. Mais seulement si t'en as apporté suffisamment pour une overdose.

Le visage de Bing se ferma.

— Personne ne m'a dit que Goog venait.

— Tu te serais décommandé, répliqua sa sœur. Et avec ce voyou dans les parages, j'ai besoin de mon protecteur.

Ils s'assirent par terre, une coutume tendance qui trouvait peut-être son origine dans le fait que peu de jeunes avaient les moyens de se payer des meubles. Cette coutume tombait bien : depuis qu'il était enfant, Willing avait toujours préféré s'asseoir par terre.

— Tu as réfléchi à la possibilité de relouer le sous-sol ? demanda Savannah.

— J'ai toujours eu horreur de savoir que pour Kurt, quand je traversais le salon, c'était comme si un éléphant marchait au-dessus sa tête, répondit Willing. Et si on ne peut pas garder le loyer, franchement… à quoi bon ?

— Et si tu le faisais au noir ? demanda-t-elle.

Goog n'était pas encore arrivé, et pourtant, instinctive-ment, elle avait baissé la voix.

— Et fais-toi payer en bancors.

— Trop risqué, répondit Willing. Si tu te fais choper… j'aime mieux ne pas y penser. En plus, qui voudrait vivre dans un espace humide et sombre, s'il a des devises internationales ?

Par réflexe, Willing s'était lui aussi mis à parler à voix basse. Quand bien même elle avait paru inepte, la question posée par Nollie six ans plus tôt revenait : *Ce machin, il peut entendre ?*

— Tu serais surpris ! s'exclama Savannah. Il y a toute une économie dehors dont tu ignores tout. Sinon, comment je pourrais me permettre ce look sans avoir à déchirer mes draps ? Mais bon, c'était juste une idée. Je pourrais peut-être t'aider. Mais évidemment, ne t'avise pas d'en parler par maXfleX.

Cette discussion rendait tout le monde nerveux ; Willing changea de sujet.

— Nollie s'est remise à écrire. Je l'ai prise sur le fait.

Sa grand-tante lui lança un regard furieux.

— Ce n'est que mon célèbre égotisme en action. Je n'ai rien d'autre à faire.

— Ça m'a fait plaisir, dit Willing. Même s'ils sont accessibles gratuitement en ligne, il y a des récits qui arrachent. Ça me plaît. Les gens ont de meilleures histoires à raconter. « De vraies histoires ». De celles qu'on préfère voir arriver aux autres.

— Toute personne qui se souvient mot pour mot de ce qu'une autre a dit est une menace, grommela Nollie.

— J'ai lu *Mieux vaut tard*, plaida Willing.

Sa grand-tante parut déconcertée, puis contente.

— Une version piratée, j'imagine.

— Évidemment. On a brûlé les exemplaires papier. J'ai trouvé certains trucs pas mal.

— Tu me vois flattée, répliqua laconiquement Nollie.

Il n'avait pas conscience qu'elle était aussi chatouilleuse sur le sujet.

— Ce n'est pas comme si l'histoire se déroulait il y a immense longtemps. Mais c'est l'impression que ça m'a fait. J'ai eu du mal à m'identifier aux personnages. Ils vivent dans un vide économique.

— Tu veux dire qu'ils sont riches ?

— On ne le sait même pas ! Les décisions qu'ils prennent, elles sont motivées par l'amour, ou par la colère, ou encore parce qu'ils ont envie d'aventure. On ne sait même pas comment ils se débrouillent pour payer leur baraque. Ils ne renoncent jamais à faire quoi que ce soit au motif que ça coûte trop cher. Dans tout le bouquin, jamais on ne sait combien ils paient d'impôt, tous ces personnages.

— Génial, railla Nollie. Je ferai des impôts le sujet de mon prochain roman.

— Super, dit Willing, en ignorant délibérément ses sarcasmes.

Ce soir, il avait accompli quelque chose. Elle le comprendrait plus tard, une fois la blessure narcissique digérée.

— Au fait, comment ça se passe à Elysian ? demanda Bing.

— Ça va. Après tout – Willing fit un signe de tête à l'attention de Nollie –, j'ai été dans le soin gériatrique la plus grande partie de ma vie.

— Aucun des nouveaux dont tu t'occupes ne fait trois mille jumping jacks par jour, rétorqua Nollie. Et c'est pas comme si tu devais me torcher, gamin.

Ça marchait à tous les coups. Il adorait la titiller.

— En effet, Nollie est ce que les aides-soignants appellent un « ambu ». Pour « ambulatoire ». Elle peut aller toute seule aux toilettes, c'est tout ce qui importe au personnel là-bas. Puis il y a les allumés, qui souffrent de démence. Et les légumes, alités, dans un état comateux, végétatif.

— Pas très empathique, comme jargon, fit remarquer Savannah.

— Non, en effet.

— Alors comme ça, le gros du boulot, c'est la toilette et changer les draps ?

Savannah marchait sur des œufs. Tous les boulots qu'ils exerçaient étaient ennuyeux et répétitifs. Difficile de s'intéresser au travail des autres quand eux-mêmes n'y portaient pas le moindre intérêt.

— Oui. Et nettoyer les crevasses que les bots ont ratées. Mais le plus important, c'est l'écoute. Surtout avec les ambulatoires. Ils ne demandent que ça, parler à quelqu'un de moins de cent ans. Ce n'est pas parce qu'ils sont vieux eux-mêmes que ça leur plaît plus qu'à nous d'être entourés de vieux croulants.

— Je sais, renchérit Fifa. Dans le bus cette semaine, la vieille peau à côté de moi a commencé à me prendre la tête. Elle m'a attrapée par le bras, et elle y a enfoncé ses serres. On aurait dit de la science-fiction, qu'elle aspirait ma force vitale par ses ongles. Je suis descendue du bus, je me sentais toute faible.

— Et ils nous fixent, ajouta Savannah.

— C'est parce que vous êtes beaux, dit Nollie, avec dans la voix une pointe de mélancolie qui ne lui était pas coutumière. Parce que vous êtes aussi beaux que nous l'étions, et à l'époque, nous ignorions que nous l'étions.

— Je ne me trouve pas particulièrement beau, protesta Willing.

— Pourtant, tu es irrésistible. Tu devrais en avoir conscience.

Willing sentit ses joues s'empourprer. Nollie était sa grand-tante, elle avait quatre-vingt-onze ans, et elle lui faisait du charme.

— Avant ce boulot, je ne m'étais pas rendu compte du nombre de vieux chinetoques expédiés ici. Au moins un tiers des résidents sont des Asiatiques. Avec le coût du travail, c'est moins cher de charger les Américains de s'en occuper que de payer les gens là-bas pour le faire.

— Une énorme proportion de la population a plus de quatre-vingts ans, confirma Nollie. Le résultat de la politique de l'enfant unique. Leur pyramide des âges ressemble à un champignon.

415

— Ils ne parlent pas anglais, poursuivit Willing. Mais je les écoute quand même. Les résidents américains, eux, s'énervent et sont exigeants – comme les jeunes Asiatiques aujourd'hui. Mais à Elysian, les Chinois ont été élevés à une époque différente. Ils ne font pas de bruit. Ils ne prennent pas de place. Mais le problème, c'est qu'ils ne demandent rien. Il faut vérifier, sinon ils peuvent rester des heures dans leurs propres excréments. La semaine dernière, l'un d'eux est mort de déshydratation. Il ne pouvait pas boire tout seul, mais il n'a pas demandé d'eau.

— Est-ce que le travail là-bas est devenu dangereux ? demanda Bing. Avec toutes ces fusillades.

— Il ne s'est encore rien passé de grave à Elysian. Donc pour le moment, la sécurité est assez relâchée. Ni rayons X ni fouille. Mais t'as raison. Ça se répand. Dernièrement, le dingue, à Atlanta, il en a buté combien ?

— Vingt-deux, répondit Bing.

— En fait, vingt-quatre, rectifia Savannah. C'est la tuerie où un ancien combattant a plaqué le tueur dans le bassin d'hydrothérapie, et ils se sont noyés tous les deux.

— Le tueur leur a rendu service, à tous ces vieux fossiles. Et à tout le monde aussi par la même occasion, déclara Fifa.

— Ta petite amie est *gérontophobe* ! pesta Nollie.

— Ne vous en faites pas, je prends mes précautions, les rassura Willing. Je ne le clame pas sur les toits, mais j'emporte au boulot le revolver de Prospect Park.

Techniquement, son fidèle protecteur était un 44 Smith & Wesson modèle Black Shadow X-K47. Willing l'appelait simplement Shadow. Suivant son surnom, son compagnon de l'ombre à la crosse d'ambre ne le quittait pas. Sa mère aurait été horrifiée. Ce qu'il ne manquait pas d'apprécier à sa juste valeur.

— Il n'est pas encore rouillé ? demanda Bing.

— L'Arrière-Grand-Homme m'a appris à l'entretenir – après quoi il m'a montré comment m'en servir.

Sur cet aspect de leur passé commun, Willing préférait se montrer prosaïque. AGH avait quitté ce monde dans un geste altruiste, et n'aurait pas aimé que sa famille passe sous silence ce qui était arrivé.

— Le vrai problème, c'est que je pourrais travailler éternellement à Elysian. C'est la même chose que pour vous. On en est tous au point mort. On a zéro trajectoire. Aucun de nous n'aura jamais assez de fric pour avoir des gosses. On pourrait tout aussi bien être congelés. Ou morts.

— Assez parlé de « morts » ! Les États-Unis d'Amérique ont besoin que ses citoyens valides se sentent vivants ! Même s'il faut soutenir ton cadavre avec un bâton, tu iras bosser tous les matins.

Livide, Willing se leva pour déverrouiller la porte. La plupart de leurs contemporains s'exprimaient d'une voix traînante et peu sonore. À l'opposé, la voix de Goog était tonitruante.

— Ça fait longtemps que t'écoutes derrière la porte ? demanda Savannah.

— Suffisamment longtemps pour me rendre compte que c'est une soirée de bouse. Vous laissez ce prophète de malheur prédire un autre Armageddon fiscal ? Désolé de te décevoir, chamane de mes deux, mais tout baigne.

Goog délaissa le sol, préférant le fauteuil inclinable délabré, qui lui permettait de mieux présider la séance. Il posa à grand bruit une bouteille de vrai cognac. Cette offrande de luxe ne compenserait qu'en partie la débâcle de leur soirée. Willing voulait continuer à parler du sentiment qu'il avait de faire du surplace. Il aurait aimé discuter avec ses cousins, savoir s'ils pensaient qu'autre chose qu'une catastrophe puisse légitimement leur arriver. Désormais, cela n'avait plus grand intérêt. Tout le monde serait sur ses gardes.

— Je m'insurge, Wilbur, contre ton affirmation selon laquelle aucun de nous n'aura d'enfant, déclara Goog. Personnellement, je compte bien planter la petite graine Stackhouse. Simplement, je n'ai pas encore décidé si j'allais procéder par labo – yeux bleus, QI élevé – ou à l'ancienne. Ce ne sont pas les prétendantes qui manquent !

Barbu, le torse puissant, et plus petit qu'il en avait l'air quand on le rencontrait pour la première fois, Goog était *presque* beau. Mais rien n'était gagné quand les femmes découvraient ce qu'il faisait dans la vie.

— Pauvre chou, murmura Savannah à l'oreille de Willing. Je n'ai jamais ressenti autant de peine pour un petit être qui n'existe pas encore.

— En voilà une nouvelle ! s'exclama Bing, d'un ton respectueux. Et tout à fait enthousiasmant. Tu envisages ça pour bientôt ?

À l'entendre, on aurait pu croire qu'il s'adressait à son instituteur, pas à son frère.

— Le plus tôt sera le mieux, répondit Goog. Il faut bien que quelqu'un s'y mette. Toi, on ne peut pas vraiment dire que tu saches t'y prendre avec les femmes. Et notre sœur, tout le monde lui passe dessus.

— Tu sais que je n'aime pas que tu parles de moi comme ça, répliqua Savannah.

— Et moi, je n'aime pas non plus être traité de galeux, lâcha Goog. Mais je me suis fait une raison. Tu ne t'attends quand même pas à ce que je prenne au sérieux cette appellation de « consultante en stimulation » !

— J'ai un diplôme, fit-elle valoir sans s'énerver.

— Un diplôme de *community college* dans une matière que chaque pétasse capable d'écarter les cuisses apprend sur le tas. Écoutez, je sais que c'est beaucoup demander, mais je ne pourrais pas avoir un *vrai verre* ?

Les autres se passaient le cognac. Bing se précipita vers la cuisine.

— Comme je le disais, il semblerait que c'est à moi d'assurer la descendance de la famille. Et j'en aurai plusieurs, car c'est patriotique, d'avoir des enfants.

— Tu es sérieux ? dit Nollie. Tu veux des gosses pour améliorer la pyramide des âges du pays ?

— Où est le problème ? Côté reproduction, notre génération a été carrément feignante. Le taux de natalité a chuté dans les années 30, soit, mais il aurait dû remonter maintenant. C'est dans tous les domaines que ça a créé un vrai problème.

— Ouais, feignants, c'est ça, railla Fifa. Après quinze heures à trimer dans des boulots de bouse, pour tout juste l'équivalent d'un ticket de bus, on devrait baiser toute la nuit, pour concevoir la prochaine génération de contribuables.

Elle était torchée. Mais même sobre, elle avait tendance à adopter une posture de défi pour contenir ses angoisses. Willing aurait dû la surveiller.

— Sinon, des nouvelles de vos parents ? intervint Willing.

— Dans deux ans, papa aura soixante-huit ans, répondit Goog. Il aura la belle vie.

Avant, les gens redoutaient leur départ à la retraite. Aujourd'hui, ils étaient impatients d'être vieux pour bénéficier des prestations sociales.

— Et puis, ajouta Goog, il y a certains investissements qu'il avait faits pendant la Dénonciation, et qu'il a défendus *mordicus* face à ma mère. Ils ont carrément pris de la valeur.

— Alors, c'est génial pour le pays, fit valoir Willing.

— Et pourquoi ça ne le serait pas pour mon *paternel* ? demanda sèchement Goog.

— 85 % d'impôt sur les plus-values, répondit Willing avec un sourire radieux.

— Ouais. Chacun est tenu de faire sa *juste part*, comme on dit.

— Absolument, acquiesça Willing. Sa *juste part*.

Goog, qui ne savait trop si c'était du lard ou du cochon, fixa son cousin. Mais Willing affichait une expression avenante et impénétrable.

Goog s'enfonça dans son fauteuil.

— Je crois que papa apprécie d'avoir réintégré le département à Georgetown. Même si ce n'est qu'un poste honorifique, et qu'il ne donne des cours qu'un soir par semaine. Le problème, c'est que son domaine de spécialisation – la dette, l'inflation et la politique monétaire – n'existe plus

419

vraiment. Ce putain de NFMI contrôle tout ça, maintenant que la Réserve fédérale est enterrée. Ce fichu pays n'a plus de politique monétaire…

— Ni de dette, fit valoir Willing. Ni d'inflation non plus.

— Quoi qu'il en soit, ce n'est pas la faute de papa si…

— S'il s'est planté.

Willing devrait vraiment apprendre à se taire.

— S'il a été dépassé par les événements, rectifia Goog.

— Si les États-Unis avaient participé depuis le début au bancor, au lieu d'attendre d'être dans une position désespérée pour négocier en 34, on aurait pu éviter la dépression.

— « Dépression », c'est juste un mot.

— Je te fiche mon billet que pour les gens qui crevaient la dalle, ce n'était pas juste un mot.

— Alors comme ça, ça lui plaît, à papa, de recommencer à enseigner ? demanda Savannah, désireuse d'éviter toute escalade.

— Oui, répondit Goog en retrouvant son calme. J'imagine qu'on pourrait qualifier son poste de sinécure. Mais bon, c'est important pour lui. Que ça reste entre nous, mais je crois que j'y suis pour quelque chose. J'ai avisé l'université que, compte tenu de certaines irrégularités dans les financements étrangers – toute la fac est financée par Pékin, et le campus grouille de bridés –, leur statut d'exemption fiscale était en péril. Le conseil d'administration de l'université s'est mis en quatre pour m'aider.

— Tu ne m'en avais jamais parlé, dit Savannah.

— Je t'en parle maintenant. Mais si tu le répètes, je te raconte pas le contrôle fiscal que tu vas avoir au cul.

Goog était hilare. Mais personne ne semblait trouver la mise en garde drôle.

— Et ta mère ?

Willing avait maXfleXé Avery la semaine précédente. Il savait tout ce qu'il y avait à savoir. Savannah avait raison : s'en tenir aux sujets neutres.

Goog leva les yeux au ciel.

— Le fait est qu'on n'est pas trop en contact.

— Elle ne voulait pas que tu entres au Scab, dit Savannah.

— Non, elle ne voulait pas que j'entre au B-S-C-A. Sur ce coup-là, elle l'a joué vraiment yeurk. C'est la meilleure idée que j'aie jamais eue. Tu parles de conseils maternels avisés ! Et ça a été pire encore après la mort de ta mère, Wilbur. Comme si elle devait garder la même tradition de bouse. Cette « banque alimentaire pour les jeunes » qu'elle a lancée à Washington. Carrément à côté de la plaque.

— Pourquoi ? demanda Savannah.

— Ça démotive, déclara Goog d'un ton solennel. Pourquoi elle croit qu'on a supprimé les prestations sociales, à part pour les handicapés ? En plus, la moitié d'entre eux sont des tire-au-flanc. Ils se sont juste tordu le petit doigt.

— Les examens médicaux pour avoir un statut de handicapé sont un vrai parcours du combattant, fit valoir Nollie.

Goog balaya ses propos d'un revers de la main, avant de boire une gorgée de son verre.

— Je ne sais pas ce qu'on va faire de ces putains de grévistes. Leur nombre augmente d'année en année. Et ces salauds de dormants aussi. Ça me fout hors de moi. Je ne dis pas que ça devrait être illégal…

— Si, c'est ce que tu dis, contra Savannah.

— Le Scab devrait peut-être commencer à importer des Noirs d'Afrique dans de grands bateaux, railla Fifa. Il y a le nombre – deux milliards et demi ! Ils ne manqueront à personne à Lagos.

— Tu as vraiment mauvais esprit, fillette, dit Goog.

— On n'a qu'à faire une loi pour interdire le mauvais esprit, répliqua Fifa.

— J'ai ma dose, éructa Goog en se penchant, son visage à quelques centimètres de celui de Fifa. L'Amérique n'est pas un État policier. C'est un pays libre, et vous pouvez balancer toutes les conneries qui vous passent par la tête. J'en ai soupé de gens comme vous, qui n'ont à la bouche que les mots « oppression », « assujettissement » et « tyrannie ». On attend de vous que vous fassiez votre part, pour maintenir notre économie à flot. Qu'est-ce qu'il y a de choquant à ça ? Et il n'y a rien de choquant non plus à ce que les plus de soixante-huit ans bénéficient de soins médicaux, ou qu'ils touchent une modeste allocation d'un système de retraite qu'ils ont contribué à financer toute leur vie…

— Ils n'ont pas contribué assez pour légumer et décrépir pendant plus d'années que celles où ils ont été *actifs*, objecta Fifa.

— Ce n'est pas parce qu'on contribue à ce système, martela Goog, qu'on vit sous la botte de nazis qui marchent au pas de l'oie, pigé ?

— C'est à s'y méprendre, répliqua Fifa d'un ton désinvolte. Je me trompe ou tu as menacé Savannah de lui mettre un contrôle fiscal au cul ? Alors, fais-toi plaisir. Mets-moi aussi un contrôle fiscal au cul. Tu ne trouveras autour de mon trou de puce que des moutons de poussière numériques.

— Je pourrais te faire repucer. Pour le motif que la tienne a été piratée…

— Je croyais que les puces étaient impossibles à pirater.

— Effectivement, mais elle a pu faire partie de cet infime pourcentage de puces défectueuses. Pas de bol, vraiment.

— Oh, mais fais donc, répliqua Fifa en lui tendant le couteau dentelé pour couper leur baguette rassise.

— T'es torchée, dit Goog avec mépris.

— Et j'en suis fière, rétorqua Fifa en buvant une autre lampée du cognac de Goog directement au goulot – féroce, d'un point de vue hygiénique. T'en veux, de la vraie liberté de parole ? En voilà ! Je pense que ces grévistes sont des héros. Si j'avais le cran, j'arrêterais d'aller chercher ses pantoufles qui schlinguent à cette vieille peau de Bay Ridge, de préparer à d'autres vieux croulants leurs sandwichs, et d'installer des barres de sécurité pour les morts-vivants. Moi non plus, je n'en foutrais pas une rame. Tout plutôt que de trimer comme une bête pour des galeux comme vous.

— Les grévistes se foutent bien de toi, fillette. Qu'est-ce que tu peux être naïve ! Ils ne se sacrifient pas pour leurs principes. Ils squattent chez leurs parents et vivent grâce à la sécurité sociale de leurs grands-parents. Et tu sais quoi ? Plus ces grévistes et ces dormants seront nombreux, plus tes impôts augmenteront. Tu te fais avoir.

— Alors, tu penses que refuser de travailler pour seulement 23 % de son salaire devrait être interdit par la loi ? demanda Savannah.

— Ouais, peut-être, concéda Goog d'un ton bourru. Ça se pourrait.

— Moi, je ne classe pas les dormants dans la même catégorie, déclara Willing. Ils ont économisé, même si je ne sais pas comment ils se sont débrouillés. Le peu qu'ils coûtent, ils l'ont payé d'avance.

De la même manière qu'il ne comprenait pas pourquoi il avait fallu si longtemps à l'IRS, agence sous-financée, pour, rebaptisée, devenir ce mastodonte qu'elle était aujourd'hui, Willing se demandait pourquoi le phénomène des actifs dormants ne s'était pas répandu des décennies plus tôt. Lorsque les drogues récréationnelles avaient été légalisées, réglementées et imposées, du jour au lendemain, elles avaient perdu tout attrait. À ce moment-là seulement, les gens avaient pris conscience que le plus puissant des stupéfiants avait de tout temps été disponible gratuitement, pour tous : le sommeil. Le petit coup de pouce pharmaceutique qui ouvrait les draps au coma illimité était bon marché, et une faible dose régulière déclenchait des cycles de rêves répétés. Les corps inertes dépensaient une quantité d'énergie négligeable, et les goutte-à-goutte mis en place pour les nourrir et les hydrater ne devaient pas être remplacés trop souvent (les dormants étaient reliés à des bidons énormes de la substance). Les manipulations régulières pour les tourner afin d'éviter les escarres procuraient un travail bienvenu à la main-d'œuvre peu qualifiée. Les dormants n'avaient pas besoin d'appartements – et encore moins de maXfleX ou de nouveaux vêtements. Ils avaient seulement besoin qu'on change leurs pyjamas et leur matelas. Un terme désuet avait refait son apparition, celui de « maisons de repos » pour désigner les entrepôts où, à défaut de vivre, ils dormaient, et dont ils n'étaient expulsés que lorsque leur paiement anticipatif était épuisé. Les générations précédentes avaient dû grappiller sur tout pour acheter dans l'immobilier. De la même manière, nombre de jeunes adultes de la génération de Willing avaient l'obsession similaire d'amasser un petit pécule, mais dans l'optique d'en écraser aussi longtemps que leur épargne le leur permettrait.

— Les dormants nous coûtent en productivité, affirma Goog.

— Si j'avais l'argent, j'y songerai sérieusement, déclara Willing. Un an, peut-être ? Tous les matins où mon réveil sonne à 5 h 30, ça me paraît juste le paradis.

— Willing, tu n'y penses pas ! s'exclama Nollie, horrifiée.

— J'aime encore mieux regarder mes propres rêves qu'une autre de ces putains de séries télé coréennes, marmonna Savannah à Fifa. Des jumeaux séparés s'installent ensemble après la réunification, le jumeau du Nord prend le sèche-cheveux pour un bazooka. Maman et papa ne se doutaient pas de la chance qu'ils avaient de regarder des sitcoms qui se passaient à Minneapolis.

— Maman dit que pour les dormants, la kiné, après, est assez dure, dit Bing. Même si sa nouvelle activité, le reconditionnement vertical, donne plutôt de bons résultats. Leurs muscles sont en compote. On les sort des maisons de repos sur des civières, comme les cadavres d'une morgue. En fait, être éveillé peut ficher les jetons. Il y a eu des quantités de suicides. Si je pouvais, j'émigrerais.

— Et pour aller où ? demanda Savannah, alarmée.

— Les Javanais qui dirigent IBM semblent civilisés, répondit Bing. J'irai peut-être là-bas.

L'usine Indonesian Business Machines du New Jersey où travaillait comme contremaître le benjamin des Stackhouse fabriquait des bots qui pouvaient être programmés comme contremaîtres de fabrication. Willing comprenait ce qui incitait Bing à faire d'autres projets.

— Et tu vas faire comment pour aller à Java ? demanda Savannah. Plus grand monde ne réussit à obtenir de visa aujourd'hui, et certainement pas les Américains.

— Il y a d'autres moyens...

Bing lança un regard inquiet à son frère.

— Entrer illégalement n'importe où en Asie, c'est une vraie galère.

Dans sa détermination à dissuader son cher petit frère de prendre la clé des champs, Savannah faisait abstraction de la nervosité de Bing dès qu'il se trouvait en présence de Goog.

— Oublie les financeries sur les « droits de l'homme », le « respect de la loi » et les « demandes d'asile ». Ils ne te versent pas d'allocations et ne t'installent pas non plus dans un logement social en te rappelant sans grande conviction que tu n'es pas autorisé à travailler. Il n'y a pas de procès bien tenu avec un avocat commis d'office, et pas non plus la possibilité de faire appel sur appel si tu perds. Ils ne t'oublient pas, même si tu n'es pas censé être là, sous prétexte qu'ils seraient trop désorganisés et ambivalents, d'un point de vue politique, à l'égard du droit pour t'expulser de leur pays, et franchement trop fauchés pour payer ton vol de retour. N'y pense même pas. Leur suivi est exemplaire, et ils n'attendent pas bêtement que tu reconnaisses les faits pour te foutre dehors, genre « Ce serait vraiment *aimable* de votre part si vous consentiez à vous présenter au tribunal dans dix-huit mois ». Ils te balancent de façon sommaire en détention, avec des rats et de la nourriture avariée, et quand ils ont assez de gens, ils ne s'emmerdent pas à te renvoyer dans ton pays. Ils t'expédient où ils veulent : en Sibérie, en France, au Nigeria. Où c'est le plus pratique pour eux. Surtout en Chine. C'est possible que tu ne puisses jamais rentrer aux États-Unis.

— Ça m'étonnerait que ça soit à ce point-là, dit Fifa. La Chine et l'Inde sont submergées d'immigrés clandestins.

425

Beaucoup sont originaires d'Afrique ; ils se font facilement repérer.

— Mais il faut bien que je fasse quelque chose, dit Bing d'un ton morne. Même s'ils me gardent chez IBM, ce dont je doute, c'est un peu comme pour Willing à Elysian. Je ne pourrai jamais faire carrière. Tous les postes de management sont occupés par des Asiatiques. Et ce n'est pas comme si je refusais de faire ma *juste part.*

Il jeta un autre coup d'œil à son frère, avec l'expression d'un chiot qui vient de faire pipi sur le tapis.

— Je n'ai absolument rien contre *faire marcher l'économie...* Je suis content de pouvoir aider les vioques – pardon, Nollie, les *très seniors.* C'est de soins médicaux dont ils ont carrément besoin, non ? Ben moi, déjà, je ne gagne pas grand-chose. Quand la puce a fini de tout mâcher, il ne reste rien.

Maintenant, il évitait délibérément le regard de Goog.

— Au moins, si j'émigrais...

— Désolé de te gâcher tes illusions, frangin, dit Goog, mais un aspect du code des impôts américain n'a pas changé depuis la guerre de Sécession : les Américains sont imposés sur leur revenu sur le territoire comme à l'étranger, et ça inclut donc les expats. Tu auras un peu de crédit supplémentaire pour les impôts étrangers. Mais si Jakarta ne te suce pas jusqu'aux circuits de ta puce, on prendra le relais. Alors tant mieux si tu n'as rien contre payer ce que tu dois, frangin. Les satellites du BSCA peuvent prélever leur dû même si te tapes un sprint dans la toundra mongole. Non qu'il te vienne à l'esprit de vouloir truander ton propre gouvernement, celui des États-Unis. Mais maintenant que les puces sont adoptées un peu partout dans le monde, la probabilité que tu palpes le moindre fric sans qu'on soit tout de suite au courant est de l'ordre de deux chiffres après la virgule. *Insignifiante.*

— Super ! s'exclama Fifa, allongée de tout son long. Qu'est-ce qu'on s'éclate à cette soirée.

— Et le Mexique ? suggéra Willing. Là-bas, tu pourrais grimper dans l'échelle sociale. Le secteur manufacturier est énorme. Et ils ont un plus gros PIB que les États-Unis...

— C'est pas difficile, railla Nollie.

— Mais Esteban s'en sort super bien, ajouta Willing. Maintenant, il dirige sa propre boîte, un tour-opérateur qui propose des circuits dans les régions sauvages...

— Je ne vois pas bien comment, objecta Nollie. Le Mexique n'a pas de régions sauvages.

— Il n'y en a plus nulle part, Noll, rétorqua Fifa d'un ton irrité, le visage levé vers le plafond. Peut-être qu'il conduit des groupes jusqu'à un parking où il reste des places libres.

Quand son père *de facto*, qui lui manquait beaucoup, avait mis le cap vers la frontière sud en 2039, Willing avait été touché par sa profonde réticence à quitter ce pays qu'il considérait dans sa chair comme le sien. Esteban était un authentique patriote américain. *A contrario*, fidèles à la tradition libérale du Nord-Est, les Mandible n'avaient pas hésité à critiquer vertement l'Amérique, comme si ce faisant, cela ne les rendait que meilleurs. Certes, Esteban méprisait les vieux cons qui se gargarisaient de leur « tolérance » mais qui ne voulaient pas vraiment de lui ici. Qui étaient nostalgiques d'une époque où ils contrôlaient tout. Mais jamais Esteban n'avait insulté le pays lui-même – l'idée du pays, et la façon dont il était censé fonctionner, même quand la réalité était tout autre (plus ou moins toujours). Jayne et Carter, AGH, Nollie et la mère de Willing avaient parfois semblé prendre un réel plaisir à l'effondrement des États-Unis. Pour Esteban, en revanche, le déclin du pays qu'il considérait sincèrement comme la plus grande nation sur Terre était un véritable chagrin.

Quantité de Lats comme Esteban étaient rentrés dans les pays de leurs ancêtres. La perte ne s'était pas uniquement traduite en termes comptables. Ils avaient été Américains avec le zèle des convertis. Alors que l'immigration avait été très élevée pendant toute leur histoire, pour la première fois, les États-Unis expérimentaient une baisse inédite de leur population. Ceux qui restaient se sentaient piégés, coincés, laissés pour compte. Il s'agissait souvent des mêmes personnes que celles qui avaient vitupéré contre les étrangers se déversant par les frontières. Maintenant que les étrangers ne risquaient plus leur vie pour rejoindre l'Amérique, ceux qui y étaient nés se sentaient abandonnés. Le ressentiment éprouvé si longtemps leur manquait. Ils se sentaient mal aimés. Bien pauvre était la satisfaction de s'accrocher à quelque chose, de ne pas le lâcher, de le défendre bec et ongles quand de toute façon personne n'en voulait. À la rigueur, Willing pouvait comprendre que des Américains blancs de la génération de sa mère, ou plus âgés, aient parfois pu se sentir envahis, aliénés ou remplacés – même s'ils se seraient sentis beaucoup moins menacés s'ils avaient au moins appris l'espagnol. Mais il existait un cas de figure pire que de vivre dans un pays dans lequel le reste du monde avait envie de s'établir : vivre dans un pays dont tout le monde voulait partir.

Esteban avait aussi été loyal sur un plan personnel. Il était resté auprès de leur famille à la Citadelle – quand bien même retourner la terre à Gloversville lui rappelait le travail manuel bêtifiant que son père avait effectué, et le père de son père avant lui, et auquel il pensait avoir échappé. Puis, après tout ce qu'ils avaient traversé ensemble, il avait perdu Florence à cause d'une coupure au doigt. Celui qui avait de son fils tout sauf le nom était devenu majeur. On pouvait difficilement qualifier son attitude de désertion.

Savannah tira Willing de sa rêverie.

— Pourquoi entrer au Mexique serait-il plus facile ?

— Esteban a traversé la frontière, répondit Willing. Il a dû faire appel à des passeurs, mais c'était plutôt simple. Ceux-là mêmes qui se chargeaient de faire passer les Lats vers *El Norte* ont simplement commencé à le faire dans l'autre sens.

— Esteban est entré avant qu'ils terminent de construire le mur, fit valoir Savannah. Qui est électrifié, et informatisé, et 100 % surveillé, de Tijuana à Matamoros. Et Esteban est d'ascendance mexicaine. Il aurait une chance d'obtenir sa naturalisation. Là-bas, ils n'accordent pas la naturalisation à des « Blancs non lats ». Nous sommes une espèce parasite. Même si, par miracle, Bing réussissait à traverser le Rio Grande, la discrimination est mortelle. Et je sais de quoi je parle. Mes clients sont une meilleure source d'informations que le Web. En tant qu'*Américamerde*, Bing serait traité avec mépris. Pire, même. Vous vous souvenez de la vieille insulte « racaille lat » ? Aujourd'hui, c'est « Améracaille ». C'est comme ça qu'ils nous appellent. Ce serait presque drôle, vu que Fifa a trois boulots, mais ils nous prennent pour des feignants. Et ils sont persuadés qu'on est tous de vrais débiles.

— Avoir autant de pouvoir et le laisser échapper ? Oui, il faut vraiment être débile, affirma Nollie.

— Le pouvoir n'est pas éternel, dit Willing. Qu'on s'y accroche ou non.

— Avoir autant de fric et s'en faire dépouiller, alors, rectifia Nollie. Avoir autant de fric et continuer à dépenser plus qu'on a. Moi, je trouve ça débile.

— Quant à moi, c'est l'explication la plus débile que j'aie jamais entendue sur les événements de ces vingt dernières années, railla Goog.

— Ah ouais, vraiment ? contra Savannah.

Démêler ce qui était arrivé, pourquoi, à qui, et ce que ça voulait dire était une obsession conversationnelle des plus répandues. Willing comprenait qu'elle puisse en avoir assez.

— Je n'en reviens toujours pas qu'on n'ait pas levé le petit doigt quand la Chine a annexé le Japon, déclara Bing d'un air triste. J'avais toujours apprécié les Japonais. Leur façon impeccable de faire les choses. Ça m'a fait énormément de peine pour eux.

— En coulant ce destroyer chinois, les Japonais ont cherché la bagarre, rappela Goog, paraphrasant ce que le président avait dit aux citoyens américains à l'époque. Je pense qu'ils voulaient se faire envahir. De toute façon, ils étaient en chute libre. C'était une sorte de hara-kiri kamikaze, un « Vas-y, bute-moi » géant.

— C'est vrai, toute la race japonaise s'est pratiquement évaporée, ajouta Savannah. C'est pour ça que je trouvais l'argument de l'espace vital assez convaincant. Avec ce déluge d'immigrés en provenance d'Afrique et tous ces réfugiés des guerres de l'eau, la Chine éclate.

— Pourtant, je suis sûr que vous imaginez comme moi la branlée qu'ils se seraient prise si les Chinois avaient attaqué un allié américain quand on était gosses, se souvint Goog, ému. Je regrette carrément que ça n'ait pas pété. On aurait enterré Pékin si profondément que les miradors de la Cité interdite seraient ressortis de l'autre côté à Omaha.

— Financeries ! protesta Savannah. Si on était intervenus, on aurait foutu le bordel, comme à chaque fois. Et c'est pareil pour Taïwan. Putain, heureusement qu'on n'avait pas les moyens de le faire.

— Après autant de fiascos – le Vietnam, l'Irak, la Nouvelle-Zélande –, j'imagine que je devrais être d'accord avec vous, dit Nollie. Mais qu'on soit restés les bras croisés, et en plus qu'on se soit cherché des excuses pour rester les bras croisés… quelle honte, vraiment.

Le sentiment de honte de Nollie était largement partagé par les gens de sa génération, et presque aussi largement par ceux de celle de Florence. Mais Willing n'avait pas d'avis arrêté sur la question. À peu près à l'époque où les billets américains s'étaient effilochés dans sa poche comme autant de vieux Kleenex, il avait habilement désamalgamé deux choses. L'abstraction dans laquelle il avait été arbitrairement enrôlé du fait d'être né sur le territoire américain n'avait plus rien à voir avec lui. « Américain » le définissait désormais en tant qu'adjectif, plus comme un substantif. Il ne voyait pas la moindre nécessité d'assumer personnellement le refus des États-Unis de déclarer la guerre à la Chine. Si cela lui avait épargné d'avoir à se retrouver suspendu à un parachute au-dessus des gratte-ciel de Chengdu, tant mieux. Sinon, s'il s'agissait de se sentir impuissant, nul besoin d'aller chercher très loin : il était forcé d'inviter à dîner un cousin qu'il n'aimait pas. C'en était, de l'impuissance. En revanche, il ne se sentait pas impliqué dans la situation politique avec Taïwan ou le Japon. Son pays n'était pas venu à la rescousse parce qu'il ne le pouvait pas. Il n'avait pas l'argent pour. C'était relaxant de le savoir. C'est ce que devaient ressentir les habitants de la plupart des autres pays, à l'époque où les États-Unis envoyaient bombardiers, navires, troupes et ponts aériens dès que quelque chose tournait mal. S'il y avait un génocide à Madagascar, en Argentine, ils ne battaient pas leur coulpe de ne rien y pouvoir. C'était une meilleure vie. Quand Willing était enfant, il était fréquent de se plaindre qu'Untel n'avait « pas de limites ». Les amis qui n'avaient « pas de limites » étaient des plus embarrassants. Ils n'avaient pas la notion de ce qu'ils devaient garder pour eux. Tout compte fait, la valeur inhérente à vivre dans un pays tenait peut-être à ses limites. Celles-ci définissaient ce qui relevait de vos affaires. Elles contribuaient à maintenir l'existence même de ces affaires.

— Dites, vous avez vu la maison de verre qui a été construite là où se trouvait la demeure de Jayne et Carter à Carroll Gardens ? demanda Savannah. Une sorte de palais, qui appartient à des Vietnamiens. Incroyablement tape-à-l'œil.

— Il n'y a que ça à Brooklyn ! s'exclama Goog. La moitié des maisons de pierre datant du xxᵉ siècle ont été rasées. Les bridés n'ont vraiment pas la fibre, question préservation du patrimoine.

— Goog, ces stéréotypes sont complètement dépassés, le réprimanda Savannah. Tu as conscience que des femmes comme moi passent sous le bistouri pour se faire brider les yeux et aplatir le nez ?

— J'ai parlé à Carter et Jayne la semaine dernière, annonça Nollie. Jayne continue de faire des pieds et des mains pour obtenir l'indemnisation de l'assurance. Mais ce couple de Hanoï a payé une fortune pour ce terrain – plus qu'assez pour compenser le fait que, entre l'impôt sur les successions et les arriérés de gestion, ça ne valait pas le coup de réclamer la copropriété de ma mère. Ils pouvaient toujours acheter ce qu'ils voulaient. Ou pensaient qu'ils voulaient. C'est peut-être ça, le problème.

— Ils sont plutôt vieux pour s'occuper tout seuls d'un ranch dans le Montana, fit valoir Bing. Au moins, je les ai aidés à choisir un gardien bot. Sauf qu'avec le modèle haut de gamme qu'ils ont choisi, la conversation, c'est de la bouse. Les moins chers n'isolent pas les bons mots-clés. Ils sont hilarants.

— Des problèmes avec les bots ? dit Fifa. Si vous balancez une poêle sur le vôtre parce que vous êtes en rogne, vous foutez seulement en l'air votre précieux joujou. Ma vieille conne de Bay Ridge aurait les moyens d'employer un gardien bot haut de gamme cinq fois par semaine. Mais elle ne pourrait pas le rendre dingue ni foutre sa journée en l'air.

— Après tout ce temps passé les uns sur les autres à la Citadelle, je peux comprendre qu'ils aient eu envie d'un peu de solitude, dit Nollie. Mais Jayne était pratiquement redevenue normale au moment où ils ont quitté la ferme. Maintenant, c'est tout leur ranch qui est sa « pièce au calme ». Elle a de nouveau pété les plombs. Et Carter lui aussi a régressé. Dieu sait pourtant que je pensais qu'on avait rabâché encore et encore tout ce qui était arrivé. Mais il est reparti dans une phase où il se lamente sur les « années perdues » à s'occuper de Luella. Croyez-moi, les couples en vase clos sont mortels. Ils n'ont pas assez de trucs à raconter. Alors, ils ruminent et chargent encore et encore la méchante et égoïste Enola, ne serait-ce que pour éviter de s'en prendre l'un à l'autre. Comme on ne peut pas manger *toute* la journée, on se nourrit de vexations entre les repas. Franchement, notre échange était à peine cordial. Alors que je n'ai pas fait du tout d'esclandre, quand ces deux-là se sont récupéré tout le service en argent de Bountiful House. Je n'ai même pas demandé un pauvre couteau à beurre.

— Si, à l'époque, tu étais passée plus souvent à Carroll Gardens, dit Willing, tu comprendrais pourquoi quelques pièces d'argenterie ne peuvent pas même représenter le début d'une compensation.

— Ça m'était insupportable, concéda Nollie.

— Ça l'était pour tout le monde, répliqua Willing.

Si Jayne retombait vraiment dans sa névrose et que Carter ruminait, cela faisait d'eux des exceptions. Dans tout le pays, la santé mentale et physique des Américains s'était considérablement améliorée. Presque plus personne n'était gros. Les allergies étaient rares, et aujourd'hui, si des gens mentionnaient qu'ils évitaient le gluten, c'est qu'une tranche de pain les aurait probablement tués. Les troubles alimentaires comme l'anorexie et la boulimie avaient disparu. Si un ami disait qu'il était déprimé, c'est que quelque chose de triste était arrivé. Après des horreurs en cascade, plus personne n'avait l'énergie d'avoir peur des araignées, des espaces confinés ou de sortir de chez soi. Dans les années 30, les faillites systématiques de pharmacies pillées, ainsi qu'une incapacité généralisée à trouver le fric pour se payer les drogues de la rue, avaient déclenché chez les accros une crise de manque à l'échelle nationale. Les salles de sport avaient fermé, et les coachs sportifs personnels avaient disparu comme les ampoules à incandescence. Mais à force de réparer leur maison, bêcher leur jardin, marcher pour économiser l'essence et tabasser des intrus avec des battes de base-ball, les Américains tenaient maintenant une forme olympique. La chirurgie de réattribution de sexe étant devenue totalement inabordable, les diagnostics de dysphorie de genre étaient vains. Si une femme avait des inclinations masculines, elle parlait fort, avait des gestes brusques et croisait sa cheville sur son genou : tout le monde comprenait le message, et la gestuelle était plus élégante. Tandis que le rêve supplantait les drogues, le fantasme sexuel continuait d'être une voie plus propre, plus douce, et qui plus est, meilleur marché pour assouvir toute une palette de penchants impudiques qu'une mise en actes douloureuse et imparfaite. Personne n'avait ni l'argent ni le temps ni la patience de développer une quelconque pathologie. Non que les Américains n'aient plus de bizarreries ; ils n'avaient simplement plus la compulsion d'y remédier.

— Tu nous rappelles constamment à quel point c'était dur à la Citadelle, Willing, dit Bing. Mais si c'est pire à Elysian, pourquoi ne pas retourner là-bas ? Ces financeries de travail à la ferme, tu y avais pris goût plus que nous.

— Je vais y réfléchir, dit Willing. Mais ça fait des mois que je n'ai pas réussi à contacter Jarred. J'ai fini par fleXer son voisin, Don Hodgekiss. Il a dit que Jarred s'était tiré. Qu'il avait laissé la Citadelle aux fédéraux. Il est injoignable.

— Une idée d'où il a pu aller ? demanda Bing.

Nollie leva les yeux au ciel, tandis que Savannah se mit saucer avec application le récipient de haricots avec la dernière tortilla.

— Comment je le saurais ?

Willing s'abstint de croiser le regard des autres, veillant tout à la fois à ne pas regarder Goog et à ne pas paraître éviter de le regarder.

— C'est évident, non ? dit Goog. Pas la peine, tous, de jouer les innocents. Qui est le vrai dingue de la famille ? Qui est naturellement porté à la révolte ? Qui est le connard rebelle dépourvu du moindre respect pour l'autorité ? Qui a joué les opportunistes pendant la flambée des prix des années 30 ? Qui a complètement ignoré l'amnistie sur les armes de 38 ?

— Il ne l'a pas complètement ignorée, protesta Bing. Quand le deuxième amendement a été annulé…

— Personne n'a « annulé » le deuxième amendement, espèce de yeurk ! rugit Goog. Il a été *clarifié*. Les spécialistes actuels de la Constitution soutiennent maintenant qu'il n'avait de toute façon jamais été destiné à s'appliquer aux individus. « Milice réglementée » désigne la police et les forces armées. Pas un dingue armé d'un AK dans un centre commercial.

— Jarred a bien remis un ou deux pistolets pour sauve-garder les apparences, concéda Bing. Mais tout le monde a ignoré l'amnistie. Tous ces « Il faudra me passer sur le corps » et...

— Et aussi, poursuivit Goog, qui pouvait bien considérer sa ferme débile comme une « citadelle », une forteresse et un territoire à part ? Qui n'a jamais eu le sens de la loyauté envers ce pays et qui en a sans doute subi les conséquences ?

— Impossible de savoir avec certitude où il est allé, marmonna Savannah. En plus, cette rumeur sur l'auto-destruction des puces, je n'y ai jamais vraiment cru.

— Oh, c'est vrai, je t'assure ! s'exclama Goog d'un ton menaçant. Crois-moi sur parole.

Willing faillit lâcher qu'à sa connaissance Jarred n'avait pas de puce. Ce qui aurait empêché sa tête d'exploser comme une citrouille à la seconde où un satellite du Scab aurait détecté qu'il avait mis les pieds là où il n'était pas autorisé à se trouver. Willing réussit à se taire. Cette information aurait pu priver son cousin d'une satisfaction perverse, et il n'était pas dans leur intérêt de priver Goog Stackhouse d'une quelconque satisfaction.

— J'ai entendu dire qu'ils vivent comme des animaux, là-bas, déclara Bing. Pas d'Internet. C'est comme l'Âge-pierre, mais à perpète. Les gens habitent dans des huttes en bouse, des tipis, ou des trucs du genre. Pas d'électricité, pas de télé, pas même de radio, parce que les États-Unis brouillent tout. Beaucoup de webzines racontent qu'ils n'ont rien à manger, et qu'ils ont basculé dans le cannibalisme.

— Tu parles d'un trou pourri ! railla Goog. Il est complè-tement coupé du commerce mondial. Quand on transgresse les sanctions américaines, on atterrit en prison pour si long-temps que même les ordures sans puce ne se risquent pas à faire de la contrebande. Le seul pays qui reconnaisse les USN est l'*Érythrée*. En supposant même que tu réussisses à passer les gardes et les mines à la frontière, ce qui est *stric-tement impossible*, cette défection relève de la trahison. Ce qui est le seul crime fédéral encore passible de la peine de mort. Aussi j'espère qu'aucun de vous ne sera jamais aussi rétif que Jarred semble l'être. Toute une unité du BSCA dotée d'une habilitation « sécurité maximale » a été nommée avec l'autorité nécessaire pour appuyer sur le bouton.

En présence de Goog, Willing naturellement feignait l'indifférence la plus totale. Pourtant, comme la plupart des gens, il était intrigué par les États-Unis du Nevada, qui regroupaient plusieurs nations indiennes ainsi que l'État du Nevada initial, surnommé familièrement « l'État libre » (ce dont le Maryland, qui se prévalait de cette appellation depuis 1864, s'était particulièrement ému). Comment ne pas être fasciné par une telle boîte noire, un trapèze dont rien ni personne n'était sorti et dans lequel rien ni personne, du moins officiellement, n'était entré ? Depuis la sécession de l'État en 2042, toutes les informations sur cette république séparatiste étaient bloquées dès qu'elles se mettaient à circuler. La NSA devait avoir implémenté des filtres Internet, car pour faire une recherche sur la jeune confédération, il était nécessaire d'utiliser des euphémismes évasifs comme « jouer gros », sans cesse à renouveler dans la mesure où ils étaient bloqués au bout de quelques jours. Willing se réjouissait qu'il n'y ait pas eu de seconde guerre de Sécession. Il se félicitait que le même affaiblissement public, la même indigence souveraine et les mêmes justifications aigres qui avaient empêché les États-Unis de secourir le Japon aient incité le Congrès à faire une croix sur ce territoire poussiéreux avec un « Bon débarras » bien senti. (Désormais, l'Amérique avait des relations commerciales plus actives avec Cuba qu'avec un secteur interdit de son propre pays. Sur les cartes modernes des États-Unis, le Nevada était une zone vierge, délibérément ignorée.) Certes, les frontières nationales avaient la chance de pouvoir considérer comme immatériel tout ce qui se trouvait par-delà l'aire qu'elles délimitaient et de l'exclure. Willing, en revanche, ne pouvait pas en faire autant : les États-Unis du Nevada continuaient de le concerner. En supposant que son oncle n'ait pas été descendu côté américain en tentant de pénétrer sur ce périmètre notoirement militarisé, Willing ne doutait pas un seul instant que c'était là où Jarred avait fui. Les instants où il pensait aux USN étaient les seuls de la journée où Willing avait l'impression de sortir de son engourdissement. C'était probablement vrai que les frontières étaient infranchissables. Et probablement vrai aussi que votre puce était programmée pour vous faire exploser la tête dans le cas peu probable où vous réussissiez malgré tout à passer la frontière. En tout état de cause, le Nevada constituait la seule et unique exception à l'affirmation de Goog selon laquelle il était impossible d'échapper au Scab. C'était le seul endroit sur Terre où des millions d'Américains ne payaient pas d'impôts fédéraux. Dès lors, la simple mention de ces traîtres suffisait à mettre en rage l'invité le plus influent du dîner. Willing jugea plus prudent de changer de sujet.

— Sinon, comment ça se passe au Bureau ? demanda-t-il à Goog d'un ton jovial.

— Tiens donc, dit Goog d'un ton soupçonneux, depuis quand tu t'intéresses à mon travail ?

— Tout le monde en Amérique s'intéresse à ton travail.

Willing avait perfectionné son expression impassible depuis l'adolescence. Impossible de faire la différence entre sarcasme et estime sincère.

— Puisque tu me poses la question, répondit Goog, nous mettons en place de nouvelles déclarations qui vont te concerner, Nollie. Car après tout, il ne semble pas très juste que la plupart des citoyens transmettent autant de données sur leurs revenus et leurs dépenses, tandis que certains bénéficient d'un statut d'exception qui leur confère secrets et faux-fuyants. Vous n'êtes pas de mon avis ?

— Garder pour moi l'achat de culottes d'incontinence relève en effet d'une injustice criante, ironisa Nollie.

— Dès janvier prochain, annonça Goog avec une délectation non dissimulée, les citoyens sans puce seront tenus légalement de remplir un rapport le jour même pour chaque achat et dépôt. Nous avons déjà conçu les formulaires en ligne, et ils sont très détaillés : adresse du vendeur, numéro d'identification fiscal fédéral, date et heure, numéro de série ou de produit, motif de l'achat...

— Tu veux dire que le gouvernement fédéral a besoin de savoir pourquoi j'achète des culottes d'incontinence ? demanda Nollie.

— Mais surtout, impossible de procéder par copier-coller sur ces formulaires, ajouta Goog, hilare. Tu vas te rendre compte que rester en dehors du système a un coût.

— C'est du harcèlement pur et simple, protesta Nollie.

— D'un certain point de vue, répliqua gaiement Goog, le gouvernement dans son ensemble est une forme de harcèlement. Mais personne ne voit les choses de ce point de vue, je me trompe ?

— Dans ce cas, pourquoi ne pas pucer les vioques comme tout le reste de la population ? demanda Savannah, perplexe.

— La coercition est grossière et engendre de la colère, répondit Goog. De cette manière, les très seniors en arrivent à considérer l'implémentation de la puce comme une mesure qui les sauve enfin de cet Abu Ghraib administratif. Réfléchis deux secondes : si je te frappe avec une trique, tu seras furieuse, et il est même possible que tu me rendes les coups. Mais si je te pique sans arrêt avec une épingle, tu me remercieras quand j'arrêterai.

— Tu es diabolique ! s'exclama Nollie.

Goog accepta le compliment d'un signe de tête gracieux.

— Oh, et on a aussi commencé à fouiller dans les vieux fichiers, maintenant que le Congrès a abrogé cette prescription de sept ans concernant notre *curiosité*. Il y a eu quantité d'irrégularités dans les années 30. Comme ces pleurnichards, qui avaient boycotté la déclaration de revenus sous le prétexte qu'ils avaient été ruinés « par leur propre gouvernement ». Avec les intérêts cumulés et les pénalités, ces escrocs vont tout perdre. C'est compliqué de convertir les dollars en nuevos, mais on a réussi à mettre au point une formule.

— Vers la fin, la valeur du dollar changeait tous les jours, rappela Willing. Voire toutes les heures. Alors votre « formule » doit être extrêmement sophistiquée.

— Elle fonctionne à peu près à notre avantage, si c'est ce que tu veux dire, concéda Goog.

— En effet, répondit Willing, c'est ce que je voulais dire. De cette façon, c'est plus patriotique, veilla-t-il à ajouter. C'est mieux pour tout le monde. Pour le pays dans son ensemble.

De nouveau, Goog fixa son cousin, cherchant des signes de sarcasme. Mais il devait être habitué à l'obséquiosité civile. Et celle de Willing était *pro forma*.

— Certaines personnes ont cru pouvoir déduire les pertes subies par les bons du Trésor annulés, poursuivit Goog. Ou ils ont eu l'impudence de soustraire la différence entre l'indemnisation perçue pour leur or et sa surévaluation grotesque sur le marché libre. Comme papa le répétait tout le temps, c'est un investissement débile, et si vous voulez mon avis, ils méritent de s'en prendre une pour n'être que de sombres crétins.

— J'ignore à quel point cet investissement s'est avéré ridicule, déclara Willing, sans se départir de son ton aimable. Quiconque aurait gardé tout ce qui brillait en 29 ferait un joli profit aujourd'hui, même après un impôt sur les plus-values de 85 %.

— Ils n'y gagneraient rien d'autre qu'une peine de prison, rétorqua Goog haut et fort. Dans ce pays, tout l'or reste la propriété du gouvernement américain. Tu ne connaîtrais pas par hasard un thésauriseur ?

« Thésauriser » restait un terme apprécié des bureaucrates pour désigner l'acte de conserver ses propres biens.

— C'était une simple supposition, répliqua Willing avec un sourire désarmant.

Face à cette sorte d'interrogatoire éprouvant, réservée autrefois aux terroristes et aujourd'hui exclusivement pratiquée sur des présumés fraudeurs fiscaux, l'erreur la plus fréquente des suspects consistait à basculer dans une palette d'émotions intenses : indignation, effondrement et remords éploré, colère. Pourtant, la défense la plus efficace contre Goog avait toujours été la cordialité la plus plate. Un imperturbable visage souriant faisait rager l'employé du Scab, mais il ne trouvait rien à y redire.

— Mais si l'or est un investissement tellement yeurk, ajouta poliment Willing, pourquoi le gouvernement le veut-il ?

— Les États-Unis n'ont pas décidé des termes du bancor, rétorqua Goog avec mépris. D'ailleurs, à ce propos, j'ai eu un tuyau sur une révolution qui va nous faciliter carrément la vie au Bureau. Depuis des années, l'administration fait du lobbying, et la décision va enfin dans le sens qu'on attendait. Alors je vous en donne la primeur : concernant le bancor, le nouveau NFMI va éliminer le numéraire.

Sur le canapé, Nollie croisa les jambes avec une féminité sobre qui n'était pas dans sa personnalité.

— Pourquoi ? articula péniblement Savannah, blême.

— Utilise ta tête ! répondit Goog. Toute l'économie du marché noir est en bancors. Mais l'économie sans numéraire se généralise dans le monde entier. Très bientôt, il sera impossible de planquer de l'argent dans un carton à chaussures où que ce soit. Ne pas avoir de puce reviendra à être totalement fauché. Au niveau international, l'élimination complète du numéraire éradiquera la corruption, l'évasion fiscale, le racket et les manquements de toute sorte ou presque.

— Je me demande…, commença Willing, songeur, comme si l'idée venait seulement de lui traverser l'esprit, alors que Jarred et lui avaient abordé le sujet un nombre incalculable de fois. Que penses-tu de l'affirmation selon laquelle une société réellement libre est un endroit où quelque chose peut encore rester impuni ?

— Je dirais qu'il s'agit là d'une définition dangereuse de la liberté, Wilbur. La loi, c'est la loi. On la respecte au pied de la lettre. La liberté est ce qu'il reste après. Si la loi ne dit pas qu'on ne peut pas le faire, alors on peut.

— Je doute de pouvoir considérer la liberté comme un reste, répliqua Willing, confus. Comme des chutes de tissus dans lesquels ma mère faisait des rideaux. La liberté n'est-elle pas une sensation ? Après tout, il n'est pas nécessaire d'exercer une liberté pour la posséder. Je n'ai pas à me lever pour chercher un verre d'eau. Mais sachant que je pourrais avoir à me lever, cela change l'impression que j'ai de m'asseoir, même si je reste assis.

— Tout ça, c'est des financeries ! s'exclama Goog. Manifestement, pour toi, une société « libre » est une société où tout le monde enfreint la loi sans en subir les conséquences. Dans ton petit cerveau déviant, la liberté n'est qu'un autre mot pour désigner la criminalité galopante.

— Parfois, je traverse au feu alors que ce n'est pas à moi.

Willing aurait pu laisser passer, mais il n'en avait pas envie. Toutes ces fausses amabilités l'avaient exténué.

— Quand il n'y a pas de voiture, précisa-t-il. Corrige-moi si je me trompe, mais il me semble que c'est un délit. Je n'ai blessé personne ni grillé la priorité à qui que ce soit. Mais j'ai enfreint la loi. Et traverser quand ce n'est pas mon tour est important pour moi.

— Putain, Wilbur, qu'est-ce que c'est triste ! railla Goog.

— Si tu me retires ça, ainsi que toutes les autres occasions de faire de légères entorses, dit Willing, alors, quel que soit le nombre de choses distrayantes que je suis libre de faire, je ne me sens pas libre. Et si je ne me sens pas libre, je ne suis pas libre.

Et je ne me suis pas senti libre, se garda d'ajouter Willing, *depuis que toi et ceux de ta clique m'ont implanté ce morceau de métal dans le cou.*

— Et pourquoi le gouvernement américain aurait quoi que ce soit à foutre de ce que tu ressens ? chargea Goog.

— Parce que c'est tout ce qui compte, même pour lui ! contra Willing. Si on a le sentiment que vivre ici, c'est de la bouse, alors qu'est-ce qu'on cherche à préserver et à protéger ? Il sert à quoi, ce pays ?

— C'est la question la plus débile que j'aie jamais entendue, railla Goog. Cette soirée part sérieusement en vrille. Je crois que je vais me rentrer.

— Dis-moi, le bancor, quand exactement va-t-il devenir sans numéraire ? demanda Savannah.

— L'annonce sera faite la semaine prochaine. Ça sera la fête, au bureau. Champagne et gâteau.

— L'argent liquide, il perdra sa valeur du jour au lendemain, par décret ? insista Savannah.

— Ce sera la même chose que pour l'introduction du dólar nuevo. Les gens auront un mois pour convertir leur argent. Après quoi, oui, les bancors numéraires n'auront plus cours légal – nulle part. Ça va être fascinant. Tous ces fonds qui vont soudain surgir sur les puces des fauchés d'autrefois. Entre les charges, les pénalités et les arriérés d'impôts, c'est une manne historique pour le Bureau. Ou, comme Wilbur l'a si noblement souligné, pour tout le monde. Pour le pays.

— Mais pourquoi les gens déposeraient sur leur puce tous ces bancors du marché noir, si vous allez tout leur prendre ? demanda Savannah.

— Parce qu'ils pourraient en conserver une infime partie plutôt que tout perdre, et mon expérience professionnelle me fait dire que vous autres, contribuables, n'êtes que des voyous cupides qui essayez de palper tout ce que vous pouvez, répondit Goog. Mais pourquoi ça t'intéresse tant ?

— C'est juste histoire de parler, répliqua Savannah en croisant les bras sur sa poitrine.

— Dans cette ville, il y a plein d'étrangers bourrés de fric en quête de *divertissement*, dit Goog. Dis-moi, on ne te paierait pas des fois en monnaie internationale ?

— Naturellement, si jamais ça arrivait, je ferais un dépôt immédiat sur ma puce ! assura Savannah, le souffle court.

C'était une pitoyable menteuse.

— J'en suis sûr, répliqua Goog. Moi, je ne suis pas payé des mille et des cents, mais tout est réglo. Où je bosse, non seulement je dois être irréprochable, mais toute ma famille aussi. Alors, je vais mettre une alerte sur ta puce. Et à la moindre augmentation soudaine de revenus, on vérifiera.

Sur cette note joyeuse, Goog quitta la soirée, emportant le reste du cognac.

3

Sortie de l'engourdissement :
tirer sur quelqu'un, partir, ou les deux

APRÈS UNE SOIRÉE « tous assis par terre à piocher à même des bols », l'avantage, c'est qu'il ne fallait que quelques minutes pour ranger. Fifa était allongée sur le tapis, dans les vapes. Willing posa une couverture sur elle. Elle devait se lever trois heures plus tard pour installer des poignées de douche à Windsor Terrace.

— Je t'ai trouvée bien silencieuse, après le départ de Goog, dit Willing.

— Mmm, grogna Nollie, en essuyant le saladier en acier inoxydable.

— J'ai repensé à l'époque où tu t'es installée à East Flatbush. Je n'ai pas le souvenir de t'avoir jamais vue à court d'argent.

— Mmm.

— J'ai fait quelques recherches. Tes autres livres ont marché moyen. Mais *Mieux vaut tard* s'est vendu à des millions d'exemplaires.

Pas même un nouveau grognement. Maintenant, le saladier brillait à en faire mal aux yeux.

— Tu as rapporté des bancors de France, poursuivit-il, obstiné. Cet « ancien petit ami » auquel tu rends visite à Flushing. Qui que ce soit, cette personne monnaie des devises sur le marché noir.

Nollie s'arrêta d'essuyer et regarda son petit-neveu, les yeux écarquillés.

— Ce truc ne peut pas entendre ! s'exclama-t-il. J'ai fait des tests. J'ai dit à voix haute dans ma chambre : « J'ai des sources secrètes de revenus dont le Scab ignore tout », et il ne s'est rien passé !

— Très bien, dit-elle à contrecœur. Mais mes finances ne regardent que moi.

— J'essaie seulement de t'aider. Quoi qu'il te reste, si tu le déposes, tu seras taxée plein pot, et ils vont te cuisiner. Tu encours des poursuites. Aujourd'hui, détenir des bancors est légal. Mais à l'époque où tu es passée avec à la douane, c'était une infraction criminelle. Ils pourraient utiliser ce motif pour tout te confisquer. D'un autre côté, tu as entendu Goog : passé la date butoir, du jour au lendemain, tout ton argent se transformera en confettis.

— Alors quoi, je devrais l'utiliser pour tapisser une cage de hamster ? Isoler le grenier ?

— Je sais que c'est contraire à ce que te dicte ton instinct. Mais les nouvelles dispositions relatives aux dépenses des individus non pucés n'entrent pas en vigueur avant janvier. Donc, avant l'annonce publique que le bancor va devenir non numéraire, ce qui aura pour effet d'inonder l'économie de bancors, et de faire baisser le taux de change pour les transactions en espèces. *Tu dois à tout prix le dépenser.*

Nollie finit par poser le saladier.

— Jusqu'à présent, j'ai réussi à passer inaperçue. Mais là, j'ai l'impression d'avoir le dos au mur. Tu n'es pas le seul à apprécier de faire quelques entorses à la loi sans qu'on te tombe dessus.

— Dans ce cas, dépense-le en faisant une entorse à la loi.

Nollie tortillait nerveusement le torchon sur lequel elle s'essuyait les mains.

— Vous, les jeunes, vous voulez de l'argent pour vous acheter des trucs. Pas seulement des vêtements et des bijoux, mais des expériences et des sensations fortes. Les vieux, ils veulent de l'argent pour une seule et unique raison : se sentir en sécurité.

— Tu n'aurais jamais assez d'argent pour te sentir en sécurité, répliqua-t-il d'une voix douce. L'argent en soi n'est pas sûr. On est bien placés pour le savoir.

— Et comment ! approuva-t-elle. Mais à quatre-vingt-dix ans, la *vie* n'est pas sûre.

— Justement. L'illusion de la richesse, c'est qu'elle peut te payer ce que tu veux. Ce qui est le cas, s'il s'agit, par exemple, d'une jolie robe. Mais tu ne veux pas de robe. Tu veux ne pas être vieille. On n'en a pas beaucoup parlé, mais tu ne préférerais pas que l'un de tes têtes brûlées d'amants soit resté auprès de toi ? Tu aimerais peut-être aussi être encore un écrivain célèbre, et ça non plus tu ne peux pas te le payer : il n'y a plus d'écrivains célèbres. Ou peut-être que tu aimerais écrire avec le même feu qui t'habitait quand tu as commencé *Mieux vaut tard* – une passion que personne ou presque ne peut conserver sur la durée. Tu veux les cheveux épais que tu avais sur les vieilles photos. Tu as beau prétendre le contraire, tu veux que les gens t'aiment. Tu veux ne pas avoir de cancer. Ce qui menace tout ce qui a de l'importance à tes yeux, ce n'est pas la fin de l'argent liquide, une dépréciation monétaire, la dénonciation de la dette, un effondrement économique, mais ton propre effondrement. À part t'offrir, par exemple, une bonne bouteille de vin, voire un poulet, tu ne peux pas acheter ce que tu veux vraiment.

— Vous les jeunes, vous croyez que ma génération a vécu dans une bulle totalement déconnectée de la réalité. Tu crois que je viens de découvrir que je suis vieille, et que je suis sous le choc ? Je ne suis pas stupide. Depuis que j'ai ton âge, j'ai lu des choses sur des « femmes âgées » qui se font cambrioler et violer chez elles, et une petite voix dans ma tête me dit : « Très bientôt, ma chérie, ce sera ton tour. » Je me suis toujours attendue à devenir une cible – faible, seule et sans défense. À croire que mes parents ont eu une prémonition en choisissant mon prénom. Tu avais remarqué ? *Enola*, c'est *alone* – seule – épelé à l'envers. J'ai eu une période dans ma vie, autour de la quarantaine, où j'ai eu l'opportunité de me constituer quelques réserves que j'ai mises de côté, en vue d'un jour de pluie qui pouvait potentiellement durer des décennies : une mousson, mon changement climatique personnel. J'avais le sentiment de construire un véritable rempart. Si les murs de billets que je montais étaient assez hauts, les barbares ne pourraient pas les escalader. Ou, de façon moins métaphorique, je pourrais peut-être leur filer du fric pour qu'ils se barrent.

— Mais *si*, c'est complètement déconnecté de la réalité ! À ton âge, la principale menace, ce ne sont ni les violeurs ni les voleurs, ni les vagues de maraudeurs d'un nouveau Moyen Âge, ni quoi que ce soit d'autre provenant de l'extérieur. Tous les jours, tu es confrontée à l'ennemi à l'intérieur de toi. Et s'il y a bien quelque chose que tu ne peux pas acheter, encore moins que le reste, c'est la sécurité. Ça devrait te libérer ! De l'envie d'essayer de protéger ce que de toute façon tu vas perdre. Ça devrait te donner du courage.

— T'es culotté de parler de courage, riposta Nollie d'un ton amer, qui le blessa – il avait apporté beaucoup de soin à son laïus, et il trouvait qu'il s'en était plutôt bien sorti. C'étaient des salades, tout ce que t'as dit ? Ou t'étais sérieux quand tu disais que tu voulais devenir un dormant ?

— Oui, c'était sérieux. J'y songe.

— Donc, si je t'offrais de dépenser mes bancors pour te placer dans un coma artificiel pour cinq ans, tu serais partant.

En vérité, sa proposition était extrêmement tentante.

— Je ne comprends pas pourquoi ça te choque. Pourquoi cinq années de plus à torcher des culs vaudraient-elles mieux que cinq années à dormir ? J'adore dormir !

— Willing.

Les bras croisés, elle lui fit face, appuyée au comptoir, l'épinglant de son regard. Elle était si petite ; comment se débrouillait-elle pour paraître aussi intimidante ?

— Je ne joue pas souvent les vieux sages, à donner mon avis du haut de mon âge canonique. Mais écoute-moi bien cette fois. Ces quinze dernières années, tu t'es montré futé.

Débrouillard. Inventif. Désobéissant. Impossible à intimider. J'adorais te voir tenir tête à ce crétin de Lowell Stackhouse, qui avait trois fois ton âge. Tu as quelque chose de spécial. Désolée. Je n'ai plus la faculté de m'exprimer aussi clairement qu'avant. Trop de neurones sont partis en sucette. Trop de gnôle maison. Mais ce quelque chose de spécial et de vivant, c'est ce que les auteurs de fiction comme moi – les anciens auteurs de fiction comme moi – essaient encore et toujours de coucher sur la page. Sans jamais y parvenir. Ça ne signifie pas que ça n'existe pas, seulement que c'est impossible à saisir, comme ces abominables papillons de nuit qu'on ne réussit jamais à attraper. Même à la Citadelle. Tu travaillais si dur. Tu avais le goût de l'effort. Tu labourais les champs comme un bœuf, et ce quelque chose de spécial en toi s'est épanoui. Mais depuis que tu t'es fait poser cette puce, tu es devenu gris. T'es devenu comme tous les autres. Le garçon que je connaissais en 2030 n'aurait jamais gaspillé les ressources de sa grand-tante pour se payer des années de *sommeil*.

— Je doute que la puce m'ait abîmé le cerveau de la façon dont tu le sous-entends. Ils ne sont pas assez intelligents pour arriver à ça. La puce n'a probablement qu'une finalité comptable. Même si c'est une finalité comptable qui m'empêche de traverser la rue quand ce n'est pas à moi de le faire.

— Truander, acquiesça Nollie, c'est réparateur. Ça permet de préserver sa dignité. Transgresser une règle par jour éloigne le médecin plus sûrement qu'une putain de pomme.

— À la Citadelle, dans les champs, on avait beaucoup de temps pour se parler. Avery m'a raconté à quel point c'était dur pour les patients cancéreux de guérir. Elle disait que quand on est atteint d'une maladie grave, survivre jusqu'au lendemain est une victoire. Lorsqu'on a recouvré la santé, être en vie n'a plus rien d'un triomphe. Elle disait que les patients sombraient souvent dans la dépression, pas pendant la chimio, mais après, une fois qu'ils s'en étaient tirés. Pour moi, les années 30 étaient *meg* excitantes. Tous, on a failli mourir. Des tas de fois. Quand on n'a plus eu accès au fleX pendant le périple jusqu'à Gloversville, et qu'on a dû compter sur Esteban, et sur la carte papier que j'avais volée dans une station de rechargement… On n'était pas sûrs de réussir. C'était déjà un miracle que cette station de rechargement ait eu une carte papier ! Carter pouvait à peine marcher, à cause de ses genoux. Bing avait le pied des tranchées, à cause de la balle dans sa chaussure et de ses chaussettes mouillées. Et quand on est arrivés jusqu'à cette allée en terre et qu'on a trouvé cette minuscule étiquette sur la boîte aux lettres indiquant « Citadelle »… On a *fondu en larmes*. Mais aujourd'hui, ce surplace, c'est oppressant. Pas d'horizon, pas de direction, et pas de menace non plus. Il ne me reste peut-être pas grand-chose sur mon salaire, mais on va sûrement s'en tirer, même avec tes bancors. Et une partie du problème est là. Dans ce « moyen bof » qu'on vit. Ce rien d'autre que du moyen bof. Avec ou sans puce, il n'y a plus rien d'excitant.

— Dans ce cas, annonça Nollie d'un ton résolu, on ne va pas se payer de la sécurité. Mais de l'excitation !

Le lendemain après-midi, Willing se rendit compte, ainsi qu'il en avait déjà fait l'expérience enfant, que l'excitation ultime ne coûtait pas un radis.

— Tu rentres bien tôt, dit Nollie en fronçant les sourcils. T'as démissionné, tu t'es tiré ?

— Non, c'est moi qui ai tiré, répondit-il, le souffle court. Ce n'est pas une construction pronominale.

— Qu'est-ce que tu racontes ?

— Je n'ai jamais vraiment cru que ça pouvait arriver à Elysian, ajouta-t-il, arpentant la pièce.

Il était tout débraillé. Dépenaillé comme quand on est resté planqué dans une armoire.

— Il ne se passe jamais rien là-bas. Même quand les gens meurent, c'est un non-événement. C'est prévu. *Idem* quand ils ne meurent pas. C'est prévu aussi. Je l'ai sur moi depuis mes seize ans. Comme une sorte de fétiche, si tu veux. Une forme de dépendance. Et je ne suis pas le seul. Toi, t'as besoin d'argent pour te sentir en sécurité, mais moi, je n'ai pas confiance en l'argent. Après que toute notre famille, sous la menace d'une arme, s'est fait mettre dehors de chez elle à minuit sous la pluie, j'ai eu besoin d'une arme. J'aime l'idée, comme tu disais, que c'est une transgression. Pour la plupart des gens, porter une arme est une meg mauvaise idée. Ils pensent que la Cour suprême a bien fait. Mais pas moi. C'est une meg bonne idée d'avoir une arme.

— Malheureusement, ce n'est pas ce que tout le monde pense, répliqua Nollie. Et maintenant, calme-toi. Raconte-moi ce qui s'est passé.

— Je ne sais pas si je l'ai tué.

— Excellent début pour une nouvelle ! Mais même pour un format court, il faut un peu plus d'éléments.

— Je ne le connais pas bien, ce type.

Willing se força à se calmer et à s'asseoir sur le canapé.

— Un peu plus âgé que moi, trente-cinq ans peut-être. Il fait – faisait – partie du personnel. Mais même s'il s'en sort, Elysian a un motif réel et sérieux pour le licencier. Il avait toujours l'air de manquer de sommeil. Il a probablement un boulot de nuit aussi. Je lui ai parlé la semaine dernière, au déjeuner. Il a sa sœur à charge, c'est une gréviste. Il renfloue le compte de dormant de son frère cadet, parce que c'est moins cher de le garder dans un entrepôt à dormir que de l'avoir à sa charge comme chômeur. Il s'appelle – s'appelait – Clayton. Sa femme était tombée enceinte. Tous les deux voulaient vraiment ce bébé. Mais ils étaient coincés ; ils n'avaient pas du tout les moyens de le garder. Elle vient de se faire avorter. Il était anéanti. En y repensant, j'imagine qu'il était à cran. Mais ces « signes avant-coureurs » qu'on est censés voir, ils ne semblent évidents qu'*a posteriori*. Sur le moment, être stressé, en colère, se débattre dans des problèmes de fric, ne plus supporter de s'occuper des vieux, tous ceux que je connais sont là-dedans.

— Ton ami Clayton a fait un carton dans la maison de retraite.

Nollie n'était pas médium. Les fusillades étaient devenues monnaie courante.

— Je ne sais pas où il s'est procuré l'arme, mais cette amnistie des années 30, c'était une vaste blague.

— À vue de nez, combien de morts ?

— J'en sais rien. Il a commencé par les légumes, donc le chiffre doit être plutôt élevé. Je suis sûr que sur Internet, on peut déjà trouver des comptes rendus qui font état de dix à cent quarante victimes. Comme d'hab.

— Tu l'as descendu.

— T'es impressionnée ?

En réalité, Willing était sous le choc. Depuis quinze ans, le Shadow avait été comme une mascotte – tout à la fois compagnon et porte-bonheur, sorte de version métallique de Milo. Willing en avait presque oublié sa fonction première, un peu plus radicale que de rester dans une poche ou un tiroir.

— En fait, ce qui m'impressionne, c'est plutôt que tu ne l'aies pas laissé faire. Ta mère m'avait dit que tu préconisais de « mettre une balle » à Luella bien avant que mon père lui en fasse les honneurs. Elle s'inquiétait que tu aies pu ensuite éprouver des remords d'avoir dit ça.

— Ça n'a pas été le cas.

— Fifa n'approuvera pas. Je suis sûre qu'elle pensera que tu aurais dû lui prêter main-forte.

— J'avais une ligne de mire dégagée depuis la porte entrouverte du placard où je me cachais. Cette opportunité n'allait pas durer éternellement. J'ai dû prendre une décision en une fraction de seconde. Je crois que je l'ai seulement touché à l'épaule. Un aide-soignant l'a plaqué au sol quand il s'est effondré. J'ai profité du bordel qui a suivi pour m'éclipser. Le problème, c'est que…

— Je te sens gonflé à bloc ! Avec plus d'énergie que je t'en ai vu depuis des années.

— Alors, la voilà, la réponse. Tirer sur des gens.

— Ça peut être un début.

— Il est possible qu'on m'ait vu. Cet aide-soignant m'a peut-être vu tirer.

— Dans ce cas, tu seras un héros.

— Je ne veux pas avoir à remettre le Shadow à la police. Je n'aurais pas dû dire que je l'avais.

— On pourrait le cacher, suggéra Nollie. Tu pourrais dire que tu l'as jeté dans l'East River, dans une sorte de réaction de révulsion imputable au stress post-traumatique. On pourrait mettre au point une histoire sur la façon dont tu l'as découvert dans la maison, où il avait été laissé par des squatteurs. Dire que tu as toujours eu pour projet de le remettre à la police. Mais regarde-toi. La tête que tu fais maintenant. Tu ne veux pas de ma petite histoire. Cette sensation d'urgence t'a manqué. Tu aimes l'idée d'avoir à prendre la fuite.

Elle le connaissait bien. Et il en avait autant à son service. Alors, ils se mirent à parler de ce qu'ils avaient évoqué à mots couverts la veille au soir.

— J'ai suffisamment de bancors pour acheter une super belle voiture, dit Nollie. Cette fois, on n'aurait pas à faire la route à pied.

Quasiment plus personne n'achetait de voiture aujourd'hui. Les grandes métropoles américaines comme New York ressemblaient davantage au Shanghai du milieu du xxe siècle qu'à la métropole futuriste et trépidante des *Jetson*. Dans un silence étrange, une multitude de vélos électriques fourmillaient autour des bus publics comme des abeilles autour d'une reine.

— Je suis pucé, lui rappela-t-il. Ils peuvent me localiser partout où je suis.

— S'ils s'en donnent la peine. Autrement dit, si tu étais le tueur fou d'Elysian et que tu avais pris la fuite, oui, tu aurais un problème. Mais dans l'histoire, c'est toi le gentil. De ce que j'ai compris, la police doit faire appel au Scab pour utiliser leurs satellites, et le Scab la joue plutôt perso.

Soit, en dépit de la conviction de Fifa qu'ils vivaient dans un État policier, les pouvoirs dont disposait la police étaient étonnamment restreints. Le FBI n'était guère plus qu'un site Web. Les fans de ciné adeptes des thrillers classiques comme la trilogie des *Jason Bourne* devaient être déroutés par cette mythique organisation démoniaque appelée CIA, qui ne fomentait plus ni assassinats politiques ni coups d'État aux quatre coins du monde, et dont le siège à Langley, selon Avery, avait été repris par une chaîne de discounteurs du Pendjab. (Dans quantité de films et de séries étrangères réalisés dans les années 30, les Américains tenaient souvent des rôles de méchants : magouilleurs de la Réserve fédérale cherchant à escroquer d'innocents investisseurs au moyen d'obligations dont ils savaient parfaitement qu'elles perdraient bientôt toute valeur, ou financiers véreux qui avaient échappé aux chamboulements économiques de l'époque en prenant la fuite avec des capitaux acquis frauduleusement. Mais dans les divertissements coréens et vietnamiens de la décennie actuelle, les personnages américains étaient généralement des figurants – bouffons incompétents ou malchanceux dont on se moquait.) *A contrario*, les pouvoirs du Scab étaient on ne peut plus réels et véritablement illimités.

— Est-ce même possible ? demanda-t-il. De simplement ne pas se pointer au boulot… et de partir ? Où on veut ? Sans demander d'autorisation, sans remplir de formulaire ni avertir un quelconque officiel ?

Nollie eut un sourire peiné.

— Autrefois, les gens, au volant de leur voiture, partaient pour des semaines. Ils traversaient le pays. S'arrêtaient là où ça leur chantait. Faisaient ce que bon leur semblait. On appelait ça les vacances. C'était l'époque où les salariés avaient des vacances. Mais que des jeunes comme toi pensent qu'il leur faut une autorisation pour partir à l'aventure, qu'il est illégal de démissionner d'un boulot abêtissant sans demander l'avis de personne – rien que ça, ça justifie amplement de partir.

— Mais si c'est vrai… pour la puce ? Toi, tu pourrais passer. Pour moi, ça équivaudrait à un suicide.

— Soit tu passes ta vie à dormir ou à torcher des culs, soit tu prends ce risque. Que j'évalue à environ cinquante-cinquante. Soixante-quarante, peut-être, rectifia-t-elle.

— Et on irait où ?

— Qu'est-ce que ça change ?

— Je vais demander à Fifa de partir avec nous.

— Bien sûr. Même si... elle est surtout douée pour parler...

— Je sais, acquiesça Willing d'un air triste.

— Sortons. On a une voiture à acheter. Et comme ça, si quelqu'un se pointe ici pour voir le sauveur d'Elysian Fields, il se cassera le nez.

Statistiquement, les gens ont plus d'états d'âme quand il s'agit d'acheter une paire de chaussures qu'une maison. En l'espèce, Willing avait pris deux des plus grandes décisions de sa vie sur un coup de tête vertigineux. Il lui avait fallu moins d'une seconde pour décider de stopper son collègue dans sa détermination à abréger les souffrances des résidents d'Elysian et d'abréger celles de Clayton. Il lui fallut moins de cinq minutes pour décider de se rendre passible de haute trahison.

En revenant de chez le concessionnaire, ils firent un crochet par chez Fifa. Comme la plupart des jeunes de sa génération, elle vivait chez ses parents. Willing et elle étaient convenus de se voir ce soir-là entre ses poses de barres à douche et son heure d'embauche à l'usine de sandwichs (le concept de week-end de repos avait disparu). Elle fut soulagée d'avoir de ses nouvelles. La fusillade à Elysian faisait déjà les gros titres des infos – même si le reportage était succinct, car les échauffourées dans les maisons de retraite étaient devenues habituelles. Pour leur laisser un peu d'intimité sur le perron de chez Fifa à Brownsville, Nollie resta dans la Myourea – « oiseau-tonnerre » en Khmer, une importation cambodgienne très prisée. Les courbes douces de ce modèle à hydrogène, combinées aux nuances bicolores bleu canard et crème de sa carrosserie, attiraient les regards admiratifs.

— Tu veux dire, genre, là maintenant tout de suite ? demanda Fifa, incrédule, quand il eut fini de lui expliquer son projet.

Elle avait mauvaise mine, et elle aurait bien eu besoin d'une douche. Elle semblait avoir la gueule de bois.

— Demain. On doit d'abord rassembler quelques affaires. Je doute qu'on quitte la ville avant l'après-midi.

— Oh, mais alors, ça change tout ! répliqua-t-elle, caustique.

— Ça ne tombe pas du ciel. Ce n'est pas comme si on n'en avait pas déjà parlé. D'ailleurs, tu trouvais ça féroce. « La dernière frontière », comme on disait. Être les colons des temps modernes.

— C'était pour rire. Tu n'as aucune idée de comment ça se passe là-bas. Sur le Web, tous les récits se contredisent, et on n'en trouve aucun de gens qui vivent dans l'État libre. Si tant est que quelqu'un y vive. Toute la population aurait pu être ensevelie sous le sable du désert après des essais de bombe A à Yucca Flats sans que personne en ait entendu parler.

— Ça me plaît, justement, qu'on ne sache rien, rétorqua-t-il. Notre avenir dans les vieux États-Unis, c'est du *connu*. Et du connu qui ne me plaît pas.

— Ça ne tient pas la route. J'ai vu des photos de la frontière. C'est pire que le mur du Mexique le long du Rio Grande. Le mur est meg haut et épais, et il grouille de soldats armés. Comment tu comptes passer, même si tu réussis à traverser le champ de mines qui y mène ?

— Je verrai bien quand j'y serai. Toutes les armures ont des fentes. Et apparemment, il y aurait une route souterraine.

— Willing, la plupart de ce qu'on peut lire sur le Web n'est qu'un ramassis de financeries ! T'as déjà croisé une vraie personne sur cette « route souterraine » ?

— Soit. Mais des gens ont réussi à passer, ajouta-t-il d'un ton déterminé.

— Tout ce dont tu peux être sûr est que des gens ont disparu. On peut disparaître sans réapparaître nulle part. D'ailleurs, à ce propos, t'as des nouvelles de Jarred ?

— Non, mais ils empêchent les communications de passer. Je doute que Jarred soit même en mesure de lancer un avion en papier dans ma direction, alors un fleXt...

— Et tu crois que tout ce qu'on raconte sur la fonction d'autodestruction de la puce, ce sont des financeries. Pourquoi ce serait le cas ? T'as entendu Goog comme moi. Toute une unité du Scab, il a dit. Et t'as pas l'impression que c'est exactement ce pour quoi ils ont programmé ta puce, si jamais tu avais l'impertinence d'arrêter de courber l'échine, et l'ingratitude de vouloir partir de *la plus grande nation sur Terre* ? Ces gens sont les plus grands connards de l'univers ! C'est meg probable qu'ils préféraient te voir mort plutôt que te laisser d'affranchir de tes chaînes.

— Je préférerais être mort, se surprit-il à dire, plutôt que de rester ici. Ce n'est pas seulement à cause des impôts. C'est ce que j'essayais d'expliquer hier soir. C'est cette sensation de lourdeur. Je me sens observé. Je paie, d'ailleurs je n'ai pas le choix. C'est de la bouse, le peu qu'il me reste, mais ce n'est pas ça qui me fout dedans. J'ai tout le temps l'impression d'être un criminel. Alors que je fais tout ce qu'on attend de moi. Ça me rappelle ce que ma mère me racontait à propos de la sécurité dans les aéroports – même si moi, je n'ai jamais pris l'avion. Elle disait qu'on avait toujours l'impression de faire quelque chose de mal. Même quand t'enlevais tes chaussures, que tu retirais ton « portable » et que tu avançais, bras levés, dans un scanner corporel, comme pour te rendre. Moi, j'ai cette impression quand je ne fais que marcher dans la rue.

— Évidemment, répliqua Fifa, impatiente. Ça s'appelle le « terrorisme ». Qui n'est pas seulement le fait de fous de Dieu. C'est un instrument d'État. On fait des exemples sur une poignée de gens et, par un effet multiplicateur, ça fout une trouille bleue à tout le monde. Le terrorisme permet de faire des économies. Le Scab est une organisation terroriste, comme l'était l'IRS – c'est juste que l'ancienne dénomination n'avait pas la capacité à nous entuber autant. Rien n'a changé.

Il voulut essayer autre chose.

— Mais toutes les entreprises sont détenues par des étrangers. Même les vieux parcs nationaux. Elysian Fields est la propriété d'un grand groupe du Laos. À moins d'être médecin ou chercheur dans l'industrie pharmaceutique, les seuls boulots disponibles sont les bouses qu'on fait, toi et moi. Qu'est-ce qu'on peut espérer ? Et ceux de la génération de ma tante Avery et de mon oncle Lowell – ou tes parents –, tout ce qu'ils font, c'est raconter à quel point c'était génial avant et que c'est de la bouse maintenant. Alors pourquoi ne pas venir avec moi ? Ne serait-ce que pour l'aventure. Le pire qui puisse se passer, c'est qu'on arrive là-bas, qu'on ne puisse pas entrer, et qu'on doive faire demi-tour.

— Ce n'est pas le pire. Le pire, c'est qu'ils te jettent en prison pour *tentative* de désertion. Et quant à travailler pour des étrangers… toutes ces prisons commerciales sont aussi la propriété d'Asiatiques, et ils te font trimer comme des chiens, même pas pour 23 % de ton salaire, mais pour zob. T'as pas la moindre idée du risque que tu prends.

Les bravades de Fifa avaient toujours sonné creux. Willing et elle sortaient ensemble depuis trois ans. Le plaidoyer vibrant de Willing était un passage obligé, tout comme celui de Fifa.

— La fusillade d'Elysian, ça t'a secoué. C'est compréhensible. Tu as frôlé… Enfin, bon. Normal que ça t'incite à une sorte de retour sur toi. Je suis heureuse que tu sois sain et sauf, mais Nollie a raison : je crois que t'aurais dû le laisser finir ce qu'il avait commencé. Il accomplissait l'œuvre de Dieu. Mais que ça t'ait chamboulé ne signifie pas que tu doives faire quoi que ce soit d'insensé…

— Être acteur de ma vie, l'interrompit Willing. C'est ce que j'ai senti cet après-midi. Que je pouvais faire quelque chose. Aux États-Unis, « faire quelque chose » signifie généralement tirer sur quelqu'un ou partir ailleurs. J'ai lâché le lycée. Je ne suis pas calé en histoire américaine. Cela dit, je sais que depuis très longtemps, on n'a plus de territoires à conquérir, et le programme spatial a été stoppé car trop cher. Ça n'a plus jamais été la même chose depuis qu'il n'y a plus nulle part où aller. Mais on peut partir ailleurs en allant en arrière.

— Brutal ! s'exclama Fifa. D'abord, t'as pour projet de te faire descendre en franchissant le mur pour entrer aux USN. Et maintenant, c'est le voyage dans le temps.

— Oui. Je ne suis pas tout à fait sûr, mais je crois bien que le Nevada, c'est un voyage dans le temps.

Quand ils se séparèrent, il lui remit un trousseau de clés.

— Prends la maison.

— Et il se passe quoi si tu retrouves tes esprits et que tu fais demi-tour à cent cinquante kilomètres de Las Vegas ?

— Alors je ré-emménagerai, et tu pourras rester, et on découvrira si le malheur apprécie vraiment la compagnie.

Il l'embrassa.

— Tu vas me manquer.

— Pas autant que tu le crois, répliqua Fifa, d'un ton désinvolte. J'ai toujours joué les doublures pour ta vraie copine.

— Qui ça ?

— La vioque dans la belle bagnole garée à l'ombre.

— Qu'est-ce *qu'il* fiche ici ? demanda Nollie, irritée.

Dans la chaleur rare du milieu de l'été, ils avaient ouvert la porte d'entrée, laissant la moustiquaire fermée. Après plusieurs instaurations de la loi martiale dans la seconde moitié des années 30, les villes américaines avaient restauré la protection de la propriété et imposé l'ordre civique. New York avait un taux de criminalité étonnamment bas. Pour la majeure partie de la population, les scélérats réellement dangereux étaient les gardiens de l'ordre hyper zélés – et l'un d'eux se tenait justement sur leur perron.

Goog les voyait à travers la moustiquaire, occupés à empiler des bagages dans le salon. Impossible de faire comme s'ils n'étaient pas chez eux. Et ne pas inviter un parent proche à entrer aurait été bizarre.

— Vous allez quelque part ? demanda leur visiteur en regardant les sacs.

— Un petit circuit, répondit Nollie d'un ton brusque. Voir les sites de notre beau pays. Inspirés par le 4 Juillet.

— Quels sites ? fit Goog, sceptique. Les bridés les ont presque tous rachetés.

— Ils n'ont pas posé de chapeaux chinois sur le Mont Rushmore, que je sache. Pas encore.

— Alors, quoi de neuf ? interrogea Willing, d'un ton qu'il voulait désinvolte, mais qu'il n'arrivait jamais à feindre.

— J'ai entendu parler du ramdam à Elysian, répondit Goog. Il semblerait qu'un valeureux employé soit intervenu, empêchant que le carnage soit pire encore.

— Je ne suis au courant de rien, dit Willing. Je suis resté tout le temps planqué dans un placard. Et j'ai profité que les tirs se sont calmés pour me barrer.

C'était pénible, de jouer sur le mépris que Goog éprouvait à son égard, mais il n'avait aucune raison de se soucier de ce que pensait son cousin.

— Curieux, dit Goog. Alors je suppose que l'administration a été mal informée. Car ces pauvres hères à Elysian recroquevillés par la peur ont beau vouer une reconnaissance éternelle à ce Bon Samaritain, il semble que celui-ci soit le détenteur d'une arme illégale. La police de New York a fait appel au Bureau pour qu'on procède à des recherches. J'ai vu passer ton nom.

— Ce n'est pas moi, ce Bon Samaritain ; il y a erreur sur la personne, dit Willing avec une fausse humilité un peu exagérée.

— Je te fais une faveur, mec. J'ai pensé qu'on pouvait régler tout ça en famille. Remets l'arme à la police – et on sait tous les deux qu'il s'agit de ce 44 que tu dégainais tout le temps à la Citadelle dès qu'un routard maigrichon s'approchait de tes précieuses patates. Grâce à ta participation dans la fusillade d'Elysian, je suis sûr que je peux obtenir des flics qu'ils lâchent l'affaire. Ils veulent juste récupérer le flingue.

Jamais Goog ne marcherait à l'histoire concoctée par Nollie d'une arme abandonnée par des squatteurs ; Willing était présent à Prospect Park quand le Shadow avait causé les deux décès si centraux dans l'histoire de leur famille. Jamais il ne croirait non plus que Willing ait balancé son précieux compagnon de route dans l'East River. Willing réfléchissait à la meilleure stratégie à adopter quand le regard de Goog fut attiré par un carton posé par terre.

— « Matière morte », lut Goog sur le carton, et un déclic se fit dans sa tête. Les seules fois où je t'ai vue traîner ce carton crasseux, tatie, c'est quand tes voyages étaient des allers simples.

— Je suis vieille, fit valoir Nollie. Et je commence à avoir mes petites manies. Certains écrivains voyagent avec leur stylo-plume porte-bonheur. Moi, j'ai besoin de mes manuscrits.

— Ça fait bien trop de saloperies à traîner jusqu'au Mont Rushmore, dit Goog. Et cette nouvelle Myourea devant, c'est la tienne ?

— J'ai tendance aussi à faire un peu ce qu'il me passe par la tête, ajouta-t-elle. Tu sais comment c'est, avec la démence sénile. On devient irrationnel. Impulsif. À faire n'importe quoi de notre fric.

— En parlant de fric, justement : d'où il vient ?

Jamais Goog ne laissait son travail au bureau.

— Je l'ai gagné, répondit Nollie avec ferveur. J'ai eu une bonne idée, j'ai travaillé très dur pour la concrétiser, j'ai payé des impôts sur les fruits de mon travail – plutôt élevés, d'ailleurs, ces impôts, du moins c'est qu'il me semblait à l'époque –, et aussi improbable que ça puisse te paraître, après, j'avais encore deux, trois sous devant moi.

Un scénario que tout employé du Scab digne de ce nom aurait naturellement trouvé des plus irréguliers. Mais, pour une fois, ce n'étaient pas les malversations fiscales qui enflammaient l'imagination étriquée de Goog.

— Tu aurais pu te dégotter un U-pod pour une fraction seulement du prix. Les vieilles dames n'achètent pas de berlines à hydrogène dernier cri pour jouer les touristes quelques jours.

— La dernière fois que j'ai vérifié, il était légal de traverser en voiture *le pays de la liberté* sans être muni d'un sauf-conduit délivré par son petit-neveu.

— C'est légal à une exception près. Si j'ai le moindre soupçon que vous envisagez de déserter pour les USN, vous aurez l'interdiction de partir.

Willing excellait dans l'art de l'impassibilité. Nollie, nettement moins. Et pour couronner le tout, son fleX était déployé sur la table basse, avec le trajet jusqu'à Reno déjà programmé dans l'application GPS ouverte. Dommage qu'elle ne procède pas aux mises à jour. Dans les dernières versions de Google Maps, une recherche sur « Nevada » retournait le nom d'une rue à Greenwich, en Angleterre. L'État lui-même avait disparu.

— Wilbur, je le savais ! s'exclama Goog, victorieux, avec un coup d'œil au fleX. T'es bien le genre, vu comment tu te la racontes, comme si t'avais une ligne directe avec Jésus ou je ne sais quelles voix que t'entends dans ta tête depuis que t'es môme. T'étais déjà un gamin inadapté. Typiquement la sorte de looser à vendre son âme à la Scientologie – puisque ce soi-disant *État libre* n'est qu'une autre de ces sectes marginales pour gogos. Et à t'entendre comme larrons en foire avec ce givré d'agitateur de Jarred. Pas étonnant que t'aies marché dans les pas de ce barge, à chercher le paradis des drogués *over the rainbow*. Désolé de te faire redescendre sur terre, mais je mets une alerte sur ta puce. Les drones du Bureau descendront du ciel comme le gentil papa Noël et te tomberont dessus à la seconde où tu quitteras le territoire de notre bien-aimé pays. Quant à toi, ajouta-t-il en se tournant vers Nollie, tout complot visant à passer aux USN constitue un motif légal pour l'implémentation contrainte d'une puce. Si j'étais toi, je commencerais à me raser la nuque.

— Ça tombe bien, répliqua-t-elle, mes poils se hérissent déjà tout seuls.

— Plus tard, vous me remercierez. Aucune nonagénaire souffrant du syndrome de la page blanche n'aurait jamais réussi à escalader un mur mille fois plus sophistiqué que le Mur de Berlin. Quant à ta tête, Wilbur, elle aurait explosé comme une pastèque à l'instant où tu aurais franchi la frontière.

— Ah bon ? J'imagine qu'on va bientôt le découvrir.

Willing devait reconnaître qu'il se sentait assez yeurk, à pointer son Black Shadow X-K47 sur son cousin. Ce devait être une vaste blague. En même temps, en quelques secondes, il venait de changer d'une façon assez peu réversible la tournure qu'avait prise cette discussion. Quand on pointe une arme sur quelqu'un, il n'y a pas vraiment d'autre solution que de continuer à la pointer sur lui. Ce n'est pas tellement possible de la remettre dans sa poche et de recommencer à parler calmement de ses projets de voyage.

— Joue pas au con, dit Goog, avec un léger tremblement dans la voix. Je ne suis pas seulement ton cousin, ce qui manifestement ne signifie pas grand-chose pour toi...

— Ni pour toi, fit valoir Willing.

— Je suis aussi un agent du Scab. – Glissement sémantique intéressant. – T'as la moindre idée de ce que tu risques si tu descends quelqu'un du Bureau ?

— Rien de pire, estima Willing sans trop d'efforts, que si je ne te descends pas. Entre trimer à Elysian pour presque rien et trimer dans une prison externalisée pour rien du tout, quelle différence ? Négligeable.

— Je vous ai fait une fleur en venant, souffla Goog entre ses dents.

— Quelle attention *désarmante*, railla Willing. Ça t'a toujours foutu en rogne que Jarred ne te fasse pas suffisamment confiance pour te filer une arme.

— Mais qu'est-ce qu'on va faire de lui ? demanda Nollie.

— On pourrait l'attacher, suggéra Willing. Mais il y a l'eau et la nourriture à prendre en compte. C'est peu probable, mais il pourrait peut-être nous servir à quelque chose. Et c'est vraiment le dernier cadeau de crémaillère que j'ai envie de faire à Fifa.

— C'est de la folie ! s'exclama Nollie. Tu veux dire qu'on est obligés d'emmener ce connard avec nous ? Dire que je me faisais une joie de ce voyage.

4

This'll Be the Day That I Die (tutti)

— LE MODE MANUEL, c'est uniquement pour les situations d'urgence, rappela Willing.

— Tu te souviens de ce que j'ai dit sur la transgression des règles et la préservation de la dignité ? demanda Nollie en se glissant péniblement dans ce que plus personne n'appelait le « siège conducteur ». Ça compte double pour ce qui est de conduire sa putain de bagnole.

— S'il y a encore des accidents aujourd'hui, c'est uniquement parce que des gens de ton âge insistent encore pour conduire. On a un trajet de plus de quatre mille kilomètres !

— Tu veux conduire ?

— Je ne sais pas conduire.

— Personne ne sait plus conduire. C'est pitoyable.

Willing avait toujours apprécié l'obstination de sa tante. Aussi, il pouvait difficilement lui reprocher de passer outre son avis. Dans le siège à côté d'elle, il s'efforça de réprimer l'anxiété qui le gagnait. Toute cette entreprise avait des allures d'aller simple suicidaire jusqu'à la falaise d'où ils feraient le grand plongeon. Il en arrivait presque à souhaiter que cette expédition se termine prématurément par un accident sur l'autoroute.

Ils se mirent en route, leur otage sur le siège arrière, privé de son fleX, les poignets gracieusement attachés devant lui plutôt qu'inconfortablement dans le dos. Ils avaient autorisé

Goog à exprimer son désaccord avec véhémence en énumérant les nombreux délits dont ils se rendaient coupables : enlèvement, séquestration et obstruction des fonctions officielles d'un agent fédéral. Pourtant, à mesure qu'ils retraçaient l'itinéraire suivi par leur famille en ce printemps froid et humide de 32 – Est sur Atlantic Avenue, Brooklyn Bridge, West Street –, même le captif se laissa gagner par les réminiscences. La seconde migration Mandible, à l'effectif restreint, était d'une rapidité incomparable par rapport à la première, effectuée à pied. Certes, il arrivait que des véhicules se rabattent sur la route sans prévenir (des crétins juchés sur des tricycles motorisés avaient depuis longtemps remplacé l'occasionnel cycliste comme cauchemar absolu de tous les conducteurs new-yorkais). Cependant, un PIB ras des pâquerettes avait fait des merveilles pour réduire le trafic automobile. La misère noire qui sévissait d'un bout à l'autre du pays avait, vers 2040, mis un terme à la prolifération des imposants SUV et à leur demi-siècle de suprématie hâbleuse sur les routes. Désormais, il était rare d'en croiser.

— Ils ne sont pas tous à la casse ! fit remarquer Willing tandis qu'ils en apercevaient un devant eux. Je ne sais pas comment ils se débrouillent pour trouver encore de l'essence.

— Le SUV est l'une des plus féroces inventions américaines de tous les temps ! rétorqua Goog, gonflé de fierté. J'adorais la Jaunt de ma mère. Quand la production s'est arrêtée, j'aurais fait des pieds et des mains pour me procurer le dernier modèle.

— Agressif, grossier et hideux, railla Nollie. J'imagine que les gens se reconnaissent entre eux grâce à leurs bagnoles autant qu'à leurs cabots.

Sous les roues de la voiture, les plaques métalliques du George Washington Bridge cliquetaient, et le pont oscillait légèrement.

— J'ai les jetons rien que de m'engager sur ce pont, dit Nollie.

— Sans blague ! s'exclama Goog. Ce machin rouillé n'a plus vraiment été entretenu depuis les années 1990.

— D'après Avery, les bâtiments fédéraux de Washington sont aussi complètement délabrés, renchérit Willing. Elle dit que la Maison-Blanche n'a de blanche que le nom. Quant au Congrès et au Lincoln Memorial, ils sont tous d'un jaune pisseux strié de traînées noires. Apparemment, des pans entiers du Washington Monument ne cessent de s'écrouler. Depuis qu'une chute de pierres a causé la mort accidentelle d'une fillette, impossible de s'approcher à moins d'une centaine de mètres du monument.

— Comme toujours, ma mère exagère, déclara Goog en ricanant. J'ai regardé des photos du Mall en ligne. Il est impec !

— C'est parce que ça coûte moins cher de poster des vieilles photos que de financer un nettoyage au Kärcher, affirma Willing.

Ils bifurquèrent sur l'I-95, avant de s'engager sur l'I-80 à Teaneck. L'humeur de Willing s'était très nettement améliorée. Il n'avait eu que de rares occasions d'aller dans le New Jersey, la plupart du temps avec Jarred, pour investir leurs bénéfices soumis à l'inflation galopante dans de l'équipement agricole durable. Outre New York, il s'agissait du seul État de l'Union dans lequel il s'était rendu. Dès qu'ils avaient atteint la Pennsylvanie, il avait eu l'impression d'arriver dans le meilleur des mondes. S'il s'agissait réellement des derniers jours de sa vie, ceux-ci s'annonçaient à coup sûr prometteurs.

Nollie brancha son fleX sur le système audio de la voiture, qui laissa s'échapper les harmonies de sa jeunesse : « Hotel California », « The Weight », et les paroles les plus yeurks que Willing ait jamais entendues dans une chanson dont le titre était « A Horse With No Name ». Elle mit Don McClean, J. J. Cale et Fleetwood Mac, jusqu'à ce que Goog s'écrie :

— Putain, Nollie ! Elle date de Cro-Magnon, ta bande-son ! Qu'est-ce que tu nous réserves ensuite, Vivaldi ?

— C'est moi qui finance ce voyage. En plus, c'est ma voiture, et mon road trip. *Ergo*, ma musique. T'es un otage, tu te souviens ? Alors, boucle-la.

En fait, ils y prenaient goût, à cette bande-son vieillotte. Quand ils arrivèrent à Stroudsburg, à la frontière de la Pennsylvanie, Willing tout comme Goog reprenaient à tue-tête « This'll be the day that I die », le célèbre refrain d'« American Pie ».

Compte tenu de l'heure tardive de leur départ, la première journée fut courte. Nollie conduit vaillamment – et bien inutilement, puisque la Myourea aurait pu se conduire toute seule – jusqu'à 21 heures, après quoi ils s'installèrent pour la nuit dans un motel miteux de Dubois. Le propriétaire n'était pas à proprement parler ravi que Nollie ne soit pas pucée – une puce l'aurait automatiquement couvert en cas de pertes si sa cliente de quatre-vingt-onze ans s'était pintée au Jack Daniel's et avait saccagé la chambre. Mais il accepta un paiement par fleX, pour renflouer un peu sa petite entreprise pas vraiment florissante.

Nollie envoya Willing chercher des plats à emporter pour leur dîner. Goog insista pour qu'ils prennent un vrai repas au restaurant, mais Nollie et Willing n'avaient pas très envie de se justifier en public de leur éventuelle prédilection pour le bondage. Goog fit des pieds et des mains pour qu'ils lui retirent ses liens, pour qu'il puisse manger sans s'en foutre partout, et il leur fallut beaucoup de fermeté pour résister à ses imprécations. Plus tard, Willing ne prit aucun plaisir à attacher ses chevilles aux pieds du lit dans leur chambre commune.

Goog s'était tellement laissé gagner par l'esprit de cette aventure qu'il était difficile de se souvenir qu'il était ici sous la contrainte. Cet après-midi encore, il avait menacé de restreindre les déplacements de Willing au moyen de drones de combat, et de faire subir à Nollie une chirurgie forcée. Certes, il ne se gênait pas pour faire de fréquentes et joyeuses allusions à la fin tragique qui les attendait, arrivés à destination. Il avait peut-être décidé de profiter du voyage, sachant que rirait bien qui rirait le dernier : le cerveau de

Willing grillerait, et Nollie se ferait descendre à la frontière par un tireur d'élite. Au moins, le duo de choc ne pourrait mener à bien son entreprise, et Goog trouverait un moyen de s'en attribuer le mérite.

Aussi surprenant que cela puisse paraître, les voyages de Goog ne l'avaient guère conduit au-delà des frontières de l'État. Il affirmait avoir assisté à une conférence du Bureau à Cleveland, mais étant en disgrâce auprès de sa mère, il n'était même pas retourné à Washington depuis que ses parents s'y étaient réinstallés en 44. De tous ses cousins, il était le seul qui aurait eu les moyens de s'aventurer dans une exploration au-delà de l'orbite proche de New York. Mais ils appartenaient à une génération entravée, méfiante, habituée aux privations, et les voyages relèvent d'un appétit qui s'acquiert. Il vous vient rarement à l'esprit de partir en week-end quand vous n'avez jamais eu l'habitude d'aller nulle part.

Avec la promesse de ces vastes horizons qui les attendaient plus à l'Ouest, même Goog, la plaie des plaies, semblait avoir de l'énergie à revendre. Son boulot devait être ennuyeux au possible – totaux, pourcentages, et écarts types occasionnels. Il avait du pouvoir, le pouvoir étriqué de ruiner la vie des autres, et non celui, large et généreux, de l'améliorer. Tous ceux qu'il était amené à rencontrer le détestaient, et devaient feindre l'inverse. Quelques jours de vacances loin du connard fini qu'il était devaient lui faire du bien à lui aussi.

Le lendemain, alors qu'ils passaient les Poconos et arrivaient dans l'Ohio, Willing continuait de s'étonner que ce voyage soit possible. Aucun drone n'était tombé du ciel avant de s'arrimer au toit de leur voiture avec des ventouses de sangsue géante, parce qu'il ne s'était pas présenté à Elysian ce matin pour faire sa *juste part*. La puce à la base de son cou ne s'était pas mise à rougeoyer et à chauffer en détectant la distance géographique accrue entre lui et le lieu où il était censé apporter sa *contribution sociale*.

Tandis que les collines boisées défilaient devant sa vitre et que Nollie avait mis le *la-la laa-laa* satisfait de « Our House », Willing réfléchissait à ces big data qui se déversaient dans les super-ordinateurs fédéraux. Jusqu'à présent, il s'était représenté le réseau central comme un chef suprême omniscient, qui voyait tout, qui triait et enregistrait tout dans les moindres détails pour détecter la plus petite infraction de chaque citoyen américain. Mais ces big data venaient peut-être nourrir un monstre bouffi et hypertrophié, qui étouffait sous ses propres excès d'informations et souffrait d'une sorte d'obésité numérique. Patraque après s'être goinfré à un buffet numérique géant, ce monstre n'avait plus de place pour stocker le fait que Willing Mandible, né Darkly, habitant à East Flatbush, New York, avait acheté un paquet de crackers à 2,95 nuevos.

En tout état de cause, rien ni personne ne semblait se soucier que Willing et Enola Mandible, ni même Goog Stackhouse – qui n'avait peut-être pas au sein du Bureau l'importance qu'il prétendait – se soient absentés sans permission et volatilisés dans la nature. La sensation était grisante.

Le trajet préparé par Nollie grâce au GPS de son fleX s'avéra superflu. Jusqu'à la frontière du Nevada à Wendover, Utah, l'itinéraire se résumait à traverser le George Washington Bridge et à tourner à droite. Au grand étonnement de Willing, l'I-80 s'étirait en une ligne presque droite à travers le continent, de Teaneck à San Francisco. Évidemment, le revêtement était abîmé, et Willing songeait, nostalgique, à l'époque apocryphe où il était possible de filer sur cette autoroute à plus de cent trente kilomètres à l'heure, auquel cas leur expédition aurait été bouclée en trois jours seulement au lieu de cinq. Willing était un autodidacte plutôt compétent en économie, mais un quasi-béotien sur tout ce qui pouvait concerner son pays dans les autres domaines.

Comme Nollie avait décrété que les « enfants à l'arrière avaient besoin de jouets pour s'occuper », ils avaient désactivé les communications personnelles sur le maXfleX de

Willing, protégé par mot de passe les paramètres, et laissé Goog faire joujou avec le périphérique. Enfant, Goog aimait déjà se faire mousser avec sa culture générale, et là, il prenait son pied à les abreuver des données historiques qu'il glanait : « Le développement du réseau autoroutier a démarré en 1956. Il a fallu trente ans pour construire l'I-80. Elle reprenait quasiment le tracé de la Lincoln Highway, la première route transcontinentale du pays, et de grandes portions de l'Oregon Trail et du Transcontinental Railroad. » De toute évidence, ce ruban d'asphalte attaquant sans remords les rochers et les chaînes de montagne était un véritable exploit en matière d'ingénierie. Dans sa courte vie, Willing avait éprouvé toute une palette d'émotions envers les États-Unis : déception, angoisse, peur même, incompréhension, ainsi que beaucoup de... rien. La fierté était inédite. Et agréable à ressentir.

Pour passer le temps, Nollie les divertit d'anecdotes rapportées par ses amis en France qui affirmaient que la réputation des Américains à l'étranger s'améliorait. Le stéréotype de l'Américain arrogant, bruyant, maladroit, vantard était désormais obsolète. Les quelques Yankees qui s'aventuraient en Europe passaient généralement pour modestes, déférents, réservés. Ils étaient de plus en plus appréciés pour leur mordant, leur autodérision et leur humour noir. Plus personne ne répétait qu'ils manquaient cruellement d'un « sens de l'ironie », quand leur pays tout entier était devenu le comble de l'ironie. Sans compter qu'ils avaient de formidables histoires à raconter. À Paris, c'était tendance d'inviter des Américains pour un dîner animé et réussi, comme avant des Irlandais.

Tandis que la Myourea traversait l'Indiana et l'Illinois, le paysage, de chaque côté, était gâché par d'énormes usines aux allures entrepôts. Ces usines devaient sûrement être copieusement automatisées et détenues à 100 % par des étrangers. Les habitants de la région se réjouissaient d'occuper les quelques emplois peu qualifiés que des êtres humains sous-payés pouvaient effectuer, à un coût si bas que la dépense en capital nécessaire pour acheter et outiller des bots ne se justifiait pas. Les États-Unis étaient devenus un lieu prisé des investisseurs étrangers : le pays était grand et économique. Si le taux d'imposition sur le revenu était diabolique, Washington était en revanche prêt à tout pour relever le taux d'activité, et l'imposition sur les sociétés était insignifiante. Peu éduquée, il est vrai, la population active était aussi intimidable, docile et reconnaissante. Certes, on déplorait un taux de fusillades supérieur à la moyenne sur les lieux de travail, mais en général, les Américains s'en prenaient les uns aux autres, et les victimes étaient facilement remplacées. Dernièrement, Willing avait eu des nouvelles de leur ancien locataire Kurt, qui après la fuite de Jarred avait fini dans l'une de ces vastes usines du Midwest. Kurt racontait que les employés dormaient dans des dortoirs – qui ressemblaient davantage à des mausolées qu'aux anciens dortoirs universitaires. La journée, il était possible de parcourir près d'un kilomètre dans l'atelier sans croiser un autre être humain. C'était un travail solitaire, et cette solitude, d'après Kurt, était pire encore que l'ennui.

Leur progression étant sensiblement freinée par Nollie qui insistait, le matin, pour faire ses jumping jacks, ils atteignirent l'Iowa le troisième jour. Des champs de maïs s'étendaient à perte de vue, rarement entrecoupés par une ferme. Cette région avait toujours été le grenier à blé du pays. Maintenant, c'était celui du monde entier. Les récoltes étaient mécanisées, et la plus grande partie de la production était cultivée pour l'exportation. Deux ans auparavant, la population mondiale avait dépassé les dix milliards d'individus, plus tôt que prévu. Alors qu'elles avaient mis la clé sous la porte les unes après les autres depuis des décennies, des fermes familiales comme la Citadelle étaient désormais avalées par des grosses entreprises agricoles qui occupaient des territoires si vastes qu'elles auraient pu prétendre au statut de pays indépendants. Des entreprises chinoises et indiennes avaient colonisé l'agriculture américaine avec le sentiment d'être dans leur bon droit. Nourrir dix milliards d'êtres humains était censé relever du véritable exploit. En nourrir dix milliards et demi dans trois ou quatre ans en serait un aussi. Pour sa part, Willing ne voyait pas en quoi cela justifiait d'en retirer une quelconque satisfaction. Quand bien même on réussirait à nourrir douze milliards d'individus, qu'est-ce que ça apporterait de plus ? Autant construire une autoroute.

Partout, le parc immobilier était une mosaïque déroutante de bardeaux branlants à la peinture écaillée et aux balustrades cassées qui jouxtaient des résidences pour retraités aux façades de verre, impeccablement entretenues, avec courts de tennis et piscines. Mais le long de la route, quantité d'avant-postes n'étaient que des villes fantômes.

Cela se produisit le quatrième jour, dans le Nebraska. Ce matin-là, au motel à la périphérie d'Omaha, ils avaient oublié de remplir les bouteilles d'eau. Nollie déclara qu'elle mourait de soif. (Elle aurait plutôt dû être au bord de la crise de nerfs, ou alors complètement hypnotisée. Entre Lincoln et Grand Island, l'I-80 était si droite que le ruban de route aurait pu servir de règle, et la prairie, au sol si plat, de planche à repasser. Depuis la banquette arrière, M. l'expert avait vérifié que, sur cent quinze kilomètres, la route ne variait pas de plus que quelques mètres de sa direction implacable et parfaite vers l'Ouest. Pour une fois, Willing et Goog s'accordaient sur une chose : le refus catégorique de placer la Myourea en mode automatique le long de cette abrutissante portion d'autoroute était yeurk.) Nollie bifurqua sur une route secondaire dépourvue de tout panneau indicateur, qui se transforma vite en chemin de terre.

— Bonne chance pour dégotter une station d'hydrogène dans ce trou, dit Goog. Fais demi-tour.

Ce qu'elle aurait peut-être fait, si, pour une fois, Goog avait décidé de la boucler. Hors de question pour Nollie de suivre les indications données par leur otage.

— Peut-être, mais même le Nebraska a encore une population. Il reste sûrement des Américains dans le coin prêts à offrir un verre d'eau à une compatriote assoiffée.

L'allée donnait sur un bâtiment bas qu'ils faillirent louper, tant il était recouvert de poussière et de sable charrié par le vent. De côté et d'autre, des parties découvertes révélaient une surface du même brun grisâtre que le paysage, comme pour se fondre au mieux dans son environnement à la manière d'un caméléon. Le bâtiment de forme arrondie, comme une grosse rondelle de hockey, était doté d'un toit aplati et dépourvu de fenêtres. L'habitation lisse avait une seule porte, entrouverte.

— Ça paraît désert, dit Goog. Partons. Cet endroit est bizarre.

Willing était tiraillé entre malaise et curiosité, et cette dernière l'emporta. Il s'avança sur le seuil couvert de sable.

— Il y a quelqu'un ? appela-t-il, sans même un écho.

Puis :

— File-moi mon maXfleX, demanda-t-il à Goog. C'est sombre à l'intérieur.

Willing batailla quelques instants avec l'écran. En une fraction de seconde, les anciens fleX se déployaient en lampe torche, mais avec le nouveau modèle amélioré, la conversion était malhabile. Même après avoir réussi à former le tube, le faisceau obliquait de façon asymétrique vers la gauche.

À l'intérieur aussi, le sol était plein de terre, avec çà et là des cadavres de bouteilles de vodka : manifestement, ils n'étaient pas les premiers à découvrir cet endroit. Willing remua le faisceau de son maXfleX pour inspecter les lieux, découvrant toujours plus de terre, ainsi qu'un mur noir et lisse, au fond, et un trou au centre : un escalier en colimaçon qui descendait. Son accès avait été autrefois protégé par une trappe, posée à un angle bizarre. Elle avait été déboîtée de ses charnières. Une odeur s'élevait de l'ouverture : odeur sèche de renfermé avec une note de pourriture. L'impression de désolation était absolue. L'endroit était désert.

— C'est quoi, ce truc, *Indiana Jones* ? gémit Goog. On devrait se tirer d'ici fissa.

— Ça m'étonne de toi, rétorqua Willing. Il y a peut-être un truc là-dessous que tu pourrais taxer.

— Très drôle. Mais hors de question de mettre les pieds dans ce puits avec les mains liées.

En réalité, ils s'étaient un peu relâchés côté surveillance, et n'avaient pas remplacé les liens de leur otage depuis la veille. Goog aurait probablement réussi à se libérer en tirant dessus.

— Il n'a qu'à rester en haut. J'ai verrouillé la voiture, assura Nollie à Willing. Il ne pourra pas s'enfuir. Et moi, je veux savoir ce qu'il y a en dessous.

Tandis que Nollie et lui descendaient avec précaution l'escalier d'obsidienne dont les marches recouvertes de terre crissaient sous leurs pieds, Willing jeta un regard envieux à l'ancien modèle de fleX de sa grand-tante. Le tube était bien formé, le faisceau lumineux clair. En dépit du soleil de l'après-midi qui chauffait, dehors, les vastes plaines du Nebraska, il faisait de plus en plus frais à mesure qu'ils descendaient. L'odeur fétide s'accentua.

Une volée de marches plus bas, Willing inspecta la pièce où il venait d'arriver. Le faisceau de son fleX révéla, chose curieuse, un tapis de course recouvert de poussière. Sur le mur derrière étaient accrochés des haltères en métal de taille croissante. À quelques pas à droite, un vélo elliptique et, à côté, un rameur. Qu'est-ce qui pouvait pousser quelqu'un à aménager une salle de sport dans un sous-sol ?

— Stop ! cria-t-il d'une voix forte à Nollie derrière lui, gêné par la sensation d'oppression dans sa poitrine et la bile qui lui montait dans la gorge. Si tu es impressionnable, ou facilement effrayée, tu ferais mieux de remonter.

— Tu m'as déjà trouvée « impressionnable » ?

Elle se tut. Le fleX de Willing éclairait maintenant le vélo d'exercice. Ou plutôt, celui qui était dessus. Penché sur l'écran numérique comme s'il avait programmé le vélo pour une côte trop ambitieuse, le cadavre était vêtu d'un survêtement poussiéreux. Les crânes donnent toujours l'impression qu'ils sourient, même si celui-ci avait encore suffisamment de peau tannée autour de la bouche pour exprimer un rictus d'effort. Un de ses bras s'était détaché.

— Ce type est mort depuis longtemps, constata Willing. C'est une chance pour nous.

S'il avait dû développer : le plus horrible, avec les cadavres, c'était la pourriture. Les totalement vivants et les totalement morts, d'accord. Le problème, c'était l'entre-deux.

— Tu te sens d'attaque pour continuer ? demanda Nollie avec un geste vers l'escalier, qui continuait à descendre. J'avoue que je suis intriguée.

— Prends ma main.

Elle obtempéra. Il n'était pas très sûr de qui réconfortait qui.

Le niveau inférieur comprenait une cuisine sophistiquée : four à convection, four à micro-ondes, cuiseur vapeur, robot haut de gamme avec pléthore d'accessoires. En frêne finement travaillé avec des poignées en laiton, le garde-manger était grand ouvert. Manifestement, les voyous qui l'avaient pillé ne devaient pas aimer faire la cuisine. Ils avaient laissé la machine à pain et le robot, avec, éparpillés sur le lino, les mandolines à julienne et les dénoyauteurs. Le sol était poisseux – des bocaux au contenu visqueux désormais évaporé avaient été renversés –, mais sur des étagères trônaient des bocaux d'oignons à cocktail, de cœurs d'artichaut, d'anchois, de citrons confits, ainsi que des boîtes de caviar. Devant ce panier gourmet XXL, Willing s'étonnait surtout qu'il n'y ait pas seulement un pot de marmelade de Séville au Glenlivet. Comme pour toutes les *delicatessen* entreposées, il y en avait des dizaines et des dizaines de pots – sur soixante bons centimètres de profondeur.

Il prit un bocal de kumquats confits. Après l'avoir essuyé, il le glissa dans sa banane en marmonnant :

— Ma mère répétait que c'étaient des financeries, les dates de péremption.

Avec son fleX, Nollie examinait le contenu d'un congélateur ouvert ; à ce niveau, ils étaient au nombre de six disposés en arc de cercle. Inspectant le contenu avec une spatule de barbecue à long manche, elle lut les étiquettes.

— Loup de mer, filet mignon, magret de canard, caille, foie gras, saumon fumé…

— *Mange* ton saumon, se souvint Willing.

— Mauvaise idée.

Les emballages sous vide en plastique étaient d'un noir uniforme peu ragoûtant.

Face à la cuisine, une table ovale en bois exotique était disposée le long du mur circulaire du silo. Trois de ses résidents assis autour. Ils semblaient affamés.

— Le système de ventilation a dû continuer de fonctionner pas mal de temps, supposa Willing. Sinon, l'odeur ici serait insupportable. T'en penses quoi ? On continue ?

Ils descendirent au troisième niveau – contraints d'écarter de leur passage l'un de leurs hôtes plus très frais, à la présence desquels ils s'habituaient avec une rapidité déconcertante. Willing aurait parié dessus : une cave à vins, avec des bouteilles du sol au plafond. Du moins c'est ce qu'il supposa, étant donné que les touristes précédents avaient concentré là leur pillage. La plupart des bouteilles avaient disparu, et celles qui restaient étaient vides : des bordeaux de cinquante ans d'âge gisaient au milieu des cartons jetés de Talisker et des bouchons de liège sophistiqués de cognac haut de gamme.

— Je m'y connais en vins français, déclara Nollie en levant une bouteille cassée de châteauneuf-du-pape. C'était un bon millésime.

— Si on exclut un virus, voilà leur erreur.

Willing désigna un trou dans le quadrillage des cases : une vitrine haute et vide dont la porte vitrée arborait néanmoins un verrou sophistiqué. À l'intérieur, de longs compartiments verticaux.

Le niveau suivant était une salle de cinéma, où trois cadavres étaient rivés à un écran de la taille qu'un maXfleX pouvait maintenant déployer dans la chambre de tout adolescent. En dessous, un salon, où plusieurs convives semblaient un peu trop détendus. Les deux niveaux suivants étaient composés d'unités résidentielles, avec chacune un salon et une salle de bains privés. Toutes avaient été saccagées, tiroirs de commodes vidés, matelas retournés. Si les pillards avaient cherché des objets précieux – bijoux, or –, Willing était prêt à parier qu'ils avaient fait chou blanc ou presque. Mais ils ne s'étaient pas donné la peine de prendre l'argent liquide, éparpillé dans les chambres comme des papiers de bonbons jetés. Il ramassa un billet de cent dollars, un billet vert d'origine – trop petit pour se moucher dedans et pas assez absorbant pour essuyer ses lunettes. Quand le dollar avait été remplacé par le dólar nuevo, comme la plupart des gens, il s'était réjoui de la disparition de l'ancienne devise, et l'idée d'en garder un spécimen en souvenir ne lui avait pas traversé l'esprit. La texture duveteuse caractéristique, la gravure terriblement pompeuse, déclenchèrent en lui une nostalgie inattendue. Il mit le billet dans sa poche.

Comprenant un énorme réservoir d'eau de secours, le dernier niveau était dédié au stockage. Les pillards avaient dédaigné la plupart des provisions stockées : pâtes sans gluten, chaussures de running, supports pour charnières, truffes au sel de mer dont Willing s'empressa d'ouvrir une boîte : les chocolats étaient tout ratatinés et collés, comme des bernacles. À ce même niveau se trouvait aussi le compacteur à déchets, avec, empilés à proximité, des cubes compacts et bigarrés. Moins d'une douzaine : le camp de vacances souterrain avait été de courte durée.

En remontant, Nollie aperçut quelque chose briller parmi les bris de verre dans la cave à vins, et victorieusement, récupéra un magnum de champagne, le muselet intact.

— C'est pour ça qu'on était entrés, au départ, dit-elle. Je meurs de soif.

Quand ils ressortirent, ils retrouvèrent Goog, d'humeur grincheuse, et qui, après leur compte rendu détaillé, devint vert de jalousie. Avant de se glisser sur le siège conducteur, Nollie fit sauter le bouchon.

— Je ne me souviens plus d'avoir eu autant besoin d'un verre, déclara-t-elle avant d'avaler une longue lampée.

— Si tu comptes descendre la bouteille, mets la Myourea en automatique.

— Willing, quel rabat-joie tu fais !

Mais elle obtempéra, et, une fois qu'ils se furent engagés sur ce tronçon hypnotique de l'I-80, elle posa ses pieds sur le tableau de bord. Avec *Nebraska* de Bruce Springsteen en fond sonore, ils firent tourner la bouteille de champagne tiède.

— C'était quoi, alors, un bunker antiatomique ? demanda Goog.

— J'ai vérifié les dates sur les aliments, répondit Willing. Tout a été acheté en 33. Ils se terraient, et redoutaient pire encore qu'un holocauste nucléaire : d'autres êtres humains. Malheureusement pour eux, ils en ont laissé entrer quelques-uns.

— Ils se sont fait attaquer ? voulut savoir Goog. Voler ?

— Nan. On est en Amérique. Il y avait une vitrine pour armes. Je te parie qu'ils se sont entretués.

— Mais avant, ils ont eu la belle vie, dit Nollie.

— Ils étaient riches, fit valoir Willing. Et vieux.

— Riches, oui, manifestement, acquiesça Nollie. Mais comment tu peux dire d'un cadavre qu'il était vieux ?

— Par leurs biens de consommation tu les connaîtras ! claironna Willing. L'équipement sportif est un excellent indicateur générationnel. Dans les salles de bains, il y avait des stocks de crèmes anti-âge, de kits de blanchiment pour les dents, de shampoings à la caféine. Des médicaments pour l'hypertension, le cholestérol et le dysfonctionnement érectile – et pas seulement une boîte ou deux. Des centaines. J'aurais aimé pouvoir le dire à l'Arrière-Grand-Homme : on a fini par découvrir qui avait pillé le marché des laxatifs.

— Comme ta pauvre mère, dit Nollie à Goog, celui des Post-it.

Des rumeurs avaient longtemps circulé à propos des über-riches. Tout un folklore s'était développé, racontant comment ces vampires fiscaux choyés s'étaient réfugiés, dans un isolement somptueux, sur des îles fortifiées, à barboter dans leurs piscines en sirotant des piña coladas pendant que leurs compatriotes mouraient de faim. Il était satisfaisant de découvrir qu'ils ne s'en étaient pas tous tirés – quand bien même ils avaient fini par s'en prendre les uns aux autres.

Tenter d'entrer dans l'État libre en suivant l'I-80 était une stratégie un peu trop évidente. Raison pour laquelle, dès le départ, ils avaient opté pour une route moins empruntée et un point d'entrée au nord du Nevada : la plupart des rebelles candidats à l'immigration clandestine prendraient l'I-70 jusqu'à Las Vegas. Si le niveau de fortification variait le long de la frontière, l'agence de l'Immigration and Customs Enforcement devait sans nul doute concentrer ses efforts de dissuasion à proximité de la plus grande et la plus célèbre ville de l'État renégat, tout au sud.

Nollie quitta donc l'autoroute pour prendre la route nationale parallèle, l'US 58, jusqu'à la ville de Wendover, dont les limites initiales chevauchaient la frontière entre l'Utah et le Nevada. De prime abord, Wendover semblait plus animée que les autres villes qu'ils avaient traversées durant leur périple. Jusqu'ici, ils n'avaient trouvé que motels miteux, aux couvre-lits crasseux et rêches, aux gobelets en plastique recyclé. Ici, l'hôtellerie était d'une catégorie supérieure, aux noms évocateurs pour des pèlerins fatigués : Pilgrim's Rest, Pilgrim's End, Pilgrim's Pillow. Cependant, ils ne semblaient pas faire allusion à des réfugiés religieux aux chapeaux à larges bords. À mesure qu'il s'enfonçait dans la ville, le trio découvrait pléthore de restaurants, casinos et boutiques aux enseignes criardes, évoquant une autre catégorie de pèlerins, version déserteurs : The Turncoat Inn, The Deserter Sands, Traitor Joe's. Dans leur dénomination, de nombreux établissements faisaient référence, non sans drôlerie, à ce que des visiteurs comme Willing redoutaient le plus, à savoir l'autodestruction de leur puce : Fission Chips, ou Chip Off Ye Olde Block. Le bar Last Chance faisait de la publicité pour des breuvages baptisés Brain Freeze et Stroke in a Glass.

Goog se plaignit d'avoir faim. Tous les trois étaient affamés.

— Et ses liens ? demanda Willing à sa grand-tante.

— C'est une ville de tarés, répondit-elle, personne ne va faire attention à un type aux mains attachées.

Les prétendus liens de Goog étaient déjà si lâches qu'ils auraient pu passer pour des bracelets, et Willing avait plus d'une fois aperçu son cousin les remettre en place.

Ils arrêtèrent leur choix sur un restaurant familial du nom de Final Feast. À l'entrée, un gamin de cinq ans s'amusait comme un fou dans une réplique de chaise électrique, qui tournait, vibrait et faisait de vraies étincelles. Le concept du menu déclinait les derniers repas demandés par des condamnés dans le couloir de la mort. Le John Allen Muhammad : poulet à la sauce paprika et fraisier. Le John Wayne Gacy se composait de KFC (Korean Fried Chicken, poulet frit coréen) et de crevettes. Vous pouviez aussi opter pour des collations : le John William Elliott comprenait une tasse de thé et une demi-douzaine de biscuits aux pépites de chocolat ; le James Rexford Powell, un pot de café.

— C'est totalement fadasse, dit Nollie après avoir consulté le menu.

— Comment tu peux le savoir avant même avoir commandé ? demanda Goog.

Elle leva les yeux au ciel.

— Je vais prendre le Ron Scott Shamburger, annonça Willing : nachos au chili, jalapeños, sauce épicée, oignons grillés et tacos. On peut dire que ce type s'est barré avec classe !

— Salut !

Comme ses collègues, leur serveuse était habillée en gardien de prison, avec sur sa poitrine un badge brillant sur lequel était écrit « Betsy ».

— Qu'est-ce que je vous sers ?

— Je commencerai par une Lethal Injection, répondit Goog.

— Excellent choix ! s'exclama Betsy, même si le cocktail à base de cognac, d'alcool de contrebande et de grenadine semblait infâme.

Elle prit le reste de la commande, avant de demander d'un ton aimable :

— Vous êtes des transfuges ?

— Si c'était le cas, répondit Nollie avec un regard noir, pourquoi on vous le dirait ?

— C'était juste pour faire la conversation, ma petite dame. Vous avez remarqué, dit Betsy en s'adressant aux deux autres, à quel point nos chers aînés ont tendance à être paranos ?

— Y a-t-il une bonne raison de l'être ? demanda Willing.

— Je sais ce que tu demandes, mon chou, dit Betsy. C'est que vous voulez tous savoir. Mais ceux qui traversent ne reviennent jamais. À toi d'en tirer les conclusions qui te plaisent. On a bien quelques clients réguliers, mais ce sont principalement des gens qui ont eu les jetons au dernier moment. Ça les met parfois dans un sacré pétrin, parce qu'ils ont flambé toutes les réserves de leur puce au casino. On les voit errer dans les rues, à mendier des transferts sur leur puce pour pouvoir rentrer chez eux.

— Vous en avez beaucoup, de ces transfuges ? demanda Goog d'un ton soupçonneux, en bon agent du Scab qu'il était même s'il avait tendance à l'oublier.

— Oh, ces pèlerins ont réellement fait redémarrer l'économie ici ! Je reviens dans un instant avec votre bouffe.

Après leur déjeuner tardif, ils reprirent la 58. Au bout d'un kilomètre et demi environ sur cette route qui suivait en parallèle l'autoroute inter-États, ils atteignirent la frontière du Nevada, comme le signala le fleX de Nollie. En effet, une sorte de bâtiment s'élevait au bout de la route – difficile d'ici d'en déterminer la hauteur ou de distinguer de quelconques gardes armés de fusils de précision. Willing et Nollie tombèrent d'accord sur le fait qu'il ne serait pas prudent de s'approcher davantage d'une zone peuplée. Mieux valait continuer en direction du sud sur des petites routes peu fréquentées et découvrir la nature des défenses fédérales au milieu de nulle part.

— Écoute, je sais qu'on ne s'est pas toujours bien entendus, dit Goog sur la banquette arrière, en s'adressant à Willing. Mais ce n'est pas pour ça que ça me réjouirait de voir ton cerveau cramer comme une ampoule. Si on faisait une trêve ? On s'est bien marrés pendant ce voyage. Maintenant, il faut faire demi-tour, et si ça vous dit, je vous propose un crochet par le Colorado. Je vous offre le prix que demandent ces voleurs de bridés pour voir le Grand Canyon. C'est moi qui paie, pour nous trois. Je vous promets que je ne vous dénoncerai pas. Je ne signalerai pas non plus mon enlèvement. Je te laisserai même garder ton yeurk d'arme.

— Quelle générosité ! s'exclama Willing.

— Avec toi, je ne sais jamais si c'est du lard ou du cochon ! lança Goog d'un ton rageur. Mais pourquoi risquer de te cramer le cerveau ? Les États-Unis, ce n'est pas si mal !

— Ce n'est pas ce que les Pères fondateurs avaient en tête, rétorqua Willing. Un pays qui « n'est pas si mal ».

— Pas si mal, c'est quand même pas si mal ! s'insurgea Goog. Je sais que c'est dur pendant un moment, mais une fois qu'on a soixante-huit ans, c'est le bonheur ! Il faut juste prendre son mal en patience !

— Pourquoi tu ne viendrais pas avec nous ?

— Jamais de la vie. Tu ne connais pas le Bureau comme moi. Ces types ne plaisantent pas. Tu crois qu'ils n'élimineraient pas les *contribuables hors-la-loi* ? Ils n'hésiteraient *pas une seconde*. D'ailleurs, je m'étonne qu'ils n'organisent pas déjà des exécutions publiques. Et pas parce qu'on est des brutes épaisses. Les gens – ils ne se rendent pas compte à quel point la situation est désespérée. Le budget, c'est meg la catastrophe. C'est un miracle qu'on arrive encore à financer les institutions.

Après s'être éloignée suffisamment de la ville, Nollie prit de nouveau la direction de l'Ouest. La route en terre pleine d'ornières ressemblait à celle qui les avait conduits au silo souterrain. Associations : mauvais signe. Goog fit des blagues foireuses sur Nollie et son supposé radar à cadavres.

Ils approchaient de ce que le GPS identifiait comme le bout du monde tel qu'ils le connaissaient, et pourtant, rien ne se passait. Aucune Grande Muraille ne se dressait devant eux. Leur voiture n'avait pas sauté sur une mine. Nollie arrêta la Myourea, et ils descendirent. À cet endroit, deux rangées de barbelés rouillés étaient tendues mollement en travers de la route sur des poteaux branlants. La clôture se déployait le long d'un axe nord-sud dans les deux directions. Sur l'autre côté, un panneau manuscrit indiquait « Bienvenue aux États-Unis du Nevada ».

Les poings sur les hanches, Goog regardait, écœuré, la frontière redoutée.

— Je le crois pas !

— Cette clôture n'empêcherait pas même des poules de passer, déclara Nollie.

Dix mètres après la clôture de barbelés se trouvait un petit baraquement en bois rouge. Sous la véranda était assis un vieil homme en train de fumer, dans un rocking-chair. Plus rare encore aujourd'hui qu'un SUV, sa cigarette roulée semblait être une vraie. Willing adressa au vieil homme un signe de la main, que le vieil homme lui rendit.

Willing s'avança vers le poteau de droite. Les extrémités des barbelés étaient roulées et accrochées autour de clous à la pointe recourbée.

— STOP ! cria Goog, alors que son cousin tendait la main vers l'extrémité des barbelés. Je comprends tout maintenant ! Ils ne demandent pas mieux que de laisser des vioques sans puce comme Nollie quitter le pays. Ils en sont même reconnaissants ! Ces vioques leur coûtent une putain de fortune. Mais pour des contribuables trop bons trop cons comme toi, Wilbur, la seule raison de ne mettre ni gardes, ni murs, ni mines, c'est qu'ils n'en ont pas besoin. Cette clôture merdique est la preuve absolue que j'ai raison sur l'autodestruction de la puce.

Willing décrocha les deux barbelés et les dégagea de devant la voiture. Nollie se réinstalla dans ce qu'elle persistait à appeler le « siège conducteur » et, au volant, elle pénétra dans le pays de la traîtrise et de la sécession. Avant de se garer.

Désormais, la ligne était tracée dans le sable. Littéralement. Un défi.

Dieu que c'était touchant : Goog enfouit son visage dans ses mains.

— Je ne peux pas regarder.

Et sans autre forme de cérémonie, Willing posa le pied dans l'État libre.

5

De toute façon,
qui voudrait vivre en Utopie ?

UN ÉCLAT DE RIRE TONITRUANT S'ÉLEVA du baraquement en bois rouge. Willing en était quasiment sûr, mais ce n'était pas tout à fait pareil que certain. Alors, il resta immobile un moment, à évaluer la situation, sans doute avec l'expression de celui qui, après un accident, se tâte le corps pour savoir s'il n'a rien de cassé : être là, et continuer de l'être, avec la conscience aiguë, si rare, de la contiguïté du temps, un instant qui se fond dans le suivant. De l'extérieur, ce devait être assez drôle.

Le vieil homme se tapa sur les cuisses.

— J'ai beau avoir l'habitude, s'écria-t-il, à chaque fois, je suis bidonné.

En dépit de ses affirmations selon lesquelles il ne voulait surtout pas voir exploser la tête de son cousin, Goog semblait consterné que ce ne soit pas arrivé.

— D'accord, dit-il, à soixante centimètres mais toujours aux États-Unis, mais le cannibalisme, alors ?

Willing hocha la tête en direction du vieil homme.

— Ce type n'a pas l'air de vouloir me bouffer. Bon alors, tu viens ?

— Je peux pas.

Goog paraissait anéanti.

— Là où tu viens d'entrer, c'est le nouveau Far West. Et c'est sûrement meg primitif. Et j'ai un bon boulot...

485

— Je ne dirais pas ça.

— Un boulot *lucratif*, alors. Avec des tas d'avantages. Je peux pas me plaindre. Et de l'autre côté, les gens comme moi, ils doivent se faire lyncher.

— Il fait quoi, le jeunot ? cria le vieil homme qui écoutait la conversation.

— Agent du Scab, dit Willing.

— Alors, dites-lui qu'il a raison !

Dans un geste solennel, Willing tira son couteau de sa poche et coupa les liens autour des poignets de son cousin. Il sortit ensuite d'une de ses poches le maXfleX de Goog qu'il lui avait confisqué, et alla chercher une bouteille d'eau dans la voiture.

— Si tu dois vraiment rentrer, dit-il à Goog en lui tendant son kit de survie, il y a un aéroport à quelques kilomètres. C'est sans doute faisable à pied.

— Il fait chaud, grommela Goog.

La seconde bouteille que lui donna Willing n'y changea rien. En fait, il voulait dire qu'il allait se sentir *seul*.

— Dis au revoir pour moi à Savannah, à Bing, à tes parents et aussi à Jayne et Carter. Et explique bien à tout le monde que les horreurs qu'on raconte sur la frontière, ce sont des financeries.

— Personne ne va vouloir me croire, répliqua Goog d'un air sombre.

Il avait probablement raison. Ils se donnèrent une tape sur l'épaule avec une rare chaleur. Willing retendit les deux barbelés et les fixa à leurs clous. Avec un signe de main faiblard à Nollie, Goog, les épaules voûtées, se mit en route vers Wendover, où peut-être une autre Lethal Injection atténuerait sa déception – de son pays, de lui-même.

Pendant ce temps, Nollie taillait une bavette avec l'homme dans le baraquement. Sa bonhommie de vieux routier semblait surjouée. Il avait la peau tannée par le soleil, mais de près, il n'avait peut-être que quelques années de plus que Lowell, ce qui, à cette époque, n'était rien. La salopette en jean semblait trop impeccable pour être autre chose qu'un signe d'affectation, et le chapeau mou paraissait délibérément écrasé. À voir les champs derrière la maison et le bétail, il ne devait pas passer ses journées à bavasser avec les migrants. Jouer les sentinelles à ce point de passage, ce devait être pour le plaisir.

— D'après notre ami ici présent, dit Nollie à Willing, la grande barricade sur l'US 58 est seulement en contreplaqué.

— La ville ne peut pas se permettre que des touristes fassent la navette de part et d'autre de la frontière, à la vue de tous, sans que leur tête explose, expliqua le vieil homme. Le mythe en prendrait un sacré coup. Alors que c'est une vraie mine d'or. Personne ne se taperait de dernier gueuleton au déjeuner s'il pensait être rentré pour le dîner.

— Si je voulais retrouver quelqu'un ici, demanda Willing, par où je devrais commencer ? Vegas ?

— C'est là où vont la plupart des gens. Mais vous pouvez vous faciliter la vie : cherchez sur Internet.

— Je croyais que vous n'aviez pas Internet, ici.

Le vieil homme éclata de rire.

— On a notre propre serveur. Évidemment, les quarante-neuf États de l'autre côté nous bloquent l'accès au World Wide machin. N'imaginez pas que vous aurez accès à tout Google Books. Mais il y a plein de conseils sur la culture de l'alfalfa. Des sites pour retrouver des êtres chers. S'ils souhaitent bien sûr être retrouvés.

Comme Goog l'avait prédit, leur technologie était rudimentaire. Leur patrie adoptive ne fournissait ni connexion satellite à http://usn ni l'accès aux ondes radio publiques qui couvraient la plus grande partie des États-Unis – un pays dont le territoire commençait à quelques mètres, mais qui était déjà très loin pour Willing. Leur guide improvisé eut l'amabilité de leur donner le mot de passe de son Wi-Fi personnel. D'une lenteur insupportable.

— J'ai trouvé ! annonça Willing au bout de cinq interminables minutes. Jarred Mandible, 2827 Buena Vista Drive, Las Vegas. C'était plus facile que je l'aurais cru. Même si je ne comprends pas grand-chose au site sur lequel j'ai trouvé son adresse. Ça parle de fromage.

— Il est 16 heures passées, fit remarquer Nollie, nerveuse, et on est à cinq cents kilomètres de Vegas.

— Avant que vous preniez la route, suggéra le bonhomme avec une lueur malicieuse dans les yeux, que diriez-vous d'essayer un petit jeu local tant que vous êtes encore à la frontière ?

Curieux, Willing suivit les instructions du vieil homme, et tendit son maXfleX par-dessus le barbelé, sur la terre de son ancienne vie. Immédiatement, le périphérique se connecta à www.mychip.com.

— Qu'est-ce que ça dit ? demanda le vieil homme.

— Zéro-zéro-zéro-zéro nuevos, lut Willing. Et zéro-zéro cents.

De nouveau, le vieil homme se tapa sur les cuisses.

— Encore un truc dont je ne me lasse pas ! Ça aussi, ça fait partie des salades qu'on raconte sur les puces. Ce n'est pas votre vie qu'ils vous prennent. C'est votre fric ! Dès que vous posez un pied dans l'État libre.

— Au moins c'est cohérent, à défaut d'être réjouissant, fit valoir Nollie.

— De toute façon, c'est pas grave, assura le vieil homme. Ici, personne n'utilise de puce. Considérez-la comme un éclat d'obus datant de la guerre de l'Imposition fiscale. Mais tu ferais mieux de t'y habituer, gamin : t'es fauché.

— Et les bancors ? se risqua à demander Nollie.

— Les USN ne commercent avec personne, répondit le bonhomme, qui manifestement s'amusait beaucoup – il devait avoir un penchant sadique. Autant par philosophie que par pragmatisme, car personne ne veut faire du commerce avec nous. Donc, si vous ne pouvez ni fabriquer, ni extraire, ni réparer, ni faire pousser, ni inventer quoi que ce soit au Nevada, vous ne gagnerez pas de fric. Autrement dit, m'dame, pour s'acheter de la boustifaille, un bancor ici est à peu près aussi utile qu'un rat crevé.

— Au Nevada, les gens n'utilisent pas d'argent ? demanda Willing.

— Vous croyez quoi ? Qu'on se sert de cailloux ? On n'est pas des sauvages. Carson City émet des dollars continentaux. La première devise des treize colonies fondatrices. Mais le continental a disparu fissa en 1770. Parce qu'il n'était soutenu par rien. On a remédié au problème.

— Je vois, dit Willing. Vous êtes alignés sur l'étalon-or.

— Z'êtes un petit futé, vous, hein ? De toute façon, avant de faire sécession, l'État libre produisait la majeure partie de l'or américain. Mais l'émission de dollars continentaux est vraiment réglementée. On a retenu la leçon des années 30. Dans le coin, on pense tous plus ou moins que l'étalon-or, c'est débile. *Arbitraire*, comme dit le gouverneur. On ne peut pas en faire grand-chose, à part le porter autour du cou. Ça ne se mange pas. Mais pour la monnaie, ça marche. Même si on ne se l'explique pas trop. Un continental vous paie un capteur aujourd'hui ? Il vous en paiera un demain. Ce n'est peut-être pas si débile.

— Eh bien, merci pour vos conseils, dit Willing pour prendre congé.

— Je ne me souviens pas vous avoir donné de conseils, objecta le vieil homme. Mais ça me soucie de voir que vous n'avez pas l'air de piger votre *situación*. Vous n'avez pas de fric. Même si vous trouvez des stations de ravitaillement pour votre beau tacot, avec quoi vous allez payer ? Mon conseil, le voici, et je le donne gratuitement à tous les nouveaux migrants naïfs qui arrivent par cette clôture : *le Nevada, c'est pas une utopie.*

— J'ai dit quoi que ce soit qui laisse entendre le contraire ? demanda Willing.

— Si, c'est ce que vous croyez tous, répliqua le vieil homme pour balayer son objection. Mais votre amie ici... Une *dame charmante*, j'en suis sûr...

— Faites gaffe à ce que vous allez dire, *charmant monsieur* ! aboya Nollie.

— Mais elle ne sort pas à proprement parler des chaînes de montage, poursuivit-il. Vous faites entrer des personnes âgées, vous payez pour elle. Pas de Medicare ici. Pas de sécurité sociale. Pas de mutuelle pour les médicaments de la classe D. Pas de maisons de retraite financées par Medicaid. Aucun soi-disant *filet de sécurité*. Tous les citoyens de cette république de durs à cuire marchent sur une corde raide avec *nada* en dessous que la terre dure et froide. Soit quelqu'un qui se soucie de vous vous rattrape, soit vous vous cassez la gueule.

Ils se remirent en route sur l'US 93 à deux voies. Le pays était plat et sec, et à l'horizon se découpaient les cimes dentelées des montagnes basses. Des broussailles parsemaient la plaine comme les amas de cumulus le ciel, dans un parfait reflet l'un de l'autre.

— Tu semblais plutôt sûr de toi en traversant la frontière, fit remarquer Nollie.

— En tout cas, à plus des 60 % que tu annonçais, répondit Willing. Quand Goog a évoqué l'état du Washington Monument, j'ai eu un déclic. Ça coûte moins cher de faire le suivi de photos en ligne que de nettoyer des bâtiments dans la vraie vie. Alors, quand j'ai vu la clôture, j'ai pigé. Ils n'ont ni chiens, ni tireurs d'élite, ni grande enceinte de béton sur tout le périmètre du Nevada. Mais pas parce que la puce est programmée pour s'autodétruire. Ils sont juste trop radins.

Nollie gloussa.

— Et c'est pour la même raison qu'ils ne voulaient pas d'une autre guerre de Sécession.

— Les rumeurs sont gratuites. Elles se propagent toutes seules. Embaucher des gens pour poster des financeries sur les USN, ça coûte une bouchée de pain. C'est ce que Fifa disait du terrorisme d'État. Le maintien de l'ordre par la propagande permet de *faire des économies*. Et franchement, Noll, ajouta Willing dans un après-coup, quand même, ce sont les États-Unis. Ce pays n'est plus ce qu'il était, mais on n'y assassine personne pour évasion fiscale.

Ce même soir, ils prirent leur premier cours de réalité *made in* État libre. Ils commençaient à être à court de gaz naturel, et ne pourraient pas atteindre Vegas sans refaire le plein. Dans la petite ville d'Ely se trouvaient bien un motel et un *diner*, mais ils n'avaient de quoi payer ni l'un ni l'autre. Alors ils s'arrêtèrent, verrouillèrent les portières et s'emmitouflèrent dans les pulls que Nollie avait eu la présence d'esprit de prendre avec elle alors qu'on était en juillet. Dans le désert après le coucher du soleil, il faisait froid.

Willing s'en fichait. Il avait eu bien plus froid. Pendant l'hiver de 2031-32, quand sa mère ne montait pas le thermostat au-dessus de 6° C – six petits degrés qui suffisaient à peine pour empêcher les tuyaux de geler. Ou accroupi sous un ponceau, pendant leur périple jusqu'à Gloversville, incapable de trouver le sommeil, à attendre que le soleil se lève. Ou encore quand il avait les doigts gelés autour du guidon de son vélo, qu'il poussait le long de berges hautes, bataillant pour le maintenir droit alors qu'il était alourdi par les cartons de Nollie et de Carter. Les tacos du Final Feast étaient déjà loin, mais il n'en était pas à son premier repas sauté. Il avait fallu un an ou deux à Avery pour distinguer le superflu du nécessaire. Willing, lui, l'avait appris dès l'enfance.

Le lendemain, il se leva tôt et proposa au *diner* ses services pour la préparation des petits déjeuners. Le restaurateur accepta de mauvaise grâce, mais seulement pendant le coup de feu du petit déjeuner. Il l'entendit marmonner à propos « d'immigrés clandestins » – acception légèrement pervertie, car Nollie et lui étaient des clandestins parce qu'ils s'étaient vu refuser non l'autorisation d'entrer dans ce nouveau pays, mais celle de quitter le leur. Après avoir aussi nettoyé les toilettes, il avait gagné ses premiers continentaux – des coupures sépia aux gravures plus gnangnan et rétro encore que les vieux billets verts.

Si, le cas échéant, les prix du menu étaient un quelconque indicateur, son salaire serait de la bouse – inférieur encore au net qu'il touchait à Elysian. Néanmoins, il préférait gagner moins d'argent et tout garder que toucher plus après s'en être fait voler la plus grosse partie par le fisc. Le propriétaire n'avait pas demandé l'adresse Internet du bout de métal dans son cou, et c'était grisant. C'étaient ses premiers revenus en six ans qui n'aient pas été automatiquement enregistrés et méticuleusement dépouillés par le gouvernement fédéral. *Mon cher Goog, comme j'aimerais que tu voies ça.*

Ensuite, il ramassa des bouses séchées qu'il vendit comme engrais à un ranch près de l'autoroute. Il passa l'après-midi à réparer les clôtures du rancher – cette même tâche qui avait tué sa mère. Il veilla bien à porter des gants, même avec cette chaleur. Il eut des flash-backs : l'index de Florence, d'abord simplement gonflé, avec une auréole rouge autour de la coupure. Elle avait essayé de se soigner, plongeant son doigt dans de l'eau chaude salée, ce qui, de ce qu'en avait dit le médecin par la suite, s'était avéré inutile. En deux jours, sa main avait gonflé comme un pis, et des stries rouges avaient gagné son avant-bras robuste. Apparemment, l'issue aurait été la même s'ils l'avaient conduite à l'hôpital aussitôt que son doigt s'était mis à enfler.

— Des médicaments qui ne marchent pas, avait annoncé l'interne d'un air sombre, en leur tendant le bandana plié respectueusement comme un drapeau américain miniature lors de funérailles militaires, ne marchent pas mieux s'ils sont pris plus tôt.

Pendant ce temps, Nollie faisait ses jumping jacks près de la voiture, ce qui déclenchait une hilarité sans bornes chez les passants. Willing ne se serait jamais permis de le lui faire remarquer, mais sa forme avait décliné. Elle ne réussissait plus à joindre les mains au-dessus de sa tête, et les levait à peine plus haut que ses oreilles, avant de les redescendre à la taille. On avait l'impression d'assister au spectacle pitoyable d'un papillon moribond essayant de battre des ailes. Les sauts, eux aussi, étaient totalement inefficaces. Avant, elle claquait ses talons. Maintenant, ses pieds décollaient tout juste du sol avant de retomber au même endroit, écartés de la largeur des épaules. Le saut bref proprement dit l'élevait seulement à un centimètre du sol – ce qui le qualifiait à peine de saut. Cette déchéance à laquelle il assistait chagrinait Willing. Les exercices de sa grand-tante avaient toujours eu quelque chose de comique, mais leur version dégradée était piteuse, bonne seulement à amuser des étrangers.

Cependant, même Enola Mandible ne pouvait faire de la gymnastique – y compris avec un faible niveau d'aérobie – toute la journée. Le deuxième jour, elle aussi s'était mise en quête de petits boulots : mettre en rayon les conserves de la supérette, lessiver les sols. Après quoi, le dos en compote, elle n'avait pas besoin de faire de jumping jacks.

C'était une région pauvre, et plus miséreuse encore depuis que les touristes de Boise et de Portland n'y passaient plus sur le trajet de Vegas. Pire, à l'instar de Willing, peu après la sécession, toute la population de l'État – encore que la proportion des sans-puce y soit largement supérieure à la moyenne nationale – avait vu sa puce remise à zéro par les satellites du Scab. Les habitants du Nevada avaient surnommé « Mesquin Larcin » ce détournement punitif effectué en guise d'adieu. Cumulées, les sommes prélevées étaient loin d'être négligeables. L'expression renvoyait moins à l'insignifiance des recettes qu'à la petitesse du procédé.

À mesure que s'additionnaient les trois fois rien que les locaux versaient en guise de salaires à leurs migrants, l'hostilité de la communauté s'évanouit. Willing travaillait dur et bien. Il savait tenir sa langue. Plusieurs habitants d'Ely les invitèrent tous les deux à dîner. Au bout de cinq jours à dormir dans la Myourea, ils avaient amassé suffisamment de continentaux pour faire le plein de la voiture.

Le Nevada avait toujours été un aimant à cinglés : marginaux, parias, vauriens, originaux, mais aussi mécontents, mythos, et autres individualistes en quête de raccourcis vers la réussite. Née de l'essor de l'exploitation minière et de faillites, l'économie de l'État était fondée sur le vice : combats professionnels, femmes faciles, ivresse, jeu et inconséquences maritales. Avant même de faire cavalier seul, l'État était un cas particulier, dans lequel il était incroyablement facile de se marier et encore plus de divorcer. L'alcool coulait à flots, vingt-quatre heures sur vingt-quatre. Une indulgence à l'égard de la prostitution existait bien avant l'époque à laquelle Savannah avait pu obtenir un diplôme reconnu en thérapie de stimulation dans un *community college*. Les vraies cigarettes – ou, en l'occurrence, les énormes cigares malodorants – étaient autorisés dans les casinos. L'interdiction par l'État de prélever un impôt sur le revenu était inscrite dans la Constitution. En 2042, les habitants du Nevada avaient simplement officialisé le fait qu'ils étaient une population à part. Dès lors, la nouvelle nation dans la nation était taillée sur mesure pour l'oncle excentrique de Willing chez qui l'indignation était une seconde nature. Mais ici, contre quoi ou qui un éternel indigné pourrait-il bien fulminer ? L'idée d'un Jarred Mandible nageant dans le bonheur relevait quelque peu de l'oxymore.

Willing avait connu son mentor en propriétaire terrien prévoyant, qui avait, avant le reste de la famille, compris que s'alimenter était un besoin vital. Il se représentait toujours Jarred dans des bottes en caoutchouc boueuses, une pelle à la main. Nul doute qu'aux USN, Jarred avait déjà récupéré une ferme – Citadelle ressuscitée, libérée de l'humiliante obligation d'avoir à vendre la quasi-totalité de sa viande et de ses produits agricoles, à des prix scandaleusement bas, au département américain de l'Agriculture. Cependant, son adresse urbaine sur http://usn aurait dû alerter Willing sur la vision idéalisée et pastorale qu'il se faisait de la vie de son oncle.

Willing ne put réprimer un sentiment d'excitation au moment où ils arrivèrent à la périphérie de Las Vegas. Il n'avait jamais été très intéressé par le jeu – en tout cas, ceux qui impliquaient de l'argent. En revanche, il était très porté sur les autres types de jeux. Et en cet instant, il jouait avec sa vie.

D'ailleurs, instinctivement, il réagissait à la réputation de la ville. Son caractère sauvage, abandonné et imprudent parlait naturellement à un jeune homme qui avait été un enfant méfiant et vigilant. L'insouciance institutionnalisée d'une ville où plus d'une personne avait misé tout ce qu'elle possédait sur un seul et unique coup de roulette ne pouvait qu'interpeller un New-Yorkais de Brooklyn porté de façon chronique à la parcimonie, lui qui mesurait avec précision et méthode des rations de cent cinquante grammes de riz exactement pour que le sac leur fasse la semaine. Il savourait l'indifférence de la ville à l'opprobre tut-tutant qu'elle avait toujours suscité chez les étriqués, les collets montés, les rigides. Une ville qui se fichait de la vertu. Ici, tout était grossier, bruyant, païen. Absurde et faux – franchement et ouvertement faux, ce qui lui conférait une sorte d'authenticité. Elle ne s'excusait pas d'être elle-même. Au fil du temps, elle avait fait gagner à ses résidents un fric monstrueux sur toutes les activités répréhensibles.

Las Vegas était l'anti-Willing. Et les contraires s'attiraient.

Pourtant, tandis que le soleil commençait à se coucher et que Nollie longeait le légendaire Strip, il sentit son cœur se serrer. Les casinos comme le Wynn, le Venetian, le Bellagio et le Singapore n'étaient plus que de gigantesques masses sombres. Il se dégageait de cette portion mythique du Las Vegas Boulevard une atmosphère funèbre. Quelques néons solitaires brillaient encore. Il y avait plus de circulation qu'à Manhattan, mais la plupart des véhicules étaient des camions ; les véhicules personnels comme le leur étaient rares. Le centre-ville donnait une impression immédiate de gravité plutôt décevante.

L'adresse de Jarred était située à l'extrême périphérie sud-est de la ville. Tandis qu'ils sortaient du centre, les vastes ranchs en stuc blanc, avec leurs jardins de cactus bien entretenus, cédèrent la place à des habitations plus petites et moins cossues, sans jardins – rangées de maisons identiques posées sur la terre rouge et nue. Le lotissement de Jarred, Aloe Acres, était resté à demi achevé. Avec pour seule référence au style moderne espagnol des toits en tuiles de terre cuite, la maison blanche portant le numéro 2827, peu engageante, était entourée de murs rectangulaires, non terminés, d'un mètre de hauteur. Soit ils avaient manqué d'argent, soit les promoteurs s'étaient fait la malle quand l'insubordination de l'État célèbre pour sa *rebel attitude* avait atteint des niveaux auxquels les investisseurs n'étaient pas préparés.

Jarred ne les attendait pas. Il leur ouvrit en boxer, un fusil à la main.

— Dieu du ciel, c'est mon bras droit ! Et une des seules vieilles femmes que je supporte !

Faisant fi du protocole social et toute prudence sanitaire, il les serra tous les deux contre lui dans une étreinte vigoureuse. Son fusil appuyait durement contre le torse de Willing.

— Bonne foi et crédit, *mi hermano y mi tía* ! J'espérais que vous vous décideriez à passer ! Et vous dites quoi de toutes ces financeries à la frontière, hein ? Dire que je me suis fait chier à traverser le Colorado en kayak, quand j'aurais pu tout simplement arriver au volant de mon pick-up par l'I-70. Je me suis senti vraiment yeurk ! Mais entrez !

L'intérieur était austère : une petite table en mélaminé, deux chaises à dossier droit. Tout, à l'exception du sol en béton, était blanc, sans aucune décoration murale. Tandis que les derniers rayons du soleil disparaissaient derrière une fenêtre étroite, Jarred alluma l'ampoule nue qui pendait du plafond. Ses cheveux aux boucles brunes rebelles, qui s'échappaient d'une queue-de-cheval négligée, avaient poussé. Le temps que son oncle passe un peignoir, Willing remarqua qu'à cinquante-trois ans, Jarred commençait finalement à prendre du ventre. Quoi qu'il fasse de ses journées, il ne devait probablement ni travailler dans les champs, ni nourrir des cochons.

Comme s'il se rendait compte de ce que Willing devait être en train de se dire, Jarred s'exclama :

— Dis donc, t'es encore plus maigre qu'avant !

— L'esclavage, ça fait maigrir, répondit Willing.

Jarred alla chercher un tabouret en plastique, une bouteille de tequila et trois verres dépareillés.

— Dans la région, l'entrepreneur le plus futé est celui qui a décidé de planter de l'agave bleu après la sécession, dit-il en versant à boire. Ça ne sert à rien que le siège de Patrón soit en ville, s'ils sont coupés de leurs fournisseurs mexicains. Maintenant, cette production locale est partout dans l'État libre, et le type qui la fabrique est bourré de fric. À votre santé ! Aux invincibles Mandible, puissions-nous jamais prospérer !

— Donc, il y a des gens riches, ici ? demanda Nollie.

— Évidemment ! répondit Jarred. Cet État a besoin de tout ou presque. Trouvez le besoin que vous pouvez combler, et vous vous remplirez les poches. Et en plus, ce fric-là, vous le garderez. Et je ne parle pas de 10 % plus les taxes à l'achat, la taxe foncière, les taxes d'État et locales, la taxe Medicare et la sécurité sociale. 10 %, point barre. Putain, personne n'y trouve rien à redire.

— J'ai du mal à t'imaginer, mon cher enfant, n'avoir rien contre quoi que ce soit. Ça doit te désoler.

— Je pourrais toujours être contre le fait de n'avoir rien contre, s'amusa Jarred.

— Et des gens qui ne paient pas ces 10 %, il y en a ? demanda Willing.

— Oui, sûrement. Mais ils sont peu nombreux dans la police, gravement débordés, et facilement à cran. Je ne me risquerais pas à leur chercher des noises. La justice est plutôt brutale. Ils se contentent probablement de se pointer chez toi, de mettre la main sur tous les continentaux qu'ils trouvent et de te tabasser. Ne serait-ce que pour les avoir fait chier. Sans, et je dis bien sans aucune prestation sociale – ni allocations chômage, ni allocations handicapés, ni allocations familiales, que dalle –, il y a un bon paquet de voyous et de sans-le-sou dans cette ville, et le taux de criminalité est phénoménal. D'où le fusil à la porte, désolé. T'as toujours ton petit Black Shadow sexy ?

— Évidemment, répondit Willing en tapotant le renflement sur sa hanche.

Nollie semblait crispée.

— On dirait qu'on ferait mieux de ne pas laisser nos affaires dans la voiture.

Willing fronça les sourcils.

— On n'a pas grand-chose dedans qui ait de la valeur.

Il ne voulait pas commencer à entasser sur-le-champ leurs bagages chez Jarred, comme s'ils emménageaient – surtout si c'était justement ce qu'ils étaient en train de faire.

— À tes yeux, peut-être.

Nollie se précipita dehors. Quelques instants plus tard, elle fut de retour, portant avec peine un carton. Willing se leva immédiatement pour le lui prendre des bras.

Jarred s'esclaffa.

— Pas la *matière morte !*

Willing ne voulait pas se l'avouer, mais il redoutait que sa grand-tante commence à perdre la boule. Certes, les personnes âgées étaient attachées à certaines choses. Mais elle avait traîné ces vieux manuscrits dans toutes les chambres d'hôtel pendant tout leur voyage. Elle avait posé bruyamment le carton à côté d'elle quand ils avaient déjeuné au Final Feast. Elle l'avait même gardé près d'elle quand elle avait fait ses petits boulots à Ely, et elle était aussi arrivée à dîner chez leurs hôtes serrant dans ces bras son vieux carton comme un gosse son lapin en peluche. Certes, ces manuscrits étaient les totems de sa carrière passée et perdue d'auteur. Cependant, la force avec laquelle elle les agrippait était bizarre. Willing et Jarred se regardèrent, soucieux.

Après avoir servi des chips de maïs et de la sauce piquante, Jarred voulut leur reverser de la tequila, mais Willing posa sa main sur son verre.

— Depuis quand t'es si sobre ?

— Je ne le suis pas. Je suis sentimental.

Willing ouvrit une des poches extérieures du sac qu'il portait à sa ceinture. D'un geste délicat, il sortit un petit paquet enveloppé dans du tissu. Il défit la chaussette. C'était la même qu'il avait autrefois remplie de pièces et dont il s'était servi pour menacer le rouquin auquel il avait volé le bœuf haché gras. Doucement, il plaça l'objet qu'elle contenait sur la table.

— Verse le verre suivant là-dedans.

— Putain, je reconnais ce truc ! s'exclama Jarred. C'était à ma frangine, Dieu ait son âme. Elle avait comme une sorte de fétichisme pour ces objets. Ce qui ne lui ressemblait pas du tout. D'ailleurs, c'était touchant. Ne le prend pas mal, mais ta mère parfois pouvait être cafardable. Qu'elle s'attache comme ça à deux trucs aussi grotesques, futiles, frivoles et huppés, ça faisait du bien à voir.

Même sous la lueur fruste de l'ampoule nue, le pied de cobalt scintillait comme les vitraux d'une cathédrale. Le petit gobelet était magnifique.

— J'ai toujours voulu le lui redonner, expliqua Willing. Je le gardais seulement pour qu'il soit en sécurité. C'est tout ce qu'il nous reste de Bountiful House. C'est notre héritage.

Jarred versa à boire, et ils trinquèrent.

— À notre héritage !

Au mépris de l'hygiène, Willing insista pour qu'ils boivent tous une gorgée au gobelet, qu'ils se passèrent telle une coupe de communion. Ce rituel sanctifiait la soirée, comme s'il les liait dans une sorte de pacte, dont la nature, en revanche, était plus obscure.

Pour couronner les festivités, Willing sortit le ridicule bocal de kumquats confits. À garder trop longtemps des gestes symboliques, on risquait parfois de passer à côté de la bonne occasion. S'ils ne mangeaient pas ces stupides fruits confits maintenant, Willing pouvait se trimbaler le bocal le restant de ses jours. Il en expliqua à Jarred la provenance.

— Maintenant, je crois aux fées ! T'es tombé sur une colonie d'über-riches ! s'exclama Jarred. J'ai toujours pensé que les fédéraux propageaient le mythe de cette élite pleine aux as pour justifier des taux d'imposition draconiens. Les présidents vitupèrent toujours contre les « milliardaires et les billionnaires », pourtant, la tranche supérieure ne démarre pas à un milliard, mais à 250 000.

— Ce ne sont pas des fées, dit Willing, plutôt une espèce menacée.

— On dirait que ta mère avait raison pour les dates de péremption, déclara Nollie en se léchant les doigts. Un peu sucrés à mon goût, mais pas mauvais.

— Tu sais comment ça se passait ici, demanda Willing à son oncle, quand les USN ont déclaré leur indépendance ? Après le coup de la frontière la semaine dernière, je ne crois plus rien de ce que les infos ont raconté en 42. Ces massacres, cette anarchie. Les affrontements entre patriotes et sécessionnistes. Y a-t-il eu quoi que ce soit de vrai dans tout ça ?

Jarred adorait pontifier. Il s'était enfui de la Citadelle six mois plus tôt seulement, mais cela suffisait amplement pour que Jarred Mandible se pose en expert de son nouveau pays – quand bien même son autorité était quelque peu sapée par son peignoir et le tabouret en plastique qui lui servait de chaire.

— Rien que des images de synthèse, déclara-t-il. Il n'y a eu aucun affrontement, déjà parce qu'il n'y avait aucun de ces prétendus « patriotes ». Tout le monde en avait sa claque du gouvernement fédéral, et tous ceux qui avaient la nostalgie de la belle et grande Amérique étaient encouragés à partir. De ce qu'on m'a raconté, 42 a été la révolution la plus civilisée de l'histoire. Les gouvernements municipaux étaient déjà en place, alors ils le sont restés. *Idem* pour le gouvernement de l'État – qui est simplement devenu le gouvernement national, bingo, du jour au lendemain. Le soleil s'est levé. Les gens se sont réveillés. Ils sont allés bosser. Rien n'a changé. Après tout, tu t'es déjà demandé ce que foutait le gouvernement fédéral ? Il nous prend notre fric pour le refiler à des vieux. C'est à peu près tout. Ah non, c'est vrai qu'ils consacrent un meg d'énergie à te mettre des bâtons dans les roues dès que t'essaies de faire un truc. J'avoue que ça me manque.

— Il y a le Census Bureau, dit Willing. Je ne sais pas au juste à quoi ils servent, mais ils ne doivent pas en foutre lourd.

— L'American Battle Monuments Commission ! renchérit Nollie. Du vent !

— Les *gardes-côtes*, se souvint Willing d'un ton triomphal. Eux, ils faisaient des trucs.

Jarred éclata de rire.

— OK, je t'accorde les gardes-côtes.

— Vous vous souvenez du moment où les républicains ont eu la majorité pour laisser le gouvernement fédéral sans financement ? demanda Nollie. Le gouvernement de Washington a tiré les stores, et personne n'a rien remarqué.

— Il n'y a qu'une seule chose qui ait fait rager les gens, se rappela Jarred : la fermeture des parcs nationaux. Et maintenant, les fédéraux ont liquidé Yellowstone. Tout ça pour ça.

— Au fait, qu'est-ce qui est arrivé au Strip de Las Vegas ? demanda Willing, qui espérait tirer son oncle d'une amertume trop familière. Toute ma vie, j'ai vu des photos de ce boulevard illuminé de néons. Et maintenant, c'est tout *noir*.

— Juste après la Dénonciation, expliqua Jarred, Vegas a été le nouvel eldorado. Les touristes étrangers ont pris d'assaut les casinos. Avec le taux de change en leur faveur, les boissons, les chambres d'hôtel, les grands spectacles et les buffets étaient pratiquement gratuits. Mais le problème, c'est qu'à toutes ces tables de jeux, les gains étaient en dollars. Alvarado avait interdit de sortir plus de cent dollars du pays, donc impossible de repartir avec. Et même si on le dépensait sur place… Avec l'inflation galopante, en deux temps trois mouvements, un gros gain ne valait guère plus en valeur constante que la mise de départ. Pas génial, pour les joueurs. Dans un sens, c'est marrant, mais compte tenu de tous ses liens passés avec la mafia, Vegas, dans les années 30, restait plus sûre que la plupart des villes américaines. L'afflux d'argent étranger a servi de cache-misère. La fin du Strip, elle, n'est pas due aux troubles. Mais à l'ordre.

Le même que celui qui a implanté ce bout de métal dans la nuque à tous les pauvres types comme toi.

— La taxe exceptionnelle de 37, dit Nollie. Elle ne s'appliquait pas seulement à l'immobilier, mais aussi aux gains provenant des jeux d'argent.

— 90 %, ajouta Jarred. Donc, un gain à 2 contre 1 rapportait un dixième du pari. Le rapport bénéfice-risque s'est effondré. Tout ça, c'était bien beau, tant que l'Oncle Sam comptait sur l'*honnêteté* des gens pour signaler tous ces nuevos gagnés aux machines à sous. Ils ont ensuite introduit la puce, et le prélèvement à la source des impôts et des taxes, y compris pour les étrangers. Ça a sonné le glas des professionnels. Plus personne n'arrivait à s'en sortir, même les plus costauds. Puis il y a eu le coup de grâce : la suppression de l'argent liquide. La sensation physique de l'argent – pouvoir toucher une liasse de billets de cent, ou remporter deux kilos de pièces de vingt-cinq cents dans une machine à sous –, ça a toujours été au cœur de l'expérience de Vegas. Quand l'argent devient une abstraction, même celui qu'on gagne au casino, d'autant qu'en plus on vous en pique la plus grande part… rien ne va plus comme on dit ! C'est la fin. La voilà, la vraie et principale raison de la sécession. Les habitants disent que l'indignation des gens était palpable. Tout le monde a vu rouge.

Jarred semblait mélancolique. Il avait loupé la fiesta.

— Leur slogan, je me souviens, dit Nollie, c'était « Fini les impôts ». C'était tout. Ils se fichaient royalement de la représentation. Ils voulaient en découdre. J'étais impressionnée. C'était comme la Hongrie qui se soulevait contre les Soviétiques. Pas la plus favorable des analogies non plus.

— Dans l'ensemble, je crois que les habitants du Nevada ont été soulagés qu'il n'y ait pas eu de guerre civile, dit Jarred. Mais ils étaient prêts à se battre. Dans cet État, pas une seule personne n'a remis ses armes après la réinterprétation du deuxième amendement.

— Le Strip aurait pu renaître de ses cendres après l'indépendance, souligna Willing.

— Pas avec l'embargo, répliqua Jarred. Les grands casinos ne pourraient jamais survivre uniquement avec les joueurs de la région, qui pour la plupart ne sont pas de gros parieurs. Ils ont besoin des touristes. Ça a été le coup le plus dur porté à cette économie : la fin du tourisme. Il n'y a plus que ce flux régulier de clandestins fauchés comme nous. Washington n'accordera pas aux avions en provenance du Nevada le droit d'entrer dans l'espace aérien américain. J'espère que vous mesurez bien les conséquences de votre acte. Il n'y a plus de trafic aérien, ni entrant ni sortant. Et bien que ce soit du gâteau d'entrer dans l'État libre, je mettrai ma main à couper qu'ils t'arrêtent si tu tentes de retourner aux États-Unis. Ne serait-ce que pour les arriérés d'impôts – avec intérêts et pénalités cumulés. Donc que ce soit dans une vraie prison ou dans une prison *de facto* pour mauvais payeurs, tu prends perpète. Surtout si t'es pucé, Willing : cet État libre, c'est *Brigadoon* pour toujours.

— Est-ce qu'il reste quelques casinos ?

Pour Willing, c'était une question d'atmosphère. Il n'avait pas l'intention de jouer au craps. Mais il ne voulait pas qu'une ville pour laquelle il avait sacrifié définitivement sa maison, la plupart de sa famille élargie et une petite amie bien plus que fonctionnelle ressemble à toutes les autres.

— Les trous du centre-ville comme El Cortez traînent la patte. Je ne m'en vante pas, mais moi aussi, je suis allé jouer à leurs tables. Je ne sais pas sinon comment j'aurais pu amasser un peu de fric. Vous vous souvenez de ces longues nuits froides à la Citadelle : je suis un as du black jack.

— T'as gagné gros, alors ? demanda Willing.

— Je n'ai pas perdu gros, marmonna Jarred. Un exploit.

Nollie croisa les jambes, posant les pieds sur le carton de matière morte.

— Washington, déclara Jarred, a cherché à mettre les USN à genoux : ils ont voulu étouffer le commerce, tuer le tourisme, bloquer les communications et les liaisons de transport et faire tout porter aux infrastructures de cet État qui manque cruellement d'eau. La bonne analogie, ce n'est pas tant la Hongrie que le siège de Leningrad. Assoiffés, pauvres, isolés, prêts à tout pour mordre dans une pêche juteuse, les habitants du Nevada supplieront qu'on les laisse revenir dans l'Union – du moins, c'était la théorie. Et pendant ce temps, l'armée n'a pas à tirer un seul coup de feu. À Washington, personne n'a envie de voir sur maXfleX des troupes américaines décimer d'autres Américains. Sur le plan stratégique, c'est rusé, économe, et sur le plan politique, c'est astucieux. L'administration Chelsea Clinton a tranquillement supposé que les USN, contrits et suppliants, retourneraient vers la mère patrie en quelques mois si ce n'est quelques semaines. Sauf que ça fait cinq ans. Et que personne ne s'en plaint.

Jarred exsudait une fierté locale contagieuse qu'il avait peut-être contractée auprès de ses voisins. Cependant, il existait un contraste flagrant entre l'enthousiasme exalté de Jarred et son nouveau mode de vie spartiate. Willing n'avait remarqué aucun véhicule dans l'allée. La pièce était éclairée par une seule ampoule nue : Willing se préparait à passer une nuit supplémentaire dans la Myourea. Ils avaient fini les chips de maïs et les kumquats, et il ne s'attendait pas à ce qu'il y ait autre chose après l'apéritif.

— Et ce soi-disant pays, il marche ? se risqua à demander Willing, s'efforçant de faire preuve de tact. Ou c'est juste que les gens ici sont meg têtus ?

— Cet État constitue une expérience sociale fascinante, répondit Jarred avec animation, et les choses sont en train de se faire. Toutes les démocraties sociales occidentales ont suivi le même développement. Tout commence bien, c'est tranquille et frais, puis elles deviennent imbues de leur propre vertu. Elles n'ont que l'*équité* à la bouche. Bien sûr, dans un monde parfaitement équitable, on aurait tous une maison maléfique et des tonnes de bouffe. Un accès illimité à une médecine de pointe, une aide à l'enfance, un système éducatif meg brutal, et des oreillers rebondis pour les très seniors...

— Des fleurs fraîches tous les matins, ajouta Nollie. De la tequila qui coule à flots.

Elle tendit son verre vide.

— Exactement, approuva Jarred en la resservant. Et tout ça, évidemment, sans rien foutre. Sur le plan social ? Facile. Sur le plan économique ? C'est là que ça se complique. Alors, l'État se met à faire des mouvements d'argent. Un petit peu *d'équité* par ici, un peu plus par là. Mais c'est comme le fond de la cale d'un cargo, on a beau déplacer la cargaison, rien à faire, le navire oscille toujours d'un côté ou d'un autre. Toutes les démocraties sociales en arrivent fatalement au même point de bascule : celui où la moitié du pays dépend de l'autre. Cela devient essentiellement un système de financement de patriciens. Il n'est plus contribut... – Jarred, qui avait un peu forcé sur la tequila, bafouilla. – *Contributif.* Et cela crée des dissensions. Tout le monde est malheureux. La moitié dépendante n'a pas de fleurs. Les patriciens se sentent volés. Et toute cette *équité*, ces cargaisons qu'on déplace, déshabiller Pierre pour habiller Paul...

— Des coûts de transaction élevés, concéda Willing.

— Tout juste. Donc, ce qui avait commencé comme un arrangement raisonnable et simple, dans lequel tout le monde donne un petit quelque chose pour couvrir les modestes besoins communs, comme les routes ou un agent au coin de la rue, se mue en l'un de ces *systèmes complexes* dont tu nous rebattais toujours les oreilles, Noll, de ceux qui flirtent avec « l'effondrement catastrophique ». Le gouvernement devient un mécanisme onéreux, lourd et inefficace pour transférer de la richesse prise à ceux qui font quelque chose à ceux qui ne font rien, et des jeunes aux vieux – et ce n'est pas la bonne direction. Tous ces efforts, pour arriver à quoi ? Une nouvelle forme d'iniquité.

— Je ne vois pas pourquoi vous n'auriez pas le même problème ici, fit valoir Willing.

— Pas mal de vioques – désolé, de *très seniors* – sont partis au moment de la sécession. Ils ne pouvaient pas survivre

505

sans Medicare. Et je te le dis franchement, Noll : les vieux qui sont restés – pour la plupart des personnes nées dans le Nevada ou des retraités nouvellement débarqués qui ont fui en masse –, ils tombent malades. Le Nevada n'a pas de laboratoires pharmaceutiques, et depuis des années, il n'y a plus de médicaments – que ce soit pour l'hypertension, le cholestérol, les angines. Alors ils meurent plus tôt. J'ai vu le cas souvent, mais je suis sûr que si quelqu'un se donnait la peine de faire des statistiques, on noterait ici une forte diminution de l'espérance de vie. Je ne suis pas sûr que ce soit une mauvaise chose. Une opinion largement partagée dans cette partie du monde, mais scandaleuse dans les Quarante-neuf États. Au Nevada, si t'es fragile ou malade, tu dois compter sur quelqu'un d'autre, et pas, collectivement, sur une institution. Mais sur un membre de ta famille, un voisin.

— N'est-ce pas intéressant que cela nous semble si étrange ? demanda Nollie.

— L'État libre est une expérience de retour en arrière, résuma Jarred. Même sur le plan technologique : il ne me semble pas qu'il y ait encore des usines de robots à l'intérieur des frontières. Donc, les bots existants qui tomberont en panne seront remplacés par des êtres humains. Ce n'est pas une réponse à long terme – à un moment, quelqu'un va bien devoir fabriquer ces saloperies –, mais à court terme : la chute de l'automatisation a réellement aidé le marché du travail. Vous verrez, ici, il y a du travail à revendre. Même s'il est principalement peu qualifié et souvent physique, ou alors qu'il nécessite un niveau d'éducation que toi et moi, Willing, sommes très loin d'avoir.

— On s'est donné beaucoup de mal pour arriver jusqu'ici, dit Nollie en balayant du regard la pièce bien plus déprimante que la maison confortable d'East Flatbush qu'ils avaient abandonnée. Je veux être optimiste. Mais alors, en quoi les USN sont-ils tellement mieux ?

— C'est ce que j'ai dit à Goog le 4 Juillet, expliqua Willing. La liberté, c'est une sensation. Pas uniquement une liste de choses que tu es autorisé à faire. Je me *sens* mieux.

On aurait pu croire qu'il venait de prendre sa température.

— Je me sens déjà mieux.

— Crois-le ou non, dit Jarred, mais dans cet État, les formulaires de déclaration de revenus ne font *qu'une page*. Et c'est à peu près la même chose pour tout. Tu n'obtiens pas de permis d'entreprise, de certificat de mariage, de licence de divertissement ou de licence de débit de boissons. Tu diriges une entreprise, tu te maries, tu te divertis et tu bois.

— Quoi qu'il en soit, argua Willing, *le Nevada n'est pas une utopie.*

— Absolument pas ! approuva Jarred avec véhémence. Sûrement pas. Cette ville regorge de losers, de vauriens, de fraudeurs et d'escrocs. Et certaines personnes meurent véritablement de faim. Personne ne t'aide sauf s'il en a envie, et le pire, c'est que pour ça, il doit avoir de la sympathie pour toi. Être dans le besoin ne suffit pas. Les habitants originaires du Nevada sont susceptibles de se donner des coups de main, mais nous, les transfuges des Quarante-neuf États, on est tout seuls. Personne ne nous a demandé de venir, donc on attend de nous qu'on se rende utiles, ou alors qu'on fiche le camp. Au moment de la sécession, les gens s'inquiétaient que seul le noyau dur s'accroche, et que l'État se dépeuple rapidement, jusqu'à ce qu'il ne soit plus viable. Maintenant, ils craignent tous l'inverse : que les réfugiés persécutés par le Scab arrivent en masse dans l'État libre, dans des proportions que le Nevada n'est pas en mesure d'absorber. C'est une des raisons pour lesquelles les gens n'essaient pas plus de faire passer le mot que ce n'est pas si mal, ici.

— Alors, dit Nollie, peut-être que certaines rumeurs hallucinantes qu'on entend aux États-Unis, comme celles sur le cannibalisme et le génocide, sont en fait propagées par les USN.

— Ça ne me surprendrait pas, reconnut Jarred. Moi-même, je suis un peu réticent à porter la bonne nouvelle.

— Mais si, ici, tout le monde est non-conformiste, demanda Willing, est-ce que ça fait de toi un conformiste ?

— Très drôle, répliqua Jarred. Le problème, c'est que les non-conformistes s'entendent rarement. Et tu découvriras bien vite tout ce qu'il est impossible de se procurer ici : des pièces détachées pour ton maXfleX. Des citrons. Tu sais qu'on ne peut faire qu'un nombre de plats limités sans citrons ? Le traiteur chinois, c'est de la bouse, car il n'y a plus ni châtaignes d'eau, ni pousses de bambou ni shiitake – pas même en conserve. On est totalement dépendants d'un type qui a eu la brillante idée de fabriquer des saladiers en bois, sinon impossible de s'en procurer, à moins de les fabriquer soi-même. Le Nevada a lancé ses médias – émissions de télé, films – et l'idée est sympa, mais c'est de la bouse. Les gens écrivent leurs livres, mais ça ne vaut rien non plus.

— Heureuse de l'entendre, dit Nollie. Pas de concurrence.

— Je n'insisterai jamais assez, poursuivit Jarred, sur la méfiance des habitants à l'égard des nouveaux arrivants. Ils se fichent royalement de votre ardeur de nouveaux convertis. Et ne sont pas le moins du moins du monde impressionnés par le courage qu'il vous a fallu pour arriver jusqu'ici. Évidemment, quantité de Lats ont passé la frontière dans l'autre sens quand l'économie du Mexique a décollé. Après la sécession, l'hémorragie a continué. Avec la proportion de républicains autour de Reno et de Carson City, les Lats redoutaient qu'un État indépendant tourne à la répétition raciste de la Confédération. Tout le monde a besoin d'un bouc émissaire, et en l'occurrence, c'est nous. On est les nouveaux *travailleurs sans papiers*. De tous les États-Unis, les gens arrivent avec des attentes irréalistes, sans diplômes et, pire que tout, sans biens. Ils se font retirer leur puce à la frontière. Vous n'êtes pas comme les autres : la plupart ne se rendent pas compte qu'ils auraient pu garder leur voiture.

— La plupart des gens n'ont plus de voiture, lui rappela Willing.

— Je me mords les doigts de n'avoir pas traversé avec le pick-up. Je me déplace sur un vélo tout rouillé qui n'est même pas électrifié. En plein été, avec la chaleur, c'est insupportable. Quant à cette maison, je sais qu'elle ne paie pas de mine. Mais c'est un miracle que j'aie un endroit où vivre. Quantité de transfuges sont sans abri. J'ai cessé de dormir dehors début mai seulement.

— Quel genre de boulot tu fais ici ? demanda Nollie.

— Je travaille dans une usine de fromage, répondit Jarred sans honte. À séparer la crème du petit-lait – je suis la nouvelle Perrette. Le Nevada a toujours eu une industrie laitière, mais n'a jamais été un gros producteur de fromage. Mais tout le monde s'est mis à flipper quand on ne trouvait plus de quoi saupoudrer les tacos. Il y a un meg marché pour le monterey jack. Casa de Queso envisage de se diversifier dans une variante de parmesan. Je connais des types quasiment au bord du suicide parce qu'ils ne peuvent plus se procurer de parmesan.

— C'est dingue, dit Willing, mais j'avais imaginé que tu posséderais une ferme ici.

— Et avec quoi ? Pas de capital, *mi amigo*. Vous verrez par vous-mêmes. Bien entendu, Nollie et toi pouvez vous installer ici, mais même dans le pays de l'autonomie avec un taux d'imposition uniforme négligeable, il pourrait vous falloir un petit moment pour vous faire votre place.

— Je détesterais avoir à m'en séparer, dit Willing, mais vendre ce gobelet pourrait nous procurer suffisamment d'argent pour la caution d'un appartement. La partie supérieure est en or massif.

— Tu te souviens de ce dont tu t'étais plaint quand tu t'étais réinstallé à Brooklyn ? demanda Jarred. Ne pas pouvoir progresser. Ici, de ce point de vue, rien n'a changé. Franchement, c'est la première fois de ma vie que je regrette de ne pas avoir fait d'études. Les gens ici n'ont pas besoin d'un cinquantenaire de plus bon seulement à presser, couper et emballer du fromage. Ils ont besoin de chimistes et d'ingénieurs.

— Tu ferais quoi, demanda Nollie, si tu avais ce capital ?

— Rêver, c'est une perte de temps.

— Mauvaise réponse, dit Nollie.

Jarred consentit à jouer le jeu.

— Je construirais une gigantesque serre et je ferais pousser des citrons.

— Voilà qui est mieux, dit-elle en se tournant vers Willing. Et toi, tu ferais quoi d'un capital ?

Cette maison était laide. Avec ces murs rectangulaires à moitié construits, tout le lotissement était hideux. Mais le coucher de soleil était magnifique. Sur la route qui les conduisait jusqu'à Las Vegas, les montagnes rouges à l'ouest restaient imperturbables à la succession de gouvernements. Le paysage urbain était fantaisiste, la terre sur laquelle il était construit, austère. Cela faisait un bon équilibre. Willing sentait dans tout son corps une légèreté qu'il n'avait pas éprouvée depuis avant l'Âge-pierre. Il se représenta une barre de chocolat comme celles qu'il aimait quand il était enfant, son lourd chocolat soufflé par des centaines de bulles d'air, de sorte que ce qui était lourd et indigeste devenait aérien et léger comme une plume. Il ne savait pas ce qu'il ferait le lendemain, et cela lui plaisait.

— J'obtiendrais un diplôme d'hydrologie à l'université du Nevada, répondit Willing. Je ferais des recherches sur la façon dont les gens comme Jarred peuvent faire pousser des citrons sans que les USN siphonnent tellement d'eau de la rivière Colorado que l'Arizona en arrive à faire intervenir la Garde nationale, et que les protestations du Mexique relatives à la diminution du débit entraînent une crise diplomatique. Avant la sécession, seuls cinq millions de personnes vivaient au Nevada. Washington peut vivre sans leurs impôts. En revanche, le péril qui menace l'indépendance des USN, c'est l'eau. Des tensions avec les États voisins à propos de l'assèchement du lac Tahoe, de la rivière Humboldt et du lac Mead.

— Eh bien ! s'exclama Nollie, tu as sérieusement réfléchi à la question.

— Oui, j'y ai réfléchi. Je trouverais un moyen de contacter Fifa ; ça ne doit pas être trop sorcier. Je les ferais émigrer ici, elle, Savannah et Bing. Peut-être même Goog, qui ne serait pas une telle plaie s'il ne travaillait pas pour le Scab. On habiterait tous ensemble avec Jarred, comme à la Citadelle autrefois. Mais tout serait spacieux et aérien, et non étriqué et effrayant comme dans les années 30. Savannah reprendrait sa formation d'artiste et arrêterait de se prostituer. Elle trouverait un homme plus beau que moi, et je serais jaloux. Bing trouverait sa voie et ferait autre chose qu'être un chic type. Avery et Lowell pourraient quitter Washington et prendre leur retraite dans une maison à eux, sur le même terrain. Les économistes comme Lowell ne croient pas que l'expérience des USN puisse marcher. Ce serait amusant de voir vivre Lowell dans un endroit dont l'existence est impossible. Jayne et Carter quitteraient le Montana pour venir s'installer ici. Jayne arrêterait d'être folle et se rendrait compte que ce n'est pas de solitude dont elle a besoin, mais de vraie compagnie. Tu aurais un bureau à toi. Où tu pourrais écrire d'autres livres que les gens liraient, parce que sinon, on risquerait de s'ennuyer ferme ici. Puis tu mourrais. Je serais triste. Mais ce serait une bonne tristesse, parce que ce qui est triste, c'est de ne pas l'être quand quelqu'un meurt. J'épouserais Fifa. On déciderait d'avoir trois enfants, mais comme on ne ferait pas vraiment attention, on se retrouverait avec cinq gosses.

— Bonne réponse ! s'exclama Nollie en soulevant ses pieds du carton.

Elle retira l'adhésif d'emballage fatigué, ouvrit les rabats, avant de retirer les piles de manuscrits qu'elle posa par terre. Du doigt, elle essuya les gouttes de liquide des kumquats confits tombées sur la table et poussa le gobelet hérité de Bountiful House. Péniblement, des deux mains, elle sortit du carton un manuscrit dans une boîte portant le titre *Mieux vaut tard*. Elle la posa lourdement sur la table, dans le cliquetis des verres de tequila. Elle retira le dessus de la boîte et enleva une cinquantaine de pages.

— Voilà, dit-elle. Le capital.

Le carton était rempli de lingots d'or.

— Je croyais que tu n'avais fait passer que des bancors, dit Willing.

— Je n'avais pas autant la foi dans une nouvelle monnaie, se justifia Nollie. Ni dans une autre, d'ailleurs. J'ai appris de mon père la nécessité de se diversifier. J'ai commencé à acheter ce métal précieux en 1999. À l'époque, l'once était au prix plancher de deux cent trente dollars. Tu sais comme moi comment, par la suite, le prix a évolué.

— Ce trésor est assez conséquent pour intéresser la Monnaie des USN. La population augmente, avec l'arrivée des transfuges en provenance des Quarante-neuf États. Des réserves d'or importantes vont permettre au Nevada d'élargir tranquillement sa masse monétaire sans inflation. Mais tout ça ne me dit pas comment tu as réussi à l'époque à passer la sécurité à JFK.

— Le gouvernement fédéral venait de nationaliser l'or, lui rappela Nollie. Aucune personne saine d'esprit n'en aurait fait entrer aux États-Unis. Les douanes n'en cherchaient pas.

— L'expulsion d'East Flatbush, dit Willing. Je comprends, maintenant. Tu t'es un peu rebellée contre Sam, mais tu as assez vite obtempéré. Ça ne te ressemblait pas.

— Il m'a fallu sacrément prendre sur moi, confirma Nollie. Mais il fallait que je sorte ce carton, qui valait plus que la maison de Florence. N'empêche, j'avais « Maxwell's Silver Hammer » des Beatles dans la tête tout le long du trajet jusqu'à Prospect Park.

» Désormais, la seule et unique condition que je pose est que vous vous souveniez qu'il ne s'agit pas d'une manne céleste. Je l'ai gagné. J'ai passé des soirées entières à travailler devant mon clavier pendant que mes amis écumaient les bars. Lu et relu le même manuscrit tant de fois – dans de multiples éditions, révisions, premières, secondes et troisièmes épreuves, BAT – que j'ai en horreur mes propres phrases. J'ai participé à des manifestations publiques et répété la même chose *ad nauseam*. Pris des vols à 7 heures du matin pour me rendre à des festivals littéraires alors que j'aurais préféré rester dans mon lit. Souvenez-vous aussi, que si je n'avais pas déjà payé des impôts sur ce métal, il y en aurait deux fois plus. Mais ce qui est là, j'aimerais que vous l'ayez. Cela devrait vous payer des études, une maison et un mariage – et, avec ce qu'il reste, de quoi acheter pas mal de citronniers.

Depuis qu'il était enfant, Willing s'était toujours beaucoup intéressé à l'économie et pas tellement à l'argent. Lorsqu'il se rendit compte du montant en continentaux du cadeau de sa grand-tante, il se sentit totalement déboussolé.

Il repensa aux propos de Jarred concernant l'équité. Son oncle semblait penser qu'une telle chose ne pouvait exister. Il ne pouvait y avoir que des iniquités concurrentes. Comme Nollie s'était chargée de lui rappeler, elle avait travaillé dur – plus dur que certaines personnes. Si bien que même une équité avec une répartition « un pour toi et un pour moi » n'était pas tout à fait juste. La fortune Mandible autrefois destinée à son grand-père Carter, ainsi, probablement, qu'à Nollie, bien que celle-ci n'en ait clairement pas besoin, cela non plus, ce n'était pas juste. Ce qui signifiait que la disparition de cette fortune en 2029 n'était pas injuste. Même si « pas injuste » n'était pas la même chose que « juste ». Dès lors, peut-être que la donation de sa grand-tante était non injuste.

Dans sa confusion, il avait cependant bien en tête la seule et unique chose sensée à faire avec l'argent : le dépenser pour autrui. Nollie s'était réjouie de faire ce don à ses neveux. Vers la fin de sa vie, l'arrière-arrière-arrière-grand-père de Willing, Elliot, avait aussi fait en sorte de bien gérer ses ressources pour les transmettre à ses descendants.

Willing avait déjà sauvé une fois le clan Mandible. Cela pourrait devenir une habitude.

Il y avait effectivement une voie ferrée souterraine – qui naturellement n'était ni une voie ferrée ni une suite d'abris. C'était le lieu d'activité d'un groupe bigarré de gens très divers, des vieux bonshommes sans puce qui avaient toujours vécu dans le Nevada et qui savaient conduire – car la population locale croyait, non sans raison, que des satellites pouvaient tout à fait prendre le contrôle du système de guidage des véhicules automatiques sans chauffeur. Ces hommes se faisaient payer pour transporter aux États-Unis ce que leur confiaient les habitants.

Willing commanda une camionnette pour un aller-retour avec trois arrêts. La première escale était New York. Le camion alla chercher Fifa – plus tard, elle dit que c'était comme se faire kidnapper ; Willing, quant à lui, préférait l'expression « se faire Shanghaïer ». Le récit finirait par s'orner d'une veine romantique. Le chauffeur passa ensuite chercher Savannah et Bing, puis, après moult discussions, Goog. À Washington, Lowell s'opposa farouchement à tout départ, jusqu'à ce qu'il apprenne que, après la démission de son fils du Scab, son cours à Georgetown avait été supprimé. Avery était triste à l'idée que sa thérapie de reconditionnement vertical soit inutile au Nevada, même si la raison la réjouissait. La camionnette reprit la direction de Las Vegas en faisant un crochet par le Montana. Jayne était terrifiée, ce qui ne changeait pas de d'habitude. Peu désireux de répéter l'erreur que Nollie avait faite avec leur mère, Carter voulait se réconcilier avec sa sœur avant de n'être plus de ce monde. Il y avait assez de place dans la camionnette pour leur gardien bot et le service en argenterie des Mandible, dont la transmission à la famille élargie donnerait plus de sens à la possession de seize cuillères à thé glacé. Tout se déroula sans anicroche.

Le seul cadeau personnel que Willing s'offrit avec le trésor de Nollie fut de faire désactiver sa puce. La procédure était usuelle dans l'État libre, et plus sûre qu'une exérèse chirurgicale : un faisceau d'ondes radio dirigé sur l'implant mettait définitivement hors fonction les communications satellitaires. L'inventeur de la technologie avait fait fortune, mais Willing ne connaissait aucun habitant du Nevada avec une puce neutralisée prêt à se risquer à retourner légalement aux États-Unis. Dès lors, ce procédé de désactivation n'était peut-être alors qu'un tissu d'absurdités. Willing s'était pourtant senti plus propre après, comme une victime d'abus sexuels qui, ayant dû subir prélèvements, examens et photographies, est enfin autorisée à prendre une douche.

Willing obtint son équivalence du secondaire et son diplôme universitaire, et pouvait se féliciter de la sagesse qui l'avait poussé à choisir l'eau comme objet d'étude : il ne manquerait jamais de travail. Cependant, pour éviter de devenir un rabat-joie de l'hydrologie, une fois par an, le jour de l'anniversaire de sa mère, Fifa et lui s'autorisaient royalement une douche d'un quart d'heure avec paramètre éco désactivé. Ce rituel annuel coûtait plus d'une centaine de continentaux, mais il les valait. Pour le symbole, il avait fait encadrer le billet de cent dollars qu'il avait emporté du silo souterrain du Nebraska et l'avait accroché au-dessus des toilettes dans la salle de bains, où une fois par an la condensation provoquée par leur douche immorale couvrait de buée le cadre du billet.

En prenant de l'âge, Fifa elle-même devint moins rageuse envers les vieux, et son activité d'installation de rampes et d'ascenseurs électriques s'en ressentit positivement, elle-même acquérant une réputation de professionnelle empathique. La plus grande faveur qu'elle faisait aux personnes âgées était d'amener avec elle lors de ses installations quelques spécimens de la nouvelle génération Mandible : les enfants de Bing, de Savannah, de Goog ou les leurs.

Malheureusement, les volumes d'eau requis rendant l'entreprise non viable sur le plan économique, le verger de citrons de Jarred et de Bing périclita. Jarred prit les choses avec philosophie, rappelant à ses ouvriers agricoles frustrés qu'ils avaient tous été dotés par leur Créateur du droit inaliénable à la poursuite du bonheur. Ils avaient malgré tout préservé quelques citronniers en pot à la Citadelle 2, qui produisaient toujours de quoi faire des shots de tequila. Les créations de tissus de Savannah devinrent aussi populaires que possible dans un État essentiellement désertique sous embargo – en d'autres termes, pas vraiment. Avery conçut une autre approche thérapeutique marginale qui attirait quantité de barjots jusqu'à son cabinet à la Citadelle, et dont tous se moquaient quand ils en repartaient. Lowell passait sa retraite penché sur un autre traité expliquant pourquoi, compte tenu de leur « politique monétaire médiévale », l'effondrement des USN était imminent. Déversant sa diatribe devant un public nombreux, il était devenu l'iconoclaste le plus célèbre du Nevada, tandis que Jarred rejoignait les rangs solides des citoyens patriotes. Par goût de la diversité, au départ, tous deux avaient semblé apprécier d'échanger leur rôle, même si, avec le temps, Jarred avait commencé à trouver un peu limité celui de pom-pom manager chargé surtout de cultiver le *statu quo*. Jayne s'était vu refuser une « pièce au calme », même si l'espace ne manquait pas sur la propriété de style moderne espagnol. Bien que mieux adaptée, elle n'avait jamais vraiment cessé de pleurer les pinces à asperges en argent de l'Arrière-Grand-Homme. Désireux de continuer à s'occuper à plus de quatre-vingt-dix ans, Carter lança un journal. Celui-ci tournait à perte, mais remplaçait avantageusement le *Las Vegas Sun* qui semblait avoir véritablement manqué à la population. Tout dans le journal de Carter n'était pas complètement exact, mais les probabilités qu'un fait rapporté dans le journal soit au moins à peu près vrai étaient supérieures à 50 %, ce qui dépassait largement le taux de véracité sur Internet.

Un jour, Kurt arriva en boitant aux portes de la Citadelle 2 par ses propres moyens. Il avait eu un accident du travail dans l'Indiana, et n'était pas un surcroît de main-d'œuvre bienvenu aux USN. Non seulement les Mandible l'accueillirent, mais ils se cotisèrent pour lui payer des implants dentaires. Les caprices de la bonté ne constituaient peut-être pas un substitut fiable à un système de santé, mais la confrontation entre besoins réels et capacité d'épargne donnait le sentiment d'être plus adaptée. Ce n'était ni de la charité forcée ni un acte militant, et la générosité librement dispensée n'engendrait aucun ressentiment.

À son arrivée dans l'État libre, Goog candidata à l'USN Revenue Service, dont il devint le seul agent. Sa principale mission consistait à envoyer, tous les ans, de chaleureuses lettres de remerciement aux contribuables éligibles à l'impôt et suffisamment généreux pour partager le produit de leur activité avec leurs voisins. Il était aussi chargé de se confondre en excuses – de préférence en personne, si le temps et la distance le permettaient – pour les cas bien trop nombreux où l'USNRS s'était trompé dans un calcul d'imposition ou avait égaré la déclaration d'un contribuable. Hélas, les courbettes et les *mea maxima culpa* n'étaient pas le fort de Goog. Pire, la législature de Carson City avait transmis des consignes strictes à son département visant à mettre officiellement ses agents en garde contre tout comportement visant à créer « un climat social de peur, d'intimidation et de prédation », et l'enthousiasme marqué de Goog pour les fonctions punitives de sa charge lui coûtèrent bientôt son poste. Il s'occupa ensuite de la classe de débat du lycée local, et en tant que coach, enseigna à des adolescents précoces comment devenir des m'as-tu-vu et des je-sais-tout qui mettaient à dure épreuve la patience des adultes. Il était très populaire auprès des ados.

En 2057, un immigré des Quarante-neuf États rapporta l'information que l'Australie avait été envahie par l'Indonésie. Le président des États-Unis se fendit d'un communiqué à Canberra dans lequel il exprimait ses plus vifs regrets.

Autres infos : un État palestinien vit finalement le jour, dans l'indifférence la plus générale. La Russie annexa l'Alaska pour ses ressources de gaz naturel. Le porte-parole de la Maison-Blanche souligna que, de toute façon, l'Alaska avait toujours été un territoire très éloigné.

Nollie vécut jusqu'à cent trois ans, s'effondrant un peu avant ses trois mille jumping jacks quotidiens, qu'à ce stade elle effectuait quasiment à quatre pattes. Avant sa mort, elle avait écrit plusieurs autres romans pour la plus grande joie de son lectorat captif. Naturellement, même sur http://usn le piratage se développa, et la plupart de ses lecteurs avaient accès à ses livres sans rien débourser. Après sa mort, l'université du Nevada fit l'acquisition de la matière morte.

En 2064, le taux d'imposition uniforme du Nevada passa à 11 %.

Évidemment.

Table

Collection « Littérature étrangère »

ONSTAD **Katrina**
La Vie rêvée des gens heureux

OWENS **Damien**
Les Trottoirs de Dublin

OWENS **Lisa**
En roue libre

OZEKI **Ruth**
En même temps,
toute la terre et tout le ciel

PARLAND **Henry**
Déconstructions

PAYNE **David**
Le Dragon et le Tigre :
confessions d'un taoïste
à Wall Street
Le Monde perdu
de Joey Madden
Le Phare d'un monde flottant
Wando Passo

PEARS **Iain**
Le Cercle de la Croix
Le Songe de Scipion
La Chute de John Stone

PENNEY **Stef**
La Tendresse des loups
Le Peuple des invisibles

PICKARD **Nancy**
Mémoire d'une nuit d'orage

PIZZOLATTO **Nic**
Galveston

POLLEN **Bella**
L'Été de l'ours

QUINDLEN **Anna**
Nature morte
aux miettes de pain

RADULESCU **Domnica**
Un train pour Trieste

RAVEL **Edeet**
Dix mille amants
Un mur de lumière

RAYMO **Chet**
Le Nain astronome
Valentin, une histoire d'amour

RELINDES ELLIS **Mary**
Bohemian Flats

REMIZOV **Victor**
Volia volnaïa

ROLÓN **Gabriel**
La Maison des belles personnes

ROSEN **Jonathan**
La Pomme d'Ève

ROTHSCHILD **Hannah**
L'Improbabilité de l'amour

RYDAHL **Thomas**
Dans l'île

SANSOM **C. J.**
Dissolution
Les Larmes du diable
Sang royal
Un hiver à Madrid
Prophétie
Corruption
Dominion
Lamentation

SAVAGE **Thomas**
Le Pouvoir du chien
La Reine de l'Idaho
Rue du Pacifique

SCHWARTZ **Leslie**
Perdu dans les bois

SEWELL **Kitty**
Fleur de glace

SHARPE **Tom**
Fumiers et Cie
Panique à Porterhouse

Composition et mise en pages
Nord Compo à Villeneuve-d'Ascq

MARQUIS

Québec, Canada

Achevé d'imprimer au Canada chez Marquis imprimeur inc. en avril 2017

Dépôt légal : mai 2017